Kirsten Fuchs
Mädchenmeute

Roman   Rowohlt Taschenbuch Verlag

Die Autorin dankt der Stiftung
Preußische Seehandlung für die Unterstützung
bei der Arbeit an diesem Buch.

3. Auflage Oktober 2016

Veröffentlicht im Rowohlt Taschenbuch Verlag,
Reinbek bei Hamburg, März 2016
Copyright © 2015 by Rowohlt · Berlin Verlag GmbH, Berlin
Umschlaggestaltung any.way, Barbara Hanke / Cordula Schmidt
Umschlagabbildung Mandy Erskine / Arcangel Images
Satz aus der Adobe Garamond, InDesign, bei
Pinkuin Satz und Datentechnik, Berlin
Druck und Bindung CPI Books GmbH, Leck, Germany
ISBN 978 3 499 21758 6

Das für dieses Buch verwendete Papier ist FSC®-zertifiziert.

Für meine Tochter

TEIL EINS

Das Camp

Es war der Sommer, in dem ich aufhörte, einen knallroten Kopf zu bekommen, wenn ich mehr als drei Wörter sagen sollte. Ich hatte am Ende eine Narbe an der Hand und meinen ersten Kuss bekommen. Ich war sogar fast ein bisschen berühmt geworden. Aber der Reihe nach.

Am Anfang hielt mir meine Mutter eine Anzeige aus der Zeitung unter die Nase. Ein Ferien-Fun-Survival-Camp. Mein Muskel zum Schulterzucken war zu der Zeit super trainiert und ungeschlagen im Fliegengewicht der fünfzehnjährigen Mädchen.

Meine Mutter wusste eigentlich, dass Schulterzucken zwar «ja» und «nein» heißen konnte, meistens aber «nein» hieß.

«Das Camp liegt bei Bad Heiligen», las sie aus der Anzeige vor. «Das ist ein beliebtes Seebad. In Heiligen war dieser Maler.»

«Ach, der!», sagte ich.

Drei Wochen später überreichte meine Mutter mir ein Anmeldeformular. Ihrem Gesicht nach zu urteilen, hätte ich ihr mit einem Jubelschrei um den Hals fallen sollen: «O Mutsch, du bist einfach die Beste!» Sie hatte zu viel Fernsehen gesehen, echt.

«Da muss man sogar eine Bewerbung schicken. Da wollen bestimmt total viele hin. Stell dir mal vor, und von allen Bewerberinnen nehmen sie dann dich.»

Das klang für mich, als ob ein Typ mit Luftballons aus dem Gebüsch springt, wenn man in einen Rest Hundekacke gelatscht war. Mit einem Schild: Sie sind der einhundertste Besucher dieser Hundekacke.

«Oder willst du lieber mit zu Oma?»

Ich zuckte die Schultern. Das Aufregendste im Dorf meiner Oma war, dass manchmal ein Schuppen einfach so zusammenfiel. Im ganzen Ort wohnten nur alte Frauen, denen die Männer weggestorben waren. Die einzige Sehenswürdigkeit dort war der Apothekersohn. Die Witwen humpelten jeden Tag zu ihm.

Wenn ich dort war, begann ich schon nach wenigen Minuten, Schimmel anzusetzen. Oma würde höchstens fragen, ob ich die Haare anders hätte. Sie wollte immerzu über Haare reden. Wahrscheinlich, weil sie nur noch so wenige hatte. Am Kinn zum Beispiel.

Meine Mutter und mein Vater ackerten sich immer durch den Garten. Ging ich raus, musste ich helfen. Blieb ich drin, brüllte mich ein Shopping-Kanal an, den Oma gern sah, obwohl sie nie etwas bestellte.

Also, warum nicht stattdessen in so ein Survival-Camp?

Meine Mama meinte, das wäre gut für mich. War es ja auch, aber sie hatte sicherlich eine andere Art «gut für mich» gemeint.

Je mehr Tage vergingen, umso lieber wollte ich mit zur Oma. Der Apothekersohn war wirklich hübsch. Eine Augenweide, sagte Oma. Vielleicht könnte ich mich mit Absicht in ihn verlieben, dann wäre ich schon mal verliebt gewesen.

Im Café neben der Apotheke gab es sogar Internetempfang. Ich könnte mir ein Eis bestellen, und während es schmilzt, im Rätselforum Rätsel aus der Kategorie «Profi» knacken. Ich war in dem Forum als «Schlaufrau» angemeldet. Man konnte sich dort selber Rätsel ausdenken und Punkte vergeben. Je nachdem, wer am schnellsten auf die Lösung gekommen war. Anfang des Sommers lag ich noch knapp in Führung.

Außerdem könnte ich viel zu lesen mitnehmen. Ich fraß Abenteuerromane. Und Krimis. Ich begann, mir Hoffnung zu machen, dass sie mich bei diesem Camp nicht nehmen würden. Warum auch? Ich war ja nicht bei den Pfadfindern oder so.

Dann kam ein dicker Umschlag, der nicht in den Briefkasten passte. Die Postbotin klingelte extra. Ich konnte durch die Milchglasscheibe sehen, wie sie draußen stand und sich den Umschlag ansah. Sie war ein Mädchen aus dem Nachbarort, das dieses Jahr seine Ausbildung bei der Post abgeschlossen hatte.

«Post für Sie», sagte sie. Letztes Jahr hätten wir uns noch geduzt.

Auf dem Umschlag waren drei Aufkleber. Solche, die man mit Adressen bedrucken kann. Auf einem stand meine Adresse. Auf dem zweiten stand: «Wilde Mädchen». Auf dem dritten: «Der Wald will nichts von dir. Du willst was vom Wald.» Im Umschlag drin wurde es noch besser: «Herzlichen Glückwunsch, du wirst einen tollen Sommer haben.» Drei Ausrufezeichen. Dann folgte eine Erklärung, warum es besser ist, wenn wir ohne Mobiltelefone anreisen. Wir sollten im Camp lernen, uns zu orientieren. Ganz ohne Technik und Internet. Unser selbständiges Handeln und Denken sollte gefördert werden, ebenso das Erleben der Natur. Unten war ein kleiner Zettel zum Abtrennen. Hiermit berechtige ich Sie, meiner Tochter Pünktchen Pünktchen Pünktchen das Mobiltelefon abzunehmen; falls sie doch eines bei sich hat, bladibla ... wird dieses für die Zeit des Camps einbehalten. Erziehungsberechtigter eins und zwei.

Ich war mir sicher, dass meine Mutter das nicht tun würde. Mich ohne Mobiltelefon in den Wald schicken. Sie lachte übertrieben, warf den Kopf in den Nacken. Jaja, das wäre mal eine Umstellung für mich. Manchmal benahm sich meine Mutter, als hätte sie was über Jugendliche gelesen und würde mich mit denen verwechseln, nur weil wir gleich alt waren. Als ob ich ständig am Smartphone hing! Ich hatte zwei Freundinnen. Das war zum einen unsere Katze Nieseweiß, genannt Niesi. Zum anderen war das Severine, die wohnte nebenan. Wenn wir was voneinander wollten, hielten wir die Köpfe aus dem Kinderzimmer und riefen es rüber. So hatten wir es schon immer gemacht. So würde es bleiben. Zum Studieren wollten wir später zusammen nach Potsdam und uns eine kleine Wohnung teilen. Da würden wir nicht mal mehr den Kopf aus dem Fenster halten müssen.

Dieser Mobiltelefonzettel sollte zusammen mit der Anmeldung zurückgeschickt werden. An eine Adresse in Schluchnow. Kannte ich nicht. Klang aber auch so, als ob nur die Schluchnower Schluchnow kannten.

Im Wilde-Mädchen-Umschlag war allerlei Krempel: eine Lupe, eine Trillerpfeife, ein Klappzahnputzbecher. Überall war Pfiffi, das pfiffige Eichhörnchen, drauf. Es hatte ein schwarzes Halstuch um und anstatt Pinselohren zwei Zöpfe. Das Zeug sah aus, als stamme es aus der Kindheit meiner Eltern und wäre inzwischen in einem Container einmal um die Welt gefahren. Die Lupe hatte einen Kratzer, der Klappzahnputzbecher klappte immer wieder von allein zusammen, aus der Trillerpfeife kam Sand. Sollte das so survival-mäßig sein? Extra auf alt gemacht? So wie man selbst eine Schatzkarte bastelt und die Ecken mit dem Feuerzeug ankokelt? War das Camp für Zehnjährige?

Ich fragte meine Mutter, was in der Anmeldung zum Alter gestanden hätte. Sie suchte den Zeitungsschnipsel raus. Er war winzig. Bestimmt die billigste Annonce, die man aufgeben konnte. Da stand ‹ab vierzehn Jahre›. Jetzt hatte ich allerdings Angst, dass auch achtzehn- oder neunzehnjährige Mädchen dabei sein könnten. Die waren schon ganz andere Lebewesen als ich. Da kam ich mir immer vor wie eine Fruchtfliege.

Als Letztes fand ich einen Zettel im Umschlag. Eine Aufzählung, was benötigt wurde und was nicht benötigt wurde. Nicht benötigt wurde zum Beispiel eine Taschenlampe, «wird vom Camp gestellt». Benötigt wurde aber ein Schlafsack, eine Zeckenzange, ein Feuerzeug, festes Schuhwerk (hatte ich gar nicht. Musste extra gekauft werden), Regensachen (hatte ich auch nicht. Haben wir billig gekauft. Hätten wir teurer kaufen sollen), ein Messer mit Etui oder ein Klappmesser (hatte ich nicht. Bekam ich von Papa mit der eindringlichen Aufforderung, dass dieses Messer ihm schon dreimal das Leben gerettet hätte und er es unbedingt wiederbekommen müsse. Jaja, sagte ich), eine Zeigeruhr (hatte ich nicht. Wir kauften eine billige. Auch da hätten wir lieber mehr Geld ausgeben sollen. Die Billige blieb stehen, weil sie zwei Tage nach Beginn der Reise nass wurde. Dabei ging es da erst richtig los).

Als meine Mutter mich am Anreisetag zum Bus brachte, hoffte ich immer noch, jemand würde mich spontan entführen. Treffpunkt war der Busbahnhof in Berlin. Abfahrt: 21 Uhr.

«Oh, spannend», meine Mutter klopfte auf meinen Oberschenkel. «Dass ihr nachts ankommt. Ist das toll!»

«Nee, isses nicht», sagte ich. Meine praktische Draußenjacke raschelte, als ich die Arme verschränkte.

Meine Mutter fand keinen Parkplatz in unmittelbarer Nähe des Busbahnhofes, und deshalb sah mich keine von den Mädchen, mit denen ich die nächsten Wochen verbringen sollte, aus diesem unfassbaren Auto steigen. «Blitzeblank Nowak & Nowak» steht da drauf. Ich hasste das Auto, denn es gab nur zwei Vordersitze. Hinten bei den klappernden Schrubbern und Eimern war ein winziger Klappsitz mit Hüftgurt. Wenn wir zu dritt fuhren, hockte ich da drauf und konnte nicht einmal raussehen, weil die Scheiben ja mit der Werbung beklebt waren. Niemals niemals niemals durfte «Nowak, Nowak und Nowak» auf diesem Auto stehen.

An diesem Tag, als wir zum Camp fuhren, saß ich aber vorne. Mein Abenteuerrucksack war hinten. Bevor ich aus dem Auto stieg, sah ich mich im Rückspiegel an.

«Sieht wirklich schön aus», sagte meine Mutter. Am Vortag hatte sie meine dunkelblonden Haare kinnlang geschnitten. Das würde von meiner länglichen Gesichtsform ablenken … Von meiner langen Nase lenkte es jedenfalls nicht ab.

«Eigentlich siehst du ein bisschen aus wie Prinzessin Diana», sagte sie. Ich warf die Autotür zu und klumpte mit meinen neuen festen Schuhen hinter meiner Mutter her.

Der Bus vom Camp war leicht zu finden. «Wildnis für wilde Mädchen» war auf die Seite gesprüht. Der Bus sah aus, als wollte er eines Tages mal ein großer Bus werden.

Ein Mann nahm mir meinen Abenteuerrucksack ab. Der Mann war klein und dünn und hatte ein Eierpflaumengesicht. Der Schirm seines ehemals weißen Basecaps war gelbgeraucht. Der Mann rauchte auch, als er meinen Rucksack hinten in den Bus schob. Da lagen schon etliche Taschen. Ich sah einen abgegriffenen Armeerucksack und einen lila glänzenden Rollkoffer.

Dann schmiss der Busfahrer die Klappe zu. «Na, dann rein mit dir!», sagte er mit kaputter Stimme.

Als Letzte in den Bus zu steigen, war mein liebster Albtraum, gleich nach dem, einen Kurzvortrag über die wichtigsten körperlichen Veränderungen in der Pubertät halten zu müssen. Vor der ganzen Schule, und immer, wenn ich etwas sagen will, rufen alle «Ausziehen!», auch die Lehrer.

Ich hatte vorher meiner Mutter gesagt, dass ich pünktlich sein möchte und wir früh genug losfahren sollten. Sie denkt immer, sie und das Auto wären nicht gealtert. Zu Hause hatte sie noch ihre Haare zu einer wilden Mähne zupfen müssen. Eine halbe Stunde! Dafür, dass sie jetzt aussah wie Nieseweiß, wenn sich der verhasste dicke Kater auf dem Grundstück blicken ließ. Echt, ich weiß nicht, was Eltern ständig an Kindern auszusetzen haben. Die machen doch gar nichts.

«Wir sind Charlotte Nowak», sagte meine Mutter zu der schwarzhaarigen Frau, die vorne im Bus stand. Ich war noch halb draußen.

«Guten Tag, Frau Nowak. Hallo, Charlotte. Wir haben schon auf dich gewartet.» Die Frau winkte kurz, dabei klapperten ihre Armbänder. Sie hatte vier Ketten um den Hals, mit Perlen so groß wie Puppenaugen.

Sie lächelte, als hätte sie Zahnschmerzen. Diese Lego-männchenfrisur war doch eine Perücke, oder? Bis auf eine Weste mit hundert Taschen sah sie überhaupt nicht survival aus.

Sie gab meiner Mutter die Hand. Ihr gelber Nagellack leuchtete wahrscheinlich im Dunkeln. Da konnte sie im Camp nachts den Weg zum Plumpsklo finden oder die Wild-schweine blenden. Sie war die totale Wildschweinscheuche. Und warum sah sie so angespannt aus?

Das sei der Bruno, sagte sie und zeigte auf den Busfahrer. Sie sei die Inken. Die Ansprechperson. Sie würde gut auf mich aufpassen. Wieso wusste ich sofort, dass das gelogen war, wohingegen mir meine Mutter ganz, ganz, ganz viel Spaß wünschte und mich zum Abschied drückte?

Im Bus roch es nach Keller. Auf den Sitzen hinter dem Busfahrer lagen lauter Beutel. Beutel mit Katzenmotiven. Fünfzehnmal der gleiche Beutel. Alle zugeknotet. Der Kel-lergeruch kam von den Beuteln.

Ich schaute ratlos in den kleinen Bus. Ein schmaler Gang, links und rechts davon je zwei Sitze, eins, zwei, drei, vier Reihen.

Auf jedem Fenstersitz saß ein Mädchen. Vorne, direkt hinter dem Fahrer, saß eine, die war garantiert noch keine vierzehn. Sie war hellblond, hatte ein Mondgesicht und eine Stupsnase. Wenn ich mich neben sie setzte, müsste ich sie vielleicht adoptieren.

Dahinter saß ein Mädchen mit strubbeligen braunen Haaren. Sie kokelte mit ihren Blicken Löcher in die Fens-terscheibe. Sie saß unter dem Notausstiegshammer und sah aus, als säße sie dort mit voller Absicht. Ich fand sie sofort cool.

Sie sah mich kurz an. Ihre Augen brannten lichterloh.

Sie zischte: «Neben mir ist nicht frei. Hier sitzt meine Macke.»

So lernte ich Bea kennen. Ich nannte sie für mich erst einmal Mackemädchen. Eins, zwei, drei, vier, fünf, sechs, sieben waren wir. Mit mir jetzt acht.

Als der Bus aufhörte, mich zu schaukeln, wachte ich auf. Augenreiben half nichts: Draußen war rabenschwarze Nacht. Im Scheinwerferlicht des Busses konnte ich Bäume sehen. Jede Menge Bäume. Wald also.

Neben mir wachte Mimiko auf. Sie war aus Rheinsberg. Ihr Vater war Japaner. Ihre Mutter Deutsche. Sie war hier, weil ihre Eltern fanden, Mimiko wäre zu selten draußen. Sie hatte mir ihr Smartphone gezeigt und es dann wieder in ihre Jackentasche gleiten lassen. Sie hatte gezwinkert, ich genickt.

Im Businneren wurde das Licht angeschaltet. «So! Alle raus!», kam die Raucherstimme aus den Lautsprechern über unseren Köpfen. Dann hustete der Busfahrer in das Mikrophon. «Entschuldigung!», sagte er, als er fertig war mit Husten. «Hier ist es. Wir sind da.»

Alle rutschten auf ihren Sitzen herum. Köpfe drehten sich hin und her. Tuscheln und Gähnen.

Wir stiegen aus, ich als Vorletzte. Ich sah nach oben zum fahlen Mond, der durch die Baumkronen schien. Halbvoll. Weil es hier so dunkel war, wirkte sein Licht sehr hell. In der Stadt war ein Halbmond keine Lichtquelle. Dort war jede Straßenlaterne ein kleiner Mond. Es nieselte ganz leicht, als würden sich die winzigen Tropfen gar nicht bewegen, als hingen sie einfach in der Luft. Es roch so heftig nach Wald, dass mir komisch wurde. Sonst war ich gerne im Wald, aber Wald war für mich ein Ort, an dem besser Tag war. Ich schnupperte noch einmal in die nasse Luft. Irgendein abartiger Gestank wehte ab und an rüber. Außerdem Brandgeruch.

«Mädels! Bei mir!», rief die Frau. Sie stand im Lichtkegel des Busscheinwerfers. Mit Regenschirm. Wegen der paar Tropfen. Sie konnte kaum eine Faust machen zum Regenschirmhalten, ohne sich mit den langen Fingernägeln beinah die Pulsadern aufzuschlitzen. Über ihrer Schulter hing einer dieser Katzenbeutel. Der klapperte bei jeder Bewegung, zusammen mit den Armreifen.

«Noch mal für alle: Ich bin die Inken, eure Ansprechperson. Ein herzliches Willkommen. Im Namen von mir, dem Team und ...», sie lachte wie ein Seehund, «und natürlich im Namen von Pfiffi.»

Neben mir kotzte Mimiko auf den Boden.

Die Inken, immerhin die Ansprechperson, fühlte sich von den Würgegeräuschen nicht angesprochen. Sie redete einfach weiter: «Wir wollten eigentlich mit euch unter freiem Himmel schlafen. Richtig in der Natur. Leider haben wir jetzt nicht so viel Glück mit dem Wetter. Darum haben wir umdisponiert und kommen nun spontan für diese Nacht im Basislager unter. Ich habe auch nur den einen Regenschirm. Leider, leider. Eigentlich braucht ein wildes Mädchen so was ja auch nicht. Oder?»

Die Mädchen hatten sich ihre Kapuzen über die Köpfe gezogen, weil es immer stärker nieselte. Neben mir wischte sich Mimiko den Mund mit einem Taschentuch ab.

Inken schien abzuwarten, ob wir im Chor etwas Zustimmendes rufen würden. Vielleicht: «Ein Pfiffimädchen pfeift auf Regenschirme. Yeah!»

Schweigen im Walde. Zumindest von unserer Seite. Aus dem richtigen Wald kamen alle möglichen Geräusche. Am

Boden kroch etwas, in den Büschen hüpfte etwas, flog dann auf und flatterte durch die Wipfel. Kleine Tiere knusperten gezackte Ränder ins Blattwerk, noch kleinere klopften unter der Rinde kurze Nachrichten. Aus dem finsterschwarzen Wald kamen finsterschwarze Geräusche geraschelt, die einen an Wesen glauben ließen, die nicht im Naturführer standen, und wenn, dann im Kapitel Gespenster. Am seltsamsten war ein pfeifendes Geräusch in den Bäumen. Ein hohes Pfeifen und ein tiefes. Das war alles nicht gut, fand ich. Ich sah plötzlich überall zusammengekauerte, schwarz gekleidete Menschen. Wahrscheinlich waren es Büsche. Stand dahinten ein Auto? Es war für einen Busch zu eckig und zu groß. Vielleicht eine Tischtennisplatte.

Ganz in der Nähe rumste es. Ein Mädchen quiekte. Ich zuckte zusammen. Das Mädchen neben mir erschrak über meinen Schreck, und neben ihm erschrak ein weiteres Mädchen über dessen Schreck. Wir alle hatten unterschiedlich hoch gequietscht. Eine Kettenreaktion, die sich anhörte wie ein kurzes Lied.

«Da ist bestimmt nur ein Ast herabgefallen. Benehmt euch nicht wie Hühner und hört auf, hier herumzugackern. Der Wald will nichts von euch. Ihr wollt etwas vom Wald. Merkt euch das», sagte Inken. «Nachher gibt es noch eine kleine Überraschung für euch. Aber ich will nicht zu viel verraten.»

Na bitte, dachte ich, dann kommt bestimmt die richtige Gruppenleiterin, eine sportliche Frau, lustig und cool. Ohne Ketten und Armbänder und Fingernägel wie Mordwerkzeuge.

Ich versuchte, mich zu orientieren. Etwa zwanzig Meter neben dem Bus stand eine flache Baracke. Dahinter noch mehr Baracken. Sie sahen im Mondlicht alle leicht grünlich aus, als wären sie aus einem See geborgen und hier zum Trocknen abgestellt worden.

Die Inken gab uns die Aufgabe, die Katzenbeutel aus dem Bus zu holen und danach das Gepäck auszuladen. Neben unseren Taschen lagen noch große grüne, verwaschene Seesäcke. Fünf Stück. Wir legten alles neben den Bus, auf den immer nasser werdenden Sand. Unsere Schritte drückten den nassen Sand in den trocknen darunter.

Bald waren überall helle Abdrücke.

Bald waren alle wieder dunkel geregnet und weg.

Während wir unsere Sachen hinten aus dem Bus holten, war der Busfahrer mit seiner Taschenlampe zwischen den Baracken herumgelaufen. Als er wiederkam, flüsterte er Inken eine Nachricht zu. Die Flüsternachricht gefiel ihr nicht. Sie zischte aufgeregt. Ich konnte nicht viel verstehen. Nur das, was er sagte. «Reg dich nicht so auf. Hast du deine Tablette schon genommen?» Daraufhin wurde ein Reißverschluss aufgeritscht. Am Ende hörte ich seine brüchige Stimme sagen: «Ich bin doch morgen zurück.»

Ich drehte schnell meinen Kopf weg, als Inken kam. Sie sah mich komisch an. «Was ist, Charlotte Nowak?» Ohne eine Antwort abzuwarten, wandte sie sich zu den anderen. «Das Gepäck muss untergestellt werden.»

Jede nahm ihre Sachen. Im Pulk liefen wir Inken hinterher, als wären wir alle gleich nach dem Schlüpfen auf diese komische Frau geprägt worden. Kaum waren wir einige Meter vom Bus entfernt, hupte dieser genauso heiser wie sein Fahrer und fuhr in den Wald hinein. Das Scheinwerferlicht nahm er mit. Jetzt war mir auch nach Kotzen zumute.

Etwas rasselte, dann leuchtete es auf, und aus der Richtung des Lichtes kam Inkens Stimme. «Mitkommen! Alle!» Sie trug wahrscheinlich eine Stirnlampe.

Dieses hohle Pfeifen nervte mich. Das war kein Tier. Das war, als ob der Wind in eine Röhre fuhr. Also nichts Gruseliges, beschloss ich.

Hinter der ersten Reihe von sieben Baracken war eine Freifläche. Hier wurde der Brandgeruch stärker. Brandgeruch war auch nicht gruselig, beschloss ich. Nur dieser andere Gestank war abartig. Durch das hohe Gras führte ein Trampelpfad, so schmal, dass kein Fuchs durchschnüren konnte, ohne sich bei Morgentau einen nassen Pelz zu holen. Wir schnürten hinter Inken drein. Der Untergrund veränderte sich. Mein neues, festes Schuhwerk sank nicht mehr im Sand ein. Steinplatten. Zwischen den Ritzen Gräser und junge Bäumchen. Etwas klackerte metallisch. Der Regen wurde stärker, und der Wind testete alles auf Haltbarkeit. Neben dem Versammlungsplatz ragten im Dunkeln drei Fahnenmasten auf. Das Mondlicht rutschte daran herunter. Die Drahtseile, die man zum Hochziehen von Fahnen brauchte, wurden vom Wind an die Maste geschlagen. Mimiko flüsterte mir zu, dass sie das alles scheiße fand. Ich flüsterte zurück, dass ich es auch scheiße fand, zumal ich bemerkte, dass meine neue Jacke nicht dicht war. Hinter uns flüsterte ein anderes Mädchen, dass es oberscheiße sei.

Wir waren an einer etwas abseits stehenden Baracke angekommen. Dreimal so lang wie die anderen. Inken holte aus ihrem Katzenbeutel einen riesigen Schlüsselbund und rasselte alle Schlüssel durch. Sie öffnete die Baracke und sagte, wir sollten die Taschen ablegen, um noch die Seesäcke zu holen.

Ich versuchte, immer hinter und vor jemandem zu sein. Das war ganz leicht, denn die anderen Mädchen machten es genauso, sodass wir alle beieinander blieben. Nur Mackemädchen latschte alleine rum. Neben der lief ja auch ihre Macke.

Als alles in der Baracke verstaut war, zeigte Inken auf die Katzenbeutel. «Jede nimmt sich ein Übernachtungspaket. Darin enthalten sind eine kleine Decke, ein praktisches Handtuch und dreiteiliges Campinggeschirr, bestehend aus Teller, Schüssel, Tasse – alles von Pfiffi, dem lustigen, äh, pfiffigen, na, ihr wisst schon. Folgt mir zu den Schlafgelegenheiten.» Die war echt aus einem Aktenordner gefallen. Warmherzig wie ein Tiefkühlprodukt. Bestimmt nannte sie Brot Aufstrichunterlage oder so.

Das sehr junge blonde Mädchen lief plötzlich neben mir. Alles an ihr schlenkerte herum. Sie war in der Phase, wo wir immer die Katzen weggaben. Sie waren noch niedlich, aber konnten geradeaus laufen. So plötzlich, wie sie neben mir aufgetaucht war, so plötzlich henkelte sie sich auch bei mir ein. Jetzt hatte ich sie also doch adoptiert. Ihre langen blonden Haare kitzelten mich am Arm. Sie sagte mit Kinderstimme, dass sie Antonia hieße. Ich bildete mir ein, dass sie nach Vanille roch. Vielleicht war sie in Wahrheit ein Keks.

Inken führte uns zu einer Veranda, über der ein Dach aus Wellplastik war. Der Regen trommelte auf die Wellplastik – hieß das so? Wellblechplastik? Egal. Inken klappte ihren Schirm zusammen und stellte ihn an die Barackenwand, wo er auch am nächsten Morgen noch stand. «Und jetzt ist genau der richtige Moment für die Überraschung.» Sie nahm den klappernden Beutel von ihrer Schulter und ließ uns alle einmal reingreifen. Wir zogen viereckige Pfiffi-Taschenlampen heraus. Sie sahen aus, wie man sich früher die Zukunft vorgestellt hatte.

«Da sind aktuell keine Batterien enthalten. Leider, leider. Aber wir werden natürlich welche nachreichen.»

Von welchem «wir» redete Inken eigentlich die ganze Zeit? Würde der Busfahrer wiederkommen?

«Na, tolle Dinger, oder?», fragte Inken.

Keines der Mädchen sagte was. Inken hätte auch Tannenzapfen austeilen können. Wenn wir genug Tannenzapfen hätten, könnten wir diese in die Gegend werfen und würden schon irgendetwas treffen. Das war fast eine Taschenlampe.

Eine Taschenlampe war in Inkens Beutel übrig geblieben. «Mädels!», rief sie. «Eine fehlt!»

Die kleine Antonia begann zu weinen.

Ein sehr hübsches Mädchen tat so, als spuckte sie hinter sich.

Ich hätte auch gern irgendwas gemacht. Der Hund vom Nachbarn kratzte sich immer, wenn er nicht weiterwusste.

«WER FEHLT?», kreischte Inken uns an, als ob eine von denen fehlte, die sie gerade anschrie. Gleich danach säuselte sie: «Also, Mädels, wer fehlt?» Das ging so schnell, als ob jemand «hau-ab-komm-her» gesagt hätte.

Das fehlende Mädchen konnte nur Mackemädchen sein. Der traute ich zu, summend auf dem Nachhauseweg zu sein. Die wusste garantiert, wie man einen Wolf zum Heulen brachte.

«Die mit den kurzen Haaren», sagte ein Mädchen aus dem Dunkeln.

Inken schnaufte, dann schrie sie, dass die einzigen Laubbäume zwischen all den Kiefern ihre Blätter einrollten und nun auch wie Nadelbäume aussahen. «TABEA FRANK!»

Schritte näherten sich. «Ich war hinter dem Toilettenhaus, was erledigen. Das Toilettenhaus ist nämlich zugeschlossen, aber so, wie das riecht, will ich da auch nicht rein.»

Inken eilte zu Mackemädchen, Tabea Frank hieß sie also, und versuchte, sie zu umarmen. Sie riss sich die Stirnlampe vom Kopf und leuchtete sich selbst ins Gesicht. Mit der anderen Hand griff sie sich ans Herz: «Ich trage doch die volle Verantwortung für euch. Mädels, macht keinen Unfug, ja? Wir sind mitten im Wald. Ihr dürft niemals, unter keinen Umständen, allein herumlaufen. Ich habe euren Eltern versprochen, auf euch aufzupassen. Das habe ich doch, oder? Ihr habt es gehört. Und das werde ich tun.» Sie sah uns alle nacheinander an. Entweder wusste sie nicht genau, wie man liebevoll guckte, oder sie wollte wirklich aussehen wie ein zwischen die Tür geratenes Frettchen. Dann schaltete sie das Frettchen wieder aus, sagte «alle mitkommen!» und ging los.

«Ich will meinen Koffer», ein Mädchen stand vor der Baracke und bewegte sich nicht. Ich sah im Dunkeln ihr Profil. Sie hatte eine spitze Nase und ein spitzes Kinn. «Ich will meine Sachen!»

«Das heißt ‹möchte bitte›, Yvette», sagte Inken. «Jetzt ist Ruhezeit, und ihr habt euer Übernachtungspaket. Das ist ein Survival-Camp. Wir machen hier Abenteuer.» Mit diesen Worten setzte sich Inken die Lampe wieder auf die Stirn und lief los.

Was soll man machen, wenn die einzige Lichtquelle losläuft? Wir liefen hinterher. Sofort hatte ich wieder Antonia am Arm. Wir gingen ein paar Schritte bis zur ersten Baracke.

«Pro Baracke zwei Mädchen. Du und du», Inken zeigte auf die Mädels und schob sie hinein. Wir gingen zur nächsten Baracke. «Du und du», und Antonia verschwand von meinem Arm.

Inken würde doch nicht auch mit in eine der Baracken kommen? Vor allem bitte nicht mit mir. Oder noch schlimmer: mit einem anderen Mädchen, und ich wäre allein. Dann lieber zu dritt mit Inken. Das erinnerte mich an das Entweder-oder-Spiel, das wir immer in der Schule spielten. Würdest du lieber deine Freundin verraten oder gegen einen Pitbull kämpfen? Solche Fragen.

«Du und du», sagte Inken und schob Yvette und Mimiko in eine Baracke. Ich und Mackemädchen blieben übrig. Tabea Frank. Ich atmete tief ein. Mit der konnte mir wenigstens nichts passieren. Sogar wenn Inken mit in die Baracke kommen würde.

«Schlaft gut!», sagte Inken, leuchtete uns mit ihrer Lampe ins Gesicht und warf die Tür zu. War die wütend, oder wollte sie, dass die Tür auch wirklich zu ist? Wo schlief sie denn? Angst schien sie nicht zu haben. Der Wald wollte ja nichts von ihr, niemand wollte was von ihr. Obwohl der Busfahrer sie schon ein bisschen sehnsüchtig angesehen hatte.

Wir standen eine Weile im Dunkeln, bis sich die Augen daran gewöhnt hatten. Ich tastete mich langsam vor.

«Tabea?», flüsterte ich.

«Sag Bea!», antwortete sie in normaler Lautstärke.

Ich hörte, wie jemand an der Tür fummelte. «Was ist das?», flüsterte ich.

«Das bin ich. Die Tür geht nicht auf.» Sie wurde immer lauter. «Die hat uns eingesperrt. Die hat uns ...»

«Bestimmt nicht», flüsterte ich.

«Bestimmt doch. Hier ist keine Türklinke», auf einmal klang das Mackemädchen nicht mehr cool. Sie klapperte am Schloss herum. Dann knipste sie ein Licht an.

«Hast du eine Taschenlampe? Auf der Liste stand doch, dass wir keine brauchen.»

«If hab keine pfeiff Lifte.» Bea hatte sich eine kleine Taschenlampe in den Mund gesteckt und leuchtete auf das Türschloss. Sie holte ein Klappmesser aus der Hose, klappte es auf und bearbeitete das Schloss. Sie hatte die Tür schnell auf. Das Mondlicht fiel herein. Bea knipste die Lampe aus und steckte sie zusammen mit dem Messer weg.

«Wollen wir nicht einfach schlafen?», fragte ich.

«Meinst du, du kannst heute Nacht hier drin schlafen?»

«Vielleicht», flüsterte ich.

«Super, dann mach das. Kannst ja dann vielleicht auch morgen noch am Leben sein.»

«Gehst du ganz weg? Also, kommst du wieder?»

«Ich geh mal nach den anderen sehen.»

Neben dem Regen und dem hohlen Pfeifen war noch ein weiteres Geräusch zu hören. Ein Rauschen. Wasser. War da ein Wasserfall in der Nähe? Den hätte ich doch vorhin schon hören müssen. Im Mondstrahl konnte ich die Betten sehen. Doppelstock. Ich warf den Katzenbeutel hoch und kletterte hinterher. Oben war man doch sicher, oder? Im Katzenbeutel war eine Zudecke. Ganz dünn. Und winzig. Für Kinder. Oder war das eine Tischdecke? Es war so dünnes Chemiefaserzeug. Ich legte mir die Decke um die Schultern, wobei ich etwas Hartes, Rundes an den Ecken fühlte. Druckknöpfe. Ich machte sie zu und verschränkte die Arme, um mich zu wärmen.

Bea stand die ganze Zeit im Türrahmen.

Wie war ich nur auf die Idee gekommen, dass es mit ihr besonders sicher war? Sie war einfach nicht ängstlich genug für Sicherheit.

«Kannst du die Tür wieder zumachen?», bat ich sie.

«Wenn es dir dann bessergeht …»

Damit verschwand sie.

Das Messer von meinem Vater war im Rucksack. Na, da isses gut, hörte ich meinen Vater sagen. Ich habe dir doch auch die Messertasche gegeben, die man an den Gürtel hängen kann, sprach der Vater in meinem Kopf weiter. Ich antwortete ihm nicht.

Klar, hatte ich Angst, aber da war auch ein anderes Gefühl. Eine Unruhe.

Wenn ich begann, im Rätselforum über ein Rätsel nachzudenken, dann wurde ich ganz unruhig, als wäre ich eingesperrt in mir selbst und meine Gedanken bräuchten mehr Platz. Als stießen sie von innen an meinen Kopf. Als ich im Dunkeln oben auf dem Doppelstockbett saß, an die dreckige Wand gelehnt und allein, während der Regen auf das Dach klatschte, da hatte ich diese Unruhe.

Irgendetwas hier war komisch. Das Dach war undicht. Nicht weit von mir entfernt tropfte es auf den Boden. Und ich war eventuell doch nicht allein. Etwas huschte an der Wand entlang. Je länger die Nacht dauerte, umso mehr fragte ich mich, ob hier eigentlich irgendetwas NICHT komisch war.

Ich wickelte mich fester in die Pfiffidecke. Sogar ich war komisch. Gerade ich. Und das Wort komisch war auch komisch, und es wurde immer komischer, je häufiger ich es dachte. Komischkomischkomischkomischkomischkomischko...

Hey! Hey, du!» Ein Zeigefingerspecht klopfte mir auf die Kniescheibe. Im dämmrigen Morgenlicht konnte ich Bea erkennen, die auf der Hälfte der Leiter des Doppelstockbettes stand. Ich musste im Sitzen eingeschlafen sein, mit dem Kopf nach vorne. Eine Mischung aus Schneidersitz und Rolle seitwärts. Mein Nacken war drei Wirbel länger als am Vortag. Ich fühlte mich wie eine Superheldin, nur weil ich die Nacht überstanden hatte. Schlaf-Woman oder so. Mutig schläft sie an den gefährlichsten Orten.

«Inken ist weg. Und unser Gepäck auch», verkündete Bea und sprang von der Leiter. Rums.

Mein Hochgefühl war auch sofort weg. Auf Inken war geschissen, aber das Gepäck? Meine Lieblingsjacke! Eine Trainingsjacke von meinem Vater. Ich hatte sie, ohne zu fragen, vor einem halben Jahr aus dem Schrank genommen. Eine Jacke von der Freiwilligen Feuerwehr Bernitz, wo mein Vater früher war. Mein ganzer Stolz.

Bea ging nach draußen und ließ die Tür sperrangelweit offen. Ich sah, dass es nebelig war. Nacht und Tag zögerten noch bei ihrer Verabschiedung voneinander.

Ein in gelbe Decken gehülltes Mädchen lief am Fenster vorbei, die Große, Schöne. Sie hatte einen dicken geflochtenen Zopf, der wie gebacken aussah. Das war die, die in der Nacht so getan hatte, als würde sie über ihre Schulter spucken.

Die Leiter vom Hochbett quietschte, als ich runterkletterte. Ich blieb kurz vor der Baracke stehen und lauschte. Da war das Rauschen – wieder oder immer noch. Ein Wasserhahn oder ein pullernder Elefant. Es stank wie Letzteres. Oder schlimmer.

Ich hörte Mädchenstimmen. Wo war denn die Schöne hin? Als ich um die Baracke herumgelaufen war, bot sich mir ein irrer Anblick. Ich blieb stehen.

Im Nebel standen gelbe Mönche um ein schwebendes Feuer. Im Feuer sah ich Bea, ihren Oberkörper. Das alles musste eine optische Täuschung sein. Eine weiße Rauchsäule stieg in den grauen Himmel. Als ich näher kam, löste sich das seltsame Bild auf. Die Mönche waren die Mädchen in gelben Pfiffidecken. Das Feuer hatten sie auf einer Tischtennisplatte angezündet, die von hohen Gräsern umwachsen war, sodass der Sockel nicht zu sehen war. Die alte Tischtennisplatte war zu einem steinernen Floß geworden, das über eine Wildwiese trieb. Bea stand auf der anderen Seite des

Feuers, ich hatte sie durch die Flammen hindurch gesehen. Das Feuerholz knallte.

Einige Mädchen erschraken und lachten. Von der nächtlichen Angst war nichts mehr übrig.

«… jedenfalls habe ich jetzt nur noch drei Pferde», beendete gerade ein Mädchen seinen Satz. Es war die mit der spitzen Nase und dem spitzen Kinn. Sie hatte lila gefärbte Haare.

«Na, und du heißt Leuchtturm oder was?», fragte sie mich.

Ich begriff den Satz überhaupt nicht. Leuchtturm? Dann wurde ich rot.

Als sie dann noch sagte, «oh und du leuchtest sogar!», lachten alle.

«Das ist Charlotte», sagte Antonia und stellte sich neben mich. Wenn die Kleinste für die Größte spricht, dann ist man als Größte plötzlich kleiner als die Kleinste.

Dreipferdemädchen sah von mir zu Antonia: «Ihr seht aus, als ob ihr beim Hoch- und Tiefbau arbeitet.»

Die Mädchen kicherten. Einige entschuldigten sich bei mir dafür, lachten aber trotzdem.

Ganz kurz glaubte ich, dass eine von ihnen ganz schrill kicherte, dann wurde mir klar, dass da jemand schrie. Nicht weit weg.

Der Schrei wurde schriller und lauter. Wie ein Stich durchs Ohr ins Angstzentrum.

«Mimiko», sagte Bea und rannte los.

Ich sah mich kurz um. Sah Mimiko nicht. Ohne weiter darüber nachzudenken, stürzte ich hinter Bea her. Sie war die Einzige hier, der ich mich blind anvertraut hätte. Und weil sie losrannte und weil ich losrannte, rannten alle los. Um eine Barackenecke, um eine weitere, noch eine. Der Stoff von Beas Hose pfiff atemlos. Ich hinterher, hinter mir alle anderen. Über den Versammlungsplatz, um noch eine Baracke, das hohe nasse Gras peitschte an meine Beine. Woher wusste Bea, wo wir hinmussten? Ich hätte die Schreie nicht so genau zuordnen können. Sie klangen schon viel weiter weg. Und gar nicht wie ein Mädchen. Eher wie ein Junge, der wie ein Mädchen schrie. Wie ein Vogel, der wie ein Junge schrie, der wie ein Mädchen schrie. Ich rannte und rannte. Der Nebel dämpfte alles grau in grauweiß. Dann war nichts mehr zu hören.

Bea blieb stehen. Wir waren an der Baracke, in die wir heute Nacht unsere Rucksäcke gebracht hatten. Die Tür stand offen, obwohl Inken sie abgeschlossen hatte.

Die anderen Mädchen kamen angeflogen wie eine Schar Kanarienvögel, die gelben Pfiffidecken flatterten um ihre Schultern. Als sie bei uns landeten, waren alle aus der Puste, und dass Mimiko nicht hier war, ließ sie nicht gerade ruhiger werden.

«Wer hat denn geschrien?», fragte die Schöne. Sie sah sich um, nach oben – als ob so weit oben jemand sein könnte, nach unten, als ob unter der Erde jemand sein könnte. Sie schien mir etwas verrückt. Dann spuckte sie wieder über ihre Schulter. Das war doch irgend so ein Geisterding, oder?

Der größere Aufreger war, dass die Taschen weg waren. Mein dies, mein das, jammerten alle … bis sie das Blut sahen. Auf dem Boden der Baracke glänzte eine große, dunkelrote Pfütze. Vergessen war mein dies und mein das. Kein Zweifel: Das war Blut. Frisches Blut. Oder doch nicht?

An den Wänden prangten zwei große Schriftzüge und mehrere Symbole. Alle braun. Und verblasst. Das war auf jeden Fall Blut. Aber altes. Das war nicht von letzter Nacht. Den Schriftzug an der hinteren Wand sah man sofort, wenn man reinkam. Da stand: *Brüder der Sünde*. Das B und das S waren reich verziert, wie der Siegelstempel einer adligen Familie. Wahrscheinlich war dieses Blut durch eine Schablone gespritzt worden. Aus einer Blutsprühdose? Das sind so Fragen, die ich mir vorher auch noch nie gestellt hatte. Gab es Blutsprühdosen? Normalerweise schaute ich bei solchen Fragen sofort im Internet nach. Unwissen störte beim Nachdenken total. Das war dann kein Denken, das war Vermuten. Das war mit einer falschen Karte durch einen unbekannten Wald fahren.

Der andere Schriftzug stand an der Seitenwand über dem Fenster, in einer verschnörkelten Schreibschrift: *Orden der gemein Niederdracht.*

Über der Schrift glänzte etwas. Hinter «gemein» war «en» ergänzt worden. Das zweite d in Niederdracht war durchgestrichen, daneben stand ein t geschrieben. Die Buchstaben waren frisch. Hier war die Rechtschreibung mit blutigen Mitteln verteidigt worden. Das nahm der ganzen Sache einen großen Teil ihrer Schaurigkeit. Satanisten mit Rechtschreibschwäche waren wie Vampire mit Zahnspangen. Blieb trotzdem die Frage, wo das ganze Blut herkam.

Einige Mädchen gingen ein paar Schritte in die Baracke hinein. Andere drückten sich am Eingang herum, ich stand ganz hinten und schaute über ihre Köpfe. Auf dem dreckigen Linoleumboden sah ich dreckige Fußabdrücke. Mindestens fünf verschiedene Schuhprofile konnte ich unterscheiden. Und da war noch ein halber, ein blutiger Abdruck. Der halbe war nur der vordere Teil eines Schuhs.

«Ein Teufelsfuß!», sagte die Schöne und legte danach eine Hand auf ihren Mund.

«Zumindest haben wir es nicht mit einem Vampir zu tun», sagte eine mit einer karierten Hose und grinste breit, «der hätte nicht das ganze leckere Blut hier so verkleckert, oder?»

«Kennst dich bestimmt aus mit Vampiren? Wegen der Zähne.» Dreipferdemädchens Sprüche waren echt wie am Stromzaun lecken. Mit diesem Spitzgesicht wollte ich auf keinen Fall Ärger bekommen.

«Sag mal, versuchst du, witzig zu sein? Versuch mal lieber, scheiße zu sein. Das könnte dir ganz gut gelingen.» Das war ein Punkt für das Mädchen mit den zugegebenermaßen echt großen Zähnen. Aus ihren Schneidezähnen könnte man Badezimmerfliesen machen. Sie bekam kaum den Mund zu, aber sie grinste sowieso die ganze Zeit, als ob ihr inneres Gedankenradio eine ulkige Sendung nach der anderen brachte. Ich mochte sie. Sie hatte einen Pferdeschwanz, Grübchen und diese Zähne.

«Mann, die Mimiko ist weg, und ihr macht hier Sprüche!», sagte die kleine Antonia.

«Recht hat sie!», stimmte Bea zu.

Ich sah mir das Blut an. Es kam nirgends her, es floss nirgends hin. Es gab keine Spritzer, keine Schmierer. Es lag so friedlich da wie ein Blutsee. Das war bestimmt mindestens … so was schätzte sich echt schwer. Wenn man vier Packungen Milch auskippte, müsste das eine Pfütze von … Mann, keine Ahnung, gab es dazu eine Formel? Liter mal Gerinnung gleich Fläche? Verhielt sich Milch überhaupt wie Blut? Ich schloss die Augen und stellte mich zu Hause in die Küche, dort war der Boden abwischbar. Dann öffnete ich einen Gedankenkühlschrank und nahm vier Packungen Milch raus. Dann noch mal zwei. Ich riss sie Kraft meiner Gedanken auf und kippte eine nach der anderen auf den Boden, den meine Mutter im Alleingang ausgesucht, mein Vater dann allerdings im Alleingang verlegt hatte. Schon nach drei Packungen Milch hatte die Pfütze eine vergleichbare Größe. Nun lass mal Blut noch dicker sein, sagte ich mir. Dann waren das hier gute vier Liter Blut. Ein durchschnittlicher Mensch hat fünf bis sechs Liter Blut. Dann müsste einer also komplett ausgelaufen sein, oder zwei Menschen halb. Wo war Mimiko? Bevor meine Gedankenmutter in die Gedankenküche gerannt kam, die Hände über dem Kopf zusammenschlug und losmeckerte, stupste mich das Mädchen mit den großen Zähnen an. «Hey, träumst du?»

Ich schüttelte den Kopf. Flüsterte ihr zu: «Hier ist bestimmt nichts Schlimmes passiert. Hier hat jemand einfach einen Eimer Blut hingekippt. Vielleicht nicht mal Menschenblut.»

«Echt?», flüsterte sie zurück. «Meinste?»

«Guck mal, keine Spritzer, keine anderen Spuren.»

Ihr Kopf nickte. Ihre ganze Mimik stimmte mir zu. Ein leises: «Stimmt!»

Mir wurde ganz warmheiß und supergut.

«Ich bin Rike!»

«Ich bin Charlotte.»

«Charly», grinste sie. «Okay!» Dann schüttelte sie meine Hand.

Als alle Mädchen wieder draußen waren, ging ich einen halben Schritt in die Baracke hinein und sah mich noch einmal um. Ich hielt meinen Fuß neben die Schuhabdrücke. Deutlich größer als meine Schuhe. Und ich hatte keine kleinen Füße. Der äußere Bogen des halben Abdrucks war schräg gestrichelt, darin ein paar gerade Striche. Dann so was wie Waben. Das kam mir bekannt vor. Das waren Chucks, oder? Mann verdammt, hätte ich jetzt gerne in eine Suchmaschine getippt: Sohle von Chucks, Bildersuche. So musste ich wieder meine Augen schließen, den Gedankenflur in unserem Gedankenhaus entlanggehen. Die Gedankenchucks von mir hochheben und druntergucken. Ja, Striche, Striche, Waben. Hatte ich es doch gewusst.

Na prima, nach jemand mit Chucks konnte man echt nicht suchen. Das war ein Stück Heu im Heuhaufen suchen. Eher findet man die Nadel, echt.

Ich ging ganz nah an die Pfütze in der Mitte des Raumes heran. Blutlache, Bildersuche. Frisches Blut, Bildersuche. Wie schnell gerinnt Blut? Hat Schweineblut eine andere Farbe als Menschenblut?

Bea riss mich aus meinen Gedanken. «Willste noch dran lecken? Dann weißte, ob einer von den Kaninchensatanisten Alkohol getrunken hat. Los, komm, die machen Versammlung oder so was.» Sie latschte raus. Sie trug Chucks. Graue. Wieso trug sie kein festes Schuhwerk? Das hatte doch auf der Liste in dem Brief ganz oben gestanden.

Beim Rausgehen sah ich über der Tür eine weitere Blutschmiererei. Ein Kaninchen. Es war mit dem Finger gemalt worden. Hallo! Fingerabdrücke! Geht's noch?

Kaninchensatanisten, hatte Bea gesagt. Aber sie war doch gar nicht in der Baracke drin gewesen. Von draußen konnte sie es nicht gesehen haben. Und noch etwas fiel mir auf. Bea hatte mich vorhin mit der Nachricht geweckt, dass unser Gepäck weg war. Das heißt, sie hatte es schon gewusst, bevor wir es herausgefunden hatten. Ich trommelte mir mit Zeige- und Mittelfinger auf die Oberlippe. Das hier war ein Echträtsel.

Wo war das Gepäck?

Warum war es weg?

Wer war das?

Verdächtige: alle mit Chucks, vor allem Bea.

Warum sollte sie Blut auskippen? Wo hatte sie das her? Wo war Mimiko?

Draußen standen alle Pfiffidecken-Mönche im Kreis und redeten durcheinander.

Der Nebel hatte sich inzwischen zurück in den Boden gelegt. Die Sonne leuchtete das Barackendorf ordentlich aus – sodass ich mich auf einmal an einem echt schönen Ort befand. Hier könnte man eine phantastische Zeit erleben. Die Vögel klangen fröhlich, übermütig überholten ihre Stimmen sich selbst, schlugen Purzelbäume in den kleinen, gefiederten Kehlen. Eine dicke Frühaufsteherhummel brummte in Richtung Wald davon.

«Also, ich würde jetzt erst einmal das Gepäck suchen.»

«Wir sollten hier schleunigst weg.»

«Ja, aber ohne meine Tasche gehe ich nirgendwohin.»

«Vielleicht sollten wir die Polizei rufen.»

«Wie denn, ohne Smartphone?»

«Wir sollten hier abhauen. Sofort! Eine ist verschwunden und dieses Blut ...»

«Vielleicht gibt es hier Geister», überlegte die Schöne und sah sich um.

«Entweder hat Inken Mimiko umgebracht oder ...», flüsterte Antonia.

«Oder Mimiko Inken, oder der Busfahrer Mimiko ...», sagte ein Mädchen, das bis jetzt noch gar nichts gesagt hatte. Die fettigen Haare hingen ihr wie ein Vorhang übers Gesicht. Sie trug eine braune Wildlederhose und ein schwarzes Jungshemd. «Oder der Busfahrer Inken oder Inken den Busfahrer», leierte sie runter, und währenddessen zuckte ihr Kopf in regelmäßigen Abständen leicht zur Seite, wobei sich der Haarvorhang immer kurz öffnete. Dahinter waren mordshellblaue Augen. Also, wenn ich so aussehen würde, dann würde ich versuchen aufzuhören, so auszusehen. Wenigstens die Haare würde ich mir waschen.

«Ich kann es jedenfalls nicht gewesen sein. Mein Multifunktionstool ist in meinem Rollkoffer. Außerdem mein Zippo mit Gravur und mein Schlafsack mit echten Gänsedaunen», Dreipferdemädchen bog einen Finger nach dem anderen um. Was sie alles besaß. Die Finger reichten gar nicht aus.

«Ein Messer trägt man am Körper.» Der Haarvorhang wurde kurz weggeschüttelt und rutschte wieder zurück. An ihrer Wildlederhose hing eine abgewetzte Messertasche. Die war nicht extra für das Camp angeschafft worden. Die trug sie immer.

«Ich glaube nicht, dass hier was Schlimmes passiert ist», sagte jemand meine Worte, aber ich war es nicht. Neben mir stand Rike, und sie stupste mich. Ich tat nichts.

«Also, bei dem Blut», sagte Rike, «da gab es keine Spur hin und keine weg, und auch keine Spritzer. Das sieht eher so aus, als ob jemand einen Eimer ausgekippt hätte.»

Alle nickten. Ich freute mich.

«Das kann ja zu dem Camp dazugehören. Ein Test oder so. Oder ein Spiel», überlegte Rike.

«Trotzdem ist Mimiko weg. Und das Gepäck.» Antonia kratzte an ihrer kleinen Nase.

«Wir sollten Inken suchen.»

«Wir müssen Mimiko suchen.»

«Wir sollten echt die Polizei …»

«Nee, nichts Polizei», unterbrach Bea. «Inken ist weg. Die müssen wir hier nicht suchen.»

«Woher willst du das wissen?» Dreipferdemädchen schob ihr spitzes Kinn nach vorne.

«Ich habe sie schon gesucht. Sie war nicht da.»

«Du brauchst so ein Survival-Camp gar nicht mehr, oder? Indianername Die-alles-schon-weiß, oder wie?»

«Na, du brauchst so ein Camp auf jeden Fall. Indianername Lila-gefärbter-Unfrieden.»

«Ich heiße Yvette. Falls du dich fragst, wer deine neue beste Freundin ist. Die Yvette. Und die will nicht nur spielen.»

«Fein, ich bin Bea. Ich höre dir auch gern zu, wenn du nichts sagst.»

Sicherlich hätte das noch lang so weitergehen können, wenn Antonia nicht gequietscht hätte: «Der Bus, ich höre den Bus. Ich glaube, der Bus kommt. Hört ihr den auch?»

Ich hörte dieses Wasserrauschen, und dann hörte ich auch den Bus.

Rike sagte: «Wir können nichts hören, wenn du die ganze Zeit schreist.»

Antonia hielt sich mit beiden Händen den Mund zu.

Tatsächlich tuckerte ein Geräusch im Wald. Der Bus. Oder jedenfalls ein Bus.

«Ach, Scheiße. Ich dachte, sie kommen nicht wieder», sagte Bea. Auch ich war nicht scharf darauf, den Tiefkühler Inken wiederzusehen, aber inzwischen hatte ich einen Frühstückshunger, der zu Kompromissen bereit war. Bestimmt gab es gleich Pfiffi-Minztee und ein paar gelbe Pfiffi-Brötchen.

Wir machten uns auf den Weg zum Eingang des Barackendorfes. Dorthin, wo die Straße aus dem Wald kam und dann einfach zu Sand wurde.

Das Tor bestand aus zwei eckigen Backsteinsäulen. Links eine. Rechts eine. Geschätzter Abstand knapp eine Busbreite. Geschätzte Höhe drei Meter. Auf jeder der Säulen war ein Rest Torbogen zu sehen. Ein braunes, gebogenes Schild. In der Mitte fehlte der größte Teil. Bestimmt hing dieser mittlere Teil im Heimatmuseum der Region. Oder ein verrückter Sammler hatte ihn bei eBay ersteigert.

Aus dem Metall waren Buchstaben ausgestanzt, durch die man hindurchsehen konnte.

«NNAML OIP», Dreipferdemädchen Yvette schüttelte den Kopf, «was soll das denn heißen?»

Ich flüsterte Rike zu: «Sie muss es von der anderen Seite lesen.»

Rike grinste und knuffte mich mit dem Ellenbogen.

Davon ermutigt, flüsterte ich weiter: «Das war bestimmt ein Pionierferienlager. Vielleicht Ernst Thälmann.»

Als Rike mich komisch ansah, schob ich nach: «So hieß die Fabrik, wo meine Eltern früher gearbeitet haben. Irgendein Kommunist.» Das sagte meine Oma immer. Inzwischen sagte sie es, wann immer irgendein Name fiel. Selbst wenn Nachbars Hündin warf und die Welpen Rolli, Trolli und Schwarzer-Fleck-am-Nacken hießen, behauptete meine Oma, das wären irgendwelche Kommunisten.

«Man muss es von der anderen Seite lesen», sagte Rike laut. «Das hieß bestimmt Pionierferienlager Ernst Thälmann.» Sie hatte wirklich eine große Klappe.

«Woher willst du das wissen?», zischte Yvette.

Rike sah mich kurz an, und ich glaube, noch bevor ich meinen Kopf leicht schüttelte, sagte sie: «Ich habe nachgedacht. Mit meinem Gehirn. Das Ding zum Nachdenken. Im Kopf.»

Ich war froh, dass Rike nicht die Aufmerksamkeit auf mich gelenkt hatte. Dankbar lächelte ich sie an. Sie grinste zurück.

Zwischen den Bäumen kam der Bus in Sichtweite. Auf der Seite der Schriftzug: Wildnis für wilde Mädchen. Er rumpelte durch den Kiefernwald und blieb erst stehen, als die Straße zu Ende war. Direkt vor uns. Die Vorderreifen standen schon fast im Sand.

Vorne saß nur der Fahrer, der speckige Bruno. Er starrte uns durch die Scheibe an, dann kam er raus.

«Wo ist unser Gepäck?», fragte Yvette.

Wusste er nicht. «Inken kommt abends. Baumaterial muss ausgeladen werden. Is drin und hinten.» Er hustete und zeigte mit seinen unrasierten Fingern zum Bus. Dann setzte er sich auf einen Baumstumpf und versuchte, dort festzuwachsen.

Wir legten unsere Pfiffidecken ab und luden aus. Dazu bildeten wir eine Kette. Ein Brett nach dem anderen wurde aus dem Bus gereicht. Es waren zerlegte Regale und Schränke, alte Türen und Bretter. Auf einigen Brettern hatte jahrelang irgendwas draufgelegen. Wie durch eine aufwendige Form der Belichtung waren Schattenrisse auf dem Holz entstanden. Ich hatte mal im Fotolabor meiner Schule so was gemacht. Mit Blättern, die wir am Staudamm gesammelt hatten. Aber auf Fotopapier, nicht auf Brettern. Auf den Brettern waren ganz deutlich Schlüssel zu erkennen. Auf einem anderen Schlösser. Bei anderen war nicht so klar zu sehen, was das alles gewesen war. Rahmen, Bücher, Portemonnaies. Dann erkannte ich noch was: Ketten, Haarreifen, Armreifen.

Nach den versifften Brettern luden wir alte Latten ab, dann olle Leisten. Zum Schluss riesige Planen. Schwarz mit einer Schrift drauf. Bestimmt fünf oder sechs Stück. Man konnte nicht lesen, was da stand, weil die Planen zusammengefaltet waren.

«Damit kann man nichts bauen», sagte das Mädchen mit

dem Messer an der Lederhose. Sie zeigte auf den Haufen Zeug, und der Ärmel ihres schwarzen Hemdes verrutschte. Die Oberarme waren weiß. Die Unterarme aber total braun. Ihre Stirn hinter dem Haarvorhang war blass und pickelig. Sie hatte sich nicht gesonnt. Sie war einfach oft draußen und immer mit diesem aufgekrempelten Hemd. Sie war auch eine Art Echträtsel. Warum diese Bräune? Warum diese Haare? Warum die Hose, das Hemd, das Messer?

«Wir brauchen Schrauben», sagte sie zum Busfahrer. «Und Schraubendreher.»

«Da sind Nägel drin», antwortete er und zeigte auf einen weiteren Katzenbeutel. «Hammer gibt's nicht. Müsst ihr Steine nehmen. Inken kommt bald.»

Das Messermädchen nickte und verfiel wieder in ihr tiefes Schweigen. Sie war von allen die komischste. Mit Abstand.

Als wir alles ausgeladen hatten, verabschiedete sich der Bruno mit der wenig konkreten Information: «Inken kommt. Inken kommt gleich. Bald.»

Yvette stellte sich vor ihm auf und bedrohte ihn mit ihrem hochgereckten Kinn. «Fahr uns zum Bahnhof!», sagte sie. Das klang – drei oder vier Pferde hin oder her – nicht nach guter Kinderstube. Wie heißt das? Würdest du uns bitte zu einem Bahnhof fahren? Außerdem hatte sie uns gar nicht gefragt, ob wir zum Bahnhof wollten.

Der Busfahrer schüttelte den Kopf und zeigte wegwerfend in die Umgebung: «Hier, ihr habt doch euer Camp. Fängt doch gerade erst an. Eure Eltern haben doch ordentlich Geld dafür bezahlt.» Er stieg in den Bus, lupfte das speckige Basecap und fuhr ab.

Wir sahen ihn nie wieder.

Yvette keifte ihm hinterher, dass ihr Vater ihn wegen «vernachlässigter Aufsichtspflicht» verklagen werde, und danach könne man ihn aus dem Toaster kratzen. Ein bisschen rot war sie geworden, während sie sich aufregte. Das sah ganz schlimm aus zu ihren lila Haaren. Ich fragte mich, warum sie überhaupt hier war.

Inken kam weder gleich noch bald. Das machte uns weder froh noch traurig. Gegen Mittag veränderte sich die Stimmung. Der Hunger ist ein böses Tier, das liebe Tiere frisst.

Einige Mädchen setzten sich sehr heftig für das Hierbleiben ein. Unter anderem Rike. Sie sagte, sie habe lange für das Camp gespart und wolle hier was lernen.

«Du hast dafür gespart?», fragte Yvette. Sie schien das Wort «gespart» noch nie vorher ausgesprochen zu haben.

«Ja, sogar gearbeitet.»

Sie wollte bestimmt, dass niemand es sah, aber man sah es: Das beeindruckte Yvette total. Dann reckte sie die piksige Nase hoch: «Hast du als Fahrkartenautomat gearbeitet? Oder als Osterhase?»

«Nee, wenn du es wissen willst. Ich habe meinen Körper verkauft.» Rike nickte langsam. «An Zahnfetischisten.»

Wir lachten. Laut und frei und in den Tag hinein. Yvette lachte mit.

Sie war übrigens auch für Hierbleiben. Sie sagte, Inken müsse erst mal wiederkommen und erklären, was das hier soll. Das klang wie von einem Erwachsenen. So blöde! Ich meine Erwachsene! Sie wollen ständig freihaben, und wenn sie dann freihaben, putzen sie das Klo von außen.

Als wir abstimmten, hob sich mein Arm für Bleiben.

«Warum?», fragte ich meinen Arm, denn mein Kopf wusste es nicht so genau. Acht Gründe gab es:

- das Gepäck wieder haben wollen (die Trainingsjacke von Papa)
- mit Rike befreundet sein wollen
- wissen wollen, wer die Kaninchensatanisten sind (wissen wollen, ob sie verpickelt zwölf sind oder wenigstens verpickelt fünfzehn)
- wissen wollen, was mit dem Messermädchen war
- Bea beeindrucken wollen (vielleicht sogar mit ihr befreundet sein wollen)
- nicht zur Oma wollen (nirgendwo sonst hinwollen)
- alles wissen wollen (alles)
- wollen!

Das Wollen war so stark wie ein Niesreiz. Ich glaube, in dem Moment brach ein Teil meine Pubertät voll durch. Das Wollen oder Nichtwollen. Irgendwie so was.

Nur ein Mädchen war fürs Nach-Hause-Fahren. Die Schöne. Ein braunhaariges Rapunzel, ein gut genährtes mit roten, runden Wangen. Anuschka hieß sie. Sie sagte, ihre Eltern seien verreist und wir sollten einfach alle mit zu ihr kommen. Essen gäbe es auch genug. Das sei doch besser als hier. Sie komme aus dem Erzgebirge, da sei es überhaupt schön.

Das klang zwar alles richtig, aber ich war trotzdem dagegen. Vielleicht gerade, weil sie so erwachsen wirkte, weil sie so sanft und klug redete. Und weil bei mir ja gerade erst das pubertäre Wollen und Nichtwollen ausgebrochen waren.

Fünf zu eins fürs Hierbleiben. Jemand fehlte. Ich sah gleich, dass es Bea war, aber ich sagte nichts. Da ich jetzt für das Sagen von Sachen, die ich selbst nicht sagen wollte, jemanden neben mir stehen hatte, dem ich nur sagen musste, was ich nicht sagen wollte, sagte ich also leise zu Rike, dass Bea fort wäre.

«Tabea fehlt!», verkündete Rike.

Während wir herumdiskutiert hatten, war Bea unbemerkt im Wald verschwunden. Und als wir dann herumdiskutierten, warum hier einer nach dem anderen verschwand, tauchte zumindest Bea wieder auf. Plötzlich stand sie da, einen Stock über der Schulter, an dem hinten eine zusammengeknotete Pfiffidecke hing. Wie ein Müllerbursche, der mit seinem Bündel hinaus in die Welt geschickt worden war. In der Decke hatte sie Himbeeren, einige Baumpilze, Brennnesseln, Löwenzahn und anderes Gewächs.

Für mich war Bea größer als groß. Ich glaube, sie war das einzige Mädchen, dem Chuck Norris guten Tag sagen würde.

«Das sind Hallimasche, da kann deinem Bauche unwohl werden», sagte das Messermädchen.

«Ich weiß», sagte Bea. «Ich will sie kochen, Freigunda.»

«Freigunda?», fragte Rike. «Echt? Ohne Scheiß?»

Freigunda nickte.

Wo kam sie her, diese Freigunda, und fuhr man da mit der Zeitreisemaschine hin?

«Ich koche die Hallimasche, aber dazu brauche ich einen Topf. Yvette? Weißt du, wo einer ist?» Beas Augen grinsten.

Die Angesprochene benutzte ihr Kinn als Zeigefinger: «Die da hat gesagt, dass sie ihr Gehirn benutzen kann. Soll sie suchen!» Sie zeigte, ohne hinzusehen, auf Rike. Rike wiederum zeigte ihre großen Zähne und dann auf mich. Mir blieb fast das Herz stehen. Sie wollte doch jetzt nicht verpetzen, dass ich die mit dem Gehirn war.

«Charlotte und ich gehen suchen.»

Da schlug mein Herz wieder. Stark und froh. ‹Charlotte und ich› klang in meinen Ohren sehr gut.

«Kann ich mit?», fragte die kleine Antonia.

‹Charlotte, Rike und die kleine Antonia› klang nicht ganz so gut und fühlte sich ein bisschen an wie Mutter-Vater-Kind, aber okay.

Ich nickte.

«Bringt mal auch Wasser mit!», rief uns Bea hinterher.

Ich nickte. Alter, das war das coolste Nicken, das ich je genickt hatte.

Antonia hatte einen Plan. «Wir müssen das Gepäck suchen. Der Seesack, den ich gestern getragen habe, da könnte ein Topf drin gewesen sein. Der war ganz leicht, aber hart. Hat auch so geklungen. So hohl.»

«Du kannst also Töpfe durch Seesäcke hindurch hören», Rike grinste.

Wir liefen an der Baracke mit dem Wellplastedach vorbei. Inkes Regenschirm lehnte noch dort. Wieso hatte sie den nicht mitgenommen?

Wir kamen auf den größeren Platz in der Mitte des Barackendorfes. Dahinter zwei weitere Reihen mit Baracken.

«Das wäre so absolut, wenn Inken nicht wiederkäme», fand Antonia.

«Absolut was?», fragte Rike.

«Einfach absolut. Das sagt man so», sagte Antonia.

Wir liefen auf eine längliche Baracke zu. Sie hatte einen Schornstein. Das hier war bestimmt die Küchenbaracke. Und wenn irgendwo ein Topf wäre, dann hier. Die Tür war verschlossen. Rike trat einmal dagegen, aber das war der Tür egal. Wie an den anderen Türen im ganzen Ferienlager war auch hier ein neuer Riegel angebracht, an dem ein Vorhängeschloss hing. Wo die Schrauben in den Türrahmen gedreht worden waren, hatten sie das Holz splittern lassen, und diese helle Splitterstelle war höchstens ein paar Wochen alt.

Wir schlugen mit einem Astknüppel ein zugenageltes Fenster ein, und Antonia kletterte per Räuberleiter über meine Schulter in die Baracke. Rike hinterher. Ich musste nur wenige Minuten draußen warten, da hörte ich Antonia piepsen: «Kein Topf zu sehen!» Drinnen kicherte es. «Aber ein Eimer!»

Es rumpelte. «Vorsicht! Gelbes Flugobjekt!», rief Rike, und ein gelber Eimer kam durch das Fenster rausgeflogen. Er landete auf dem Sand-Tannennadel-Teppich vor meinen Füßen.

«Kannst ja schon mal Wasser holen gehen.» Rike steckte ihren Grinsekopf aus dem Fenster.

Eigentlich wollte ich nicht alleine Wasser holen gehen. «Eigentlich ist der Waschlappen ein Brett», sagte meine Mutter immer, wenn ich eigentlich sagte. Also ging ich Wasser holen. ‹Imkerei Dietrich, Dürfen 7› stand auf dem Eimer. Und da drunter eine Biene, die einen ebensolchen Eimer trug. Dürfen, sollen, müssen dachte ich. Am Eimerrand meinte ich, ein bisschen Rot zu sehen. Schlecht weggewischt. Rot in einem Imkereieimer. War da das Blut drin gewesen? Kam es aus Dürfen? Wo lag Dürfen?

Während ich nachdachte, ging ich dorthin, wo das ständige Rauschen herkam, das ich nachts schon gehört hatte. Ein pissender Elefant konnte es nicht sein. Der wäre doch längst leergepisst und würde inzwischen platt wie ein Bettvorleger herumliegen. Es roch aber echt nach Pisse oder etwas noch Schlimmerem.

Ich musste an der Baracke vorbei, in der unsere Taschen gewesen waren. Hier sah es aus, als hätten am Morgen die Wildschweine getanzt. Für jeden Fährtenleser ein Albtraum: aufgeregte Mädchen, sechs mit festem Schuhwerk, eine mit Chucks. Ich konnte kaum noch etwas erkennen. Und dann wollte ich mir wie im Comic die Augen reiben und noch einmal hinschauen. Aber es war kein Trugbild: Da lagen unsere Taschen. Verschlafen aneinandergekuschelt. Das hätten wir vorhin doch gesehen. Um die Taschen drum herum waren die Spuren verwischt. Da hatte jemand hinter sich selbst hergeputzt. Bis ins Gebüsch hinter der Baracke.

Ich schaute kurz in meinem Rucksack nach, ob noch alles da war.

Was sollte das hier? Waren das die Kaninchensatanisten gewesen? Waren sie noch in der Nähe? Sie hatten bei der Aktion bestimmt gegrinst, dass die Zahnspangen im Sonnenlicht blitzten. Aber wieso hätten sie ihre eigenen Schmierereien korrigieren sollen? Und wieso hatten sie die Taschen nicht geklaut? Hätte Bea das alles machen können, in der Zeit, in der sie Pilze sammeln war?

Ich wäre die Größte, wenn ich verkünden würde, dass das Gepäck wieder da ist. Na ja, die Größte war ich sowieso. Ich dachte an den Leuchtturmwitz von Dreipferde-Yvette und wurde gleich noch mal rot. Diesmal vor Wut.

Ich würde es einfach Rike erzählen, und die könnte es dann laut sagen. Ich zog die Trainingsjacke von der Freiwilligen Feuerwehr Bernitz über und ging weiter. Ich sollte ja Wasser holen.

Der pullernde Elefant musste hinter der nächsten Baracke sein. Ich lief auf das Rauschen zu, am Zirpen vorbei und durch das Zwitschern durch. Nur das Knurren wurde nicht leiser. Das war mein Bauch.

Vor einer ebenso langen Baracke wie der Küchenbaracke kam eine Wasserleitung aus dem Boden. Etwa vier Meter lang und gebogen wie ein flaches Tor für eine noch nicht erfundene Sportart. Flachball. Insgesamt acht Wasserhähne kamen aus dem Rohr. Aus zwei Hähnen lief ununterbrochen das Wasser. Eine beachtliche Pfütze war entstanden, fast ein Teich. Ich stand eine Weile da mit dem Eimer in der Hand, dann hatte ich mich entschieden. Schnell zog ich Schuhe und Hose aus und fühlte mit dem kleinen Zeh vor, wie kalt das Wasser war. Es war tief aus der Erde gekommen, und die Kälte der Nacht hatte darin gebadet. Die Gänsehaut kroch mir bis in die Achselhöhlen. Bis zu den Knien musste ich ins trübe Wasser waten, bis ich bei den Wasserhähnen war. Ich bekam die Scheißdinger nicht zugedreht, ich konnte drehen, wie ich wollte. Verdammt! Es sah aus, als hätte jemand mit einem Hammer auf die Wasserhähne geschlagen. Einige Stellen waren abgeplatzt und silbern.

Ich gab auf und wollte seitlich aus dem Teich raus, da zuckte mein Fuß schneller weg, als mein Kopf begriff.

Irgendwas.

In dem Wasser.

Weich.

Groß.

Ich quiekte und machte einen Schritt. Dabei trat ich noch mal drauf. Auf was auch immer. Da lag etwas. Oder jemand. Ich wollte wegrennen, und diesmal verstand der Kopf schneller als der Fuß. Ich drehte mich um, rutschte weg und stürzte halb hin. Mit der rechten Hand landete ich im Wasser, stützte mich gleich wieder auf, rannte. Ich schnappte mir meine Hose und Schuhe und raste zur Küchenbaracke. Da war aber niemand. Also rannte ich weiter.

In der Mitte des Barackenlagers blieb ich stehen und verschnaufte. Erst mal Hose und Schuhe anziehen. War ich auf Inken getreten? War das Mimiko? Wo waren die beiden hin?

Inken konnte uns doch nicht hier alleinlassen. Wieso lief das Wasser? Was sollte das mit dem Gepäck?

Als ich bei den anderen Mädchen ankam, standen die im Kreis. Sie schauten auf etwas in ihrer Mitte. Etwas oder jemanden. Ich blieb stehen und holte erst einmal Luft. Dann hörte ich Inkens Stimme: «Das sind Hallimasche, da hat Freigunda recht. Man sollte überhaupt keine Pilze ungekocht essen», dann sah ich Inkens Hinterkopf. Diese aufgesetzte Frisur.

«Hast du Wasser?», fragte mich Bea.

Ich schaute an mir herab. In der Hand hielt ich den leeren Imkereieimer.

Wir aßen nicht, was Bea gesammelt hatte. Nur zwei Tage später hätte Rike daraus ein richtig gutes Abendessen zubereitet. Wir haben alles über den Zaun geworfen. Tiere werden es gefressen haben.

Inken hatte Marmeladenbecherchen, Schraubgläschen mit Honig und Mininäpfchen mit Leberwurst dabei. Dazu gab es Brötchen, ebenfalls ganz kleine.

Sie redete und redete, während wir ein winziges Brötchen mit Leberwurst nach dem anderen weghapsten. Jetzt fiel mir ein, wo ich diese Puppenstubenbrötchen schon mal gesehen hatte. Einmal hatte meine Mama aus dem Hotel solche mit nach Hause gebracht. Damals war eine Tagung ausgefallen, und deshalb waren die ganzen Brötchen vom Buffet übrig geblieben.

Alle Fragen, die wir hatten, beantwortete Inken, ohne dass wir sie stellten. Mimiko, ja, das hätte sich ja angekündigt, gestern Nacht. Sie hatte sich ja gleich bei der Ankunft übergeben müssen. Die Eltern hätten so was schon angedeutet. Bestimmt sei sie abgeholt worden.

Ob sie das genau wüsste, fragte Antonia.

«Bestimmt», sagte Inken. «Die Eltern wollten nicht unterschreiben, dass die Mimiko ohne Mobiltelefon herkommt. Der passiert schon nichts. Die hat doch ein Mobiltelefon.» Sie lachte ihr Seehundlachen, aber ihre Augen lachten nicht mit.

Was sollte der Scheiß? Das war doch einem Loch im Boden egal, ob man ein Mobiltelefon hat – und genauso egal war es einem Sittenstrolch, oder einem Wolf, einem Sturm, einem umfallenden Baum.

Inzwischen hatten die Mädchen von den blutigen Schmierereien erzählt und nach den Taschen gefragt. Ich sagte nicht, dass sie wieder da wären. Mich interessierte zu sehr, wie Inken reagieren würde. Sie war ehrlich verblüfft. Ich wusste genau, wie unehrliche Verblüffung aussah. Vielen ziehen dabei die Augenbrauen runter statt hoch. Meine Mutter war die beste schlechte Schauspielerin, die ich kenne. An ihr konnte ich gut unnatürliche Körpersprache studieren.

Inken sagte: «Was? Weg?» Dann lachte sie. Sie spreizte ihre Hände in der Luft und fächelte sich von links und rechts Luft zu. «Ich kann euch auch nicht sagen, wo die Taschen sind. Leider, leider. Das wird also unser erstes Abenteuer hier. Ich wette, die Mimiko hat das gemacht.» Die Fächer verwandelten sich wieder in Hände. «Und diese Schriften aus Blut», sie winkte ab, «die sind da schon jahrelang dran. Das waren Blödis aus dem Ort.»

«Nee, das ist frisches Blut. Eine richtige Pfütze.» Antonia war ganz aufgeregt. «Und auch was rangeschrieben. Ganz frisch. Hundertprozentig.»

Inken fletschte die Zähne und sagte, dass sich wohl jemand einen Scherz erlaubt hätte. Dem Bruno sei das zuzutrauen. Das sei ein komischer Gesell.

Sie sagte das, als würde Bruno manchmal fünf Finger hochhalten und sagen, er wäre schon drei. Komischer Gesell klang für mich nach einem Braunbären mit einer Küchenschürze.

«Wir gehen uns das später mal ansehen, Mädels! Jetzt wird erst einmal Proviant eingenommen. Und dabei machen wir mal eine kleine Vorstellungsrunde, um uns mal vorzustellen.» Sie nickte uns allen zu. «Ich bin die Inken. Ich wohne bei Kranfelde, bei Berlin. Ich bin sechsunddreißig Jahre alt. Meine Hobbys sind Sammeln, Katzen und Natur. Ich bin hier, um euch zu zeigen, wie man überleben kann, wenn man auf sich selbst gestellt ist. So. Wer macht weiter?» Sie steckte sich ein Minibrötchen in den Mund und wartete.

Es gab nichts, bei dem man so gut rot werden konnte wie bei Vorstellungsrunden. Dann würden wieder alle lachen und Leuchtturm sagen.

Neben mir schnipste Rike mit den Fingern. «Ich bin Frederike Burmeister. Ich komme aus Berlin.» Sie reckte ihre Faust hoch. «Moabit.» Sie grinste. «Ich spiele Gitarre in einer Band.» Sie reckte wieder die Faust. «The Peng Peng Banküberfall. Wir machen so Punk-Ska-Reggae-Grunge. Meine Mutter arbeitet beim Fernsehen und will versuchen, uns mal in eine Show zu bringen. Auf unserer Facebook-Seite sind schon zweihundertdrei Fans. Wenn ihr wieder zu Hause seid …», sie tippte mit dem Zeigefinger in die Luft, «dann Gefällt-mir drücken. The Peng Peng Banküberfall.» Und dann fiel ihr noch etwas ein. «Eine Homepage haben wir auch.»

Ich saß neben Rike und überlegte hin und her. Charlotte heiße ich. Ich heiße Charlotte. Mein Name ist Charlotte Nowak. Mein Herz trommelte Unruhe. «Ich heiße …», fing ich an, aber auf der anderen Seite von Rike hatte Yvette ihr spitzes Kinn gereckt und zu sprechen begonnen, und zwar lauter als ich.

«Ich bin Yvette und fünfzehn Jahre alt. Ich wohne in Kleinmachnow. Ich segle und tauche gerne. Ich reite seit meinem vierten Lebensjahr. Ich bin damit auch sehr erfolgreich. In der Schule bin ich auch sehr gut. Ich werde mal Modedesignerin.» Sie strich ihre lila Haare hinters Ohr. Sogar ihre Ohren waren spitz.

«Bist du fertig?», fragte Antonia.

«Ja. Oder … Nee. Ich brauche neun Stunden Schlaf. Jetzt kannst du.»

«Ich bin die Antonia, bin fast vierzehn Jahre alt, also wohl die Jüngste. Ja, am besten lernt ihr mich einfach kennen. Das fände ich am besten. Ich weiß nicht, was ich jetzt so sagen soll.»

Die Schöne war dran. «Meine Name ist Anuschka Rockstroh. Ich bin sechzehn Jahre alt und komme aus dem Erzgebirge. Ich bin sehr gern im Wald. Die Anzeige für dieses Camp hat eine Freundin aus Berlin in der Zeitung gesehen, und wir haben uns beide zusammen angemeldet. Ja, die ist leider krank geworden. Und jetzt bin ich allein hier.» Sie lächelte sanft. Ich glaube, ihre Eltern haben vor ihrer Zeugung einen Disneyfilm angeschaut. «Also mit euch bin ich jetzt hier, meine ich», schob sie nach.

Als Nächstes war Freigunda an der Reihe. Sie sagte, dass sie Freigunda heiße und fünfzehn sei. Dann schüttelte sie ihren Haarvorhang wieder vor die mordsblauen Augen. Die ganze Zeit war sie einfach so krumm sitzen geblieben. Eine vor Kraft strotzende, abgemagerte Großkatze.

Bea bekam ihre Vorstellung noch knapper hin. Sie stand auf: «Bea, fünfzehn Jahre, aus Potsdam.»

«Der ganze Name ist Tabea Frank», ergänzte Inken.

«Nur Bea!» Sie setzte sich wieder hin.

«Charlotte», sagte ich schnell. «Fünfzehn», schob ich nach. Da brannte mein Kopf schon.

«Na dann! Meine Mädels! Dann werd ich euch mal sagen, wie es jetzt weitergeht.»

Ich beruhigte mich wieder, während Inken redete. Sie hätte so viel mit uns vor, und es sei so aufregend, wenn wir aus fast nichts ein richtig tolles Camp errichten würden. Heute noch würden wir anfangen, morgen könnten wir fertig sein. Heute Abend gäbe es noch einmal ein Abendbrot aus der Zivilisation, aber morgen ginge es damit los, dass der Wald unsere Mutter sei.

«Was für ein Scheiß», flüsterte Rike mir zu.

Ich nickte.

«Heute Abend am Lagerfeuer verrate ich euch, was ich heute Morgen Tolles für euch organisiert habe. Als ich weg war. Deshalb war ich nämlich weg.»

Ich befürchtete, dass es sich wieder um so etwas wie eine Taschenlampe ohne Batterie handeln würde. Sie hatte ja nichts weiter bei sich gehabt. Ich scannte Inken hoch und runter: Sie trug eine Hose, die zu groß war. Das Oberteil sah aus wie die Bluse einer alten Frau. Um den Hals hatte sie drei Ketten, die farblich alle zueinanderpassten. Blau, hellblau, blaugrau. Hatte sie nicht gestern drei rote Ketten umgehabt? Wie viele Ketten hatte die denn? An beiden Armen trug sie Armreifen. Große, kleine, dicke, dünne. Die nun passten überhaupt nicht zueinander. Silber, Gold. Ich konnte mich nicht genau erinnern, ob sie am Vortag andere Armreifen gehabt hatte. An den Fingern trug sie nur einen Ring. Auch der war aus besseren Zeiten, oder gekauft ohne Anprobieren, viel zu groß. Probiert man Ringe überhaupt an? Dieser rutschte zwischen Fingeransatz und unterem Fingerknöchel hin und her und drehte sich dabei ständig, sodass Inken immer wieder den grünen Schmuckstein nach außen drehen musste. Es war nicht die einzige Bewegung, die sich bei ihr ständig wiederholte. Sie hob immer wieder die Arme und drehte dabei leicht die Hände, damit die Armreifen wieder den Arm hinabrutschten. Sie strich sich immerzu ihre schwarzen Haare hinters Ohr, und sie befeuchtete ihre Lippen mit der Zunge – wie eine Echse. Das alles machte aus ihr eine Person, die man nicht gut suchen konnte, wenn man nur ein Foto von ihr kannte. Man bräuchte ein Video.

Außerdem sprach sie weiter von «wir», unbeirrt davon, dass nur eine einzelne Gruppenleiterin, nämlich sie, anwesend war.

«Wir haben Bücher für euch organisiert», sagte sie und zog aus einem weiteren Katzenbeutel ein paar Bücher, die sie verteilte.

«Über das Überleben im Wald.»

«Zelten ohne Zelt.»

«Tausend und ein Pilz.»

«Mit, unter den und von den Bäumen leben.»

«Draußen sein. Ein Ratgeber für Drinnenmuffel.»

«Kleiner Survival-Ratgeber. Wald und Moor.»

Dann endlich ließ sie uns ausschwirren, um die Taschen zu suchen. Klar, die Taschen waren schnell gefunden. Nicht von mir. Ich war mit Absicht in die falsche Richtung geschwirrt.

Als Inken die Blutlache und die Schmiereien sah, lachte sie ein unnatürliches Lachen. Hier in der Gegend, meinte sie, gäbe es nur Minderbemittelte, deshalb hätte sie ja überall Schlösser anbringen lassen. Gelangweilte Jugendliche voller Drogen.

Da alle Taschen wieder da waren und in den Taschen auch alles drin war, was vorher drin war, waren alle zufrieden. Niemand vermisste etwas, nicht einmal eine Erklärung. Eine großartige Rätselaufgabe wurde einfach ungelöst in die Ecke gepfeffert. Rätselverschwendung. Aber so hatte ich das Rätsel für mich alleine.

Ich sah auf die Uhr, als wollte ich genau wissen, wie lange ich für dieses Rätsel brauchen würde. Wenn ich geahnt hätte, dass es mehrere Wochen dauern würde, bis ich genau wusste, was mit den Taschen an dem Morgen vorgefallen war, dann hätte das meine Vorfreude stark getrübt. Die Uhr zeigte zwölf vor zehn. Das konnte nicht stimmen. Sie war kaputt. Zwölf vor zehn war wohl der genaue Zeitpunkt, als ich fast in die Pfütze gefallen war und mich mit dem rechten Arm abgestützt hatte.

Am Nachmittag begannen wir, unser Camp zu bauen. Dafür schleppten wir die Regalbretter und die Planen in den Wald, zu einer besonders schönen Stelle. Hier sollte die Natur uns in ihrer Mitte aufnehmen, sagte Inken.

«Wir haben diese tollen Sachen, wir haben Nägel und …», sie tippte sich an die Stirn: «Unsere Phantasie ist größer als der Mond.» Sie sagte ununterbrochen komisches Zeug. Jeder Aufbau müsse auf einem guten Unterbau fußen. Eine wasserdichte Unterlage solle zum Schutze des Equipments großflächig ausgelegt werden.

Wir legten zwei von den Planen aus. Sie stammten unverkennbar von einem LKW. Unten waren Ösen, mit denen man sie früher festgezurrt hatte. Slow-Express stand drauf. Wir wunderten uns, das ergab keinen Sinn: Langsam-Schnell.

Aus Slowenien, erklärte Inken.

Wo sie das herhabe, wollte Antonia wissen.

Na, aus Slowenien, war Inkens Antwort. Dann klatschte sie in die Hände, dass ihre Armreifen klapperten: «Dies hier ist ein Abenteuer!»

Wir hämmerten mit Steinen alte Nägel in alte Bretter. Wir knoteten mit alten Seilen alte Leisten zu Rahmen. Zwischen einem Kreis aus Bäumen entstand ein schwebendes Dach. Außerdem bauten wir für unseren Proviant eine Kiste mit Deckel, die wir an einen Baum banden, damit die Tiere uns nichts wegfraßen.

Wir ackerten, solange wie die Sonne uns genug Licht gab. Dann verzog sich der Tag hinter den Kiefernwipfeln. Ich war total verschwitzt, ich hatte gehämmert und Bretter geschleppt. Meine Hände waren dreckig, mein Mund trocken. Noch nie in meinem Leben hatte ich so etwas getan. Einmal hatte ich die alten Fenster bei Oma abgeschliffen. Aber das hier war besser.

Wenn es nach mir gegangen wäre, hätte es so bleiben können. Es ging aber nicht nach mir.

Zum Abendbrot gab es eine Suppe, für die uns Inken Brennnesseln sammeln ließ. Die Mücken stürzten sich auf uns, und wenn sie lachen könnten, dann hätten sie gelacht. Die Sonne rollte ihre Strahlen ein, und dann saßen wir um ein prasselndes Feuer. Darüber hing der Topf mit der Suppe. Es roch gut. Manchmal wehte der Gestank von der Pfütze vor dem Waschhaus herüber.

Als es dunkler wurde, fragten wir Inken nach den Batterien für unsere Taschenlampen. Die hatte sie vergessen. Leider, leider, wie sie bedauerte. Dann zauberte sie Würstchen aus einem der Seesäcke. Wer braucht Licht, wenn er Würstchen hat? Der Himmel war nicht so bedeckt wie in der Nacht vorher. Mond und Sterne, halbrund und rund. Das Feuer flackerte. Funken starteten zu ihren kurzen Flügen. Vorne war mir heiß, innen glücklich.

Dieser Abend mit Inken am Feuer, wo wir Brennnesselsuppe mit Würstchen aßen, war der letzte Abend meines bis dahin normalen Lebens. So ganz normal war dieser Abend aber auch nicht. Er war genau dazwischen. Wie eine Schwelle zwischen zwei Zimmern. Vom Kinderzimmer ins Jugendzimmer, oder von der Diele nach draußen.

Antonia begann, herumzurutschen. Ich denke, das war der Anfang.

«Ich muss mal», sagte sie.

«Mädels! Hergehört!» Inken stand extra auf. «Eine Belehrung! Dieses Barackendorf steht unter Denkmalschutz. Gerade heute habe ich dem Bürgermeister von Bad Heiligen das Versprechen gegeben, dass wir uns hier im ehemaligen Luft- und Raumfahrtzentrum anständig verhalten. Das Urinieren könnte den unterirdischen Bunker beschädigen. Der Urin entkalkt den Beton, und die Bunker sind sowieso schon undicht.» Sie hatte ihren rechten Zeigefinger erhoben.

Eigentlich wollte ich lachen. Es war so lustig. Ich schob meine Zunge als Riegel vor die Schneidezähne. Ja, die Phantasie war größer als der Mond.

«Also, wir sollen nicht in die Gegend machen?», fasste Rike zusammen.

«Tut mir die Liebe und geht in das Bedürfnishaus.»

Ich war sonst nie albern. Ich war diejenige, zu der die Eltern sagten: Nun sei doch mal albern. Aber in diesem Moment konnte ich mich nicht mehr halten. Rike und Antonia, die neben mir saßen, lachten sofort mit, und dann steckte es die anderen an.

«DAS IST NICHT LUSTIG!», schrie Inken.

Das war so lustig. Echt, so lustig war noch nie etwas gewesen. Nicht mal, als Opa damals vom Boot ins Wasser gefallen war, und da hatte ich eine Stunde lang gelacht.

«HÖR AUF ZU LACHEN! CHARLOTTE NO-WAK!»

Echt, ich versuchte es. Erst als Yvette mir auf den Oberarm boxte, konnte ich aufhören.

Zeitgleich bekam sich auch Inken wieder auf die Reihe und wechselte in ihren netten Tantenton. «Also, habt ihr verstanden, warum ihr nicht einfach machen könnt, was ihr wollt. Also, wohin ihr wollt.»

Ich schob schnell wieder meine Zunge vor die Schneidezähne. Das klang alles nach: Der Kasperle verrät euch jetzt mal, warum er immer diese Mütze trägt. Jemand hat sie nämlich festgeklebt!

«Ich muss wirklich mal», sagte Antonia ganz leise.

Ich steckte mein halbes Gesicht in den Kragen der Trainingsjacke. Ein Mund war voll mit einer explosiven Mischung. Neben mir quietschten und schnauften andere Mädchen tapfer, um nicht zu lachen.

Inken fummelte einen Schlüssel von ihrem riesigen Schlüsselbund. Sie hielt ihn Antonia hin. Die machte aber keine Anstalten, mit dem schön verschnörkelten, rostigen Schlüssel in die Dunkelheit hinauszugehen.

«Was ist? Ich kann dich doch nicht zum Klo bringen. Mädels! Der Wald will nichts von euch!»

«Ich bringe sie», sagte Bea.

Ich fragte mich, ob die eigentlich vor irgendetwas Angst hatte. Gab es jemanden, der vor nichts Angst hatte? Falls es so jemanden gab, dann war es nicht Bea. Aber das sollte ich erst viel später erfahren.

Fast alle Mädchen schlossen sich jetzt dem Klotrupp an.

«Ich muss nicht», sagte Yvette und blieb am Feuer sitzen.

«Der Wald will nichts von uns, aber das Klo vielleicht», sagte Rike, kaum dass wir außer Hörweite waren. Kichernd zogen wir zusammen über den Versammlungsplatz. Bea hatte ja eine eigene Taschenlampe. Das Licht hüpfte an den Baracken hoch, den Weg entlang. Ich henkelte mich bei Antonia ein. Sie drückte meinen Arm. Das Nachtorchester stimmte seine Instrumente: ein langgezogenes Pfeifen, ein sich wiederholendes Knacken; Schritte oder Nachtspechte oder Stiefelhühner oder Landfische.

«Ich geh da nicht rein. Gott, das stinkt hier so», kam Rikes Stimme von rechts.

«Das ist nicht das Klohaus, was so stinkt», sagte Bea. «Das ist die Pfütze neben dem Klohaus.»

«Warum ist das überhaupt so eine Pfütze?», fragte Antonia. «Man müsste den Wasserhahn doch mal ausmachen.»

«Geht nicht», sagte ich, «hab ich schon probiert.»

«Äh!», rief Rike und sprach mit zugehaltener Nase weiter. «Das stinkt, als wäre da eine Leiche drin.»

«Ja, dem ist auch so», sagte Freigunda. «Aber es ist keine Menschenleiche.»

Ein Vogel im Wald rief irgendetwas, klagend und voller Schmerz.

«Woher willst du das denn wissen?», fragte Rike mit zugehaltener Nasen-Stimme. «Hast du jahrelang mit einer Menschenleiche zusammengewohnt?»

Etwas knackte im Wald. Der Vogel schrie erneut.

«Die Leiche eines Menschen riecht auf eine Art, dass der

Mensch weiß, dass dort ein Artgenosse verwest. Das ist ein Warnsystem. Wir würden hier gar nicht hingehen, wenn es eine Menschenleiche wäre. Weil wir hier sind, ist es keine. Es ist eine Leiche, aber eine Tierleiche. Das ist mein letztes Wort dazu.»

Ich atmete flach. Tier oder Mensch, ich wollte das nicht riechen.

«Da geh ich nicht rein», sagte die schöne Anuschka.

Antonia zog die Hose runter, hockte sich hin und erledigte schnell, was es zu erledigen gab. Anuschka machte es ihr nach.

Bea leuchtete kurz mit der Taschenlampe hin. «Ich geh rein!» Sie schloss auf. Weg war sie.

Freigunda ging hinterher.

Anuschka zog flott die Hose hoch und lief auch rein.

Dann Rike.

Dann ich. Und mit mir Antonia.

Draußen schrie zum dritten Mal dieser Scheißvogel.

Wir schoben uns nah beieinander in den großen Raum. Das Licht aus der Taschenlampe hüpfte über die Wände, von denen viele der Fliesen abgefallen waren. Das Knirschen der Scherben unter unseren Füßen hallte im Raum. Auf der linken Seite war eine lange Reihe grauer Türen voller Kritzelschriften. Wo die Türen offen standen, hüpfte das Licht von der Taschenlampe in alte Duschkabinen. In der Mitte des Raumes lag umgekippt eine lange Holzbank. Auf der einen Seite waren die Bodenverankerungen herausgerissen worden, auf der anderen Seite hing die Bank noch am Boden fest. Hinten führte ein schmaler Gang in einen kleineren Raum, von dem wieder mehrere Türen abgingen. Es roch nach saurer Milch. Die Toiletten.

Ich konnte mir keine Sekunde vorstellen, hier die nächsten Wochen aufs Klo zu gehen. Ich hoffte inzwischen, dass diese Gruselanlage extra für uns angelegt worden war. Auch Inken war bestimmt eine ganz normale Frau, die als Schauspielerin hier eine Glanzleistung als Irre ablegte. Wir würden am Ende eine Urkunde bekommen, wegen Mut im Bedürfnishaus.

Draußen schrie etwas anderes als der Vogel.

Dann knallte die Tür zu.

Das Licht rannte los. Wir hinterher. Jemand schrie, jemand weinte, jemand fluchte «Scheißescheißescheiße». Jemand schubste mich. Ich trat zur Seite und jemand anderem auf den Fuß. Jemand kreischte (ich nehme an, das Mädchen, das zu dem Fuß gehörte).

Da kam noch ein anderes Geräusch dazu. Ein Rauschen? Regen?

«Mist!», rief jemand. «Wasser!», wer anderes.

Ich rannte gegen die Bank und stürzte. Auf meine Hand. Ich tastete mit der linken Hand nach der rechten. Die war nass, obwohl das Wasser noch nicht bis hierher gekommen war. Ich roch an meiner Hand, dann leckte ich dran. Ja, Blut. Es tat gar nicht weh.

«Wer hat den Schlüssel?», fragte jemand.

Jemand sagte: «Ich nicht.»

Jemand sagte: «Ich hab nicht gefragt, wer nicht den Schlüssel hat, sondern wer ihn hat.»

«Ich hab ihn auch nicht», sagte jemand.

«Hier ist gar keine Türklinke», sagte Beas Stimme. «MAAANN!», brüllte sie. «WAS SOLL DAS?»

Draußen gingen Schritte weg.

Das Wasser lief und lief.

Vor uns eine verschlossene Tür, auf die wir eintrommelten. Hinter uns rauschten die Duschen und Wasserhähne. Irgendwer hatte den Haupthahn aufgedreht. Allerdings mussten dann alle Hähne im Waschhaus schon aufgedreht gewesen sein. Wer war das? Inken? Nur Inken und Yvette waren draußen. Oder? Was war mit Bruno und Mimiko? War da noch jemand?

Meine Hand wurde immer nasser und immer wärmer. Jetzt tat es auch weh.

Wir konnten nur hoffen, dass das Wasser schnell genug unter der verschlossenen Tür und in den Abflüssen ablaufen würde.

Ich sah uns schon alle im Dunkeln auf der langen Holzbank stehen und die Köpfe über das kalte Wasser recken, bis der Morgen graute. Wie lange konnte man so stehen?

Ich dachte kurz, dass Inken uns vielleicht nur schocken wollte. Mein Optimismus war echt hartnäckig. Er flüsterte mir ein: Nein, nein, das hier ist nicht wahr. So etwas machen Erwachsene nicht. Aufsichtspersonen tun das nicht. Es musste eine vernünftige Erklärung geben.

Aber warum sollte Bruno so etwas tun?

War Mimiko wirklich nach Hause gefahren?

Wo war Yvette? Wieso hatte sie Inken nicht aufgehalten?

Und wenn Yvette die Tür zugeknallt hatte, wieso hatte Inken sie nicht wieder geöffnet?

Wieso waren wir hier rein? Hatte Bea den Schlüssel draußen stecken lassen?

Plötzlich war eine Hand auf meinem Rücken.

«Komm, wir reißen die Bank raus und benutzen sie als

Rammbock.» Bea sagte das so ruhig, wie man sagt: Komm, wir schlafen ein bisschen. Sie sagte es noch zu einigen anderen Mädchen. So ruhig, als könnte man, während ein Felsen auf einen herunterfällt, noch mal überlegen, in welche Richtung man wegrennt. Kaninchen springen bei Panik in ein Loch, Katzen ergreifen lieber die Flucht nach vorn. Bea war nicht Kaninchen, nicht Katze. Ich tippte inzwischen auf Hund. Der hat gute Instinkte, und er kann wählen zwischen nach vorne und nach hinten rennen – weil er nachdenken kann. Bea war auf eine tierische Art klug.

Auf einmal wurde es kalt an meinen Füßen. Genau genommen nass. Irgendwer platschte durch die Pfütze und klapperte metallisch an der Bank. Ich tippte auf Bea und vielleicht Freigunda, die ihr Messer immer dabeihatte. Das von meinem Vater war ja im Rucksack. Ich müsste es nachher einstecken, als Allererstes, wenn wir hier wieder raus waren. Wenn wir hier überhaupt wieder rauskämen.

«Anpacken!», sagte Bea.

Wir packten die Bank, hoben das schwere Teil.

«Los!», sagte Bea. Wir rannten damit durch das Wasser in Richtung Tür. Meine Hand brannte. Sie war doppelt so groß wie sonst.

Die Bank entwickelte eine enorme Kraft, meine Beine kamen kaum hinterher. Wir flogen durch den langen Raum auf die Tür zu.

«Weg da!», rief Bea.

Mit einem Mordskrachen knallte die ganze Wucht gegen die Tür. Es riss mir die Bank aus den Händen. Die Bank schoss durch die Tür. Ich ließ sie los und sprang zur Seite, sonst hätte es mich mitgerissen. Auch das Mädchen vor mir ließ die Bank los. Ich prallte gegen sie, sie gegen die Wand. Etwas machte knack. Sie klappte vor mir zusammen und blieb am Boden liegen. Das Knacken hatte nicht gut geklungen. Hört man, wenn ein Knochen bricht? Ich beugte mich zu ihr runter, es war das Messermädchen. Frei- und dann was Altes, Freimine, Freiburga. Sie lag bewegungslos. Als ich ihre Schulter berührte, fühlte ich, wie dünn und kräftig dieses Mädchen war. Wie Stein. Ich rüttelte mit links. Meine rechte Hand war inzwischen schmerzprall, und der Puls pochte darin, als wolle er mir die Wunde vom Arm hämmern.

Eine Stimme hinter mir schrie, dass ihr Zahn abgebrochen wäre. Antonia.

Eine schrie, man müsse Inken suchen. Rike.

Ich hätte gern auch was geschrien, aber ich wusste nicht, was. Hier, die liegt da, ohnmächtig. Man ist doch nicht tot, wenn man gegen einen Türrahmen knallt. Oder?

Ich legte meine Hand an ihren Hals. Ihr Puls pumpte.

Neben mir wies Bea die Mädchen an, die Bank zurückzuziehen. Sie hatte zwar ein großes Loch in die Tür gerammt, hing aber noch darin, sodass wir nicht durch das Loch klettern konnten. Die Bank war zu schwer und hing zu weit raus. Bea begann, gegen die Ränder des Loches zu donnern. Sie stand auf der Bank und trat auf das kaputte Türblatt ein. Das alles tat sie so entschlossen wie ein Ausbruchsroboter, der immer einen Plan B, C, D und E bereithatte.

Ich berührte das Mädchen am Boden, Freihilde, Freiursel. Sie ächzte, befühlte ihren Kopf. Ich wollte ihr hochhelfen, aber sie stand alleine auf.

«Ist alles okay?», fragte ich.

«Okay!», sagte sie, und es hörte sich ganz komisch an bei ihr. Als hätte sie noch nie okay gesagt. «Ich habe einen sehr harten Schädel.»

«Aber da hat was geknackt.»

Sie raschelte an sich herum. «Meine Uhr», sagte sie. «Das Glas ist zerschlagen.»

Neben uns riss Bea gerade ein großes Stück aus der Tür, dann kletterte sie nach draußen. Die anderen hinterher. Ich und Freigunda auch. Über die Bank, durch das Loch in der Tür.

Draußen standen Schatten. Unterhielten sich aufgeregt. Ich sah das spitze Profil von Yvette. Es waren fünf Schatten. Mein Schatten und der Schatten vom harten Schädel stellten sich dazu. Sieben.

«Seid ihr auch verletzt?», fragte Anuschka.

«Meine Hand», sagte ich.

«Nichts», sagte harter Schädel.

«Mein Zahn ist abgebrochen», informierte uns Antonia. «Vorne.»

«Wann ist sie genau losgegangen?», fragte Bea.

«Mann, was ist denn das für ein Verhör?», nölte Yvette.

«Wenn Inken uns nicht eingesperrt hat, dann warst du es, und wenn du es warst, dann weiß ich nicht, was ich als Nächstes tue.»

«Also, noch mal zum Mitschreiben. Ich saß mit ihr am Feuer. Wir haben uns gewundert, warum ihr nicht wiederkommt. Dann habe ich gesagt, vielleicht ist eine von euch in die Pfütze gefallen. Dann hat sie gesagt: Was denn für eine Pfütze? Dann habe ich gesagt, die Pfütze bei den Wasserhähnen. Dann ist sie aufgesprungen und losgerannt.»

«Und wann genau ist sie losgerannt?», fragte Bea.

«Mann, ey, wie oft denn noch? Nachdem ich ihr gesagt habe …»

«WANN? Welche Uhrzeit? Vor wie vielen Minuten?»

«Vor zehn vielleicht.» Yvette überlegte: «Ich war nicht lange allein am Feuer. Dann bin ich auch lieber los.»

«Wir müssen Inken suchen, oder?», fragte Antonia.

«Dein Herz ist zu gut», sagte das Messermädchen. Jetzt fiel mir auch der Name wieder ein, Freigunda. «Wir sollten von diesem Ort verschwinden.»

«Ich will aber wissen, was hier los war», sagte Bea. «Außerdem haue ich nicht mit der da ab», sie zeigte mit dem Taschenlampenlicht auf Yvette, «wenn ich nicht weiß, ob sie uns hier eingesperrt hat.»

«Ich war's nicht!», brüllte die Angeleuchtete.

«Aber nach deiner Schilderung war es Inken auch nicht. Wer war es denn dann?», fragte Bea.

«Vielleicht Mimiko?», piepste Antonia.

«Jaaa!», rief Rike. «Vielleicht Mimiko.»

«Nein, Mimiko ist heute Morgen weggegangen. Ich habe es gesehen», sagte Bea.

«Wieso sagst du das denn jetzt erst?», fauchte Yvette.

«Ich habe gedacht, dass sie wiederkommt», sagte Bea.

«Ich hau nicht mit der da ab», zeterte Yvette. «Wenn sie uns hier anlügt und uns Sachen verschweigt. Verschweigst du noch was? Warst du das mit dem Blut? Mit dem Gepäck?»

«Nein!», sagte Bea ganz ruhig. «Das war ich nicht.»

«WER DENN DANN?», schrie Yvette.

«Hör doch mal auf, ständig auszuflippen.» Bea wieder, ganz ruhig.

«Wir müssen erst einmal zu unseren Rucksäcken», sagte Anuschka. «Nicht dass die noch mal verschwinden.»

Ich wunderte mich, dass der Vogel nicht mehr schrie.

Wir beschlossen, unsere Rucksäcke zu holen und abzuhauen. Wir wollten so viel wie möglich von den Vorräten und was wir so brauchten, einpacken und dann so schnell wie möglich weg. Wir hofften, dass Inken uns nicht sehen würde – aber als wir um die Ecke vom Waschhaus bogen, sahen wir sie.

Aber zuerst hörten wir sie. Platschen, Weinen. Der im Wasser gespiegelte Mond schaukelte.

Eine gebeugte Hexe stakste durch die Pfütze – ihre Ketten klapperten –, sie hob ihre Füße, als ob der Schlamm nach ihren Knöcheln griff. Ihre Bewegungen spiegelten sich auf der Wasserfläche. Die Hexe über der Wasseroberfläche bückte sich in ihr Spiegelbild hinein, wühlte am Grund des Wassers und zog etwas heraus. Ein Tier. Von der Größe her eine Katze. Inken zog weitere Tiere heraus und jammerte.

Mich würgte der Brechreiz. In das war ich also am Morgen getreten. Tote Katzen. Und das stank so.

Als Inken uns bemerkte, rief sie: «Was habt ihr gemacht? Warum?» Im Arm schlenkerte eines der leblosen Viecher. Sie fragte noch mal, lauter: «Was habt ihr gemacht?», und dann noch lauter: «Warum?» Dann allerdings wollte sie auf einmal wissen, ob eine von uns einen Kaugummi habe.

Jetzt glaubte ich nicht mehr daran, dass sie gleich verkünden würde, dass alles nur ein Test war.

Sie musste gesoffen haben. Oder irgendwas genommen. Die Beine der beiden Hexen knickten ein, sie strauchelten und stürzten aufeinander zu.

«Sollten wir nicht …», wollte Antonia etwas fragen.

«Nein!», sagte Yvette.

«Wir sollten gehen», sagte Bea.

Und sie ging und wir hinterher.

Hinter uns keifte es. Erst: «Haut ab!», und später: «Helft mir!», aber da waren wir schon weit weg.

Ich hatte mal gesehen, wie meine Mutter den Kopf wegdrehte, als Vater sie küssen wollte. Erwachsene waren wie ein Samtvorhang vor einem gruseligen Film. Wenn du einmal hinter diesen Vorhang geschaut hast, bist du fast schon selbst auf der anderen Seite. Dann ist nichts mehr, wie es vorher war. Und wenn du einmal weißt, dass es nicht stimmt, was sie sagen, dann stimmt gar nichts mehr.

Nachdem ich Inken in dieser Pfütze gesehen hatte, war für mich der ganze Vorhang für immer abgenommen.

Wir beeilten uns mit dem Umpacken. Jede ließ ein paar Sachen zurück, stopfte dafür etwas anderes in ihren Rucksack. Pfiffidecken, Gaskocher, Feueranzünder, Kochgeschirr und alles, was an Essensvorräten da war. Büchsen mit Gulasch, Suppe, Nudeln und diese kleinen Döschen mit Honig und Marmelade. Nach kurzer Diskussion packten wir Inkens Stirnlampe ein. Die leeren Taschenlampen nicht. Bea sagte, für diese Lampen bräuchte man Flachbatterien, die gäbe es gar nicht mehr.

Yvette wollte ihren lila Rollkoffer nicht zurücklassen. Der sei immerhin teuer gewesen. Sie stopfte ihn in einen halbleeren Seesack.

Ich spülte noch schnell meine verletzte Hand mit Wasser ab und knotete eine Socke drum.

Dann huckten wir das Gepäck und marschierten los.

Ich lief so ziemlich in der Mitte, vor mir Mädchen und hinter mir Mädchen, und so fühlte ich mich auch: richtig in der Mitte. Wenn ich bei Klassenausflügen in der Mitte gelaufen war, hatte ich allen hinter mir misstraut. Diesmal war es gut, dass Bea und Freigunda mit dem harten Schädel hinten liefen. Vorne war Yvette. Sie hielt das für die wichtigste Position. Dabei war Hinten das wichtigere Vorne.

Ich war noch nie so lange nachts draußen gewesen. Es war schon seit zwei Stunden dunkel. Das Mondlicht fiel in Strichen durch die Kronen der hohen Bäume. Am Anfang war der Nachtwald nur vier schwarze Wände um mich herum, aber langsam konnten meine Augen schwarz von schwarz unterscheiden. Meine Ohren versuchten, sich zu spitzen und zu drehen.

Im Wald knackte es. Es war ein größeres Knacken als ein Tierknacken. Ich fand, es war ein Menschenknacken. Ein zweibeiniges Knacken. Aber ich sagte lieber nichts. Bestimmt hatte ich mich geirrt. Vielleicht knackten Hirsche wie Menschen. Vielleicht knackten Wölfe wie Menschen. Jeder beruhigende Gedanke wurde von einem noch beunruhigenden verjagt.

Ich hatte Angst, dass Inken uns folgen würde. Ich hatte noch mehr Angst, dass Inken gar nicht in der Lage war, uns zu folgen. Sie hatte dagelegen. Antonia hatte noch gefragt: «Sollten wir nicht ...?», Yvette hatte gesagt: «Nein!»

Wir liefen immer weiter in das Schwarze hinein. Wieso sollte es ausgerechnet hier zum Bahnhof langgehen? Wieso mussten wir so rennen?

«Pause!», sagte Bea irgendwann. Zustimmung von allen.

Ich warf das Marschgepäck auf den Waldboden und beugte mich nach vorne. Schnaufen, schnaufen. In meiner Hand tobte der Schmerz.

«Gerade hinstellen, Arme ganz breit und ganz tief einatmen!», ordnete Yvette an.

So wie Sportlehrer das sagen, während der Körper was

anderes sagt, und zwar lauter. Der sagte nämlich «krümmen und nach Luft japsen».

«Meine Mutter ist Personal-Trainerin», erklärte mir Yvette.

Und das heißt jetzt was?, fragte ich mich. Dass sie mir Anweisungen geben durfte, wie ich atmen soll?

«Meine Mutter ist Putzfrau», schnaufte ich.

Rike begann zu lachen und bekam sich gar nicht mehr ein.

Als wir fertig waren mit Lachen, ging unsere Atmung wieder normal. Wir waren am Rand einer Lichtung, auf die der Mond sein weißes Licht warf. Die hohen Gräser um uns herum raschelten, obwohl es windstill war.

Bea überlegte laut. «Am besten laufen wir weiter den großen Weg entlang, bis wir an eine Straße kommen. Dort ist dann hoffentlich ein Schild, wo draufsteht, wie es zu einem Bahnhof geht.»

«Ich will als Erstes zur Polizei. Ich will Inken anzeigen», widersprach Yvette.

Einige Mädchen schnauften.

«Wieso willst du ständig jemand verklagen oder anzeigen?», fragte Bea. Ihr Schatten hob entnervt beide Arme: «Was versprichst du dir denn davon? Überhaupt, was willst du ständig von Erwachsenen? Überlegt doch mal: Inken wird uns nicht suchen. Die ist froh, dass sie ihr Geld hat und wir weg sind. Unsere Eltern denken, dass wir im Camp sind. Niemand vermisst uns in den nächsten zwei Wochen. Wir können machen, was wir wollen! Was wir wollen … Überlegt doch mal! Einfach alles. So frei sind wir nie wieder. Nie wieder in unserem Leben.»

Das schlug bei mir ein wie eine Bombe. Freiheit – da gab es so viele Lieder drüber. So was wie Freiheit war für so was wie Tiere. Hatte ich bis dahin immer gedacht. Es hatte nichts mit mir zu tun. Freiheit war für andere. Andere Länder, andere Zeiten. Wenn ich bei mir zu Hause saß, dann wollte ich da ja sitzen. Aber auf einmal war ich also frei. Genau in diesem Moment! Es roch auch alles ganz frei. Nach freier Nacht, freiem Mond, freiem Gras und freiem Himmel.

«Aber …», hob Yvette an.

«Aber was?», unterbrach sie Bea. «Wir haben keine drei Pferde? Wir werden uns welche fangen, versprochen. Für jeden drei.»

«Du nervst. Echt, jedes Haar an dir nervt», fauchte Yvette.

«Jetzt schon, ja?»

«Wir haben nicht viel Geld. Willst du das auch fangen?» Da hatte Yvette recht.

«Ich hab tausend Euro in nicht markierten Scheinen», sagte Bea.

Rike neben mir lachte über etwas und konnte es kaum aussprechen: «Der Wald ist unsere Mutter. Wir brauchen kein Geld.»

Wir lachten alle so laut, als wollten wir damit jemand vertreiben.

Dann beschlossen wir, zügig weiterzugehen, um am Bahnhof zu sein, bevor es hell wurde, und mit einem der ersten Züge wegzufahren.

«Mein Vorschlag ist, dass jede einen Vorschlag macht. Dann stimmen wir ab!»

Wir fanden Beas Idee alle gut.

Während wir darüber redeten, wie es weitergehen sollte, baute Freigunda eine Fackel. Aus einer in Teer eingelegten Schnur. So was hatte sie bei sich. In einer runden Büchse hatte sie das.

«Warum hast du denn so was?», fragte Antonia.

«Um eine Fackel zu fertigen», sagte Freigunda. Auf Batterien würde sie nichts geben. Mit knappen Worten informierte sie uns, dass ihre Eltern fahrende Leut seien und sie seit ihrer Geburt in einem Pferdewagen lebte. Sie fuhren mit anderen Leuten von Mittelalterfest zu Mittelalterfest. Wenn kein Mittelalterfest war, arbeiteten sie als Straßenkünstler. Sie zündete die Fackel an. Das roch nach Freiheit.

«Aber dann seid ihr ja richtig arm», Yvette klang begeistert.

«Nein. Wir haben eine Ziege, zwei Hunde und einen Esel.»

«Und Pferde?», fragte Yvette.

«Sechs.» Dann senkte Freigunda den Kopf, und ihr Haarvorhang schloss sich wieder. Vorstellung beendet.

Rike lachte und knuffte mich, damit ich mitlachte.

Wir huckten unsere Rucksäcke wieder und gingen der Fackel hinterher. Das gelbe Licht riss die Bäume aus den schwarzen Wänden um uns herum. Obwohl kein Wind war, hüpfte das Flackern die wildesten Schatten auf die Baumstämme. Tanzende Teufel.

Anuschka lief vor mir und spuckte wieder über ihre Schulter.

«Ey!», sagte ich.

Der Wald wurde ruhig. Der Weg knackte unter den Füßen. Unser Schnaufen wurde rhythmischer. Wir sprachen gar nicht mehr. Wir liefen einfach. Wie eine zwingende Bewegung. Wir waren eine Ameisenstraße voller Ameisen, deren Bau überflutet worden war.

So hatte ich mir das immer mit Drogen vorgestellt. Irgendwie war ich mehr als sonst. Oder weniger.

In dem Moment spürte ich es das erste Mal: den Sog. Ein runder Sog – also eher ein Strudel. Hier war ein Kreis von

Mädchen, und ich war ein Teil davon, und jede andere auch, und wenn eine gehen würde, dann wäre es kein Kreis mehr. Und ich spürte, dass ich alles tun würde, um diesen Kreis zu erhalten. Na ja, alles – wie man das eben so sagt. So wie «für immer und ewig» oder so.

D ie Fackel von Freigunda war fast runtergebrannt, als wir am Bahnhof von Bad Heiligen ankamen. Es war leicht gewesen, ihn zu finden. Ganz ohne Karte und Smartphone. Der Bahnhof war gut ausgeschildert. Auf unserem Weg hatten wir noch ein Hinweisschild für einen Reiterhof gesehen. Hier schien es nicht viel anderes zu geben.

Drei Uhr zwölf zeigte eine dreckige Uhr.

Der Bahnhof war nur ein Bahnsteig im Freien, neben einem kaputten Häuschen. Links und rechts von den schmalen Bahnsteigen verlief ein schiefes Geländer, durch dessen graue Lackierung sich der Rost fraß. Dahinter Sträucher.

Hier möchte ich nicht tot über dem Zaun hängen, sagte mein Vater an solchen Orten immer. Das fand ich blöd, denn lebendig wollte er doch auch nicht über dem Zaun hängen, oder was? Und ich konnte mir auch nicht vorstellen, dass mein Vater mal irgendwo begeistert ausrief: «Also, HIER möchte ich tot über dem Zaun hängen!»

Im gelben Fahrplan stand, dass in knapp einer Stunde ein Zug fuhr. In die Lausitz. Über Berlin. Es gab noch zwei andere Verbindungen. Eine nach Polen. Und eine noch weiter hoch, übers Meer auf eine Insel. Wir hatten drei Richtungen zur Auswahl. Nach Westen fuhr nichts.

Wir gingen zu einer kleinen Wiese, die sich neben dem Bahnsteig befand. Dahinter war ein verfallenes Gehöft, umgeben von einem schiefen Holzzaun, der von einer riesigen, alles fressenden Hecke überwältigt worden war. Wir setzten uns in die Nähe der Hecke und waren so blickgeschützt, zumindest von einer Seite. Es roch nach Kuhscheiße. Gegen den Gestank der Pfütze im Barackendorf war das aber harmlos. Ich schüttelte die Gedanken an Inken und die Katzenleichen ab.

Freigunda fertigte eine neue Fackel, entzündete diese an der alten und steckte sie neben uns in die Wiese. Sie bewegte sich unglaublich geübt.

«Also, wer hat Vorschläge? Wir stimmen aber erst zum Schluss ab», sagte Bea. «Kein langes Gerede!», und dann zeigte sie auf mich: «Du!»

Ich zuckte die Schultern. Ich hatte eine Idee, aber sagen wollte ich sie nicht. Beim Sagen musste man sprechen, und dann hörten einem die anderen zu, sahen einen an, und dann konnte man ja nichts mehr sagen. Das war ein unlösbares Dilemma. Ich hätte vorgeschlagen, dass wir zurückgehen und im Camp bleiben.

Auch Antonia zuckte die Schultern. «Vielleicht in das Camp zurückgehen? Wegen Inken vor allem.»

Einige schüttelten die Köpfe.

In der Hecke oder hinter der Hecke raschelte es. Die Nachttiere kehrten in ihre Höhlen zurück. Komisch, dass sie gar keine Angst vor uns hatten.

Rike sagte, wir sollten einfach losfahren und dann ein leeres Haus besetzen.

Freigunda war dafür, dass wir alle zu ihr auf den Markt mitkommen und mal richtig arbeiten. Das würde einigen guttun.

Bea war dafür, dass wir so weit weg wie möglich sollten. Nur um zu sehen, wo wir ankommen. Vielleicht mit einem

Auto? Sie sagte, sie könne fahren. Auch größere Strecken, ihr Vater habe ihr das beigebracht. Sie sei schon LKW gefahren, als sie zwölf war.

«Du willst aber nach den zwei Wochen schon noch zurück, ja?», fragte Antonia.

Bea nickte langsam wie ein Angler, der nicht durch eine Bewegung seines Schattens die Fische scheu machen wollte. Sie wollte wohl eher nicht in zwei Wochen zurück.

Yvette meinte, dass wir mit zu ihr nach Hause könnten. Mutter und Vater seien getrennt verreist, wie immer. Vor dem Siebzehnten nicht wieder zurück. Und anrufen würden die auch nicht, wie immer. Die denken sowieso, dass sie zu Hause ist, weil sie sich beim Camp angemeldet hat, ohne den Eltern Bescheid zu sagen. Es wäre auch Essen da, und ein bestechlicher Typ vom Hausservice. Dem ist alles egal, wenn die Kohle stimmte. Und die stimmte. Einen Swimmingpool gäbe es, riesig. Einen Whirlpool, mittelgroß. Eine Rutsche. Eher so für Kinder. Ein Spielzimmer mit Games auf großem Bildschirm. Die jeweils neueste Konsole von jeder Firma. Karaokegerät. Drei Mikros. Videoleinwand mit virtuellem Tanztrainer. Fitnessraum. Tennisraum. Labyrinth. Kleiderzimmer mit Catwalk und Oversize-Spiegel. Zwei Katzen. Jim und Bim.

Bea sagte: «Klingt für mich zum Kotzen.»

«Zum Kotzen?», fragte Rike. «Die Katzen? Zum Kotzen?» Wir kicherten.

«Nee, der Rest. Der ganze Schickimickirest», sagte Bea.

«Ja, isses auch», stimmte Yvette zu. «Aber nur, wenn man allein ist. Wenn ihr mitkommt, dann isses vielleicht ganz lustig.»

«Nicht für mich!», sagte Bea. «Ich will draußen sein.»

«Ebenso», stimmte Freigunda zu. Nicken reihum.

Es kam also vieles in Frage, nur nach Hause fahren – das kam nicht in Frage. Ein Abenteuer konnte man nicht abbrechen, wenn man erst beim A angekommen war.

Von allen Vorschlägen war Anuschkas der beste. Wir könnten in die Nähe ihres Heimatortes im Erzgebirge fahren. Im Schwipptal gäbe es einen Bergwerkstunnel, wo sie als Kind mit ihrem Bruder gespielt hatte. Ihr Großvater hatte ihnen den Tunnel gezeigt und gesagt, dass er ihr Familiengeheimnis sei. Er hatte ihn Friedrich-Engels-Tunnel genannt. Einmal habe sie in der Schule davon erzählt, aber keiner kannte ihn.

«Den Tunnel oder den Friedrich Engels?», witzelte Rike.

«Den Tunnel, Mann, du mit deinen doofen Fragen. Friedrich Engels war …»

«… irgendein Kommunist …», flüsterte ich die Floskel meiner Oma.

«Ein Kommunist», sagte Rike laut und knuffte mir den Ellenbogen in die Seite.

«Aber dein Opa kennt doch den Tunnel», piepste Antonia.

Anuschka winkte ab. «Der ist alt und kann seine Schuhe nicht von seiner Mütze unterscheiden. Er sitzt im Rollstuhl und ist ein Pflegefall.»

«Und dein Bruder?», fragte Antonia weiter.

«Der war fünf oder sechs. Der kann sich nicht erinnern. Mein Opa, mein Bruder und ich, wir haben damals vor dem Eingang einen Himbeerstrauch gepflanzt. Man kann den Tunnel nicht finden, wenn man nicht weiß, wo er ist.»

Dann stimmten wir ab.

Sieben zu null waren die Arme hoch für Tunnel.

Als ich den Arm hob, sah Freigunda die Socke, die um meine Hand geknotet war. Sie kam zu mir, nahm meine Hand, wickelte die Socke ab. Mit ihren langen Fingern hielt sie mich fest und zog – einen Daumen links, einen Daumen rechts – die Wunde auf. «Seit wann hast du das?»

«Ich bin über die Bank geflogen», sagte ich, «als wir eingeschlossen waren.»

Das könne eine Blutvergiftung werden, warnte sie.

So auf jeden Fall, dachte ich, denn ich hatte am Vortag ihre Hände gesehen, ihre Fingernägel. Sie murmelte, dass es auch nur eine Entzündung werden könnte, wenn ich Glück hätte. «Bist du geimpft gegen Wundstarrkrampf?»

Ich zuckte die Schultern. «Bestimmt», sagte ich. «Ist man doch, oder?»

«Ich nicht!», sagte sie und ließ mich los. «Du musst das mit Spucke waschen.»

«Igitt!», stieß Yvette aus. «Vielleicht geht ja auch Wasser, ey! Ganz moderne Erfindung. Wasser! Kennst du?»

«Spucke tötet Bakterien», sagte Freigunda. «Leben oder sterben. Musst du wissen.»

Bea schaltete ihre Taschenlampe ein, klemmte sie zwischen Hals und Kopf und griff nach meiner Hand. «Wir müssen das auswaschen.»

«Aber nicht mit Spucke!», sagte Anuschka. «Ich geh zum Bahnsteig. Da ist ein Automat. Wasser ziehen.»

«Oder nimm Cola. Das tötet die Bakterien auch», sagte Yvette.

«Quatsch», Anuschka daraufhin.

«Doch!», Yvette daraufhin.

«Sag doch auch mal was. Ist ja deine Hand», forderte mich Bea auf.

«Ich?» Ich zuckte die Schultern. «Wasser am liebsten.»

Als Anuschka wiederkam, wusch sie meine Hand. Ihr weiches schönes Gesicht beugte sie über den Schnitt. Sie hatte etwas Mütterliches oder sogar Großmütterliches. «Das ist nicht schlimm», sagte sie. Die Morgendämmerung zeigte was anderes: Ich hatte mir ungefähr zwei Zentimeter Handballen aufgeritzt. Vom Zeigefinger zum Mittelfinger. Wenn ich die Hand bewegte, klaffte der Schlitz wie ein kleiner Mund auf und zu. Die Haut ringsherum war rot, glatt und geschwollen. Blut kam nicht mehr.

«Ich kann dir im Erzgebirge Kräuter sammeln, die helfen», sagte Anuschka zu mir. Dann bat sie Antonia, den Verbandskasten zu suchen. «Vielleicht ist da Jod drin.»

«Nein! Nicht möglich!», rief Antonia und hielt den Verbandskasten hoch, «Pfiffi, das pfiffige Eichhörnchen!»

Das ließ nichts Gutes ahnen, denn alle Pfiffisachen waren zerschrammelt gewesen.

Im Verbandskasten war wirklich ein Fläschchen, aber auf dem Fläschchen stand etwas in einer fremden Sprache, die keiner von uns kannte. Das konnte Jod heißen, aber auch Gift.

«Deutsch isses nicht!», sagte Yvette.

Rike lachte: «Du, nee! Und Englisch auch nicht.»

«Nee, und Jod isses wahrscheinlich auch nicht», sagte Bea.

Anuschka roch dran. «Ich bin mir sicher, eigentlich ziemlich sicher, dass das Jod ist.»

«Sag du doch mal was. Ist doch deine Hand!», sagte Bea.

«Nee, lieber nicht», murmelte ich.

Antonia holte eine Binde aus dem Pfiffi-Verbandskasten.

«Die sind ja schon ganz mürbe», sagte sie. «Igitt, die brechen einfach ...»

Bea, immer noch die Taschenlampe wie ein Telefon zwischen Kopf und Schulter geklemmt, drehte sich um, leuchtete hin. In Antonias kleinen Händen lagen weiße Krümel und Fasern. «Igitt, das klebt alles total.»

Anuschka holte eins ihrer T-Shirts aus ihrem Rucksack, zerriss es und umwickelte mit den Fetzen meine Hand. «Vielleicht brennt es erst mal noch mehr, aber bald hört es auf.» Sie verknotete die Enden. «Nachts kannst du es abnehmen, dann kommt Luft ran. Tagsüber lass es dran, damit die Wunde sauber bleibt.»

«Was ist deine Mutter für eine Ärztin?», fragte ich.

«Eine gute», sagte Anuschka und lächelte. «Alle Patienten leben noch, und die toten haben sich nie beschwert.» Sie wandte sich an die anderen. «Hat noch jemand eine Wunde?»

Freigunda tat der Fuß weh. Sie weigerte sich aber, die Schuhe auszuziehen.

«Das geht nicht», sagte Bea, «Kranke können wir nicht gebrauchen. Lass dich versorgen.»

«Nein», Freigunda blieb stur. «Mein Fuß ist mein Fuß. Und wer weiß, welche Krankheiten du hast, die man nicht sieht.»

Bea nickte.

Für Antonias Zahn konnte Anuschka nichts tun. Er war schief abgebrochen. Antonia fuhr ständig mit der Zunge darüber.

Dann verließen wir den Schutz der riesigen Hecke.

Die Sonne schob sich hinter dem Horizont hoch. Vier Uhr einundvierzig. Vogelstimmen, Dorfgeräusche, die weit geflogen waren, ein Tag im Wachstum. Vielleicht würde er größer werden als andere Tage, und es würde mehr hineinpassen als sonst.

Wir gingen zurück zum Bahnsteig, der immer noch ganz leer war. Keine unerwünschten Zeugen, als Bea die Tickets zog.

«Du hast ja wirklich Geld dabei? Wie viel?» Yvette versuchte, über Beas Schulter zu sehen.

«Einen Notgroschen.» Bea ließ das kleine Lederportemonnaie in der Tasche verschwinden. «Hast du etwa gar nichts?»

«Gott bewahre.» Yvette lachte einmal spitz. «Ich habe nie Bargeld bei mir. Da wird man nur überfallen. Entweder bezahlen meine Eltern, oder ich habe eine Kundenkarte im Laden, in einigen Läden kann ich anschreiben lassen. Die kennen mich überall in Kleinmachnow.»

«So genau wollte ich es nicht wissen.» Bea nahm das Ticket aus dem Automaten und gab es Anuschka. «Hier, nimm du. Siehst am ehesten wie eine Erwachsene aus.»

Das stimmte. Anuschka war eigentlich schon eine junge Frau. Wenn sie sich schminken würde, sähe sie nicht nach Kinderfasching aus.

Wir hatten noch ein wenig Zeit und durchsuchten unser Marschgepäck nach Kleinigkeiten zu essen. Da war doch noch eingeschweißtes Brot gewesen. Yvette zog unten aus ihrem Seesack drei von Inkens Ketten heraus, Kugeln, Bernstein, Filzbälle, alles gelb. Sie ließ sie angeekelt fallen. Wie unglückliche Verkettungen lagen sie auf dem Bahnsteig. Eitrige, hochgetriebene Algenblasen mit Fischeiern daran.

«Heb die auf!», sagte Bea. «Wir wollen keine Spuren hinterlassen.»

«Wir haben nichts verbrochen.»

«Wissen wir nicht genau.»

Yvette hob die Ketten auf. Dann stand sie da.

«Wieder rein!», Bea zeigte auf den Seesack.

«Ich trag die nicht», Yvette mit flackerndem Gesicht.

Anuschka war mit einem Schritt bei ihr. «Ich trag sie», sie entwirrte die Ketten und hängte sie sich um, Perlen, Bernstein, Filzbälle. Jetzt trug sie drei Ketten. Nein, vier, die vierte hatte sie unter dem Shirt. Ein Lederbändchen schaute oben aus dem Kragen. Sie fasste es, zog es sich über den Kopf, küsste oben auf die geschlossene Faust, und schon flog es ins Gebüsch. Das Ding – ein Anhänger, eine Sichel, vielleicht ein Mond – reflektierte kurz und zog im Flug das Lederband wie einen Schweif hinter sich her.

Yvette ging sofort in die Luft. «Aber sie, sie darf hier ihre Kette ins Gelände pfeffern?», schnappte sie. «Sie darf hier Spuren hinterlassen? Sie soll sofort …»

«Ja, da hast du recht», sagte Bea. «Das war nicht so klug.» Ihre Hände hoben und senkten sich.

Yvette fauchte weiter. «Bei ihr isses nicht so klug, und bei mir isses dumm.»

«Der Zug kommt», unterbrach Antonia den Streit.

Es war ein hellblauer Zug. Eine große Schrift auf der Seite: «Wir fahren Sie gern.»

Unsere Idee, uns im Zug zu verteilen, damit wir nicht auffielen, verwarfen wir sofort. Der Zug bestand aus zwei kurzen Abschnitten, die gut zu überschauen waren. Wenn wir uns da drin verteilen würden, sähe es erst recht auffällig aus. Es war unwahrscheinlich, dass sich in dieser Gegend sieben Mädchen im selben Alter nicht kannten. Wenn es überhaupt sieben Mädchen in unserem Alter hier gab. Die ersten Orte, durch die wir fuhren, hießen Schwerboden, Hartlos und Altendorf. Alles klar.

Außer uns war keiner im Zug. Nur das Personal. Ein alter und ein junger Mann. Wir setzten uns in den Bereich, wo man die Sitze hochklappen kann, um Fahrräder mitzunehmen.

Wir fuhren an einem Bedarfshalt nach dem anderen vorbei. Die Hälfte von uns war schnell eingeschlafen. Antonia hatte sich neben mir zusammengerollt, und ihr Vanilleduft kroch mir in die Nase. Als wir fast eine halbe Stunde unterwegs waren, kam der Kontrolleur. Es war der alte Mann. Unter seiner dicken Brille war eine weiche wabbelige Nase, und darunter ein grauer Schnauzer. Es gab echt Leute, die so aussahen, wie andere Leute sich zum Spaß verkleideten. Bestimmt hieß er Willi oder Bernd oder so.

«Guten Morgen, die Fahrausweise bitte!», sprach er mit einer Schnarrstimme.

«Pst! Meine Mädels schlafen», flüsterte Anuschka. Mann, das war ja eine super Idee von ihr.

Ich stellte mich auch schlafend und linste durch die Wimpern. Lag das an den Ketten von Inken, oder warum sah Anuschka auf einmal noch erwachsener aus? Sie musste aufstehen, weil sie im Sitzen nicht das Portemonnaie aus ihrer Hosentasche bekam. Im Stehen war sie größer als der Willi-Bernd. «Servieren Sie Kaffee am Platz?», fragte sie ganz nebenbei.

«Ja? Wie viele denn?»

«Na, einen. Meine Mädels trinken doch keinen Kaffee!»

81

Anuschka schüttelte den Kopf über so viel Verantwortungslosigkeit.

Ich grinste in meine Trainingsjacke. Neben mir schnappte Rike nach Luft.

«Wohin geht es denn, junge Frau?» Willi-Bernd war begeistert von unserer jungen Lehrerin, die mit uns ins Ferienlager fuhr. «Ist aber eine kleine Klasse», sagte er. «Und nur Mädchen …»

«Privatschule», murmelte Anuschka. «Der Kollege fährt mit den Schülern.» Ihr fielen immer sehr schnell Antworten ein. Ich nahm mir vor, ihr gegenüber etwas auf der Hut zu sein.

Wenige Minuten später brachte er den Kaffee, auf den sich Bea stürzte, kaum dass Willi-Bernd weg war.

Wenn ich mich bis dahin gefragt hatte, warum diese Kurortbahn so früh morgens überhaupt fuhr, wusste ich die Antwort, als wir in Wiekemark ankamen. Der Bahnhof war voller Menschen mit müden Gesichtern. Leute, die in Berlin arbeiteten und die dort auch alle ausstiegen. Andere stiegen ein.

Wir schliefen die meiste Zeit. Das war die einfachste Art, die Zugfahrt zu verkürzen. In Dresden stiegen wir aus, zusammen mit einer Frau, die Anuschka komisch ansah, als sie vom Schaffner gesiezt wurde.

Wir können von hier aus nicht laufen», sagte Anuschka. «Das ist zu weit.»

Bea sagte, sie könne mit geputzten Zähnen besser denken. Sie zeigte auf ein Restaurant im Bahnhofsgebäude, zwischen Zeitungsladen und Schuhladen. Eine kleine Klapptafel lock te mit Schnitzelvariationen. Ein Schild wies darauf hin, dass man hier Fahrräder ausleihen könne.

Ich überlegte, ob wir mit Rädern fahren könnten. Wir könnten uns verkleiden.

Wir könnten auch hierbleiben. Oder doch zurückfahren. Und Inken? Und die toten Katzen? Ich schüttelte mich kurz.

Einige der Mädchen wollten ebenfalls auf die Toilette. Antonia, ich, Rike, Anuschka und Bea gingen in die Kneipe. Drinnen dunkle Holzvertäfelung, auf den Fensterbänken standen Omapflanzen, und es roch nach Omaessen. Hinterm Tresen fummelte eine blonde Dauerwelle am Radio.

«Na, 'tschuldigung, der feine Herr, das isn Sender, der nur jede halbe Stunde Nachrichten bringt», sagte sie zu einem älteren Mann am Tresen und drehte sich zu uns. «Hallo, Mäuse. Was wollen wir denn? Klo ist hinter der Garderobe! Oder wollt ihr 'ne Cola?»

Wir schüttelten den Kopf.

«Kost ein Euro, wenn man kein Gast is. Kostet 'ne kleine Cola ooch. Könnt ihr euch überlegen.»

Dauerwelle zuckte die Schultern, als täte ihr das leid. Sie hatte die Gesetze nicht gemacht. Nach Frühling kommt Sommer, und Aufs-Klo-Gehen kostet ein Euro. Völlig machtlos war sie da.

Der Alte am Tresen trug eine grüne Anglerweste. Auf dem Kopf einen Anglerhut. Neben ihm eine junge Frau im Overall. Beige. Dreckig an den Oberschenkeln, wo man sich die Hände abwischt. Auf dem Boden vor den beiden lag ein struppiger alter Hund, der die Frau anwedelte. Zwischen ihnen auf dem Tresen lag ein Autoschlüssel.

«Wenn die keiner mehr will, dann kann man die doch

abknallen. Köter gibt's doch wie Sand im Meer», sagte der Mann.

«Am Meer», sagte die Frau. Sie hatte eine sanfte Stimme.

«Nee, Paula, watt soll man die denn durchfüttern und rumfahren? Einfach abknallen. Oder vergasen. Hinten an nen Auspuff halten.»

«Ich heiße Paola», sagte die junge Frau und lachte. «Es ist immer eine Freude, mit Tierfreunden wie Ihnen zu plaudern.»

Bea verwechselte die Klotür mit einer Saloontür und trat mit ihren Chuck-Cowboystiefeln dagegen, sodass sie schwungvoll aufflog.

«Mäuse, Vorsicht! Fliesen sind kein Panzer!», rief die Dauerwelle.

Bea setzte ihren Rucksack ab. «Selber vergasen, Arschloch!», sagte sie. Dann verschwand sie in einer der zwei Toilettenkabinen.

Antonia hüpfte von einem Bein aufs andere und beeilte sich, in die andere Kabine zu kommen. Anuschka kramte in ihrem Rucksack nach der Zahnbürste.

Bea fluchte vor sich hin. «Solche Pisser kann ich leiden. Nur ein Tier …» Dann spülte sie und kam rausgepoltert. «Nur ein Mensch müsste das heißen.» Sie öffnete die Tür zum Restaurant einen Spaltbreit und lauschte, wie der alte Typ draußen den Hund beschimpfte. Dann sprang sie von der Tür weg. Die Frau mit dem Overall kam rein. Paula, nein, Paola. Sie schlängelte sich lächelnd hinter uns durch. Als alle mit der Katzenwäsche und dem Zähneputzen fertig waren, huschten wir hinter Bea nacheinander in den Gastraum. Bea blieb hinter der Garderobe stehen. Ich dachte, dass es darum geht, nicht für die Toilette zu bezahlen. Darum das ganze Gehusche und Geducke. Bea schaute hin und her und wartete auf den richtigen Moment. Der richtige Moment war, als die Wirtin sich umdrehte und der alte Mann mit dem Angelhut weitere Münzen in den Automaten warf. Bea lief los, auf den Tresen zu. Dann klapperte sie Geld auf den Tresen, sagte laut: «Danke und schönen Tag noch!», nahm den Autoschlüssel und ging schnurstracks raus. Wir hinterher.

«Loslos!», rief sie. So schnell konnten Freigunda und Yvette, die draußen gewartet hatten, kaum die Rucksäcke und Seesäcke aufsetzen.

Bea blickte sich um. Links. Rechts. Wir auch. Links. Rechts. Dann lief sie aus dem Bahnhofsgebäude raus.

«Was ist? Kann ich mal bitte erfahren, was ist?», meckerte Yvette.

Bea hielt im Rennen den Schlüssel hoch. Klapperte damit.

«Hast du etwa …?» Yvette fragte gar nicht zu Ende. Sie begriff, dass Bea hatte. Jawoll. Einen Autoschlüssel. Aber wo war das Auto?

Bea flitzte zu einer Freifläche gegenüber vom Bahnhof. Intuition oder Glück. Als ich sie später mal fragte, sagte sie Können. Sie schaute sich um, ob der Angelhuttyp käme. Er kam nicht. Konnte aber nicht mehr lange dauern, bis er brüllend aus der Tür stürzte.

Auf der Freifläche standen ein paar Autos. Bea rannte zu einem Transporter, etwa doppelt so groß wie der Kastenwagen von der Reinigungsfirma meiner Eltern. Hinten keine Fenster. Über die ganze Seite eine große braune Pfote. «Für Hundeproblemfälle» stand drauf.

Ich hatte kaum eine halbe Sekunde, mich zu freuen, da schoss es mir durch den Kopf: Sie wollte das Teil echt fahren. Bea schlug mit der flachen Hand hinten gegen die Autoseite. Drinnen bellte es.

«Und jetzt? Willst du die freilassen?», fragte Freigunda.

«Damit der Arsch die wieder einfängt? Und tötet? Niemals!» Bea schloss hinten auf.

Transportkisten. Gittertüren. Hechelnde Hunde. Hechelnde Mädchen. Wir starrten uns gegenseitig an. Die Kisten standen nebeneinander am Boden. Drei links, drei rechts. Einer der Hunde wimmerte. Einer drehte sich in der grauen Plastekiste um sich selbst. Einer versuchte, die Kiste aufzubuddeln. Einer knurrte. Es stank.

«Na, hallo!», sagte Bea zu ihnen. «Ganz ruhig. Alles okay.»

Dann sah sie uns der Reihe nach an. Vielleicht versuchte sie einzuschätzen, was passieren würde, wenn sie verkündete, dass wir jetzt in dieses Auto steigen sollten, zu diesen Hunden.

«Wer ist dafür, die Hunde zu retten?» Sie hatte ihre Hand schon oben, bevor der Satz zu Ende war.

Freigunda meldete sich sofort. Ich fast zeitgleich. Hunde fand ich schon immer cool. Ich stieß Rike an. Die hob auch ihren Arm. Dann auch Antonia.

Wir warfen das Gepäck rein.

Yvette stieg ohne weiteren Kommentar hinten in das Auto und setzte sich auf eine Kiste, in der ein schwarzer Hund mit einem mörderisch breiten Kopf lag. «Das ist meiner», sagte sie.

«Anuschka, ich brauch dich vorne. Und vielleicht auch Antonia.» Bea schloss vorn auf, kletterte rein. Ich zögerte noch. Aber wenn Bea sagte, dass sie fahren kann, dann kann sie auch fahren. Ihre Bewegungen sahen vertrauenerweckend aus.

Ich stieg ein.

Hinten knallte die Tür. Die Hunde bellten. Vorne knallte die Tür.

Unter mir in der Kiste fiepte ein kleiner gefleckter Irgendwas. Pudel-irgendwas. Pudel-Lamm-Dachs oder so. Er quietschte, als wäre in seinem Maul eine ungeölte Klappe, die durch sein Hecheln immer wieder auf- und zuging. Sein Fell war ganz nass. Vielleicht hatte er in die Transportkiste gepinkelt und sich dann reingelegt. So roch er zumindest.

Die anderen Hunde waren ruhiger. Einer sah sehr alt aus. Einer vibrierte am ganzen Körper. Vielleicht knurrte er. Das Auto war lauter als das Knurren.

Wie war ich von zu Hause hierhergekommen? Aus meinem Leben auf eine Kiste mit Hund darin?

An mir zog die Müdigkeit. Mein Kopf drohte, einfach vom Hals abzubrechen. Meine Augen wollten nichts ansehen. Meine Aufregung hatte nur bis hierher gereicht. Jetzt, wo es wirklich richtig aufregend wurde, hatte ich keine mehr übrig. Ich ahnte, wie Coolsein funktionierte. Cool bedeutete, dass im Leben schon einmal etwas so Aufregendes passiert war, dass es danach nichts Aufregendes mehr gab. Wer weiß, was all den Cowboys passiert war, die im Angesicht des Todes einfach nur Kaugummi kauten. Vielleicht waren sie auch nur müde.

Wenn ich für Sekunden dem Sog nachgab, der mich in den Schlaf ziehen wollte, kippte mein Kopf nach hinten. So schmerzhaft müde. Das war schlimmer als die pochende Verletzung an der Hand. Müdemüdemüde. Bei jeder Bremsung knallte ich allerdings erst gegen Yvettes Schulter, dann hinten an die Fahrzeugtür. Zwei Bremsungen später hatte ich mir halb den Nacken ausgerenkt, um nicht noch einmal an Yvette zu knallen.

«Pass auf, Leuchtturm!», blaffte Yvette bei der nächsten ungeschmeidigen Bremsung, die mich fast in ihren Schoß warf.

Ich hoffte, dass Bea nicht so müde war wie ich. Sie hatte im Zug den Kaffee getrunken. Hatte sie gewusst, dass sie wach bleiben muss? Hatte Bea vorgehabt, ein Auto zu klauen?

Sie fuhr scheiße.

«Schalten muss kein Geheimnis sein», sagte mein Papa immer und lachte. Es reichte ihm, wenn er sich selbst lustig fand. Meine Mutter verdrehte dann immer nur die Augen. Ich beschloss, nicht mehr an die beiden zu denken. Wenn ich zu viel an sie dachte, saßen sie wie Engelchen und Teufelchen auf meiner Schulter, aber beide zusammen auf der Engelschulter. Bladibla, das macht man nicht, Konsequenzen tragen, sei vernünftig, so kennen wir dich gar nicht.

Ich kannte mich so auch nicht. Ich war mir fremd. Jetzt war ich richtig gespannt, mich kennenzulernen.

Yvette hämmerte mit der Faust an die Wand zur Führerkabine. «Auf 'nem Waffeleisen fahren gelernt?», brüllte sie.

Es klopfte zurück.

Ein Hund jammerte.

«Bitte, halte ein, die Tiere leiden Stress», sagte Freigunda.

Yvette schaute nach unten zwischen ihre Beine. Der schwarze Hund mit dem riesigen Schädel hechelte. «Meiner grinst!», sagte sie.

Der schwarze Rüde, auf dessen Kiste Yvette saß, war mir nicht ganz geheuer. Sein Kopf war groß. Der musste riesig sein, wenn man den aus der Kiste rausließ.

«Der grinst nicht.»

«Selber jahrelang Hund gewesen?», fragte Yvette.

«Nein», Freigunda sprach Richtung Boden. «Ich bin im Zeichen des Hundes geboren und mit Hunden aufgewachsen. Sie ersetzten mir die Freunde, und ich ziehe ihre Gesellschaft bis heute die der Menschen vor. Ihr Sozialverhalten fesselt mich schon mein Lebtag.»

Langsam wurde ich wieder wacher. Freigunda hatte so überhaupt keine Ahnung, was man in unserem Alter sagen konnte und was nicht. Was sie sagte, konnte man alles nicht sagen. Dafür bekommt man blöde Spitznamen, und in der Umkleide in der Turnhalle steht, dass du ein Opfer bist. Sie wurde bestimmt viel gemobbt in der Schule.

«Cool!», sagte Yvette. «Du bist irgendwie cool, Mittelalter.»

Freigunda reagierte nicht. Ich glaube, für sie war keine Pubertät vorgesehen. Vielleicht war Freigunda mit drei anderen Mittelalterkindern zusammen auf einer Wiese unterrichtet worden. Mit einem alten Mathebuch, in dem es noch keine Zahlen unter null gibt.

Ich sah nach unten zum bepullerten Pudel-irgendwas. Da war ein Schild mit dem Namen.

«Wuwan», sagte ich zu dem Hund. Ganz leise. Ich dachte, nur der Hund hätte es gehört.

«Ihr Hörvermögen ist gering», Freigunda hielt sich ihre Hände mit den Handflächen nach vorne an den Kopf, ungefähr da, wo Hundeohren sitzen. Sie drehte beide Ohrenhände hin und her. «Für gewöhnlich richten sie ihre Ohren nach den Geräuschen aus oder legen sie an, wenn es ihnen zu laut ist.» Sie zeigte auf Wuwan. «Dieser nicht. Seine Ohren spielen nicht.»

Ich beugte mich nach vorne und schaute in die Kiste. Zwei braune Augen schauten zurück. Die Ohren standen still. Ich guckte extra noch mal die anderen Hunde an. Richtig, deren Ohren wackelten, besonders bei dem einen hellroten. Boogie stand an der Kiste.

Die Ohren von dem schwarzen Dickkopf, auf dem Yvette saß, waren angelegt. «Meiner heißt Zack, steht hier.»

«Das werden wir noch sehen, welcher Hund zu welchem Mädchen passt», sagte Freigunda.

Nach einer Stunde Fahrt machten wir eine Pause an einem Rastplatz mit Tankstelle und einem silbernen Klohäuschen, bei dem man nicht wusste, wann es wieder zurück zum Mond fliegen würde. Daneben rauschten die Autos im ständigen Strom auf dem Autobahnfluss.

Bea gab Anuschka Geld. «Wir brauchen eine Karte vom Erzgebirge, gute Taschenlampen und Batterien.» In ihrem Portemonnaie war viel Geld drin. Krass. Wo hatte sie das her? Waren das wirklich tausend Euro?

Anuschka nickte und ging zur Raststätte.

«Warum kannst du eigentlich fahren?», fragte Yvette.

«Mein Vater ist Fernfahrer, hab ich doch schon gesagt.» Bea grinste. Wenn meine Vermutung stimmte, dass einem coolen Cowboy etwas Schlimmes passiert sein müsste, dann wollte ich gar nicht wissen, was Bea passiert war. Oder doch, eigentlich wollte ich es schon wissen.

«Und der hat dich fahren lassen?», fragte Yvette.

«Verklag ihn doch», sagte Bea.

Freigunda hatte währenddessen ein orange Wäscheleine aus ihrem Ledersack gekramt, ein Stück davon abgewickelt und es zwischen ihren Händen straff gespannt. «Ich brauche Hilfe.» Sie hielt die Wäscheleine Rike hin. Die nickte und griff zu. Freigunda nahm ihr Messer vom Gürtel und schnitt die Leine durch. Das Ganze wiederholte sich fünfmal. Das Messer sah abenteuerlich aus. Ein Griff aus Geweih, eine dreckige Klinge. Was hatte sie damit alles geschnitten? Schweine? Pilze? Baum und Borke?

«Haben wir Zeit, dass ich die Hunde entleere?», fragte Freigunda.

Bea schüttelte den Kopf. «Zu auffällig. Wir sollten schnell weiter.»

«Aber in spätestens einer Stunde. Alles andere ist nicht gerecht dem Tier gegenüber.»

«Ja, Freigunda. Da hast du recht.»

Als Anuschka wieder rauskam, hatte sie Erdnussriegel dabei. Sie steckte jedem einen zu. «Erst später essen.» Das hieß wohl so viel wie: «Ich habe sie nicht bezahlt.»

Bea ließ sich von Anuschka auf der Karte zeigen, wo der Tunnel ungefähr war. Sie tippten auf die Landschaft. Auf die grünen Flächen, auf die Linien. Hier eine Landstraße, dort ein Forstweg. Ich war oft dabei gewesen, wenn meine Eltern sich Karten angesehen hatten, aber wenn Bea das tat, war es auf einmal interessant. Sie klappte die Karte so zusammen, dass der Teil, zu dem wir unterwegs waren, oben blieb. Ihre Handgriffe waren sicher.

«Willst du jetzt mal vorne sitzen?», fragte sie mich.

Meine Röte schoss über meinen Kopf hinaus.

Wir flogen durch die Landschaft. Links Bea, rechts Anuschka. Die große Frontscheibe zog alles magnetisch an. Wir waren in der Mitte einer riesigen Schneekugel, die sich über uns wölbte. Aber ohne Schnee. Eine Wolkenkugel. Himmel, Straße, Wälder sausten auf mich zu, dann geradewegs in meine Augen und in meinen Kopf. Die Eindrücke warfen sich mir entgegen. Die Zukunft rauschte in mich hinein.

Ich war eigentlich ein Hintensitzer. Mutter, Vater, Hintensitzer. So war meine Familie. In dem Transporter unserer Reinigungsfirma gab es ja hinten nur diesen Klappsitz, auf dem ich immer saß.

Hatte ich «unsere Reinigungsfirma» gedacht? Scheiße. Die Reinigungsfirma meiner Eltern, meinte ich. Das sollte nicht mein Leben werden, mir irgendeinen suchen, der auch gern putzt, und dann einen Hintensitzer zeugen.

Ich konnte Bea nicht fragen, warum ich vorne sitzen sollte. Vielleicht mochte sie mich ja.

Ich war froh. Der Himmel war gerade hoch genug, damit sich alle Wolken stapeln konnten. Hellblau-weiß. Die Wolkenbäuche waren dunkel. Hellblau-weiß-grau. Hinten Felder. Hellblau-weiß-grau-grün. Auf beiden Seiten der Straße ein dichter Wald aus Nadelbäumen. Braun-dunkelgrün.

«Ist das schon der richtige Wald?», fragte ich.

«Das ist kein Wald, das sind Bretter», antwortete Bea. «Kiefern. Die sollen wachsen, damit man Regale draus bauen kann. Regale, wo dann Bücher drinstehen über Wälder.»

Danach sagte sie nichts mehr.

Anuschka war ein bisschen gesprächiger. «Das ist hier Forstgebiet. Der richtige Wald fängt bald an.»

«Und was passiert dann mit dem Auto, wenn wir da sind?», fragte ich.

«Das hat Antonia auch die ganze Zeit gefragt», sagte Bea.

Da machte es plong in meinem Kopf, und des Rätsels Lösung fiel in einen Eimer. Antonia hatte mit ihrer Fragerei genervt, und Bea hatte sich daraufhin die Stillste nach vorne geholt. Mich. Ich sagte nichts mehr und schlief ein bisschen.

Als ich aufwachte, fuhren wir immer noch.

Anuschka hatte die Karte auf dem Schoß: «Nach dem Ort kommt Schnarrbach, und danach musst du rechts abbiegen nach Wolfsgetreu.»

Die Landschaft draußen sah jetzt ganz anders aus. Keine dürren Kiefern mehr. Die Landschaft hügelte sich sanft. Felderflickenteppiche lagen aus, grüner Flicken, gelber Flicken, brauner Flicken.

Bea starrte auf die Straße. Sie hatte Schweißflecken unter den Armen. Ich glaube, sie stank sogar. Stinken ist ja so ein Erwachsenending für mich. Wegen Stress und so. Und dem ganzen Geseufze. Und Geschnaufe. Meine Mutter hatte mal geheult, weil ihre Jeans nicht trocken waren, als wir morgens in den Urlaub loswollten.

Wir fuhren durch einen Ort, der fast komplett aus gelben Backsteinen gebaut war. Auf dem Ortsausgangsschild stand, dass das Dürrer Grund gewesen war. Direkt dahinter verrottete ein riesiges Haus. Irgendwelche Industrie, die niemand mehr braucht. Ein Stück Stacheldraht. Ein Stück Wald. Danach ein Tal. Ein kleiner Traktor, ein noch kleinerer Mann mit einem Rechen, ein ganz kleiner schwarzer Hund, der in der Nähe des Traktors in einer Furche im gestreiften Feld lag.

Gleich würde ein Lied erklingen und für Kondensmilch werben. Oder dafür, dass man in die Kirche eintritt. In die Kondenskirche. Mann, war das schön hier!

Auf einmal Radau hinten im Transporter. Hundegebell und Durcheinandergeschrei. Jaulen. Kreischen. Jemand trommelte wie bekloppt an die Wand in meinem Rücken.

Bea lenkte das Auto auf eine Kieszufahrt vor einem Gehöft. «Ihr bleibt drin. Wir fahren gleich weiter!» Sie sprang aus dem Auto.

Hinten kreischte ein Tier.

Die Hintertür wurde aufgerissen. Der Tumult kochte hoch.

Dann war es plötzlich so ruhig.

Verdammt, was war da los? Ich konnte mir tausend Sachen vorstellen, aber keine davon konnte ich mir wirklich vorstellen. Bestimmt hatte ein Hund gebissen. Aber wie? Die waren doch in den Kisten? Ich sah Anuschka an, die wie gebannt in den Rückspiegel starrte und sich die Hände vor den Mund hielt. «Jetzt kommt sie zurück», sagte sie in ihre Hände. Ich hörte zügige Kiesschritte. Kurz bevor Bea einstieg, winkte sie Richtung Gehöft. Hinterm Zaun stand eine alte Frau. Sie winkte fröhlich zurück. Ohne ihre vielen Falten hätte sie wie ein zu großes Kind in einem bunten Kleid gewirkt. Sie stand einfach da, in der Hand, die nicht winkte, eine gelbe Schüssel. Das Kleid war eine Schürze.

«Die merkt sich keine Kennzeichen», sagte Bea und startete den Motor. «Wohin jetzt?»

Anuschka versuchte, wie ein Navigationsgerät zu sprechen. Folgen Sie der Straße bis zur nächsten Abzweigung. Biegen Sie dort halbrechts ab. Und so weiter.

Ich wurde wütend. Was sollte der Scheiß? Was war hinten los gewesen?

Bea hatte keinen Bock, darüber zu reden. Das war ungerecht, alle anderen Mädchen wussten doch auch, was passiert war. Kurze Zeit später sagte Anuschka: «Talsperre Wolfsgetreu. Sie haben Ihr Ziel erreicht.»

TEIL ZWEI

Der Wald

Wir waren in einem Fichtenwald. Lange Stämme, weiter oben die Baumkronen. Eher ein Säulenwald als ein dichter Märchenwald. Dafür war der Boden dicht bewachsen. Farne und so. In Inseln buschig, ein halbes Mädchen hoch. Hockte man sich hin, verschluckte einen der Wald.

Ein irres Grün. Knackehellgrün. Fast, als ob es leuchtete. Ein bisschen nass.

«Nein!», flüsterte ich, als ich es erfuhr. «Das hat sie nicht gemacht.»

«Doch. Das hat sie gemacht.» Rike rührte in der Suppe. Gulasch mit Nudeln aus der Büchse.

«Noch mal für Doofe», flüsterte ich. «Sie wollte sich die Verletzungen der beiden Hunde ansehen und hat beide aus den Kisten gelassen. Dann hat der kleine braune Hund den großen Hund gebissen. Und dann hat sie den kleinen Hund auf den Boden geschleudert und in die Kehle gebissen?»

«Nee, den Schwarzen hat sie gebissen. Den großen. Und wenn wir nicht so gebrüllt hätten, hätte sie ihn totgebissen. Echt.»

Ich schaute zu ihr rüber. Freigunda saß ein Stück abseits von uns, und alle Hunde waren bei ihr. Sie hatte uns verboten, irgendetwas mit den Hunden zu machen, bevor sie nicht irgendetwas mit den Hunden gemacht hätte. Ich nehme an, ihr Irgendetwas war diese Art Irgendetwas, wo jemand genau weiß, was er tut. Wir hätten die Hunde einfach gestreichelt und vielleicht gefüttert. Freigunda saß bei ihnen und hypnotisierte die Gegend.

Die Hunde hatten alle die orangen Leinen am Hals, die sie an der Raststätte zurechtgeschnitten hatte. Die Leinen schleiften hinter den Hunden, wenn sie herumliefen. Manchmal blieb ein Hund irgendwo hängen und schaute blöd. Schleppleine hatte Freigunda gesagt. Dadurch wären sie frei, aber kontrollierbar.

«Vielleicht wollte sie den Hund essen, als sie ihn gebissen hat. Die Mittelalterleute essen bestimmt Hunde», flüsterte Rike und grinste. Abwechselnd stellte sie die vier Töpfe auf den Campingkocher und rührte um. Wir hatten keinen großen Topf, nur siebenmal Campinggeschirr, bestehend aus jeweils einer Pfanne, einem kleinen Topf, einem mittleren Topf und einer dünnwandigen Blechschüssel mit Henkel.

Rike schlug mit dem Ast, den sie die ganze Zeit zum Umrühren benutzt hatte, an einen der Töpfe. Wer das waldfremde Geräusch hörte, wusste sofort, dass das ein Topf war und dass es wohl gleich Essen geben würde.

Bea und Anuschka waren bei dem Auto und tarnten es, so gut es ging.

Antonia und Yvette hockten ganz in der Nähe und sammelten Heidelbeeren in zwei der kleineren Töpfe.

Durch die Bäume auf der linken Seite konnte ich den Himmel sehen und einen See. Stausee Wolfsgetreu. Mitten im Wald ging es steil nach unten. Vielleicht waren da sogar Felsen. Ich wollte so gern loslaufen und es mir ansehen. Eigentlich rechnete ich zu diesem Zeitpunkt damit, dass das

Abenteuer jederzeit vorbei sein konnte. Ich wollte wenigstens einmal im See baden. Als wir in den Wald hineingefahren waren, mussten wir an zwei Leuten mit Körbchen vorbei. Heidelbeersammler oder Pilzsucher oder was auch sonst dieser Wald noch hergab. Sie waren zur Seite getreten und hatten uns durchgelassen.

Bea hatte den Transporter immer tiefer in den Wald gelenkt, auf einem Weg, der von Gras zugewachsen war. Sie fuhr langsam, trotzdem holperte es. Manchmal fuhr der Wagen schief, wenn es durch tiefe Pfützen ging. Von diesem Grasweg aus war Bea noch ein kleines Stück zwischen die Bäume gefahren.

Von hier, wo ich und Rike hockten, konnte man das Auto nicht mehr sehen. Die Mädchen hatten Äste rangeschleppt und Blätter, Farne und Gras darübergeworfen. Die Schrift «Für Hundeproblemfelle» war nicht mehr zu lesen. Das Weiß der Lackierung schimmerte nur noch hier und da hervor. Die zwei Wochen lang konnten wir es auch so lassen, dachte ich. Wenn es überhaupt zwei Wochen werden würden.

Nach und nach kehrten alle zurück, nur Freigunda blieb abseits sitzen.

Wir winkten ihr.

Sie ignorierte uns, als wären wir Vogelscheuchen, deren Arme vom Wind bewegt werden.

«Wir müssen sie wegschicken», sagte Yvette, als alle um den Campingkocher saßen, «sie hat meinen Hund gebissen.»

«Dann müssen wir deinen Hund auch wegschicken, denn dein Hund hat den anderen Hund gebissen.» Antonia war ganz aufgeregt.

«Ja, aber er ist ja ein Hund. Sie ist ein Freak! Wenn sie bei uns bleibt, wird sie nachts jemandem den Hals leer trinken.»

Bea stand auf und ging zu Freigunda. Der Hund, mit dem Freigunda geredet hatte, machte einen Buckel wie eine Katze und lief seitlich. Die orange Wäscheleine zog er hinterher.

Bea hob ihre Hände und wedelte damit Luft Richtung Boden.

Der kleine Hund keifte hysterisch, drehte sich im Kreis. Seine spitzen Zähne schnappten in die Luft. Ein verrückt gewordener Hundenussknacker. Dabei hatte er seine Schnauze in Falten gelegt, eine Falte ganz dicht an der anderen. Freigunda bewegte sich gebückt auf Bea zu und drehte sie dann an den Schultern vom Hund weg. Bea ließ sich garantiert nicht von jedem anfassen und herumbugsieren. Als beide Mädchen mit dem Rücken zu dem keifenden Hund standen, beruhigte der sich. Er leckte sich die Schnauze und nieste. Jetzt sah er wieder aus wie ein kleiner Schoßhund. Fehlte nur noch die Schleife und ein Anhänger mit Herzchen. Er legte sich hin.

Bea sprach kurz mit Freigunda, dann kehrte sie alleine zu uns zurück. «Sie will sich um die Hunde kümmern. Wir sollen ihr eine Schüssel Suppe bringen. Und keine von uns soll dem Kläffer zu nahe kommen. Dämon heißt der. Sie sagt, es ist der Einzige, der gefährlich ist.»

Als Yvette den Mund öffnete, zeigte sofort Beas Finger auf sie: «Nein, wir werden ihn nicht wegschicken.»

«Ich dachte an Töten», sagte Yvette.

«Ich hab auch schon mal an Töten gedacht. Aber weißt du, dann dachte ich: Die Yvette ist noch so jung, die kann sich ja noch verändern. Sie hat echt eine Chance verdient.»

«Ihr nervt!», sagte Antonia. Dann stand sie auf und brachte Freigunda Suppe. Dämon blieb liegen. Antonia kam zurück, das größte Grinsen der Welt auf dem Gesicht.

«Igitt. Das ist doch nicht normal!», kreischte Yvette und zeigte zu den Hunden rüber. Freigunda hatte sich auf alle viere begeben. Mit einem Stück Gulaschfleisch, das ihr aus dem Mund hing, krabbelte sie zu dem durchgeknallten Dämon.

«Die ist doch abartig. Guckt doch mal! Guckt doch mal! Ich kotz gleich», kreischte Yvette.

«Ja, Herrgott, wir sehen es», sagte Antonia mit ihrer Kinderstimme.

Wir mussten alle lachen.

Genau in dem Moment traf mich das Glück. Es schwirrt ja immer rum und saust wie ein unentdecktes Atom durch die Leute. Jetzt hatte es mich gefunden. Ein einziger Vogel übte in der Nähe ein Lied, sang ein Stück, begann wieder von vorne, sang bis zur selben Stelle und begann wieder von vorne. Es roch nach rostigem Wasser, nach ganz frischem Gras und Gulaschsuppe.

Nach dem Essen kam Freigunda zu uns. «Eine jede soll den rechten Hund haben», sagte sie, «denn sonst kehrt kein Frieden in der Gruppe ein. Die Hunde brauchen einen Chef, und die Menschen auch. Der Chef der Menschen soll der Chef des Hundes sein, der der Chef der Hunde ist.»

«Hä?», machte Antonia.

Rike kicherte hinter meinem Rücken.

«Ich will den schwarzen!», meldete Yvette an. «Zack ist meiner. Das habe ich vorhin schon gesagt. Das ist meiner!»

Freigunda nickte.

«Dann bin ich die Chefin!?»

Freigunda schüttelte den Kopf. «Dein Hund ist nicht für

die Führung geboren. Niemand kann ihn leiden. Ihr passt sehr gut zusammen.»

Yvette sah noch spitzer aus als sonst. «Du redest wie ein total untalentierter Glückskeks, ey!» Komischerweise mochte ich sie in dem Moment. Oder sie tat mir leid.

Es war keine Überraschung, dass Bea den Alpharüden zugeteilt bekam. Er hieß Cherokee. Ein großer, gelassener Kerl. Dunkelbraun mit schwarzen Streifen. Gestromert heißt das, habe ich später gelernt. Die Ohren standen ein Stück hoch und klappten dann ab der Mitte nach unten.

Als Nächstes zeigte Freigunda auf Rike und dann auf Boogie, eine Hündin, die auf einem Tannenzapfen herumbiss. Sie war hellrot mit weißem Bauch, einem buschigen Schwanz und Schlitzaugen. Sie erinnerte an einen ausgeblichenen Fuchs, den man aus fester Pappe gebastelt hatte. Ihre Ohren standen kerzengerade hoch, ihr Kopf war dreieckig, ihr Körper kantig wie ein Karton. Unten dran stabile Beine. Rike stand auf und ging zu ihrem Hund. Sofort hopste Boogie wie ein Gummitier um sie herum. Ihre Zunge hing wie eine rosa Karnevalskrawatte aus dem Grinsemaul.

Es waren noch vier Mädchen übrig, aber nur drei Hunde. Ein großer und zwei kleine.

Noch niemand hatte den Kläffer Dämon, von dem ich annahm, dass Freigunda sich selbst um ihn kümmern würde.

Die anderen beiden Hunde konnten unterschiedlicher nicht sein. Da war zum einen Wuwan, der Terriermischling, auf dessen Box ich gesessen hatte. Er war jetzt, wo er trocken war, ein recht hübscher, kleiner Hund. Er wedelte sofort mit dem Schwanz, sobald jemand in seine Richtung sah. Der andere Hund war alt und hieß Kajtek. Er hechelte stark und war zu schwach, seine Ohren aufzustellen. Er sah einer alten Fledermaus ähnlich.

Ich bekam den Senior, er würde leicht zu führen sein, genau das Richtige für mich, denn er benötigte keine Autorität.

Als Letztes teilte Freigunda Wuwan zu: «Antonia, Anuschka, eurer!»

«Danke, ich will keinen», sagte Anuschka und zog an einer der drei Inkenketten, die sie immer noch trug.

Freigunda schaute sie ungläubig an. Keinen Hund haben wollen – das konnte sie sich nicht vorstellen.

Kajtek.

Das klang altmodisch und modern gleichzeitig. Es könnte ein schmales Gerät sein, mit dem man den Büffel aushöhlt, oder eine Vorrichtung, mit der man das Zelt gegen Starkregen schützt. Und keine zweihundert Jahre später nennt eine Outdoor-Firma ihre Produktreihe für Kraxler nach diesem alten Indianerwort. Kajtek-Steigerschuhe.

«Hallo, Kajtek!», sagte ich zu dem Hund. Er freute sich. Nicht überschwänglich. Ich streichelte seinen Rücken. Seine Schnauze war grau, sein Fell war braun und zottelig. Die Spitzen des Fells waren schwarz. Als wäre seine Tönung rausgewachsen.

«Ich heiße Charlotte!»

Seine Ohren standen zur Seite ab. Bestimmt konnte er damit fliegen, als er jung gewesen war. Jetzt schien er damit nicht mal mehr hören zu können. Ich legte meine Hand auf seinen Kopf. Zwischen seinen Ohren war eine Erhebung unter dem Fell. Mein Zeigefinger fuhr den Grat ab. Er verlief bis zum Hinterkopf. Kajtek schaute mich kurz an, aber entweder fand er, dass an mir nichts zu sehen wäre, oder er sah nicht mehr gut. Über dem Schwarz der Pupille lag ein milchiger Schleier. Zwei Brunnen, in denen der Nebel steht. Er legte seinen Kopf wieder auf seine Pfoten. Während er so lag, wackelte seine Nase immerzu. Sie war groß und rund, eine Steckdose. Sie schnupperte um die Ecke, geradeaus, nach oben. Wie ein eigenständiges Rüsseltier ging diese Nase im ganzen Wald spazieren, während der Hund selbst im Gras liegen blieb. Es gab keinen Grund aufzustehen. Er wusste alles.

Ich wusste gar nichts.

Was sollte das hier werden?

Dieser Haufen Mädchen im Wald?

Also, ich persönlich, nicht, dass man mich für verfressen hielt, aber ich persönlich hätte schon wieder was essen können. Bei meiner Oma hätte es Nachtisch gegeben. Um genau zu sein, war mir nach Kuchen. Es war aber nicht der richtige Moment, Gebäck anzusprechen.

Es gab ganz andere Themen.

Bea hatte nach uns gepfiffen. Wir gingen alle zu ihr. Über das Grün unten, durch das Braun links und rechts unter dem Blau oben. Die Hunde streckten sich und stupsten sich und schüttelten sich. Sie machten ungewohnte Geräusche. Später wusste ich mit all diesen Geräuschen etwas anzufangen, aber zu der Zeit waren sie noch falsch geschriebene Wörter in einer fremden Sprache, Wörter für Dinge, die ich noch nie gesehen hatte.

«Findest du den Tunnel auch im Dunkeln?», wollte Bea von Anuschka wissen.

Die schloss eine Weile ihre Augen, öffnete sie wieder und nickte langsam. «In dem Waldstück sind tiefe Löcher vom ehemaligen Bergbau. Das ist gefährlich im Dunkeln. Ich halte das für keine gute Idee.»

Bea legte ihre Hand auf den Kopf von Cherokee. Sie sahen zusammen toll aus, Bea wie eine Königin. «Alles, was im

Dunkeln gefährlich ist, ist auch im Hellen gefährlich. Wir werden heute Nacht in den Tunnel einziehen.»

Mich hatte ein Abenteuerschauer erwischt, und der kroch mir die Beine hoch und die Arme entlang. Als er mein Herz erreichte, wurde das ganz groß und füllte sich mit Galopp. Und vor Schreck vor diesem lauten Galopp wurde mein Herz gleich wieder ganz klein. Und weil es so klein war, mag es gedacht haben, dass es auch wieder ein bisschen größer werden konnte, sonst passte der ganze Galopp nicht hinein, also pumpte es sich wieder gigantoanatomisch auf. Und vor Schreck über die eigene Größe wurde es wieder ganz klein. Ich war ganz außer Puste davon, obwohl ich nur still saß. Kajtek schaute mich an.

«Bis dahin haben wir Zeit, Sachen zu organisieren. Du und du, ihr haltet das Lager», sagte Bea und zeigte auf mich und Freigunda.

Damit war das Abenteuer für mich erst einmal gestrichen.

«Die Hunde bleiben bei euch. Anuschka hat gesagt, gegenüber der Talsperre wäre eine Jugendherberge. Da gehen wir mal nachsehen, ob dort was zu holen ist.»

Dachte sie, wir wären irgendwelche Männeken in einem Computerspiel, und man konnte die Schlanken in die Schlacht schicken und die Dicken zu Hause lassen, um das Feuer zu hüten? Wir waren doch nicht zum Anklicken. Ich wartete auf Widerworte, aber Widerwort-Yvette schwieg.

«Keiner sieht euch!» Da sagte Bea es zum ersten Mal. Und ich mochte es sofort. Es war ein Befehl und ein Schutzzauber.

Die Mädchen schnappten sich ein paar Sachen, banden sich Jacken um die Hüften und zogen los. Es war ein aufregendes Aufbruchgeklapper. Die Hunde schüttelten sich und wedelten mit den Schwänzen.

«Nein!», sagte Freigunda und zeigte ihnen, wo sie sich hinzulegen hatten.

Dann wurde es still.

Die Hunde dösten.

Das Lager halten klang wie Fresse halten.

Freigunda schlug Gehorsamkeitsübungen mit den Hunden vor. Ich war echt eine Schwachnase, dass ich dachte, es könnte sich dabei um etwas Lustiges handeln. Freigunda suchte in allen Rucksäcken nach Essen. Schon das fand ich scheiße. Ich brauchte nur «aber» zu sagen, da knurrte mich Freigunda an, dass sie die volle Verantwortung dafür übernähme. «Ich sage ihnen, dass du bis zum Letzten darum gekämpft hast, dass ich nicht die Rucksäcke durchwühle.»

Als wir etwas zu essen gefunden hatten (noch mehr Erdnussriegel in Anuschkas Rucksack), packte Freigunda fünf der Riegel aus und legte vor jeden Hund einen. Die Hunde durften sich nicht rühren.

«Hinlegen!», sagte Freigunda.

Wuwan drehte sich von links nach rechts, als ob er ein Teig wäre und sich selber ein bisschen rollen wollte.

Boogie hob den Kopf, legte ihn wieder hin und hob ihn wieder.

Kajtek machte es nichts aus, stundenlang vor dem Essen zu liegen. Er schnupperte so lange geradeaus, bis er davon satt war.

Zack lag da wie ein einsatzbereiter Soldat. Der brauchte keine Gehorsamkeitsübungen.

Dämon musste nicht mitmachen.

«Er muss erst Vertrauen aufbauen», erklärte mir Freigunda.

Mein Mund war kaum offen, da wies sie mich zurecht: «Du kannst nicht urteilen. Viele der gemeinen Taten sind in Wahrheit nur nötige. Du musst lernen zu unterscheiden.»

Boogie gähnte und winselte vor Ungeduld. Herzzerreißend.

Cherokee war sehr cool. Er schlief sogar ein.

Es gibt kein besseres Schlafmittel als einen schlafenden Hund. Hunde schlafen mit echter Hingabe. Sie taten es so, als könnte man ganz doll schlafen.

Die monotonen kurzen Melodien der drei, vier Vögel, die in unserer Umgebung sommerfaul piepten, machten mich noch zusätzlich schläfrig.

Als auch ich ein wenig döste, kamen die Mädchen zurück. Schwerbeladen.

Wenn ich alles richtig verstanden hatte, waren drei der Mädchen in die Jugendherberge Träuschgrünhaus am Eikwald eingestiegen. Im Haus war niemand gewesen. Sie hatten sich nicht einmal vor einem Handwerker wegducken müssen. In der Küche hatten sie Brot gefunden, in einem Schrank im Flur Bettwäsche. Sie hatten ein ganzes Kopfkissen voll Brot gestopft, in Tüten eingeschweißtes Graubrot und schlabberige Toastbrotlappen. Sie hatten braune Decken mitgenommen und einen großen Topf. Des Weiteren ein paar Laken als Verbandsmaterial, zehn Gurken und eine kleine Axt. Sie hatten alles in eine der Decken geschnürt und das Bündel an einen großen Ast gehängt, den Yvette und Rike auf ihren Schultern trugen. Ich stellte mir vor, dass sie auf dem Heimweg sinnlose mutmachende Vokale gesungen hatten. So war das Diebsvolk zurückgekehrt zu der Stelle, wo Lager-halten-Freigunda mit Lager-halten-Charly und alle Hunde warteten.

Ich hätte mich nicht über die Klauerei geärgert, wenn ich selbst mitgeklaut hätte. Dann wäre es unsere Klauerei gewesen. So war es deren Klauerei.

Ich wollte trotzdem lieber ein wir sein. Was sollte ich als ich? Nach Hause fahren? In die andere Richtung laufen? Jetzt, wo es dunkel wurde? Für immer und ewig und noch länger wissen, dass ich eine Dummtrine ohne Mumm bin? Wenn man schon sein halbes Leben lang an einer leeren Bushaltestelle steht, in einem öden Vorort, dann muss man in den Bus einsteigen, wenn einer kommt. Egal, wo der hinfährt.

Es war ein kühler Abend mit einem frischen Wind, der hoch über unseren Köpfen die Wipfel durchraschelte.

Wir schoben die Batterien in die Taschenlampen. Wir rissen ein Bettlaken in schmale Streifen und banden alles, was man binden konnte, an die Rucksäcke. Das Kochgeschirr so, dass es nicht klapperte.

«Hol sie mal bitte», sagte Bea zu mir und zeigte zu Anuschka, die gebückt am Weg stand. Die Ketten von Inken schaukelten vor ihrer Brust. Wann nahm sie die eigentlich endlich ab? Und was tat sie da?

Anuschka suchte in der beginnenden Dämmerung fieberhaft nach irgendetwas auf dem Waldboden. Dabei entfernte sie sich immer mehr.

Ich ging zu ihr rüber, in den graugrünen Wald hinein, der mich von vorn und hinten anfallen wollte. Ich spürte es. Dieser Wald hier hatte ganz andere Absichten als der um das Barackendorf herum. Der Wald will doch was von uns, dachte ich.

«Was tust du da?»

«Mensch, erschreck mich doch nicht!»

«Wollte ich nicht!»

«Ich suche Baldrian. Der vertreibt den Teufel und sein Gefolge. Sodass nur die ungefährlichen Geister erscheinen.»

«Aha», sagte ich. Sie hätte auch sagen können, dass die Spinnen hier Spanisch sprechen.

«Ah, Wermut!», jubelte sie. «Super! Das reinigt das Blut und vertreibt Hexen. Angelika wäre auch gut, obwohl hier bestimmt nur falsche Angelika wächst. Richtige Angelika hilft gegen Dämonen.»

«Dann musst du unbedingt weitersuchen und Freigunda was davon geben.»

Sie lachte mit kollerndem Geräusch, und ihre Wangen wurden ganz rund.

Wir gingen zurück zu den anderen.

Was Anuschka gemacht habe, fragten die, aber denen erzählte sie nichts von Dämonen und Teufeln. Denen erzählte sie was von «entzündungshemmend», wegen meiner Hand.

Und die versorgte sie dann auch. Sie wickelte den Verband ab, wusch meine Wunde, legte ein Blatt drauf, wickelte den Verband wieder rum.

«In zwei Tagen ist alles gut. Wermut hilft toll.» Sie nickte mir aufmunternd zu.

Bis zur Dämmerung waren wir fertig mit Umpacken.

Die Mücken freuten sich über so ein großes Rudel dünnhäutiger, langsamer Tiere.

Die Hunde wurden mit Leberwurstbroten gefüttert. Freigunda erlaubte es uns unter der Bedingung, dass es eine Ausnahme bliebe.

«Kann es losgehen?», fragte Bea.

Konnte es.

Ging es also.

Die Taschenlampen blieben aus. Man bildete sich nur ein, mit Taschenlampe besser zu erkennen. In Wahrheit sah man nur den kleinen Ausschnitt, auf den der Lichtkegel fiel.

Der Mond schaffte kaum Klarheit im Nachtwald. Er drang nicht durch die Fichten hindurch.

Die Hunde hatten wir uns mit den orangen Wäscheleinen an unsere Hüften gekordelt. Jeden Hund an sein Mädchen. Sie liefen dicht bei uns, gelassener als wir. Sie konnten im Dunkeln besser sehen und hören, riechen konnten sie sowieso besser. Außer Wuwan, der hörte ja nichts. Bei Kajtek war ich mir inzwischen sicher, dass er nur noch Bewegungen wahrnahm. Nur Dämon war aufgeregt. Er platzte fast vor Anspannung, und ein paarmal schrie er, Bellen konnte man das nicht nennen. Mir blieb jedes Mal das Herz stehen. Auch weil ich nicht wusste, was Freigunda tat, während sie tief und grollend knurrte. Wenn Dämon so weitermachte, würde sie ihn einfach erwürgen und dann behaupten, dass das nötig war.

Anuschka hatte uns den Weg erklärt. Wir konnten nicht auf dieser Seite der Straße bleiben, denn hier kämen wir bald zu einer gut einsehbaren Sandsenke. Direkt daneben gebe es eine flach abfallende Lichtung mit jungen Bäumen. Oben war ein Hochsitz, von dem man das ganze Gebiet überblicken konnte.

Wir knackten uns vorwärts. Die nahe Straße rauschte wie ein Regen, der an- und ausgestellt wurde.

Der Wald veränderte sich ständig. Er roch nach neuer Luft und trockener Baumrinde, manchmal nach alten Pilzen, manchmal nach frischen Pflanzen. Alle zehn Schritte blieben wir stehen, um zu lauschen. Die Stille des Waldes war groß. Größer als die kleinen Geräusche. Es war eine knackende und knisternde Stille. Wenn wir standen, pochte das Blut in meinem Kopf. Vor, hinter, neben mir das Atmen der anderen. Neben meinem Bein hechelte Kajtek. Nach ungefähr einer halben Stunde veränderte sich sein Hecheln. Er war warmgelaufen. Das Stehenbleiben setzte ihm mehr zu als das Laufen. Später konnte ich mir gar nicht mehr vorstellen, dass Kajtek solch eine Strecke gelaufen war. Aber was hätte er auch tun können? Er wollte zum Rudel gehören, so wie ich. Ich tätschelte hin und wieder seinen dreieckigen Kopf.

Wir liefen bestimmt zwanzig Minuten durch eine hohe Wiese. Gräser bis zum Bauch. Wir schlugen uns quer durch, auf eine schwarze Wand zu. Einen dichten Wald.

«Da sollen wir rein?», flüsterte Antonia. «Wie denn?»

Dieser Wald war wie ein Gegenstand, an dessen Außenseite wir uns befanden.

Anuschka sagte leise, dass man hineintauchen könnte. Unter den untersten Ästen der Tannen durch. Sie hob zwei dieser unteren Zweige an und schlüpfte in den Wald. Wir schlüpften ihr nach. Tatsächlich waren die unteren Äste wie ein Vorhang. Sie hingen schwer mit Zweigen und Nadeln beladen bis zum Boden hinab. Die Äste darüber legten sich auf die Äste darunter, und so weiter, und so weiter. Wenn man unten hineingeschlüpft war, tat sich ein großer Raum auf. Hier war es stockfinster.

«Taschenlampen an», flüsterte Bea.

Wir leuchteten in diese unwirkliche Umgebung. Die Bäume standen sehr dicht, aber unten hatten sie kaum Zweige. Hier im Waldinneren nahmen sich die Bäume gegenseitig das Licht und den Platz zum Wachsen. Dürre

trockene Zweige hingen wie Netze zwischen den Baumstämmen.

«Lampen nach unten richten», zischte Bea.

«Entschuldigung», murmelte ich. Ich hatte einfach sehen
wollen, wie es oben aussah. Eine Baumkrone ging schwarz
in die andere über. Dieser Wald baute sich ein Dach, das
ihm hier unten das Licht nahm. Eine dicke Schicht brauner
Tannennadeln lag auf dem Waldboden und überall Tannenzapfen. Mein Taschenlampenstrahl fiel auf alte braune Flaschen. Sie waren kleiner und bauchiger als die Flaschen, die
ich kannte. Daneben ein Einwegglas, eine Tonbandkassette,
eine Baulampe und dann endlos viele dieser Flaschen.

Die Mädchen bewegten sich vorsichtig, aber einige der
Hunde mit zu langen Leinen liefen durch die klappernden
Flaschen.

Freigunda wies uns darauf hin, dass die Hunde sich die
Pfoten zerschneiden könnten. Bea wies leise darauf hin, dass
wir leise sein sollten. Wir nahmen die Hunde näher ran.

Der Boden federte weich, aber die Zweige standen überall
in unseren Weg hinein.

Wir kamen nur langsam vorwärts. Es war ein stiller
Marsch. Ab und zu stieß ein Fuß gegen eine Flasche. Ich war
froh, als wir durch den Vorhang auf der anderen Seite wieder
aus diesem Wald hinausschlüpften.

«Lampen aus!», sagte Bea.

Ganz weit entfernt war ein Auto zu hören. Vieles war
ganz weit entfernt.

Eine Toilette.

Ein Bett.

Inken.

Und alles rückte immer weiter von mir weg. Nur der Tunnel, der kam näher.

Als wir das nächste Mal stehen blieben, krachte in unserer Nähe etwas. Dämon wollte in sein Gekeife verfallen, aber Freigunda tat irgendetwas, damit er gleich wieder aufhörte. Der Hund wimmerte, war dann aber ruhig.

Dem Krachen folgte ein Zischen. Da war jemand. Nicht weit weg.

Wir standen lange still.

Aber jemand auch.

Irgendwann entfernte sich ein Knacken. Füße. Schuhe. Es lagen vielleicht nur zehn Meter zwischen uns und dem Knacken.

Ich wollte schreien. Ich wollte schreien, dass ich noch nie so aufgeregt gewesen war. Das war ein Achterbahn-Riesenrad-Abenteuer. Ein Wald mit Rutsche und Trampolin. Man müsste nachts Eintritt nehmen. Ich platzte fast und durfte nichts sagen.

Als es lang genug still gewesen war, gingen wir weiter. Wir liefen eine Weile im alten Modus. Zehn Schritte gehen, dann lauschen. Beim fünften Mal Lauschen, bei dem nichts zu hören war als nichts, sagte Anuschka, der Tunnel sei nicht mehr weit entfernt. Sie riet erneut dazu, ihn nicht zu suchen, so lange es dunkel sei. Der Wald dort sei wirklich gefährlich. Es gäbe steile Löcher und tiefe Gräben. Die ehemaligen Schächte vom Bergwerk seien über die Jahrhunderte weggesackt, und das taten sie immer noch. Im Wald standen etliche Schilder, auf denen vor den unterirdischen Höhlen gewarnt wurde.

«Vielleicht ist es besser, wenn wir gar nicht hingehen?», fragte Antonia mit flimmernder Stimme.

«Wir können keinen Hund mit gebrochenem Bein gebrauchen», sagte Freigunda.

Anuschka schlug vor, so weit wie möglich in die Nähe

zu laufen. Schlafen könnten wir in einer Schonung, die vor dem Waldstück mit den Bergwerksschächten liegt. «Da ist ein Zaun und vom Wanderweg aus eine kleine Überstiegsleiter. Dort sind wir geschützt. Da sind nur kleine Fichten.»

«Wie klein?», fragte Yvette.

Und ich musste lachen. Manchmal sah ich Sachen vor meinem inneren Auge: Ich sah uns alle zwischen winzig kleinen, dünnen Bäumchen liegen, die gerade so hoch waren wie Gras, aus denen wir überall herausragten. Ein Förster mit einem Fernglas kam vorbei, so einer mit einem Püschel aus Dachshaar am Filzhut. Wir flüsterten uns die ganze Zeit zu, dass wir leise sein müssten. Der Förster schaute in unsere Richtung. Er sagte: «Hoho, da ist ja nur die Schonung.» Das war so albern, ich konnte nicht mehr und lachte leise.

Rike fragte, ob ich weine.

Ich schüttelte nur den Kopf.

«Ach, du lachst.»

Ich nickte. Das mussten Wachträume sein. Oder in mir geisterten noch zu viele körpereigene Drogen herum von der Aufregung gerade eben, als es gekracht hatte im dunklen Wald.

«Also, früher waren das kleine Fichten. Die müssen ja inzwischen gewachsen sein», versuchte Anuschka, unsere Bedenken zu zerstreuen.

«Wie lange warst du denn nicht mehr da?», fragte Yvette.

«Weiß nicht, sechs, sieben Jahre.»

«Geil! Echt geil!», moserte Yvette. «Du warst sechs oder acht oder neun Jahre nicht da. Oder noch nie. Und du hast nicht den geringsten Schimmer, ob der Tunnel inzwischen eingestürzt ist. Oder ob es dort mal einen Waldbrand gab. Letztes Jahr vielleicht. Vielleicht hat inzwischen genau dort ein Rummel aufgemacht.»

Dann tauchte der Förster mit dem Püschel wieder vor meinem inneren Auge auf. Wir lagen alle direkt neben einer Eisdiele auf dem Boden und flüsterten: «Da kommt der Förster. Seid leise!» Der Tunnel war inzwischen eine Touristenattraktion, Busse hielten, Schulklassen kauften Postkarten vom geheimen Tunnel. Über dem Tunnel stand «der berühmte geheime Tunnel».

Ich weinte leise vor mich hin vor Lachen.

«Sag doch mal, worüber du lachst», Rike stupste mich.

«Wenn ich es ausspreche, platze ich», presste ich aus meiner Kehle, in der bis oben das Lachen stand.

«Ksss!», zischte Bea. Dann beschloss sie: «Der Plan wird nicht geändert. Solange nichts anderes klar ist, ist der Plan gut.»

Also gingen wir weiter Richtung Schonung.

Dieser mir zugeteilte Hund, dieser Kajtek genannte Hund, den musste ich schon fast ziehen. Er tat mir leid und nervte mich. Warum hatte ich diesen alten Hund? Kajtek hatte sich an meine Beine gelehnt. Er war warm.

«Hm, also», Anuschka überlegte. «Wir können ein bisschen abkürzen.»

Ein Vogel rief etwas, thematisch nicht passend, einen Morgenruf. Wir standen still. Kann man Luft hören? Licht? Den Mond? Die Stille stand dem Wald. Das konnte er nachts gut tragen.

«Wir sind schneller da, wenn wir den Bergbaulehrpfad entlanggehen. Der ist aber ein bisschen …» Kann man unausgesprochene Gedanken hören? Wie sie quietschen beim Bremsen und in den Kurven ächzen? Kann man hören, wie

Worte ausgesucht werden? Gefährlich, nein, glatt, nein, krass, nein, besonders, nein, steil. «Der ist … da müssen wir gut aufpassen.»

«Ist das nicht zu gefährlich?» Antonias kleine Stimme lief in alle Ohren und rollte sich dort ein.

«Es ist nicht gefährlich, wenn wir aufpassen», sagte Anuschka langsam. «Wir haben ja alle feste Schuhe an. Und die Lampen sollten wir auch anmachen.»

«Gut, wo lang?», fragte Bea. Sie hatte keine festen Schuhe, aber das blieb unerwähnt.

Anuschka schaltete ihre Lampe ein, der Strahl schoss zwischen die Bäume. Wir schossen unsere Strahlen nach, eins, zwei, drei, bis es sieben waren.

Wir setzten uns in Bewegung. «Komm», sagte ich zu Kajtek. Er atmete kräftig aus, dann lief er los. Wir bogen in den Wald ab. Einige der Lichtstrahlen zitterten. Auch Anuschkas Hand war nicht ganz ruhig, dabei kannte sie sich doch am besten hier aus. Und wenn sie sich hier fürchtete, dann gab es hier auch etwas zu fürchten.

Im Wald ging es schnell bergab. Erst auf Pflanzen. Größere Pflanzen, die wir zertraten. Kleine Pflanzen, die sich weich legten. Dann gab es einen Weg.

«Vorsicht, Wurzeln!», wurde die Warnung von vorn nach hinten durchgereicht. Ich sagte es Bea.

Sie schnaufte hinter mir.

«Alles gut?», fragte ich.

«Fast alles. Okay.» Sie klang unfreundlich.

Ich richtete mein Licht auf den Boden. Das Wurzelnetz war frei gerieben von Wanderschuhen. An einigen Stellen waren die Wurzeln ganz wund gewandert, an anderen Stellen waren sie blank gewetzt, sehr glatt, wenn man falsch aufsetzte. Dann wurde es steiler. Jetzt waren die Wurzeln kein Hindernis mehr, sondern eine Hilfe. Ich hätte die Tafel nicht gesehen, denn mein Licht war nach unten gerichtet. Anuschka wies uns drauf hin. «Hier fängt der Bergbaulehrpfad an.»

Auf der Tafel war ein Bild von Männern in einem Bach, mit alten Hauben und erhobenen Äxten. Sie hieben auf Stämme ein. Einer stand im Wasser und schob mit einem Besen herum. Seifenbergbau stand da. Aha, dachte ich. Seife also.

Ich schaute noch ein bisschen, bis Bea drängte: «Aufschließen!»

Mein Licht hüpfte noch einmal über die Tafel. «Willkommen in den Schwarzseifen.» Als ich weiterging, hefteten sich die Männer mit ihren Zipfelkappen an meine Fersen. Sie legten ihre rauen Hände auf meine Schulter und gingen mit. Ihre Äxte ließen sie schleifen und zogen damit Spuren. Quatsch seid ihr, geht weg, sagte ich zu ihnen und zu mir selbst. Aber sie blieben bei mir. Ich bilde sie mir nur ein, weil die Angst ein Filmvorführer ist, der gern Gruselfilme zeigt und dann selber aus dem Kino rennt. Wenn die Männer eingebildet sind, muss ich nicht mit ihnen sprechen, ermahnte ich mich, sonst werden sie doch noch wahr.

Ich legte meine Hand auf Kajteks Kopf. Warm und weich. Er hatte keine Angst.

Es ging nun steil bergab. Vorsichtig setzte ich meine Schritte. Die Lichter der anderen Mädchen waren schon über die nächste Tafel gehuscht. Ich riskierte es ebenfalls, kurz nicht auf den Boden zu leuchten.

Bei der Seifenarbeit in den Seifen zu Tode gekommen, 17 Seifner, 3 Bergjungen und 3 Steiger, von 1591 bis 1808.

Dann leuchtete ich wieder schnell auf den Weg.

«Aufschließen!» Bea von hinten.

«Ich will lieber Abstand halten», sagte ich. «Sonst rutsche ich Freigunda hinten rein.»

«Ja, ist vielleicht besser.» Bea ließ sich zurückfallen.

Jetzt wäre ich allein gewesen, wenn ich allein gewesen wäre. Die drei Steiger, drei Bergjungen und siebzehn Seifner stiegen aus dem Boden und gingen mit. Sie bedrängten mich nicht. Sie waren still und erfreut, in jemandes Gedanken wieder lebendig zu sein.

Ich band Kajtek von meiner Hüfte und nahm die Leine in die Hand.

Ich wollte ihn nicht mitziehen, wenn ich hinfiel. Wir gingen tief in das Gelände hinein. Der Wald schloss sich über uns. Auf dem Boden Tannenzapfen. Oder Fichtenzapfen. Ich wusste nur, dass es keine Kiefernzapfen waren. Die kannte ich. Die Dinger rollten manchmal ein Stück weiter. Sie wanderten voraus.

Die Lichter der anderen Mädchen hatten den Gegenstand schon abgetastet und mir von weitem gezeigt. Ich lenkte mein Licht auch dorthin. Ein Rad aus Metall. Auf einem Podest aus Holz. Eine Kurbel. Drei Kurbeln.

Die nächste Tafel: *Die Frühjahrsschmelze brachte die Gruben oft zum Ersaufen.* Mein Licht sprang über den Text. *Haspelknechte* las ich.

Die Haspelknechte schlossen sich mir an. Ich stellte sie mir als dreckige Gestalten vor. Müde und dünn. Welche, die nicht pfiffen bei der Arbeit. Die schwitzten. Von hinten kam kein «Aufschließen».

«Bea?», rief ich.

«Hier!» Es klang ein ganzes Stück weg. Ich war von hinten ungeschützt. Mein Rücken ohne Augen. Neben mir abgestürzte, ersoffene, wie hießen die? Seifner? Bergjungen? Wie alt werden die gewesen sein? Die Lichter vor mir waren schon ein Stück entfernt. Ich legte meine Hand auf den Kopf vom erschöpften Hund und ging weiter. Die Wurzeltreppen führten immer tiefer. Links ging es hoch, rechts schroff runter, vorne konnte ich nichts sehen. Neben dem Weg eine Rutschbahn aus Holz. Eine Stellwand mit Schaufeln. Und Heugabeln. Oder so was Ähnliches. Eine Tafel, an der ich stehen konnte, um auf Bea zu warten. *Der zinnhaltige Schlich wurde mit einer Kratze gewonnen.*

Himmel, wer sollte das eigentlich verstehen? *Kontaktgestein, Glimmerfels, Streichrichtung, Gangmächtigkeit.* Hier ergaben sich mehr Fragen, als beantwortet wurden. Wenn ich den Geistern um mich erklären müsste, wie mein Smartphone funktioniert, würden sie genauso ratlos sein. Aber jetzt war ich die Ahnungslose. Das Gestein oben hieß *taubes Gebirge, armes Geschiebe.* Weiter unten dann *zähes Gebirge, feinste Sande, schluffig.*

Die Bergleute legten mir ihre Hände auf die Schultern. Sie krochen aus allen Ritzen. Sie krochen mich an.

«Bea?»

«Hier!» Sie war ganz in der Nähe. «Was ist?»

«Ich wollte auf dich warten.»

«Hast du ja jetzt.» Sie schnaufte.

«Is was?»

«Nichts! Ich hab 'ne Kriegsverletzung. Das ist alles.»

Die beiden Hunde begrüßten sich freundlich.

«Wie geht es Kajtek?»

«Es geht noch. Ich hoffe, es ist nicht mehr weit.»

Bea pfiff kurz.

Pfiffe kamen zurück.

Wir gingen weiter. Ich lenkte meine Taschenlampe nach links und rechts. Las fremde Wörter. Sah Karten. Striche, die den Verlauf der Zinnvorkommen anzeigten. Immer am

Zinn entlang hatten die Bergmänner gesucht und waren tief ins Gestein hinein, um den Schätzen nachzugraben. Ein Stollen hieß Glücksgang, ein anderer Jacobs Hoffnung. Aller Heiligen Flacher, Auwalds Zug, Duster Binge.

Meine Taschenlampe leuchtete auf eine abgesperrte Schlucht neben uns. Ein Zaun davor. Ein Schild daran. Ein Mann darauf, der seinen Mund aufriss und seine Hand hochhielt. *Achtung, alter Bergbau. Lebensgefahr!*

Diese Schlucht neben uns war locker zehn Meter tief. Mein Licht reichte gerade so bis runter. Ich konnte es dort unten hin- und herlaufen lassen. Zwischen zwei Felswänden. Und als ich gerade dachte, dass ich da niemals runterwollen würde, sagte Bea: «Da müsste man mal runter!»

Nicht weit von uns entfernt sah ich fünf Lichter, weit unter uns. Es stand also wieder ein Abstieg bevor.

«Geh!», sagte Bea. Barsch sagte sie das. Ich hörte sie hinter mir schnaufen. Ich denke, sie hatte Schmerzen. Ihre Schritte klangen ungleichmäßig.

Ich musste Kajtek ziehen. «Bald geschafft», sagte ich.

Der Weg führte in die Schlucht hinein. Zumindest hätte ich normalerweise Schlucht gesagt, aber bestimmt war es eine Spat, ein Zug, ein Gang, ein Dings, ein Bums oder eine Binge. Es gab ein Geländer aus Holz, und auf dem Felsen waren Tritthilfen aus Metall. Wie die Bergziegen mussten wir steigen. Festes Schuhwerk dachte ich. Wie Hufe.

Wie tief kann ein Wald sein? Wie weit geht es hinein in so ein Gebirge? Hier unten klang alles, als wäre ich in meinem eigenen Gehörgang.

«Na?», begrüßte mich Rike. Sie knuffte mich, und Boogie schlenkerte um mich herum.

«Guck mal!», zeigte Rike mit ihrer Taschenlampe: In der Felswand war ein Einstieg. Ein Gitter davor. Wieder der aufgeregte Mann mit der warnenden Hand. *Lebensgefahr.* Ich ging zwei Schritte darauf zu. Dann leuchtete ich hinein. Es ging also noch tiefer rein. Und ganz gerade. Wie es roch und wie es von dort hallte – als ob es einen durch das Gitter reinziehen könnte. In eckige Teile geschnitten, würde ich fallen und fallen und fallen, bis ich bei den Skeletten der verunglückten Steiger landete. Und es würde noch dunkler sein. Und noch tiefer.

Ich trat ein Stück zurück. Rempelte Freigunda an die dürre Brust. Die sagte nichts. Als ich sie ansah, kam sie mir vor wie eines der Bergbaugespenster.

Und dann quäkte Antonia schon los. Schnappatmung. Heulerei.

Ich zuckte zusammen.

Anuschka ließ ihr Licht fallen, die Taschenlampe rollte Richtung Schachteingang.

Freigunda sprang los, aber da war das Licht schon weg. Es fiel nach unten, leuchtete noch kurz hoch und dann irgendwohin.

«Wuwan ist weg», heulte Antonia. «Die Schlinge ist leer. Ich weiß nicht, seit wann.»

«Sollen wir die anderen Hunde losschicken, dass sie nach Wuwan suchen?», fragte Yvette.

«Dann gehen noch mehr Hunde verloren», sagte Bea.

Wir waren alle dagegen.

Schweigend und mit einer leise weinenden Antonia suchten wir uns einen Schlafplatz.

Die Geister waren nicht mitgekommen. Ich war sie los.

Ich dachte an die Taschenlampe unten im Schacht. Es war bestimmt das erste Mal seit Hunderten von Jahren, dass dort unten ein Lichtstrahl hinkam. Und solange die Batterie hielt, gab es dort unten ein Licht, das niemand sah.

Als ich aufwachte, musste ich keine Sekunde überlegen, wo ich mich befand.

Mein Schlafsack raschelte. Als Erstes sah ich, dann roch ich, dann hörte ich.

Langes nasses Gras, niedergetreten. Moos, Erde, Tau. Ein warmer Hund neben mir. Eine schmerzende Hand. Aber nur noch ein bisschen. In der Nähe klickte ein Vogel in seiner Kehle metallischen Gegenstand an metallischen Gegenstand, jeder weitere Ton leicht nach oben versetzt. Nach fünf Tönen begann er von vorne.

Ich, dachte ich, ausgerechnet ich. Hier! Im Wald!

Hinter mir war noch jemand wach. Ich drehte meinen Kopf.

Bea. Sie war schon aufgestanden und hielt Boogie am Halsband.

Wieso lief sie mit der Hündin von Rike herum? Wo war Cherokee? Bea schlich zu Antonia, die etwas abseits lag. Dort legte sie den Hund ab. Direkt neben Antonia.

«Los, deiner auch!», flüsterte sie. Sie hatte also bemerkt, dass ich wach war.

«Meiner was?»

«Hund», sagte sie, «der muss zu Antonia. Die ist ausgekühlt. Sie hat ja keinen Hund.»

Richtig, Wuwan. Mir wurde schlecht. Wir hatten einen Hund verloren.

Ich stand auf und half dann Kajtek aufzustehen. Er streckte seine Beine vorne, legte seine Hinterbeine zurecht und hievte seinen Körper hoch. Seine Beine arbeiteten hart wie Gewichtheber. Dann stakste er los.

Bea führte ihn zu Antonia und ließ ihn sich dort hinlegen. Die Gewichtheberbeine ließen das Gewicht wieder herab.

«Wo ist Anuschka?», fragte ich leise.

«Kräuter suchen.»

«Und wo ist Cherokee?»

Bea zuckte die Schultern. Aber sie wusste es bestimmt, dachte ich, sonst wäre sie nicht so ruhig. Oder?

«Wald angucken, schätze ich mal. Los, leg du dich mit dazu.»

Als ich neben Antonia lag, spürte ich, wie kalt sie war.

«Wir müssen in Zukunft alle dichter beieinander schlafen.» Bea nahm meinen Arm, als wäre er ein Wärmkissen, das hingelegt werden konnte, wo es gerade gebraucht wurde, und legte ihn um Antonias Oberkörper. Boogie schaute mich freundlich an. Ich brauchte einen Moment, um herauszufinden, warum sie so besonders aussah. Sie hatte Menschenaugen in ihrem Hundegesicht. Man traute ihr zu, dass sie mit einem Auge zwinkerte und dann sagte: Ich kann reden, aber verrat's keinem.

«Ich gehe Cherokee suchen.» Bea verschwand.

Ich hatte noch nie mit jemand anderem als meinen Eltern auf diese Art zusammengelegen, und da war ich diejenige im Arm gewesen.

Yvettes Gesicht tauchte über mir auf. Sie stand breitbeinig da, neben ihr der schwarze Köter. Seine Lefzen waren rosa. Zack war ein Schweinchen im Kampfhundfell.

«Bist du ihr neues Plüschtier?» Yvette grinste auf mich herab.

«Sie war ganz kalt», sagte ich. Mir wurde dabei sofort heiß. Bestimmt leuchtete mein Kopf knallrot.

«Muss dir nicht peinlich sein, dass du so ein kuscheliger Typ bist.»

In dem Moment wachte Antonia auf. «Aua, das ist zu doll.»

Ich nahm meinen Arm weg.

«Liebe tut weh», lachte Yvette.

«Na, dann hast du ja nie Schmerzen», kam Rikes Stimme von links.

Bea kehrte mit Cherokee zurück und Anuschka mit Kräutern. Freigunda schlief wie ein Stein. Wir mussten sie wecken.

Irgendwo in der Nähe zeterte ein Vogel gegen die Störungen des Friedens. Er war aufgeregt.

Wir auch.

Die Energie kam uns aus den Augen herausgefunkelt. Statt Frühstücken wollten wir lieber zum Tunnel. Aufregung macht satt. Unsere Sachen ließen wir liegen. «Ist wirklich nicht weit, nicht weit, wirklich», hatte Anuschka gesagt. Außerdem: Wer sollte unser Zeug hier schon finden? Andere weggelaufene Mädchen aus einem anderen Camp?

Wir starteten.

Anuschka führte uns in die Schonung. Stand außen noch ein dichtes Gestrüpp aus Bonsaibäumen, wurden es drin zunehmend ernstzunehmende Bäumchen, durch die wir uns zu kämpfen hatten. Man zog seinen Fuß aus diesem winzigen Urwald, der einem bis zu den Waden ging, und wenn man den Fuß an einer anderen Stelle wieder im Urwäldchen versenkte, zertrat man dort unten irgendetwas, das man nicht sah. Alles war nachgiebig. Eine große, kratzige Waldmatratze. Die Hunde hielten ihre Köpfe, so hoch es ging, nur Dämon wurde von Freigunda getragen.

Vor uns wurde das dichte Hellgrün immer höher. In der Mitte war der Wald älter als an seinen Rändern. Die Mitte war sicherlich einmal von Forstarbeitern angelegt worden.

Wenn die Bäume dort ebenso dicht standen wie die jüngeren am Rand, würde es keinen Weg hinein geben. Wir schoben uns vorwärts, drängelten uns rein in diesen Zwergenwald. Hüfthoch inzwischen. Eine schmale Rinne entstand, in der wir nacheinander liefen, die Hunde zwischen uns. Die Bäume wurden mädchenhoch, und wir bewegten unsere Arme, als ob wir hindurchschwimmen wollten. Ein Wasser aus Zweigen und Nadeln. Ich sah Anuschka in diesem hellgrünen Wachstumswahnsinn stehen und zögern. Bea, hinter ihr, drehte sich zu uns um und kreuzte ihre zerkratzten Arme vor der Brust. Dann drehte sie ihre rechte Hand mit erhobenem Zeigefinger in der Luft. Zum Schluss zeigte sie in die Richtung, aus der wir gekommen waren.

Wir schlugen uns durch, zu unseren Rucksäcken zurück. Zerkratzt und hungrig.

Ich hatte das Gefühl, dass es gleich Streit geben würde. Die Hunde gähnten und schüttelten sich. Freigunda streichelte allen Hunden den Rücken gegen den Strich, dann wieder zurück, dann ließ sie die Hunde hinlegen.

«Ich koch mal Tee», sagte Rike.

Da niemand widersprach, packte sie den Campingkocher aus, dann den Tee, dann eine Wasserflasche. Sie plätscherte Wasser in den Topf. Es nervte. Es nervte so. Und nirgends ein Elternteil oder eine Lehrerin, die man scheiße finden konnte. Wer war denn verantwortlich dafür, dass wir noch nicht im Tunnel waren?

«Will jemand Brötchen?», fragte Rike.

«Wir haben keine», sagte Anuschka.

Rike griff in den Kopfkissenbezug, in dem unser Brot war.

Dann hielt sie ein Brötchen hoch. Sie grinste. Jeder hat gerne recht, aber Rike ganz besonders. «Hier, das sind Brötchen! Willst du eins oder nicht?»

«Wir haben aber gestern keine mitgenommen.» Anuschka war kreidebleich. Als ob sie nicht glauben konnte, was sie da sah, stieg sie über mehrere Mädchenbeine und griff selbst in das Brotkopfkissen hinein.

«Das ist ganz frisch», stieß sie hervor. «Riecht doch mal!», sagte sie mit weit aufgerissenen Augen. «Das ist ganz frisch! Aber ist euch das nicht klar? Dann muss jemand hier gewesen sein!»

«Echt, dann iss es nicht, wenn du lieber altes Brot isst.» Rike warf uns Brötchen zu. Sieben Stück waren es insgesamt.

«Ich hab die Brötchen vielleicht mitgenommen», überlegte Yvette.

Anuschkas Wangen wurden ganz rund und rot: «Da waren keine Brötchen. In der ganzen Küche in der Jugendherberge waren keine Brötchen!»

«Wir werden das beobachten. Jetzt setz dich hin!»

Warum war es so leicht, auf Bea zu hören? Sie gab keinen Befehl. Sie machte ein Angebot. Wir würden das beobachten. Das war natürlich Unsinn. Was wollten wir denn beobachten? Die Brötchenverschwörung? Aber sie hatte nicht gesagt: Anuschka, du spinnst. Hör auf!

Anuschka setzte sich, nachdem einige Sekunden verstrichen waren, endlich hin und aß ihr Brötchen.

Beim Frühstück beschlossen wir, den Tunnel auf anderem Wege anzusteuern. Sosehr es frustrierte, dass wir noch nicht eingezogen waren in unseren Tunnel, wie wir ihn da schon nannten, so beruhigend war es doch gleichzeitig, dass er so schwer zu finden war. Dann war er nämlich auch für andere schwer zu finden. Unser Tunnel.

Bis heute kann ich die Augen schließen und vor mir sehen, was ich mir darunter vorgestellt hatte. Eine halbrunde Öffnung, aus Steinbrocken gemauert. Wir konnten alle im Eingang nebeneinandersitzen, auf weichen Mooskissen, und glücklich hinausschauen, wo eine warme Sommerhusche unsere Möhrenbeete mit Wasser versorgte. Das war natürlich eine Vision aus dem Hause Pustekuchen, aber manchmal sehe ich trotzdem diesen Tunnel statt dem, den wir dann gefunden haben. Vielleicht hätten wir nach dem anderen nur länger suchen müssen.

Anuschka führte uns aus der Schonung. Mit Taschen und Rucksäcken war das Steigen durch die kleinen Bäume noch schwerer. Als wir an der Überstiegsleiter ankamen, über die wir nachts geklettert waren, zeigte sich im Hellen, dass wir keine vier Meter von der morschen Holzleiter entfernt einfach über Maschendrahtzaun steigen konnten. Der war dort zu Boden gedrückt. Die Tannen hatten den Zaun regelrecht niedergerungen. Den Zaun, der sie ursprünglich beschützen sollte gegen Wildverbiss und Weihnachtsbaumdiebe. Und mit dem Zaun hatten die verrückten Tannen nur angefangen. Quer in die Schonung hinein lag ein Laubbaum, umgestürzt, als hätten ihm die Tannenzwerge ihre vielen Beinchen gestellt. Sie standen hellgrün um ihn herum, stiegen auf ihn drauf, wuchsen ihn zu. Eine Armee aus hellgrünen Tännchen. Sie wirkten noch nicht stachelig, eher flauschig.

Sie wuchsen, von niemand gefürchtet, unbemerkt Richtung Weltherrschaft.

Es war ein unheimlicher Ort – stille Kraft und alle Grüntöne der Welt.

Wir duckten uns ein Stück an einem Wanderweg entlang, schlüpften in ein anderes Waldstück – wo andere Kämpfe gekämpft wurden. Die Wellen des Heidelbeermeers schlugen hoch gegen die Wellen der Moose. Hier konnte man gut liegen, seinen Bauch auf den Boden drücken, die Atmung noch flacher als der Körper. Wir warteten im Gras liegend drei Pilzsammler ab, die sich laut lachend ihren Opfern näherten. Pilze laufen nicht weg.

Bea ließ uns lange liegen – die Pilzsammler mussten schon längst wieder zu Hause sein, vielleicht hatten sie die Pilze schon geputzt und gebraten. «Hoch!», sagte sie knapp.

Nach wenigen Metern standen wir vor einem anderen Stück Wald, wo sich alles verdichtete. Schulterhohe Brennnesseln. Links und rechts nur Brennnesseln. Die Hunde hechelten, und so gaben wir ihnen zu trinken. Es war ordentlich warm geworden inzwischen. Wir hatten die Jacken ausgezogen und an die Rucksäcke gebunden. Nur Antonia hatte ihre angelassen. Sie war blass.

Bea legte ihren Rucksack ab, ihren Hund daneben und verließ uns, als wären wir alle auch entweder Hund oder Rucksack.

So vergingen Minuten, und wir standen still beieinander, in einer Situation, in die wir uns selbst hineinmanövriert hatten.

Ich empfand mein Leben gar nicht wie mein Leben.

Es erinnerte nichts mehr daran, wie es war.

Ich begann, anders zu riechen.

Dann kam ein riesiges Knacken auf uns zu. Ächzend schleppte Bea einen halben Baum ohne Äste auf ihrem gebeugten Rücken. Die Lippen zusammengepresst, die Nasenlöcher ganz rund gebläht. Außerdem lief sie komisch. Humpelte sie? Rike wollte zufassen und wurde zurückgewiesen.

Wir sahen zu, dass unsere Füße aus dem Weg waren, als Bea Anstalten machte, ihre Last abzuwerfen. Waldboden und halber Baum trafen aufeinander, krachend auf der einen Seite, dröhnend auf der anderen.

«Und jetzt nagst du im Alleingang ein Muster rein oder was?»

Bea überhörte Yvettes Frage. Sie schob den Stamm mit dem Fuß auf die Brennnesseln zu. Die ersten Meter waren schon zerdrückt.

Während einige Mädchen «ach so» flüsterten und auf den so entstehenden grünen Teppich starrten, stellte sich Freigunda in den Weg. Dazu hatte sie extra einen Arm nach vorne ausgestreckt und ihre Hand zum Nein erhoben.

«Halt, sage ich. Meine Idee sollte gehört werden.»

Bea trat noch einmal gegen den Baumstamm, dass er zehn weitere Zentimeter platt rollte. «So sprich! Das Wort sei dir, Weib aus anderen Zeiten!»

Rike kicherte. Bevor es auf mich übersprang, schaute ich schnell in Freigundas Gesicht. Ihre Krankheit hieß vermutlich Schlimme Ernsthaftigkeit.

«Wenn wir diesen Weg schaffen, da, wo vorher keiner war, dann locken wir Menschen hinein. Neugierige und Schnüffler. Die Brennnesseln sind ein perfekter Schutz. Wenn du jetzt weitermachst, dann ohne mich. Entweder gilt mein Wort, oder es gilt nicht. Dann weiß ich, woran ich bin.»

Bea rollte den Baumstamm weiter. «Geh zur Seite!»

Freigunda verbeugte sich leicht und trat zur Seite. Obwohl ihre hellen Augen hinter ihren Haaren flackerten. Sie war daran gewöhnt zu tun, was man ihr sagte.

Ich getraute mich kaum einzuatmen.

«Ich mache den Durchgang nicht so breit und richte die Pflanzen danach wieder auf», sagte Bea und sah Freigunda kurz an. «Okay?»

Die nickte.

Ich atmete ein.

Bea rollte den Baumstamm zurück, drehte ihn und gab ihm einen kräftigen Tritt. Er rollte bestimmt zwei Meter den Weg entlang, die Richtung, aus der wir gekommen waren.

«Wieso gehen wir nicht das Stück zurück und dort in den Wald?» Antonia zeigte zum Baumstamm. «Ich meine ja bloß …» Dann nieste sie.

Ein paar von uns nickten.

«Jetzt gehen wir hier. Wer weiß, was da ist.»

Bea würde echt lieber eine ganze Runde um die Erde laufen, anstatt umzukehren, wenn sie am Ziel vorbeigelaufen war. Sie nahm ihren Rucksack, setzte ihre Kapuze auf, zog die Hände in die Ärmel des Pullovers und lief mit gesenktem Kopf mitten in die Brennnesseln hinein. Den Hund führte sie dicht hinter sich. So dicht, dass er seinen Kopf senken musste. Er ließ sich blind führen. Hinter den beiden entstand ein schmaler Gang.

Als Erstes senkte Freigunda den Kopf und stieg unserer Anführerin nach, den Kläffer Dämon hinter sich herziehend. Und dann fädelten wir uns alle nach und nach in einer Mädchen-Hund-Mädchen-Hund-Mädchen-Hund-Mädchen-Hund-Mädchen-Hund-Mädchen-Mädchen-Kette durch das Hindernis. Die Übertretung dieser Grenze fand leise und konzentriert statt. Einmal klapperte ein Taschenverschluss, einmal schnaufte ein Mädchen. Eine Hose zischte beim Laufen. Ich war mir nicht sicher, ob die garstigen Pflanzen auch durch die Kleidung brennen und nesseln. Ich hatte auch keinen Bock, es auszuprobieren.

Wie wir geschlossen hintereinander gegangen waren, das hatte etwas Feierliches gehabt – wie eine Brennnesseltaufe war es gewesen. Hier standen wir nun, und ich glaube, keine zweifelte mehr an Bea, und falls Yvette es tat, dann nur aus

Gewohnheit. Bea ging zurück und griff in die Brennnesseln. Mit den bloßen Händen. Sie nahm eine Pflanze von der linken Seite des Durchgangs und eine von der rechten Seite und überkreuzte sie. So flocht sie rückwärts laufend den Gang zu. Immer eine links, eine rechts. Wie ein Ritual am Ende eines Krieges, eine Massenhochzeit unter verfeindeten Familien.

Am Ende drehte sie sich zu uns herum, nickte Freigunda zu und hob ihre roten Hände hoch. Vielleicht verzog sie das Gesicht. Vielleicht nicht. Niemand sah es. Wir folgten ihr.

Inzwischen konnte ich mir nicht mehr vorstellen, wie all die ganzen großen Erfindungen erfunden und all die Dinge entdeckt worden waren, die ganzen Entdeckungen – wenn der Mensch immerzu Hunger hatte. Wie war er zu Kulturleistungen fähig gewesen mit einem winzigen Magen, der alle fünf Stunden leer war und wieder gefüllt werden wollte? Mit Hunger war nichts möglich, und wenn man satt war, dann auch nicht.

Rike fing an: «Ich hab Hunger!»

Yvette: «Ich könnte auch was vertragen.»

Antonia: «Ich auch! Eine Hühnersuppe wäre toll!» Sie nieste.

Und schon begannen sie zu überlegen, ob man hier kurz eine Pause einlegen könnte, um einige Vogeleier zu braten. Die man natürlich erst suchen müsste.

Schnell etwas zu essen, überlegte ich, dauerte insgesamt mindestens eine Stunde. Vorbereiten, zubereiten, essen, wegräumen. Die Erfinder mussten alle einen Koch haben, eine Haushälterin oder eine nette Mutter, die ihnen Stullen schmierte. Ich hatte noch nie so viel über Essen nachgedacht.

Anuschka beantwortete Beas Frage danach, ob der Tunnel noch weit sei, erst mit einem Schulterzucken. Dann seufzte sie: «Er müsste hier sein. Ich dachte», sie zeigte in die Richtung, aus der wir kamen, und danach in die Richtung, in die wir gingen, und dann brauchte sie einen Moment, um uns mitzuteilen, was sie dachte: «Hier eigentlich.»

Wir standen in einem Mischwald, der zum Stausee auf der linken Seite leicht abfiel. Dem Wald ging es gut, er war vollgestopft mit Wald. Wie zwei Waldfotos übereinandergelegt. Nadel und Laub.

«Ich denke, der Tunnel ist in der Richtung. Ich bin ja sonst von der anderen Seite, vom Dorf her gekommen. Aus der Schonung», Anuschka atmete tief ein und aus. «Das müsste hier sein. Hier sind die eingefallenen Bergwerkstunnel. Da. Und da!» Sie zeigte.

Ich sah nichts.

Das Stück Wald, das «hier» hieß, schien nicht sehr groß zu sein. Später nannten wir dieses Gelände Mondwald. Wegen der vielen Krater.

Bea kratzte sich an ihren immer noch roten Händen. Sie ließ den Rucksack fallen, legte Cherokee daneben ab und lief los: «Dann müssen wir suchen.»

«Aber vorsichtig», sagte Anuschka. «Hier sind überall Hohlräume unter uns.»

Wir ließen die Hunde neben den Rucksäcken liegen. Boogie, Rikes Hündin, begann, sich ausgelassen zu suhlen, und rutschte dabei langsam mit der Nase voran über das Moos. Rike lachte. Boogie lachte. Freigunda ging hin, kniff ihr superschnell ins Ohr und drückte sie auf den Boden.

«Darüber reden wir noch», sagte Rike.

«Ist recht», sagte Freigunda.

Dann schwärmten wir aus.

Der Waldboden war an manchen Stellen komplett von Moos überzogen. Jeder kleine Stein, jeder halbe Baumstamm, der es nicht geschafft hatte, jedes geknickte Hölzchen hatte eine Moosmütze. Das Moos wuchs sogar ein Stück die Bäume hoch. Wenn ich lang genug hier stehen würde, hätte ich moosige Schuhe.

«Wo sind die anderen?», fragte ich Antonia, die in meiner Nähe war.

«Die meisten da lang.»

Wir gingen gemeinsam weiter. Dann sahen wir den ersten Krater. Das war nicht einfach wie ein Loch. Das war ein Loch im Wald voller Wald. Man konnte es erst sehen, wenn man näher heranging.

Antonia ging an den Rand vom Krater. «Wollen wir reinsteigen?» Das Ding vor uns war bestimmt fünf Meter tief.

In meiner Klasse sagte man: «Ja, und das wird auf deinem Grabstein stehen», wenn jemand etwas Gefährliches vorhatte.

«Wollen wir reinsteigen?», würde dann auf unserem gemeinsamen Grabstein stehen. Das Loch war ja schon ausgehoben.

Ein Baum war vom Rand oben hineingestürzt, wie auf dem Heimweg gestolpert. Er war inzwischen tot und ohne Nadeln. Eine struppige Leiter hinein oder hinaus. Ein anderer Baum war von unten hinaufgewachsen und dann noch weiter. Ein alter, großer Baum. Bestimmt hatte er seine fünfzehn Meter, trotzdem sah er kleiner aus als die Bäume ringsherum, die auf dem höher gelegenen Waldboden wuchsen.

Die Pflanzen im Krater explodierten vor Grün. Der

Dschungel dort unten war saftig und dicht. Farnüberfluss. Es sah unglaublich wild aus, gar nicht wie Deutschland.

«Charlotte», Antonia klang bittend. Ich als Ältere sollte hier irgendwas entscheiden. Ich wusste gar nicht, was.

«Äh», hob ich an, da hörten wir den ersten Pfiff.

Auch die Hunde hatten den Pfiff gehört. Einer von ihnen war sicherlich aufgesprungen, und die anderen waren sofort nachgejagt. Als Erstes trafen sie auf uns und freuten sich unbändig. Kajtek war nicht mit dabei. Er könnte sich alles brechen, wenn er mit seinen wackeligen Beinen hier durchlaufen müsste. Ich überlegte, ob ich ihn suchen sollte. Oder die anderen Hunde wieder zu den Rucksäcken bringen.

Da kam der zweite Pfiff.

Der gehorsame schwarze Zack zischte sofort los. Von null auf dreißig. Die anderen Hunde hinterher.

Antonia lief auch los.

Ich hatte sie mir alle vom Leib gezögert. Ich atmete tief aus. Ich hasste Verantwortung. Und Entscheidungen. Und angeguckt werden. Und gefragt werden. Alleine im Wald stehen gelassen werden aber auch.

«Komm!», sagte Antonia, schon ein Stück entfernt.

Wir rannten, so gut es ging, über Hindernisse hinweg und um Hindernisse herum. Wir kamen an weiteren Kratern vorbei. Die ersten waren alle rund und sahen aus wie zugewachsene Bombentrichter. Mein Herz schlug einen schnelleren Takt als meine Füße, als wollte es vorausrennen. Hatten sie den Tunnel gefunden? War einer von uns etwas passiert?

Wir kamen an noch tieferen Kratern vorbei. Alle bewachsen, als hätte man eine Vase vollgestopft. Aus einem Krater fluchte es. Wir zogen Yvette hoch, die an einem abgestorbenen Baum hing. Ihre Hose war nass.

Dann rannten wir zu dritt weiter. Der nächste Pfiff. Ein Hund bellte. Andere Hunde bellten mit. Dann Ruhe.

«Da lang!», rief Yvette, und wir rannten ihr hinterher. Der lilafarbene Zopf peitschte auf und ab. Wir kamen an einer Reihe von Kratern vorbei, die sich wie ein Tal durch den Wald zogen. Einige waren nur noch getrennt durch Baumwurzeln, die einen Rest Erdreich zusammenhielten. Vorsichtig stiegen wir über diese schmalen Brücken. Wurzeln von zwei Bäumen, die sich in der Mitte gegenseitig umschlangen und Halt gaben. Dahinter begann sofort die nächste Kraterreihe. Hier waren die Schächte eingebrochen. Der Wald sah aus, als wäre aus ihm die Luft herausgelassen worden. Vor uns tauchte das Hellgrün der wilden Schonung auf.

Wieder ein Pfiff. Er kam auf jeden Fall aus der Schonung.

Wie auf der anderen Seite wuchsen auch hier am Rand die jungen, kleinen Bäume, und dahinter wurden die Bäume höher und standen immer enger. Mit den Händen links und rechts die Bäume beiseiteschiebend, schwammen wir tiefer in den dichten Wald. Anders als auf der anderen Seite der Schonung, wo wir gezwungen gewesen waren, den Rückzug anzutreten, öffneten sich die Bäume hier zu einer Lichtung. Mit zwei weiteren Kratern. Mit geringem Durchmesser, aber sehr tief. Leere Augenhöhlen, die aus der Erde herausglotzten.

Da! Drei Hundehintern! Die Schwänze wedelten.

Von unten kamen Stimmen. Dort war wohl ein weiteres Loch. Um dorthin zu gelangen, musste man auf dem schmalen Kamm entlanglaufen, der zwischen den beiden Augenhöhlenkratern entlangführte. Er sah nicht aus, als ob er halten würde. Aber die anderen mussten ja auch hier rübergegangen sein.

Mir wurde schwindelig. Ich strengte mich an, nicht in das

eine der bösen leeren Augen zu fallen – und fiel fast in das andere. Die Angst zu fallen zog links und rechts an meinem Gleichgewicht. Ich heftete den Blick fest auf Yvettes Rücken und richtete mich zu meiner ganzen Größe auf, um der hinter mir laufenden Antonia einen ermutigenden Anblick zu geben.

Boogie begrüßte uns begeistert. Zack freute sich sehr über sein Frauchen. Cherokee wedelte auch ein bisschen.

Unten im Krater war niemand zu sehen. Dieses Loch war deutlich größer. Vom Durchmesser her wie ein Treppenschacht. Eine Etage tiefer ging es rein in die Erde. Gestein, Sand, Wurzeln. Ein Baum stand sehr nah an der Kante. Ein Wunder, dass er noch stand. Er schwebte eher. Ein großer Teil seiner Wurzeln war freigelegt und wuchs am Kraterrand hinunter. Unterhalb der Wurzeln war es tiefschwarz. Ein Maul. Im Maul ein Himbeergestrüpp, das versuchte, sich zum Licht zu recken.

«Hallo?», rief Yvette runter.

Ein Stock tauchte am Rand des Gestrüpps auf und teilte die Pflanze. Hinter dem Stock kam eine Hand, hinter der Hand ein Arm, ein zerkratzter Arm. Dann ein zweiter Stock mit einer zweiten Hand und einem zweiten zerkratzten Arm. Beide Stöcke zusammen schoben und drückten ein Tor in das Himbeergestrüpp.

Rikes Gesicht. «Herzlich willkommen in der Villa Dunkelmodder! Kommen Sie unter das Wurzeldach. Wir bieten Ihnen: einen Tunnel mit edlem Moderpampe-Boden, wo Sie schlafen werden wie die Made im Matsch. Zum Essen gibt es Würmer und zum Trinken frisches Regenwasser von der Wand. Wenn Sie Komfort und Gemütlichkeit suchen, sind Sie hier …», Rike schaute sich um, «äh, falsch.»

Antonia kicherte kurz. «Wie seid ihr da runtergekommen?»

Mir war überhaupt nicht nach Lachen zumute. Und nach da Runtersteigen. Immerhin waren die Tunnel ringsherum alle eingestürzt. Der hier könnte auch einstürzen.

Während Rike Yvette erklärte, wie man an der Wurzel in das Loch hinunterklettern konnte, rumorten in meinem Magen die Sorgen. Ich würde auf gar keinen Fall dort runtergehen. Wenn alle an der Wurzel rumkletterten, würde der Baum umfallen. Ich war doch viel größer als die anderen. Ich wog doch viel mehr. Der Baum würde in das Loch stürzen. Und mich mitreißen. Der Eingang würde zugeschüttet werden. Und drinnen würden die Mädchen klopfen und weinen. Und mein Bein wäre dann eingequetscht, und ich könnte keine Hilfe holen. Antonia würde immerzu weinen. Und Bea fluchen. Die Hunde würden nach einigen Tagen meinen Kopf fressen. Und wenn nur noch mein Stammhirn übrig wäre – vielleicht würde das den Hunden nicht schmecken –, käme jemand und würde mich als Einzige retten. Das Foto von mir mit narbigem Gesicht, schiefem Mund und oben offenem Kopf ginge um die ganze Welt. Die Menschen würden spenden, um eine Operation zu finanzieren, damit mir aus meinem eigenen Arsch ein neues Gesicht gebastelt werden könnte.

Ich entschied mich, doch lieber mit den anderen verschüttet zu werden, und kletterte die Wurzel runter. Meine Hand tat immer noch etwas weh. Der Verband störte. Die Wurzel war nass und rutschig. Die Schuhe der anderen hatten schon in das Holz gekratzt und helle Schrammen hinterlassen. Ich konnte mich kaum halten und rutschte einfach runter, ließ irgendwann los und plumpste auf meinen Arsch. Neben die Himbeeren. Von den Wänden rieselte Erde.

«Hör auf, willst du eine Lawine auslösen», lachte Rike und verschwand im Tunnel.

Auch ein schöner Satz für einen Grabstein.

Ich blieb vorne direkt unter der Baumwurzel stehen. Alle anderen spazierten rein, als wäre es ein Gebäude. Ein flaches zwar, aber sonst normal. Sie hatten ihre Schuhe ausgezogen, die Hosen hochgekrempelt und wateten in dem eiskalten Schlamm hin und her. Ich blieb nah am Eingang stehen, so weit wie das bisschen Tageslicht kam, das durch den Himbeerstrauch fiel. Die anderen hatten keine Angst, aber Angst war nun mal kein demokratisches Gefühl. Meine jedenfalls nicht. Es war ihr scheißegal, dass die anderen alle tief in diesem finsteren Schlauch waren. In den Lichtkegeln gebeugte Umrisse, an den Wänden langgezogene Schatten. Das lauteste Geräusch war das Platschen der Füße in dem Wasser, das im Tunnel stand. Stimmen flogen von Wand zu Wand. Sie flogen nicht weit. Es war alles sehr eng. Dafür war der Tunnel lang. Niemals, niemals würde ich da ganz nach hinten gehen. Niemals! Dort hinten gab es wohl ein Stück Mauer in der Wand. Die Mädchenstimmen, die zu mir hallten, überlegten, ob hinter der Mauer ein Seitenstrang zugemauert worden war. Es ging hier also noch tiefer rein.

Antonia piepste: «Toll!»

Ich versuchte, beim Atmen Luft zu bekommen. Dann ging ich zurück auf die andere Seite der Himbeeren.

Wir saßen neben dem Krater, den wir «das Loch» nannten. Die Hunde waren froh, dass wir wieder bei ihnen oben waren.

Wir zählten auf, was zu tun sei, und versuchten zu entscheiden, was davon zuerst.

Erstens: das Gepäck holen (nicht alle müssten gehen, nur zwei)

Zweitens: den Himbeerstrauch entfernen (rausreißen, umpflanzen, abfackeln?)

Drittens: den Tunnel trockenlegen (am besten müsste das noch vor Einbruch der Nacht geschehen. Wasser raus, Sand rein. Oder so.)

Viertens: Essen organisieren (am besten in der Nacht oder am frühen Morgen, am allerbesten viel. Freigunda wollte jagen gehen. Bea klauen. Yvette kaufen.)

Fünftens: den Zugang zum Tunnel erleichtern, auch und vor allem für die Hunde (Leiter flechten oder knüpfen oder knoten. Oder eine Rampe aufschütten. Oder eine Leiter aus Ästen bauen. Oder so.)

Ich hatte während des Gesprächs den Verband von meiner Hand abgewickelt. Ich bewegte die Finger. Der Riss hatte sich fast geschlossen. Ein wenig sah die Wunde aus wie ein kleiner Mund, der mir etwas zuflüstern wollte.

Niemand zweifelte daran, dass dieser Tunnel nun unser Zuhause war. Ich zweifelte schon, aber ich sagte mir selbst, dass ich ja immer zweifelte, egal, worum es ging, darum: Scheiß auf meine Zweifel, sie waren kleine Fruchtfliegen.

Wenn ich mich umschaute, sah ich leuchtende Gesichter. Das war keine Röte vom Laufen und von der Sonne, das war innere Hitze. Nur Antonia sah blass aus. Sie nieste immerzu. Aber sie war trotzdem glücklich. Das hier war ganz anders als alles vorher. Hier fehlte der Vernunft-Erwachsene, und sei es auch so einer, der uns selbst draufkommen lassen würde. Das waren die Schlimmsten, die, die fragten: «Na? Was würdet ihr jetzt für sinnvoll halten?»

Das hier war keine Simulation. Wir hatten keine drei Leben. Nur eins.

Wir waren völlig frei. Wir hätten hüpfen und schreien können, aber das taten wir nicht. Man hat ja gar nichts vom Hüpfen und Schreien, mal ehrlich.

Mir war heiß unter meiner kalten Haut. Das war Abenteuerhitze.

Nur zwei Sachen trübten meine Stimmung: Ich hatte nach wie vor Angst vor dem Tunnel. Er war niedrig und roch komisch. Nach Rost und kaltem Wasser. Und nach noch etwas, was ich nicht kannte, und noch etwas, das mich an irgendetwas erinnerte.

Die andere Sache war, dass mein Hund immer noch weg war. Vielleicht hielt Kajtek sich selbst gar nicht für meinen Hund und war einfach in irgendeine Richtung gelaufen. Wenn man keine Bindung hat, ist irgendeine Richtung genauso gut wie jede andere.

«Mein Hund ist weg», sagte ich. Meine Wörter klangen wie ausgespuckt. Ich sprach zu leise und zu schnell.

«Was?», sagte Bea also.

Ich sammelte die Wörter in meinem Mund und spuckte sie noch mal aus: «Mein Hund ist weg.»

«Er wartet bestimmt noch bei den Rucksäcken», Antonia legte ihre kleine Hand auf meinen Arm.

«Gut, du gehst auf jeden Fall das Gepäck holen», sagte Bea. «Ich denke auch, dass er noch dort ist.»

«Und wenn nicht, ist es nicht schad drum», sagte Freigunda. «Ist er weggelaufen, so haben wir keine Verwendung für ihn. Ein untreuer Hund ist so viel wert wie eine Rattenfamilie auf der Tenne.»

«Auf der Tenne?», fragte Rike.

Niemand antwortete ihr.

«Er ist bestimmt nicht weggelaufen», sagte Antonia. Sie nahm ihre Hand von meinem Arm. «Er ist doch total alt.

Vielleicht ist ihm was passiert. Er könnte in eine Grube gefallen sein und sich was getan haben.»

Freigunda zuckte die Achseln. «Entweder schafft er es oder nicht.»

«Was? Soll sie ihn vielleicht liegenlassen, wenn er irgendwo verletzt herumliegt?», Antonia schüttelte entschieden den Kopf.

«Wir füttern hier keinen kranken Hund durch», sagte Yvette. «Das schwächt die Gemeinschaft.»

Der Luftzug aus dem Tunnel war in dem Moment eiskalt.

«Gemeinschaft kommt doch nicht von gemein sein», sagte Rike.

«Freigunda, dein Hund ist auch krank. Im Kopf. Und du vielleicht auch!», sagte Anuschka. «Und dich kann man nicht mal heilen.»

Freigunda starrte Anuschka durch ihr Fetthaar an. «Du meinst, du kannst mich nicht heilen», sagte sie. Dann wandte sie sich an mich. «Ich schließe mich Yvettes Worten nicht an. Ihre Worte waren nicht meine Worte. Wenn du Kajtek findest, und er war unterwegs zu uns, dann ist er ein guter Hund. Dann ist es gleich, in welchem Zustand er ist. Er soll essen und bei uns sein. Ich spreche nicht von Gesundheit», sie funkelte Anuschka böse an. «Ich spreche von Treue.»

Die hellrote Boogie, die bis dahin ruhig hinter Rike gelegen hatte, stand auf und schüttelte sich. Damit hatte sie ein gutes Schlusswort gesprochen. Bea sagte es noch mal anders, aber es war im Prinzip dasselbe: «So, es reicht, Jungs! Ich würde sagen, du suchst erst mal. Dann sehen wir weiter.»

Wir nickten alle. Boogie legte sich wieder hin.

Die Gruppe teilte sich in Grüppchen. Himbeerheckenbekämpferinnen (Bea, Yvette), Leiterbauerin (Freigunda),

Nahrungssucherinnen, Pilz- und Kräuterweiblein (Antonia, Anuschka). Und mich und Rike als Rucksackträgerinnen.

«Niemand sieht euch», sagte Bea zum Abschied. Und so war es auch.

Dachten wir.

Ich versuchte, nicht zu heulen, als Kajtek nicht bei den Rucksäcken war.

«Wir können uns Boogie teilen», schlug Rike vor. Boogie kam sofort angehüpft und grinste mich an. Sie war echt ein wunderschöner Hund. Ein bisschen sah sie aus, als wäre sie leicht beschwipst und wollte einem gleich den lustigsten Witz der Welt erzählen.

Ich schüttelte den Kopf.

Wir liefen dreimal, um das ganze Gepäck zum Tunnel zu tragen. Jedes Mal veränderte sich der Wald. Beim ersten Mal erkannte ich die Trichter wieder. Beim zweiten Mal wusste ich vorher, wo sie auftauchen würden. Beim dritten Mal begann ich, ihnen Namen zu geben:

Augenhöhlen,

Nahe Klamm,

Wurzelklamm,

Moosige Klamm.

Die drei Kratertäler. Sonderlich phantasievoll war das nicht. Nicht so schön wie die alten Bergwerksnamen.

Großer Trichter.

Kleiner Trichter.

Stürzebaum.

Farntümpel.

Yvettekrater.

Rike beachtete den Wald nicht sonderlich. Vielleicht, weil er sie auch nicht beachtete.

Als wir alles geschleppt hatten, schloss sich Rike dem Himbeerteam an. Bea sah aus dem Loch zu mir hoch, wischte sich den Schweiß weg. «Antonia sammelt mit Anuschka Kräuter und Pilze und Zeug. Die braucht keine Hilfe. Freigunda baut eine Leiter. Sie ist rechts, da wo diese dünnen Bäume stehen.»

Ich hatte Freigunda seit der Sache mit den Gehorsamkeitsübungen ein bisschen gemieden, aber eine Leiter war natürlich eine gute Sache. Und ich tat, was Bea sagte, da gab es nichts.

Ich lief auf dem schmalen Grat zwischen den Augenhöhlen durch. Der Grat müsste Nasenwurzel heißen. Es war schön, allem hier Namen geben zu können. Ich war mir sicher, dass ich auch in der Hinsicht in diesem Moment ganz frei war. Es würde kein Lehrer kommen, kein Buch, kein Internet, kein klügeres Mädchen, das sagen würde: Die heißen aber Billardlöcher oder Krugkrater oder Stängelwald oder was-weiß-ich.

Ich roch die Nachmittagshitze und hörte das Waldbrandgefahr-Knacken.

Dann sah ich Freigunda. Sie stand auf einem Ast, der auf einem großen Stein lag. Sie wippte hin und her. Ihre langen dürren Arme hatte sie ausgebreitet. Die Sonne lackierte ihr Haar auf Hochglanz. Sie sprang hoch und wieder auf die Wippe zurück. Es krachte. Der Ast lag in zwei Teile zerteilt. Freigunda war in die Knie gegangen und federte den Aufprall auf dem Waldboden ab. Die Arme angewinkelt, Hände hoch. Dann hob sie die beiden Astteile auf. Sie legte sie neben andere, gleich lange Astteile.

«Kann ich helfen?», fragte ich.

«Schneide doch Seile zu», sagte sie. Warf mir einen Knäuel Paketschnur zu. «Hast du dein Messer wieder im Rucksack – oder am Gürtel, wie ich es dir gesagt habe?»

Ich klopfte auf meinen Gürtel.

Sie nickte. «Ich zeig es dir einmal!», sagte sie und zeigte es mir einmal. Schnur abwickeln. Zwei Runden um Hand und Ellenbogen, um die Länge abzumessen. Schnur spannen. Messer dazwischen. Nach unten abschneiden.

«Ist dir nicht warm in deinen Sachen?», fragte ich sie. Sie hatte immer noch dieses Jungshemd und die lange Wildlederhose an.

«Doch, aber dir ist doch auch warm in deinen Sachen.» Sie zeigte auf meine kurze Hose und mein Top. «Gegen Wärme kann man nichts machen. Am besten ist, man denkt nicht darüber nach.» Sie zerhüpfte weiter Äste und schwitzte dabei. Ihr Haar war nass.

«Du könntest die Hose doch abschneiden», schlug ich vor, während ich Schnur schnitt.

«Ich habe nur eine Hose mit, und die ist lang.» Sie legte die Holme zurecht. «Wenn ich sie abschneide, habe ich immer noch eine Hose, aber die wäre dann kurz. Wenn es warm ist, mag das gut sein, aber wenn es kalt ist, ist das schlecht.» Sie verteilte die Sprossen auf die Holme und schnitt auf Höhe jeder Sprosse zwei Kerben ins Holz, einen Zentimeter tief.

Ich sollte die Sprossen an die Holme halten. Freigundas lange Finger wickelten und knoteten in einem irren Tempo. Sie krabbelten und flochten, hielten und drehten wie eigenständige Lebewesen.

«Wird die Leiter lang genug?»

«Ja.»

«Sicher?»

Sie schüttelte ihren Haarvorhang zur Seite und sah mich kurz an. «Ich messe stets dreimal. Einmal so wie andere Menschen, einmal zur Sicherheit und einmal in Erinnerung an die zehn Schläge meiner Großmutter, als ich die Gardine zu kurz genäht hatte.»

«Zehn Schläge?», fragte ich.

«Genau zehn. Mehr fand meine Großmutter grausam, weniger nicht lehrreich.» Freigundas Finger krabbelten die nächste Schnur um die nächste Sprosse.

«War das denn so schlimm mit der Gardine?»

«Nein. Ich habe dann was ran genäht. Aber bei Holz geht das nicht. Da muss man eigentlich viermal messen. Keine Fragen mehr.»

Stumm fertigten wir die Leiter an. Lebt deine Großmutter noch? Noch drei Sprossen. Links binden, knoten, wickeln, rechts dasselbe. Hat sie dich oft geschlagen? Wie alt warst du da? Hast du deine Sachen selbst genäht? Noch eine Sprosse. Was kannst du noch alles? Kerzen ziehen? Ein Instrument spielen? Habt ihr einen tanzenden Bären? Habt ihr einen Flohzirkus? Letzte Sprosse.

Wir trugen die Leiter zum Krater. Ich hätte nie gedacht, dass man aus so wenig so schnell eine Leiter anfertigen kann.

Sie passte genau.

Drei verschwitzte Mädchen saßen am Rand vom Loch und ließen ihr dreckiges festes Schuhwerk baumeln. Zwei davon streichelten ihre Hunde.

«Fertig?», fragte ich.

«Scheiße», sagte Yvette.

«Scheiße-ja oder Scheiße-nein?»

«Mann, Charly, guck uns an. Sehen wir aus wie Scheiße-ja?»

Antonia sah richtig aus wie Scheiße-nein. Sie hatte rote Augen, eine Haut wie Milchglas. Sie trug als Einzige eine Jacke. Schlotterte trotzdem. «Ich bin auf jeden Fall fertig. Da!» Sie zeigte zu einem Topf mit Pilzen. «Es gibt hier so viele davon, die hüpfen dir in den Topf. Anuschka sammelt noch. Die ist ja im siebten Himmel. Waldwaldwaldwald und Kräuterkräuterkräuter.»

Ich schaute mich um. Bea war nicht zu sehen. Überall Himbeerstrauchreste.

«Na, den Himbeerstrauch habt ihr jedenfalls erledigt.»

Rike schnaufte. «Das war kein Strauch. Das war ein Himbeerdrache, dem wir alle acht Köpfe abschlagen mussten. Er hat gekämpft bis zum Schluss.» Sie ließ etwas aus ihrer Hand blitzen und drehte es hin und her. Ein kleines weißes Band. «Und das hier haben wir ganz unten gefunden.» Ich streckte die Hand aus. Nahm. Las. «Gärtnerei Lieblich. Rubus ideaeus L.» Auf der anderen Seite war ein kleines Sonnensymbol. Eine halb helle, halb dunkle Sonne. «Regelmäßig mulchen» stand da.

Es stimmte also, was Anuschka gesagt hatte. Sie hatte mit ihrem Großvater hier einen Himbeerstrauch gepflanzt. Nur warum? Um den Tunnel zu verstecken. Aber warum?

Ich musste das herausfinden.

«Wir machen jetzt erst einmal ausführlich Pause», sagte Yvette.

Das Wasser ließ sich nicht aus dem Tunnel vertreiben, erklärte Rike. So wie sie es schilderte, schien das inzwischen eine persönliche Sache zwischen ihnen und dem Wasser geworden zu sein. «Dem ist es total egal, was wir machen», schloss Rike. Dem Wasser meinte sie. Oder dem Tunnel. Oder dem Schlamm. Oder dem allem.

«Wahrscheinlich kommt das Grundwasser von unten nach. Wir könnten einen Ablaufgraben anlegen», schlug Freigunda vor.

«Du kannst gerne hier auf Bob der Baumeister machen», sagte Yvette matt. «Ich mach nichts mehr.»

«Wer?», fragte Freigunda.

«Wahrscheinlich kennt sie eher Siegfried den Steinmetz», lachte Rike.

«Wer?», fragte Freigunda noch mal.

«Klar, kennst du nicht. Vergiss es!» Yvette winkte ab.

«Ich hasse es, wenn jemand ‹vergiss es› sagt. Man kann nichts vergessen. Hättest du es gar nicht erst gesagt, müsste ich es nicht vergessen. Überlege dir also, ob du etwas sagen willst oder nicht.»

Yvette lachte schrill. Als sie sich beruhigt hatte, sagte sie: «Wir sind ganz unterschiedlich, Mittelalter. Ich kann das zum Beispiel total gut vergessen, was du gesagt hast.»

Ich fragte die anderen: «Wo ist Bea?»

Schulterzucken hier. Weiß nicht da.

«Und Cherokee?», fragte ich weiter.

«Der haut ständig ab. Vielleicht sucht Bea ihn.»

Wir schwiegen. Was sollte die Hast? Es war Sommer. Der zirpte. Es war ein sanfter Nachmittag. Mittagsschlafzeit. Wir hielten unsere Bäuche zum Licht.

Freigunda sagte, sie könne nicht herumsitzen. Das gehöre sich nicht, solange es hell sei. Sie ging mit Dämon trainieren.

Eine Weile schwiegen wir, überließen dem Wald das Wort. Je länger ich ihm zuhörte, umso mehr fiel mir auf, dass hier etwas war, dem wir uns hinzugefügt hatten. Ich kann das nicht so erklären, aber es war wie: eins plus eins bleibt eins. Egal, ob wir da wären oder nicht – genau diese Geräusche würde der Wald machen. Allein für mich hatte ich solche Momente schon erlebt und sogar herbeigeführt, denn allein ließ es sich leicht schweigen und verschwinden. Man musste sich dafür nur konsequent selbst ignorieren.

Zu viert zu verschwinden, war einfach nur geil. Kurz bevor es plopp machte und wir in uns selbst gesaugt wurden, landete ein schöner Vogel auf einer Tannenspitze. Die Flügel klatschten Applaus, die Tannenspitze federte sich langsam in die Aufrichtigkeit zurück. Der Vogel flatterte um sein Gleichgewicht. Wir schauten hoch. Die Hunde auch. Der Vogel schaute zu uns runter, den Kopf seitlich gedreht. Die schwarzen Augen verstanden irgendetwas von uns hier unten, aber etwas anderes, als wir uns vorstellen konnten. Ohne einen Vogelkopf kann man nicht denken wie ein Vogel. Es war so, es blieb so.

«Na?», sagte Rike hoch zu dem Tier. «Hast du Bea gesehen?»

Der Vogel schüttelte den Kopf.

Wir lachten und lachten.

Erst kam Anuschka wieder. In der Hand einen großen Kräuterstrauß.

Dann kam Bea. Sie hatte Cherokee gefunden.

Nur Kajtek kam nicht.

Die Mädchen trösteten mich. Freigunda legte mir ihre flache Hand auf mein Herz. Eigentlich auf meine Brust, aber sie tat es so, als wäre da nur ein Herz.

Ich trat ein Stück zurück. Bedankte mich aber trotzdem.

Wenn die Ureinwohner einem als Anerkennung gerollte Popel schenken, dann sollte man sich bedanken. So ist das.

«Ich koche jetzt die Pilze, ja? Mich quält ein Hüngerchen.» Rike putzte Pilze. «Und dazu wird gereicht ...», trällerte sie, «eine Auswahl trockener Brote.» Sie schaute zu Anuschka. «Und keine Brötchen!»

«Das können doch die Hunde nicht essen», quietschte Antonia. «Oder, Freigunda?»

«Das können die Hunde nicht essen», bestätigte die mit monotoner Stimme. «Aber die Hunde müssen auch nicht ständig essen. Die Menschen übrigens auch nicht. Beide werden vom Hunger gehorsam.»

Ich konnte mich erinnern, dass ich in einem der Bücher von Inken etwas über eine Regel gelesen hatte, die Drei-Drei-mal-Drei-Regel. Der Mensch kann drei Wochen ohne Essen auskommen, drei Tage ohne trinken und drei Minuten ohne Sauerstoff.

Für mich galt normalerweise noch zusätzlich: drei Stunden ohne Zucker.

In einem anderen Buch von Inken hatte gestanden, dass man Baumrinde kochen konnte. Und mahlen und daraus Brot backen. Und dass es essbare Würmer gab, die sehr eiweißreich waren. Willst du lieber drei Monate ohne Essen leben oder drei Wochen jeden Tag drei Würmer zu dir nehmen?

Gott sei Dank roch es bald prima nach Pilzen und Kräutern. Der Geruch des Waldes mischte sich beim Schmatzen der heißen Kost wunderbar dazu. Auch das harte Brot schmeckte mir. Die Zähne rieben und mahlten. Alle Mädchen außer Freigunda teilten ihr Brot mit ihrem Hund.

Ich meldete mich ab, um noch einmal nach Kajtek zu suchen. Die Dämmerung schwebte schon von unten rauf und verdrängte das Licht. Im Wald wurde es viel früher dunkel. Auf eine blaue Art. Ich ging noch einmal die Strecke ab, vorm Tunnel zu der Stelle, wo wir die Rucksäcke abgelegt hatten. Ohne Kajtek zu finden.

Auf dem Rückweg kamen mir Anuschka und Yvette entgegen. Die Gruppe hatte in meiner Abwesenheit darüber gesprochen, dass es so etwas wie containern gab – von dem ich nun erfuhr, dass es das gab, aber nicht genau, was es war. So was wie klauen, aber anders.

Anuschka wusste, wo man containern gehen konnte. Und als es darum gegangen war, wer mitgehen sollte, hatte es erst eine kurze Auseinandersetzung zwischen Anuschka und Bea gegeben (weil Anuschka allein gehen wollte) und dann zwischen Bea und Yvette (weil Yvette wollte, dass Bea mitgeht, die aber sagte mal wieder, sie hätte vom Krieg ein kaputtes Knie). Sie schienen beide etwas aufgebracht gegen Bea. Das fand ich keine gute Kombi, aber was hatte ich schon zu sagen? Um etwas zu sagen zu haben, müsste ich ja etwas sagen.

Fast hätte ich an diesem Abend sogar was gesagt, aber dann war es doch nicht nötig.

Wir hatten darüber geredet, wie wir es mit den kleineren und größeren Geschäften halten sollten. Freigunda rechnete uns vor, wie viel Kilogramm beziehungsweise Liter an größeren und kleineren Geschäften sich bei sieben Mädchen innerhalb von fünf Tagen ansammeln würden.

«Dann müssen wir eben ein Stück weiter laufen», schlug Rike vor. «Vierzig Meter. Und dort graben wir ein Loch.»

«Wie denn? Mit einem Löffel?», lachte Antonia. «Wir haben keine Schippe.»

«Schippe?», fragte Freigunda. «Du meinst einen Spaten?»

«Die Hunde», sagte ich leise. Rike lautsprecherte meine Idee. «Die Hunde könnten ein Loch graben.»

«Super Idee, Rike!», lobte Bea.

Ich wäre auch gern von ihr gelobt worden.

«Und die Tampons?», fragte Antonia. «Die können wir doch nicht in den Wald werfen. Da kommen die Wölfe.»

Plötzlich wurden die Hunde unruhig. Wir verboten ihnen die Schnauzen.

Die Dunkelheit brachte das Knacken mit. Ein langsames. Wer nichts zu befürchten hatte, musste nicht so schleichen. Als Erstes handelte Freigunda. Sie nahm ihr Messer und stellte sich damit vor uns. Dann schlugen die Hunde an. Freigunda stand da, als hätte jemand den Abend aufgehalten. Ein Standbild im Feuerflackern.

Bea erhob sich und legte Freigunda die Hand auf den Oberarm. Sie drückte ihr den Arm mit der Waffe hinunter und zeigte auf die Hunde. Die wedelten mit dem Schwanz.

Freigunda drehte sich zu mir um: «Dein Hund ist zurück.»

Und wirklich, da war er. Der Fledermauskopf. Mein Hund.

Der Wald war schon wach. Ich hatte eine kalte Nase, aber sonst war ich rundum warm. Wir lagen nah beieinander, die Hunde außen herum. Ich fasste nach Kajtek. Tatsächlich, da war er. Er hob nicht mal den Kopf.

Als in der Nacht der kleine Raubzug vom Containern zurückgekommen war, hatte Kajtek eine ordentliche Portion Brotpampe mit Leberwurst bekommen, obwohl Freigunda sagte, dass das keine Ernährung für einen Hund blabla ...

Die schlimmen Hundepupse später gaben ihr recht.

Neben mir raschelte es. Ein naschendes Mäuschen? Ein

naschendes Mädchen? Wenn ich noch weiter die Augen verdrehte, dann würden sie gleich nach innen rollen, und ich könnte das große Fragezeichen sehen, das in meinem Gehirn steckte. Wieso aß Yvette Schokolade? Wo hatte sie die her? Warum hatten wir keine? Die restlichen Räubereien waren Wurst und Käse und Quark und so. Ein paar Fertiggerichte, zerbrochene Nudeln, aber auch zerbrochene Gurken und Äpfel mit Stellen. Aber nichts Süßes.

Yvette hatte was mit Zucker!

Normalerweise wäre ich schön still liegen geblieben, hätte beobachtet, und garantiert hätte ich nie den Mund aufbekommen. Aber sie hatte ZUCKER. «Wo hast du das denn her?», fragte ich.

«Hmpf», machte sie und stopfte sich das letzte Stück Schokolade rein.

Die Hunde waren inzwischen wach, die Mädchen auch. Alle. Zack schnupperte am Mund seines Frauchens. Sie schob ihn weg.

«Was hat sie gegessen?», fragte Antonia.

«Mann, ich hab eine Schokolade gegessen. Wird ja wohl erlaubt sein. Es war eben nur eine.»

«Wieso teilst du denn nicht?», fragte Antonia entsetzt.

«Wieso sollte ich? Das ist meine Schokolade. Anuschka hat sie MIR gegeben.»

Jetzt sahen alle Anuschka an. Sie saß da, in die leichten Wellen ihres Haars wie in eine Decke gehüllt. Dann stand der Engel auf, ging zu Yvette, nahm ihr die Schokoladenverpackung aus der Hand und versuchte, sie zu zerreißen. Das klappte nicht. War ja so Folienzeug. Sie verdrehte die Verpackung mit beiden Händen. Dabei sah sie Yvette wütend an.

«Du hast wohl die falschen Kräuter gegessen, ey», sagte

die, und dann zu uns: «Das kann echt nicht wahr sein. Erst lässt sie mich gestern da ewig auf diesem Hügel sitzen. Jetzt tut sie so, als hätte ich hier ... Nur weil ich MEINE Schokolade nicht teilen will.»

Es gab ein kleines Durcheinander, das von Bea zurechtgestutzt wurde, bevor es ein großes werden konnte. «Was? Was genau war los? Jetzt mal der Reihe nach.» Sie wies auf Yvette.

«Mann, das war ein voll langer Weg zu latschen. Latschlatschlatsch, Wald, Wald, Wiese und dann so ein Abhang über der Stadt, und ich habe gesagt: Was, da runter? Das ist doch noch voll weit. Kein Bock. Da hat sie gesagt: Okay. Bin in einer halben Stunde wieder da. Und dann ist sie weg. Ich hab da bestimmt 'ne Stunde gesessen. Wie 'ne Doofe. An diesem doofen Abhang. Ohne was zu essen. Nicht mal ein Kaugummi ...» Yvette versuchte, unser Mitleid zu wecken. Mit einem Blick, bei dem ihre Eltern sicherlich das Taschengeld um fünfzig Euro erhöhten und ihr eine amtliche Bestätigung zukommen ließen, dass sie aufrichtig Anteil nahmen.

Bea erteilte Anuschka das Wort.

«Ja, sie hatte keine Lust. Und da bin ich allein runter ins Tal. Und da habe ich ihr diese Schokolade mitgebracht.»

«Damit ich nichts sage.»

«Neeneenee, das habe ich nicht gesagt!»

«Dochdochdochdochdoch!» Yvette war wütend. «Ich mag zwar blöd sein, aber ich bin nicht dumm.»

Da gab es kein Halten mehr. Da wirbelte unser sechsfaches Lachen in den Wald hinein. Antonia kippte nach hinten um und kullerte sich hin und her. Boogie schlabberte ihr dabei wedelnd das Gesicht ab. Rike und ich hielten uns aneinander fest. Aus meinen Lachaugenwinkeln sah ich, wie Anuschka das Schokoladenpapier verschwinden ließ. Im

Gebüsch. Dabei lachte sie ihr Kollerlachen. Ein so buntes Papier in ihr schönes Erzgebirge zu werfen, das passte gar nicht zu ihr.

Als wir uns beruhigt hatten, sagte Bea, dass sie nicht wollte, dass eine von uns allein herumläuft.

«Na, jetzt geht's aber los», keifte Yvette. «Was soll denn das? Denkst du, ich hatte heimlich ein Date mit einem Wildschwein, und in ein paar Monaten gibt's hier einen Frischling mit lila Streifen?»

Rike lachte. «Der war gut!»

Bea schüttelte den Kopf. «Du magst nur Tiere getroffen haben, aber Anuschka …?» Blick zu ihr. «Vielleicht hat sie jemanden getroffen, den sie kennt.»

«Ich habe niemanden getroffen, den ich kenne.»

Wenn ich als Geschworener jetzt entscheiden müsste, wem ich vertraue, aufgrund mangelnder Beweislage, Bauchgefühl und so weiter, dann würde ich Yvette glauben. Die war nämlich wirklich blöd, aber nicht dumm. Sie konnte gar nicht lügen. Sie war zu aufbrausend, zu unüberlegt. Und Anuschka war klug und clever. Aber warum log sie?

Bei so einem Satz wie *Ich habe niemanden getroffen, den ich kenne*, da gehen meine Lauscher hoch wie die Dreiecksohren von Boogie. Wenn die in Krimis sagen *Ich habe nichts Unrechtes getan*, dann heißt das höchstens, dass derjenige es nicht unrecht findet. *Ich habe sie seit Jahren nicht gesehen*, das heißt nicht, dass die nicht telefoniert haben.

Anuschka könnte also mit jemandem telefoniert haben, den sie kennt, oder einen Zettel hinterlegt haben für wen, den die kennt. Oder sie kann jemanden getroffen haben, den sie nicht kennt. Und dem hat sie dann gesagt, dass der jemandem was ausrichten soll. Oder sie hat ein Treffen verabredet.

Bea antwortete: «Okay, alles klar.»

Ich hatte das Gefühl, dass sie damit genau das meinte, was ich meinte. Okay, alles klar.

Man musste Anuschka im Auge behalten.

Ich wartete, bis alle beschäftigt waren, dann ging ich zum Gebüsch und fummelte die Schokoladenverpackung raus. Eine gelbe glänzende Folie. Eine teure Marke. Sogar Fair Trade. Toll. Mit Puffreis. Es war nichts weiter auffällig. Ich roch daran und seufzte. Dann ließ ich die Folie in einem anderen Busch verschwinden.

Danach gab es gleich die nächste Aufregung. Freigunda hatte einen Beutel mitgebracht, den sie in der Nähe gefunden hatte. Er war an einem Ast festgeknotet gewesen. Ein einfacher weißer Leinenbeutel. Mit sieben frischen Brötchen darin, doppelten. Wir waren überrascht, aber erfreut. Bea beschloss, dass die nicht für uns gedacht waren. Ich fand es zu auffällig, dass es beide Male genau sieben Brötchen waren. Ich tat wie immer was? Genau, Klappe halten.

Anuschka wollte die Brötchen sehen, befühlen und dran riechen.

«Hörst du mal auf», sagte Yvette. «Es ist ja schlimm genug, dass ich lauter abgelaufene Lebensmittel essen muss. Und jetzt musst du an das einzige Frische hier Popel ranmachen. Was hast du für ein Problem mit Schrippen?»

«Schrippen?», fragte Anuschka.

«Brötchen», antwortete Yvette.

«Ach, Semmeln», sagte Anuschka. Dann erzählte sie uns die Geschichte von einem bösen Geist, der einen Bergjungen töten wollte, nur aus Bosheit. Aber als der Junge versprach, ihm jeden Tag eine Semmel zu bringen, wollte er ihn leben lassen. Als der Junge aber eines Tages die Semmel vergaß, da wurde er doch getötet. Man fand ihn erwürgt in einer Lore. Und überall um ihn herum lagen verschimmelte Semmeln.

Die Sonne kam mir ein bisschen laut vor, der Wald ein wenig näher gerückt. Von hinten war mir kalt.

«Kannst ja immer mal so eine Geistergeschichte erzählen», schlug Rike vor. «Geister find ich cool. Glaub ich aber nicht dran.» Sie grinste.

«Ja, man glaubt nicht an Geister, bis man den ersten gesehen hat», sagte Anuschka mit großen Augen. Dabei biss sie in das Brötchen.

Also», nach dem Frühstück machte Bea einen Plan, «auf jeden Fall muss das Wasser aus dem Tunnel raus. So können wir nicht einziehen.» Einen Ablaufgraben anzulegen, könnten wir uns schenken. Der Boden wäre Stein, wie die Wände. Darum könne das Wasser auch nicht ablaufen. Alles Stein. Nur vorne im Tunnel liege eine Schicht Erde drüber.

«Wenn der Haufen vorne weg ist, läuft es ab», sagte Freigunda.

«Wir können mit den Schüsseln schippen», überlegte Bea.

«Mit den Essschüsseln?» Yvette stand auf. «NIEMALS!», sagte sie und fasste sich dabei mit entschlossener Hand ans Herz.

«Die Schüsseln werden ohnehin die Hundenäpfe sein. Reg dich ab. Wir können auch aus den Tassen essen.»

Yvette setzte sich wieder, von Beas Worten und ihren auf und ab wippenden Händen beruhigt.

«Ich baue einen Flaschenzug», sagte Freigunda. «Ihr

könnte in der Zeit Decken mit Erde füllen. Aber nicht zu voll. Ich brauche Charlotte.»

Ich erschrak. Was? Wofür?

Bea nickte, als sei ich ein Arbeitsgerät, dessen Entleihung nur angesagt werden musste.

«Und in neunzehn Minuten soll irgendeine kurz zu uns kommen. Was festhalten.»

«Mach ich», sagte Bea.

Ich ging mit Freigunda zu der moosigen Stelle, wo die Hunde manchmal spielten. Wir sagten deshalb Hundetanzplatz dazu. Freigunda suchte einen trockenen, armdicken Ast. Den sollte ich festhalten.

«Tut deine Hand noch weh?», fragte sie.

Ich schüttelte den Kopf und packte fest zu. Wenn Freigunda ihr Messer aus der Scheide nahm, nickte sie ihm stets kurz zu. Das Messer hatte eine Schneideseite und eine Sägeseite. Das hatte ich noch nie gesehen. Freigunda sägte Scheiben von dem Ast, schnitt Furchen in die Außenseiten der Scheiben. Dann machte sie Löcher in die Mitte, während ich eine acht Schritt lange Schnur zuschneiden sollte.

«In der Mitte der Schnur bindest du einen Grashalm fest.»

Tat ich.

«Halt mal! Du drehst das dann so. Ich zeig es dir einmal.»

Mir fiel die Geschichte von Freigundas Großmutter ein. Wenn ich jetzt etwas falsch machte, bekam ich dann auch zehn Schläge? Ich sah ganz genau hin. Einfach drehen. Konnte ich. Tat ich.

Freigunda ging mit dem anderen Ende der Schnur los. Ich wie ein Hund an langer Leine hinterher. Hinter uns her unsere beiden Hunde ohne Leine. Kajtek war zwar nach wie vor erschöpft, aber neugierig war er auch. Ich glaube, er wollte einfach bei mir sein.

«Dämon respektiert ihn», teilte mir Freigunda mit.

«Aha», sagte ich.

Dann spannten wir die Schnur zwischen uns und drehten sie ein. Ewigkeiten passierte nichts. Dann veränderte sich die Schnur. Sie wurde kürzer und kürzer. Außerdem stand sie immer mehr unter Spannung. In der Mitte kreiselte der festgebundene Grashalm.

Bea und Cherokee kamen. Kajtek freute sich. Dämon nicht.

Bea wurde angewiesen, die Schnur in der Mitte beim Grashalm festzuhalten. Von oben gesehen waren wir eine Uhr mit zwei gleich langen Zeigern. Dann lief Freigunda los wie ein Sekundenzeiger.

«Schön stramm halten!», sagte sie zu uns. «Kannst auch auf mich zukommen.» Eine komische Uhr waren wir, wo die Zeiger sich aufeinander zubewegten.

Von der Mitte aus begannen die Schnüre, sich umeinander zu wickeln.

«Stramm halten», wiederholte Freigunda. «Sonst entstehen Schlaufen.»

Wie verliebte Würmer zog es die beiden Schnurseiten zueinander und umeinander. Wir hatten eine Kraft hineingezwirbelt.

«So wird aus einer Schnur ein Seil», sagte Freigunda.

«Cool», fand Bea.

Fand ich auch.

«Ihr könnt loslassen.»

Die beiden Schnurseiten waren jetzt fast komplett ineinandergedreht. Freigunda stand neben mir. Als wir losließen, fiel das Seil auf den Waldboden und wand sich da weiter. Erst schnell, dann immer langsamer. Die zwei offenen Enden umschlangen sich in Zeitlupe zu einem Ende.

Danach baute Freigunda den Flaschenzug zusammen. Das Seil um die eine Rolle, die andere Rolle und um die dritte Rolle. Sie kürzte das Seil. Verknotete alle offenen Enden. Hängte alles an den Baum über dem Tunnel.

Für mein restliches Leben – ich schwöre ja nicht oft, aber das schwöre ich jetzt mal –, für mein restliches Leben, ich schwöre, werde ich immer daran denken, mit welcher Klarheit Freigunda diesen Flaschenzug gebaut hatte. Und das Krasseste an ihr war, dass sie danach keinen Moment ihr Werk zufrieden betrachtete oder eine Pause machte. Sie rief alle Hunde außer Kajtek zu sich und ging mit ihnen die Grube buddeln.

Ich durfte den Flaschenzug betätigen und ließ Decke um Decke mit nasser Erde hochschweben. «Okay!», rief Rike von unten, wenn eine neue Decke am Haken hing. Die Astscheiben quietschten.

Antonia und Yvette schleiften die Decken zum ersten Augenhöhlen-Krater und ließen den Schlamm hineinklatschen.

Die ganze Zeit blieb Kajtek in meiner Nähe liegen. Seine Augen schauten geradeaus, aber seine Nase schnüffelte uns hinterher. Er schnupperte siebenerlei Schweiß, nasse Füße ohne Schuhe, Hände mit Blasen, einen blutigen Riss an einem Zeigefinger, das Blatt einer Pflanze, das die Wundheilung förderte. Er hörte, wie ein Stein auf einen Stein geschlagen wurde. Er roch einen Funken. Dann die Wurzeln eines Himbeerstrauches, die zerhackt wurden. Alles, womit sich diese Pflanze festkrallte, wurde abgeschlagen.

Dann roch es nach Kläräpfeln und Knäckebrotbruch. Kajtek nieste und legte sich andersherum. Er hörte, dass wir hämmerten. Die zugesägten Astscheiben, über die das gedrehte Seil lief, wurden heiß. Der Tag glühte sonnig.

Dann hörte Kajtek ein Gluckern und unseren Jubel, die Zurechtweisung des Frauchens vom großen Gestromerten, dann leisen Jubel.

Yvette, Antonia und ich hüpften runter zu den anderen. Wir standen barfuß und sahen zu, wie das Wasser in den Stein lief. Wie ein dunkler Strich am Stein zurückblieb. Wir lächelten und lauschten dem Wasser hinterher.

Anuschka nahm endlich die Inkenketten ab. Sie wickelte sie alle drei um die freiliegende Wurzel, die über dem Tunneleingang hing. «Das wird die Geister abhalten.»

Ich traute mich kaum, daran zu denken, was nun kam – im Tunnel schlafen. Im dunklen Tunnel schlafen. Eine Lösung musste her! Aber das war keins der Rätsel, wie ich sie sonst gern löste. Denn ich wusste die Lösung, und sie gefiel mir einfach nicht. NICHT im Tunnel schlafen war die Lösung. Dann würde ich allein im dunklen Wald liegen und alle anderen im dunklen Tunnel. Im Tunnel würde ich mich totgruseln und im Wald totfürchten. Und wenn ich versuchen würde, nach Hause zu gehen, würde ich mich totschämen.

So oder so, auf mich wartete der Tod.

Eigentlich war es darum auch egal, was ich tat.

Und mit dieser Lösung war ich erst einmal zufrieden.

Am frühen Abend hatten wir auch den restlichen Schlamm rausgeschafft. Wir waren fertig. Ich auf jeden Fall. Wie dreimal Sportfest und einmal Schuldisco und nur auf die schnellen Lieder getanzt. Mit richtig Gitarre. Mindestens.

Als wir uns zum Essen setzten, ächzten einige. Wenn wir einen Fernseher gehabt hätten, hätten wir ihn angemacht, Füße hoch, Scheiß gucken, sagen: Lass mich, ich hatte einen harten Tag. Aber es war gar nicht hart, es war super. Es kickte mich total. Ich hatte geschwitzt und es einfach trocknen lassen. Ich fraß die Menge, die ein junger Löwe braucht. Bestimmt war ich voller Dings. Endorphine oder so.

Freigunda kam erst zum Essen, als die Grube fertig war. Die Hunde waren sandig und erschöpft. Alle schaufelten Rikes Essen in sich hinein. Sie hatte Suppe gemacht, aus den zerbrochenen Nudeln, dem Gemüse mit Stellen und Kräutern, die Anuschka gesammelt hatte.

Die Hunde bekamen nur Nudeln.

Die Dämmerung kam von überall, und bald würde sie sich verdichten und uns in den Tunnel schieben.

«Wir sollten erst im Tunnel schlafen, wenn er wirklich trocken ist», sagte Bea. Sie nickte mir zu. Das musste für die anderen so aussehen, als hätten wir uns abgesprochen.

Ich nickte zurück.

Als wir am Feuer saßen, hatte ich meine Zwickmühle vergessen. Ich meine die Art von Vergessen, für die man sich total anstrengen muss. Im Gegensatz zu der Art Vergessen, das von alleine klappt. Vielleicht würden wir ja nie mit dem Tunnel fertig werden und könnten immer draußen schlafen. Draußen war es doch schön. Ich verstand gar nicht, warum die Menschheit so verrückt danach war, in Häusern zu sein. Schon nach drei Tagen ohne Haus war etwas mit mir geschehen. Etwas Großes. Vielleicht etwa Größeres als ein Haus, das sich darum nur draußen entwickelte. Ich konnte mit der Haut hören und mit dem Hinterkopf sehen. Ich atmete tiefer und schlief flacher. Es war eine entspannte Aufmerksamkeit. Das ergab gar keinen Sinn, wenn ich es so erkläre.

Aber so war es!

Als ich am nächsten Morgen, es war der fünfte Tag, zur neuen Grube ging und mich dort hinhockte, sah ich es. Durch die Bäume. Erst dachte ich, es wäre was anderes. War es aber nicht. Oder irgendwelcher Müll. War es aber auch nicht.

Hose hoch. Hingeschlichen.

Tatsächlich!

Es war so platziert, dass wir es finden mussten.

Und es konnte nur für uns sein.

Ich lief Umwege zurück zum Tunnel. Immerhin war es ein schöner Wald. Ich hielt mich gern darin auf. Es war ein guter Wald zum Nachdenken. Ich dachte über das Wachsen nach. Und ob es reichte, außen zu wachsen, um auch innen zu wachsen. Hoch genug war ich eigentlich. Jetzt wäre es an der Zeit, sich vor die Gruppe zu stellen und mal die Klappe aufzubekommen.

Mädels, ich habe was gefunden.

Ich habe was gefunden.

Kommt mal mit.

Als ich bei der Gruppe ankam, wurde ich sofort informiert. Antonia hatte es auch gefunden. Wahrscheinlich kurz nach mir. Alle stürmten los, es war schon ein kleiner Gang in das saftige Gras getreten. Der Geruch von unserer Grube wehte rüber.

Die Büchsen waren als Pyramide angeordnet.

«Gibt es einen Berggeist, der Hundefutter bringt, Anuschka?», grinste Rike.

Anuschka war ganz ruhig. «Wer auch immer das war, er meint es ja gut mit uns.»

«Ich finde das gruselig», sagte Antonia. «Immerhin ist hier nachts jemand rumgeschlichen. Erst die Brötchen, und jetzt das!»

«Maaaann», leierte Yvette. «Wenn dir jemand was schenkt, und es ist nicht Weihnachten oder Geburtstag, dann wirfst du es aus dem Fenster, oder was? Das ...», sie zeigte auf die Büchsenpyramide, «ist genau, was wir gerade brauchen. Komm, Zack, es gibt Fressi.»

Bea nahm drei Stück, klemmte eine unter den Arm, ging voran. Ein Machtwort ohne Worte.

Jede nahm drei, für mich blieb am Ende nur eine Büchse. Ich klemmte sie unter den Arm.

Die Hunde bekamen Futter und waren danach super gelaunt. Sie spielten auf dem Hundetanzplatz. Boogie und Cherokee hüpften umeinander und zwickten sich in die Beine. Zack rannte drum herum. Dämon drehte sich um sich selbst. Kajtek lag da wie ein ausgerollter Hundeteig, und seine große Steckdosennase schnupperte den Kumpels nach. Einmal stand er auf und wuffte leise. Am Morgen waren die Hunde oft noch besser gelaunt als ohnehin schon. Sie gingen immer davon aus, dass dies der beste Tag ihres Lebens werden könnte. Und da hatten sie ja auch recht. Immerhin gab es Futter, und jeder Tag, an dem es Futter gab, war der beste Tag des Lebens. Sie durften toben, nur bellen nicht. Sie durften balgen, aber leise.

«Aber echt mal», sagte Antonia, «jemand weiß, dass wir hier sind.»

Bea schlürfte den heißen Tee aus Kräutern und Beeren. Hinter dem Dampf ihre Zukneifaugen: «Antonia hat recht.» Sie trank langsam, schluckte, es machte sie kein bisschen nervös, dass alle darauf warteten zu erfahren, warum Antonia recht hatte. Zwischen die Erwartungen und die Erfüllung der Erwartungen passte für Bea immer noch ein Schluck Getränk. «Wir müssen besser aufpassen.»

Yvette lachte schrill. «Was schiebt ihr denn für eine Paranoia? Was soll das denn? Dann weiß eben irgendwer, dass wir hier sind. Dann geht irgendwer nach Hause, sagt zu seiner Frau: ‹Im Wald spielen Kinder›, dann sagt Irgendwers Frau: ‹Aha, hilf mal, den Tisch auf die Terrasse zu tragen, Müllers kommen nachher.› Fertig! Was glaubt ihr denn, wer ihr seid? Der Präsident der Vereinigten Staaten? Dass euch irgendwer vermisst, oder was?»

«Klar, dich vermisst niemand», sagte Bea. Kniff die Augen zu, trank noch einen Schluck.

Gott sei Dank kam gerade genau in dem Moment etwas im Hundefernsehen. Die Hunde hatten ein gutes Gespür dafür, wann wir Ablenkung brauchten. Sie kugelten herum. Sogar Dämon schien ein bisschen Anteil daran zu nehmen. Sein Frauchen lächelte. Ich fragte mich, wie es mit Wuwan gewesen wäre. Der hatte nett ausgesehen. Armer kleiner Kerl.

Boogie bellte und bekam einen Rüffel von Cherokee. Aber was für einen. Es sah mordsbrutal aus.

An diesem Tag taten wir nicht viel. Wir ließen den Tunnel trocknen, und der machte das von ganz allein. Der Tag verging auch ohne Arbeit. Fast ohne Arbeit. Wir zerrten einen umgefallenen Baum ran und stürzten ihn in das Loch vorm Tunnel. Auf dieser Rampe konnten die Hunde hoch und runter. Kajtek brauchte dabei Hilfe.

Dann gingen wir zum See, zu einer Bucht, die schwer einsehbar war.

«Das ist der Wildholzsee.» Anuschka sah dabei so stolz aus, als hätte sie den See selbst so genannt. «Das ist hier

Wasserschutzgebiet, und darum ist Baden eigentlich verboten.»

«Leise und dezent», sagte Bea. «Und nur kurz.»

Die Hunde flippten fast aus vor Glück.

Die Mädchen auch.

Freigunda angelte lieber. Sie hatte eine Sehne mit Angelhaken in einer leeren Tictac-Packung bei sich. Die knüpperte sie an einen Stock und zog einen kleinen Fisch nach dem anderen raus, schnitt ihnen die Köpfe ab und warf sie in einen Blechtopf. Yvette wollte sie überreden, mit reinzukommen, wenigstens um sich zu waschen. Daraufhin ging Freigunda kurz mit Sachen ins Wasser, tauchte ohne Nasezuhalten einmal unter und setzte sich danach zum Trocknen in die Sonne.

Wir waren nicht weit entfernt von der Stelle, wo wir später von den Jungs beobachtet wurden. Bestimmt waren sie auch an dem Tag in der Nähe. Ein Gebüsch mit drei Augenpaaren. Blaue, braune und wunderschöne graublaue.

Abends zog es sich. Zum Essen gab es kleine Fische.

Dann schickte Bea mich und Anuschka los.

Du und du», sagte Bea. Ich und Anuschka. Es erinnerte mich an Inken, als die auf uns gezeigt hatte, um uns in den Baracken zu verteilen.

Ich getraute mich nicht zu fragen. Containern. Kann ich das überhaupt? Musste man irgendwas machen, was meine langen Beine nicht können?

Anuschka flocht sich die Haare zu einem Zopf und legte ihn sich als Lorbeerkranz um den Kopf. Steckte ihn hier und da fest. Ohne Spiegel. Dann zog sie eine Kapuze über das Kunstwerk, sagte in die eine Richtung «tschau» und in die andere Richtung «na los». Ich band mir die Regenjacke um. Sagte auch «tschau» und wollte hinterher.

«Hör mal», flüsterte Bea und zog an meinem Jackenärmel, «pass auf, dass Anuschka mit niemandem Kontakt hat.»

Ich nickte.

Die Wolken zogen an diesem frühen Abend knapp über den Bäumen. Fast konnten die Wipfel die Wolkenbäuche aufschlitzen. In der Luft hing eine tropfenlose Idee von Regen. Als ob die nasse Zukunft schon in die trockene Gegenwart drängte.

In der ersten halben Stunde sagte Anuschka zweimal etwas. Einmal «wir biegen links ab», worauf sie nach links zeigte, und dann «wir bleiben auf dem alten Forstweg».

Nach noch einer halben Stunde sagte sie: «Gleich sind wir an der Köhlerei.»

Der alte Forstweg war halb zugewachsen. Nur noch ein schmaler Stapfpfad mitten durch hohe Farne. Dann veränderte sich der Wald wieder und wurde zu einem Unterwasserwald. Schlanke junge Laubbäume standen dicht, waren schief und zu schnell zu hoch gewachsen. Die glatte Rinde mit einer feinen, graugrünen Schicht bedeckt. Das sah aus wie eine Algenart. Alles wirkte erstickt. Nur unser Knacken war zu hören, mit dem wir uns selbst begleiteten.

Anuschka hatte keine Lust, mir etwas über diese Bäume zu sagen. Auch nicht über die Kräuter, nach denen sie am Wegesrand Ausschau hielt. Ich hatte keine Lust, sie zu fragen.

Es roch nach scharfem Rauch. Wir liefen immer weiter in den Geruch hinein. Verbrannt. Schwelend.

«Da ist die Köhlerei», sagte Anuschka.

Das sollte eine Erklärung sein oder was? Was war eine Köhlerei, und konnten wir da containern?

Um aus dem Unterwasserwald herauszukommen, galt es mal wieder, Himbeergebüsche zu durchqueren. Wir fanden eine schmale Stelle und kämpften uns durch. Auf der anderen Seite hockte Anuschka sich hin. Vor uns lag ein breiter Wanderweg. Rechts von uns gaben vereinzelte Bäume den Blick auf eine Felswand frei. Ich versuchte zu sehen, wie hoch sie war, aber dafür war sie zu hoch. Vor der Felswand stand ein Metallzaun mit einem Tor, das mit Kette und Schloss gesichert war. Durch den Zaun sah ich eine runde Pyramide, von der weißer Rauch aufstieg. Je länger wir da hockten, umso unerträglicher wurde der Gestank.

Wenn Anuschka mir nicht erklärte, was das für ein Ding war, schien sie zu glauben, dass man es wissen müsste. Also konnte ich nicht fragen, ohne dumm zu wirken. Bestimmt irgendwas mit Kohle.

«Dieser Stein hier war mal ein Köhler.» Anuschka zeigte auf einen Steinbrocken. «Hier an der Stelle ist mal ein Gespenst erschienen. Irgendwo oben in einem Baum. Das hat zum Köhler runtergerufen: ‹Huschaukel, mir ist's kalt!› Da hat der Köhler gesagt: ‹Na, dann komm runter und wärme dich bei uns.› Das Gespenst hat daraufhin gesagt: ‹Ich habe aber Angst vor deinem Katzel.› Der Köhler hatte seinen Hund bei sich. ‹Hab keine Angst vor meinem Katzel›, hat der Köhler gerufen – aber daraufhin wurden er und sein Hund in Stein verwandelt.»

Anuschka zeigte auf zwei größere Felsbrocken. «Der große ist der Köhler, der kleine der Hund.»

Die Steine hatten wirklich etwas Lebendiges. Sie waren

mehr hoch als breit und sahen darum aus, als ob sie standen und nicht lagen. Der Köhler und sein Hund.

Ich wusste immer noch nicht richtig, was eine Köhlerei ist, also auch nicht, was ein Köhler ist. Jetzt war noch etwas dazugekommen, dass Huschaukel hieß.

«Die Köhler hatten keinen guten Ruf. Sie haben ihre Hunde auf arme Leute gehetzt. Darum hat das Gespenst den Köhler in Stein verwandelt. Aber überleg mal, die waren immer alleine hier draußen. Die mussten immer beim Kohlemeiler bleiben. Und da musste man aufpassen, der brannte leicht ab. Es gab auch viele Gespenster in Gestalt von alten Frauen oder Bettlern. Die Köhler haben nie gewusst, ob das ein Mensch ist. Ich hätte auch jeden verscheucht. Früher waren hier viel mehr Geister und Kobolde als heute.»

«Früher gab's mehr, ja?», fragte ich.

Ich schaute Anuschkas Profil an. Sie erzählte das alles mit großen Augen. «Die können eigentlich gar nicht aussterben. Die sind ja schon tot. Ich weiß nicht, wo die Geister hin sind. Vielleicht sind sie zur Ruhe gekommen, weil man sie in den Bergen nicht mehr stört. Ich hoffe, wir haben im Tunnel keine geweckt. Ich hab das Gefühl, im Tunnel ist was.»

Ich folgte Anuschkas Blick. Der Rauch der Köhlerei zog an der schroffen Felswand hoch. Zwanzig, dreißig Meter. Oder vierzig. Oben im grauen Himmel wurde die Rauchfahne vom Wind dünn gepustet.

«Es gibt noch ein Mörbitzmännel, das ist nach einem Flüsschen benannt, wo es …»

Ich erfuhr nicht, was es tat, das Männel an dem Flüsschen. Denn wir hörten Schritte. Aus der Köhlerei. Wir versteckten uns im Himbeergestrüpp. Wenn man einmal beschlossen hat, dass Kratzer nichts Schlimmes sind, dann erleichterte das das Leben im Wald ungemein.

Ein Mann kam vom Gelände zum Zaun. Neben ihm tauchte ein Riesenhund auf. Durch die langen grauen Haare, die jede seiner Bewegungen verwischten, sah es aus, als ob er sich in Zeitlupe bewegte. Er sprang um den Mann herum. Der schloss das Tor auf und wieder zu und ging an dem Himbeergestrüpp vorbei, in dem wir uns duckten. Der Hund stand noch lange am Zaun. Dann legte er sich direkt vor das Tor und schaute zur Felswand.

«Und jetzt?», flüsterte ich.

«Wir gehen in einem großen Bogen herum.»

Das taten wir.

In der Dämmerung wollten wir an der Stadt sein. Das nächste Stück führte neben der Straße zwischen Milchfels und Wolfsgetreu entlang. Eine Abfahrt zweigte nach Jammerhübel ab, eine andere nach Knochenwinde.

Als wir zwischen den letzten Bäumen herauskamen, blies der Wind direkt auf uns zu. Der Himmel lag groß vor uns. Eine Regenwand zog in unsere Richtung. Grau oben, schwarz unten. Wetter, das randalieren wollte.

Sie sagte nichts. Ich sagte nichts.

Ich zog meine Jacke an. Anuschka auch.

Wir liefen an einem Feldrain entlang. Ein beackerter Boden mit den Furchen der Maschinen, zerbrochene Erdschollen, krustig. Rechts davon eine Wildwiese.

«Das ist das Haus vom Hammerschmied.» Anuschka zeigte auf eine Ruine. Das Dach war offen, ein Baum schaute raus. «Hier hat mal ein Hammerschmied gewohnt. Die Frau hatte irgendwie was mit dem Teufel.»

Anuschka schaute mich kurz an, ob ich verstand. Was mit dem Teufel haben. Ich nickte.

«Als die Frau gestorben war, verkaufte der Hammerschmied das Haus. Und jeder, der danach darin gewohnt hat, hat nachts Hammerschläge aus dem Keller gehört.»

Sie suchte in meinem Gesicht nach wasweißich. Ich sagte: «Wow!»

Wir gingen einen Weg zwischen Acker und Wildwiese entlang bis vorne zum Abgrund. An der Kante war eine niedrige Absperrung aus Pfosten. Anuschka kletterte drüber und setzte sich direkt an den Abgrund. Sie winkte mich zu sich.

«Ist gut, ich sehe genug», sagte ich.

Die Stadt lag weit unten wie in einem Kessel. Von drei Seiten Felswände, von einer Seite Wind.

Anuschka starrte die Stadt an, als würde diese zurückstarren.

Ein Türmchen und ein Turm und noch ein Turm, und alle Dächer schwarz wie aus Fischhaut. Dunkle Schuppen aus Schiefer, mit denen sogar die Schornsteine überzogen waren, kein Haus ähnelte dem anderen.

«Als Kind habe ich immer gedacht, dass man von hier oben 'ne Bombe reinwerfen müsste, und alle Leute würde es vorne aus dem Taleinschnitt rausfeuern. Pengpengpeng. Alle würden Richtung Jammerhübel fliegen.»

«Magst du die Stadt nicht? Die sieht doch ganz …»

«Riesenkloschüssel sagen wir», lachte sie. «Doch ich mag die Stadt schon, aber …» Sie schaute runter auf das, was sie schon mochte. Aber …

«Eine Hälfte vom Ort ist immer im Schatten. Die, in der ich wohne. Ich freue mich morgens echt auf die Schule. Da ist es wenigstens hell. Diese drei Berge ringsum …», sie zeigte darauf, «wegen denen bleibt immer der Nebel hängen. Der da drüben, der Donnermann, lässt den Nebel nicht aus dem Tal und hält die Gewitter über der Stadt. Früher war das der Galgenberg. Er ist flacher, als er früher einmal war. Aus seinen Steinen sind die Straßen hier gepflastert. Die neue Kirche», Anuschka zeigte auf einen weißen Bau, «die wollte man aber nicht daraus bauen. Weil in dem Stein ja das Blut der Sünder war.»

«Und welcher ist der Milchfelsen?»

«Hier, der hier.» Sie klopfte neben sich. «Im Fels sind so weiße Adern aus Quarz. Das sieht aus, als wäre Milch runtergelaufen. Angeblich hat hier oben mal eine Drachenmutter gestanden, deren Drachenkind getötet worden war. Von einem Ritter, der im Tal wohnte. Die Drachenmutter kam wütend aus den tiefen Wäldern, stand dann hier und kreischte ins Tal. Dabei ist vor Trauer ihre Milch ausgelaufen.»

«Sind Drachen nicht Reptilien?», fragte ich. «Die legen doch Eier.»

«Na ja, es sind Fabelwesen. Manche können doch sogar reden. Können Reptilien ja auch nicht, oder?» Dann sagte sie: «Komm mal her. Kannst dich ja hinlegen und nach vorne robben. Machen alle am Anfang so.» Sie nickte mir zu.

Ich legte mich hin, zog mich langsam nach vorne zum Abgrund. «Ach da», sagte ich schnell und schob mich wieder zurück. Ich wollte keine Drachenmilch sehen, zumindest nicht, wenn ich dabei abstürzen könnte.

«Die Milchfelser lernen hier Fahrradfahren.» Sie lachte. «Wir fahren hier sogar Schlitten. Komm, doch mal her!» Sie nickte mir wieder zu.

«Nee!», sagte ich. Ich hatte die Schnauze voll. Ich mochte meine Ängste ganz gerne. Denn die waren nicht blöd. Die hielten es für eine beknackte Idee, an einem Abgrund zu sitzen. Und mit was? Mit Recht!

«Da unten ist jemand, den ich liebe», sagte Anuschka leise.

Für einen Moment dachte ich, dass sie springt. Mach's nicht!, wollte ich rufen, aber ich brachte es nicht fertig. Wenn sie echt gesprungen wäre und ich hätte nicht mal ‹mach's nicht› gerufen, ich hätte nie wieder schlafen und nie wieder wach sein können.

«Mach's nicht!», stammelte ich. Das kam mir zu leise vor. Der Wind hatte es schon mitgenommen.

Sie saß immer noch da, starrte runter, wo jemand war, den sie liebte. Ich ging ein Stück zu ihr hin. Hockte mich. Watschelte noch näher ran. Setzte mich an den Rand. Die Beine ließ ich nicht runterhängen. Niemals! Also Schneidersitz. Ich schwitzte. Ach du Scheiße, die Höhe schien an mir zu ziehen.

Anuschka lachte. «Kann ich doch nicht ändern.»

«Was?», fragte ich geschockt.

«Was?», fragte sie zurück.

«Äh, was kannst du nicht ändern?»

«Du hast gesagt ‹mach's nicht›. Also, ich habe gesagt, da unten ist jemand, den ich liebe, und du hast gesagt, ‹mach's nicht›, und da habe ich halt gesagt, kann ich doch nicht ändern. Nicht, dass ich es nicht versucht hätte … na ja, vergiss es.» Anuschka baumelte mit den Beinen.

Bevor ich aufstehen konnte, musste ich erst vom Abgrund wegkrabbeln. Der zog an mir. Wohingegen der Wind schob.

In dem Moment erklang ein Ruf aus dem Tal. Eine Männerstimme. Wie aus einer anderen Zeit. ‹Ihr Leute, ihr Leute.› Den Rest verstand ich nicht.

«Der Türmer!», sagte Anuschka.

«Türmer?»

«Ja, der wohnt auf dem Turm. Dem da.» Sie zeigte zu der großen, weißen Kirche. «Aber er ist für alle Türme zuständig. Und für das Glockenspiel. Er ist der Vater von einem Klassenkamerad. Dem ist der Vater total peinlich.»

Die Glocken läuteten. Zehn Uhr.

«Komm, der Supermarkt macht jetzt zu.» Sie stand auf, ging nach rechts, ein Stück am Abhang entlang. Dort führte ein katzenschmaler Weg im sanften Abstieg nach unten. Zwischen Wildwiese und Abgrund.

Ich blieb stehen. Der Weg war überhaupt nicht gesichert.

«Komm!», sagte sie. «Wenn es ganz dunkel wird, ist es auch nicht leichter, hier langzulaufen.»

Ich versuchte, meine Füße zu bewegen. Es war echt scheißhoch hier. Meine Füße wussten das und versuchten, sich durch die Schuhe durch am Boden festzuhalten.

«Geh auf allen vieren. Machen alle am Anfang.» Dann verschwand Anuschka den Berg hinab, immer am Abgrund entlang. Na geil! Bestimmt hatte sie hier laufen gelernt.

Ich ging auf die Knie, setzte die Hände auf die spärlichen Grasbüschel. Hand vor Hand, Knie vor Knie. Links Wildwiese, rechts steil runter. Hand vor Hand, Knie vor Knie. Mir wurde warm, mein Gesicht heiß. Der Wind knatterte mit meiner Jacke.

Es war dunkel geworden. Milchfels zwinkerte von unten mit hundert Fenstern rauf. Endlich sah ich den Supermarkt vor uns. Er war ein bisschen außerhalb von Milchfelsen. Ein eckiges Gebäude. Aus allen Seiten Licht. Davor ein Parkplatz, so groß wie der Supermarkt selber. Überall die Firmenfarben – orange und rot. Riesige Fahnen, orange und rot.

Anuschka sah auf ihre Uhr, hob drei Finger in die Höhe, klappte dann einen Finger ein, noch einen Finger ein und dann den letzten Finger. Im Supermarkt ging fast zeitgleich das Licht aus.

Eine Viertelstunde später kamen die Angestellten heraus.

Sie sahen aus wie die letzten Menschen der Welt. Sie gingen zu den letzten Autos der Welt und fuhren weg. Die Laternen bestrahlten das leere Parkplatzkarree.

Wir gingen bis ganz runter. Dann einmal um das Gelände herum. Hier war ein Zaun, ein dünnes Drahtgeflecht, brusthoch, die Zaunpfosten aus Eisenrohr. Anuschka war schnell drüber. Der Zaun wackelte beim Drüberklettern. Das Drahtgeflecht klirrte gegen die Pfosten. Bei mir klirrte es noch lauter.

«Hier ist keiner! Alles okay!», sagte Anuschka. «Die Kameras überwachen nur die Eingänge.»

Damit lief sie rüber zum Gebäude. Eine Laderampe. Eine Metalltreppe. Kisten. Säcke.

Anuschka knipste die Taschenlampe an. «Die Einzigen, die uns hier stören können, sind Katzen oder Ratten.» Sie öffnete die Säcke und kramte darin herum.

Ich wusste immer noch nicht, warum das containern hieß.

D ie Steigung mit einem vollgepackten Rucksack zu bewältigen war hart, aber ich tat so, als wären das nicht meine Beine, die weh taten, nicht meine Flaschen-zug-schmerzenden-Schultern, in die der Rucksack schnitt. So konnte ich dieses andere Mädchen gut den Berg hochtreiben. Oben war ich dann wieder ich. Im Dunkeln war der Abgrund noch tiefer und seine magnetische Kraft noch stärker.

Der kleine Lichtstreifen zwischen Himmel und Erde hatte sich geschlossen. Als wir am Haus des Hammerschmieds vorbeikamen, meinte ich, Schläge zu hören.

«Ist der Wind», sagte ich.

«Ja, ist auf jeden Fall der Wind», lachte Anuschka.

Wir liefen schweigend weiter in einem Tempo, an das ich mich inzwischen gewöhnte. Ich fragte mich, ob die anderen unsere Sachen in den Tunnel gebracht hatten. Ob es heute so weit war. Da rein. Da hinlegen. Mich die ganze Nacht schlafend stellen.

Man riss uns das Essen aus den Händen. Nach gieriger Begutachtung wurde es Rike überlassen. Es waren nur Zutaten. Man musste etwas damit tun.

«Ich habe Hunger», sagte Yvette.

«Bei wem beschwerst du dich? Bei mir? Wir sind doch kein fucking Ferienlager oder was. Ich hab kein Geld von euren Eltern bekommen, um euch euren Guten-Abend-Brei zu kaufen.»

«Aber du bist die Chefin. Bei mir müssten wir nicht Hunger leiden.»

Ich stieß meinen Ellenbogen leicht in Rikes Seite und flüsterte: «Wasn hier los?»

«Ach, Cherokee war schon wieder ein paar Stunden weg. Yvette hat sich total aufgeregt.»

Dann begann der Regen. Nachdem den ganzen Abend die Wolken über uns gehangen hatten, stand die Pechmarie nun endlich auf und wrang die nasse Bettwäsche der Frau Holle aus. Der Regen war viel lauter als in der Stadt. Auf jedes einzelne Blatt schlug er. Über uns, neben uns. Es raschelte, es rauschte. Und es wurde immer stärker. Ein endlos frisches Rauschen.

Ich hatte lange nachgedacht, wie ich in den Tunnel passen sollte mit dieser großen Angst am Kopf, die einen Durchmesser von über fünf Metern hatte. Am Ende regnete es mich einfach rein. Ich schwappte zwischen Mädchen und

Hunden mit. Tauchte unter den Ketten von Inken durch und war drin. Ein paar Mädchen packten mit an, damit Kajtek nicht vom nassen Baumstamm abrutschte. Er ließ sich vorne am Tunneleingang nieder.

Da sich auch Rike mit dem Campingkocher nach vorne setzte, um zu kochen, fiel es nicht auf, dass ich auch nah am Eingang blieb. Hinten huschten Taschenlampenkegel in alle Ecken. Die Mädchen richteten sich ein, räumten herum. Bea klopfte das gemauerte Stück ab. «Das ist eine ganz dünne Mauer» sagte sie. «Wenn es uns hier zu eng wird, können wir die ja eintreten.»

Der Regen prasselte auf unser Vordach – die freiliegende Wurzel – und tropfte zu uns runter.

Bea kam zu mir, hockte sich neben mich und flüsterte: «Und?»

Sie konnte nur meinen, ob Anuschka mit irgendwem geredet hatte. Ich schüttelte den Kopf.

«Sicher?»

«Ich war die ganze Zeit bei ihr.»

Bea nickte mir zu, ging weg.

Das machte mich so stolz und voll im Herzen, dass ich fast umkippte.

«Polenta, Polenta, Polenta», murmelte Rike und sortierte die Lebensmittel hin und her. «Haben die das aus dem Sortiment genommen? Warum schmeißen die so viel Polenta weg? Ich glaube», grinste Rike, «ich denke», sie schaute spitzbübisch, «ich werde wohl Polenta machen.»

Ich musste lachen. Kajtek hob den Kopf. Ich kraulte ihn, den mageren Hals, die Fledermausohren.

Ich hörte raus in den Regen, ich hörte nach hinten in den Tunnel. Ich hörte in mich rein. «Zeig mal», sagte ich und schaute die Polentapackungen durch. Das Verfallsdatum war erst in drei Wochen. Ich begann nachzudenken. Ich war nicht sicher, wo ich die gelbe Schokoladenverpackung hingeworfen hatte, aber ich war mir sicher, hundertpro, meinen Hund würde ich verwetten, dass die auch noch nicht abgelaufen war. Anuschka war also beim ersten Containergang noch woanders als an den Mülltüten gewesen.

Jetzt hätten die guten Tage kommen können. Die Sonne schien ununterbrochen. Der Wald duftete und knackte. Leiderleider, wie Inken sagen würde, führten viele Gespräche auf direktem Weg in eine kleine Fabrik namens Streiterei. Dort wurde Streit hergestellt, aus Nichts und dicker Luft, und es wurde Streit veredelt. Gab man Unterzuckerung und Unterschiede dazu, ging es schneller.

Themen, bei denen die kleine Streiterei auf Hochtouren produzierte:

Wer hat uns im Waschhaus eingesperrt?

Sollen wir ein Stützsystem für den Tunnel bauen?

Sollen wir eine Nachtwache einrichten?

Am Tag nach dem Regen reichte ein falscher Satz, und in der Streiterei flogen fast die Kessel auseinander.

Freigunda geißelte Yvettes Werte. Rike machte einen Witz auf Freigundas Kosten. Antonia lachte, hielt sich aber die Hand vor den Mund. Yvette verstand den Witz nicht. Darüber machte Rike noch einen Witz. Antonia lachte, hielt sich aber beide Hände vor den Mund. Bea schnauzte Antonia an. Antonia hielt sich erschrocken die Hände vor den Mund. Anuschka schüttelte genervt den Kopf. Ich entschied mich nach reiflicher Überlegung ebenfalls dafür, den Kopf zu schütteln. Das war genau das, was ich davon hielt. Yvette ätzte was. Mehrere redeten mehreres. Gleichzeitig und zeitgleich.

Wenn die Kettenreaktion sich am Anfang damit begnügte, kleine Teilchen mit kleinen Teilchen umzustoßen, so wurden die Teile nun größer und fielen mit voller Wucht gegen immer noch größere Teile.

Die Hunde begannen zu bellen.

Freigunda knurrte die Hunde an.

Antonia sagte was von Scheiß allein machen, stand auf, lief weg.

Am Rand vom Trichter stand ein langhaariger Mann.

Wir waren schlagartig still.

«Ich bin der Hans», sagte der Mann. «Hallo!»

Wir sagten auch hallo.

«Bist du hier der Förster?», fragte Rike.

«Nein, ich bin der Hans», wiederholte der Mann. Er hatte lange blonde Locken und auch sonst ein paar Sachen, die jede moderne Prinzessin gerne gehabt hätte. Ein Kettchen um den Hals. Ein Armband am Handgelenk. Einen lilafarbenen Kapuzenpullover mit einer Maus drauf. Die Maus hatte goldene Kopfhörer. Er trug eine große ovale Brille mit weißem Rand. Die Augen dahinter waren seltsam weit und leer. Als wäre ein Loch dahinter.

Ich denke, unser Urteil fiel schnell. Allerspätestens, als er noch einmal sagte, er wäre der Hans, als Anuschka fragte, ob er der Pilzexperte sei. Sie log schnell was aus dem Hut. Wir hätten Projekttag. Und würden uns mit Pilzen beschäftigen. Unsere Lehrerin hätte hier ein Treffen mit einem Pilzexperten vereinbart.

«Pilze, ja?», fragte der Hans. «Seid ihr doch zu jung für. Finger weg von den giftigen! Die sind nicht gut.»

«Gut», sagte Bea. «Okay. Also danke, ja?»

«Okay», sagte er auch und lächelte. «Und ihr solltet nicht so streiten. Ihr macht euch doch das schöne Spiel kaputt!»

Wir sagten alle noch mal okay.

Der Hans hob seine große Hand und ging davon. Dann drehte er sich noch mal um: «Ach so. Ich hab auch die Jungs aus eurer Klasse gesehen. Waren vorhin dort hinten.» Er wies vage Richtung Straße. Dann war er weg.

«Wow, der Hans ist ja mal einer von der ganz schnellen Sorte», nickte Yvette.

«Jaja, der läuft so langsam, der kann sich von hinten sehen», sagte Rike.

Anuschka erzählte uns, dass der Hans ein stadtbekannter Spinner war. Sie nannten so einen hier einen Hohlnischel.

Wir feixten. Sogar Freigunda – so gut sie es konnte. Himmel, sie hatte die schlimmsten Zähne, die ich je bei einem Mädchen gesehen hatte. Es war wirklich besser, sie ließ ihre Haare über dem Gesicht. Es war gemein, dass ich das dachte, aber was soll man gegen Gedanken machen? Die sind schnell.

Unser Streit schien nicht gewesen zu sein. Wenn wir Glück hatten, kam jedes Mal bei einem Streit ein Hans vorbei, und dann wären wir wieder versöhnt. Worum war es überhaupt gegangen?

«Antonia ist immer noch weg», sagte Anuschka.

Wir gingen Richtung Süden. Für sie war klar, dass ich ihr hinterherzulaufen hatte. Sie rammte sich einen Weg durch die Schonung. Sie zertrat alles und fluchte dabei leise. Warum gerade wir hier langgehen sollten? Das wäre doch Schikane. Das habe Bea extra gemacht. Scheiß Schikane! Alle anderen hätten viel leichtere Wege.

Ich hielt meine Klappe. Sie war sich ohnehin selbst Zustimmung genug. Recht hatte sie trotzdem irgendwie. Nach Osten ging es durch den Mondwald ... da könnte Antonia in jedem Krater oder Loch sein. Dort suchten Rike mit Freigunda und ihren beiden Hunden. Nach Westen ging es zum Stausee durch den Schiefwald, da würde sie nicht weit kommen. Trotzdem hatte sich Bea mit Cherokee dorthin auf den Weg gemacht. Im Norden lag erst die Schonung, durch die man unmöglich durchkam. Dort würden wir erst suchen, wenn wir sie nirgends sonst finden könnten. Wir waren drum herum gelaufen und dann weiter. Richtung Süden gelangte man zu den Brennnesseln. Eher unwahrscheinlich, dass Antonia da hineingelaufen war.

«Und von uns darf keine alleine herumlaufen. Sie vertraut uns nicht. Aber sie ...», hob Yvette die Stimme, «sie selbst darf allein rumlaufen. Mit Cherokee, ja. Der wird uns nachher erzählen, was sie gemacht hat. Gerade der. Der ist doch selber ständig weg.»

Neben seinem schimpfenden Frauchen mit dem flatternden lila Haar lief der tiefschwarze Zack. «Suchsuch», sagte sie zu ihm. Er verstand wahrscheinlich Fußfuß. Kein Stück wich er von ihr.

Ich hätte Kajtek auch mitgenommen, er ging gern ein bisschen spazieren.

«Zu langsam», hatte Yvette gesagt. Auf gar keinen Fall, sie könne nicht mit dieser Schildkröte rumschleichen.

Freigunda sagte, dass Kajtek eine sehr gute Nase habe. Von allen Hunden die beste.

«Ja, und schon nach zwei Tagen hätte er die kleine Antonia gefunden, wenn sie anfängt, richtig lecker zu riechen. Zack wird sie auch finden», war Yvettes Antwort.

Ich war nicht scharf darauf, mit ihr zu reden. Erst recht nicht über Bea.

«Ich schwöre dir, wenn ich Chefin wäre, würde das alles ganz anders laufen», meckerte sie weiter. «Wir würden gar nicht nach diesem Kleinkind suchen. Wenn sie nicht mehr mitmachen will, warum sollen wir sie suchen? Ist doch kein Kindergarten. Sie kann in jedes Kackloch gefallen sein. Und dann haben wir so ein Kind mit gebrochenem Bein. Und Anuschka legt da Kräuter drauf und singt ein Lied rückwärts. Echt, die ist doch bestimmt in so eine Grube geklatscht. Und dann? Dann sind wir Kindermörder. Wir haben sie geschubst, heißt es dann. Und dann? Jugendknast!»

Für mich war Yvette so ähnlich wie das Tafelbild von meinem Mathelehrer. Ich nahm es zur Kenntnis. Zu verstehen gab es da für mich nichts.

Okay, ich hatte drei Thesen, warum Yvette so war, wie sie war.

Erste These: Sie hatte zu Hause genug Freunde und musste sich hier keine machen.

Zweite These: Sie hatte zu Hause auch keine Freunde, und es war ihr egal.

Dritte These: Sie war eigentlich ganz anders.

Ich favorisierte die Eigentlich-ganz-anders-These. Damit lag man nie ganz verkehrt. Ich schlug mir selbst eine Wette vor. Wenn Yvette in Wahrheit ganz anders wäre, dann würde ich mir selbst eine Apfelsaftschorle spendieren. Yeah, ich freute mich schon bollig auf das Mischgetränk, das ich als Sieger oder Verlierer trinken würde. Als Sieger könnte ich ja auf einem Knickstrohhalm bestehen. Ich dachte angestrengt an irgendwas, nur um Yvette nicht zuhören zu müssen. Sie wollte sowieso keine Antwort von mir.

Unterdessen waren wir fast beim Maschendrahtzaun angelangt.

Hinter dem Zaun sah man schon den Wanderweg. Zum Stausee Eikwald, unterer Ausblick. Unter dem Zaun war eine Kuhle gegraben. Hier musste ein Tier gerüffelt haben, bis es durchpasste. Wir krochen, die Wirbelsäule durchgebogen. Natürlich blieb mein T-Shirt hängen. Natürlich zerkratzte ich mir den Rücken. Natürlich lachte Yvette. Auch ihr Hund riss sein rosafarbenes Schweinemaul auf und grinste. Und ich? Ich war knallrot im Gesicht. Garantiert!

«Hat ja keiner gesehen. Reg dich ab», sagte Yvette. «Such-such!» Und dann lief sie los, Zack nebenher und ich hinterher.

Nee, im Abregen war ich nicht so gut. Ich war vorgeschädigt. Immer wenn ich rot wurde, mussten mich alle darauf hinweisen, dass ich gerade rot wurde. Überhaupt war ich bestimmt die meistbeachtete Person, die nicht beachtet werden wollte. Ich war mir sicher, ich könnte berühmt damit werden, KEINE Beachtung haben zu wollen. Das zog die Leute irgendwie an. Ein bisschen berühmt war ich sogar schon.

Ich hatte sechstausendundirgendwas Klicks in Internet, kurz davor, Kult zu werden. Letztes Jahr beim Sportfest war ich von einem Mädchen aus meiner Klasse gefilmt worden. Sie und ihre Freundin hatten damit gerechnet, dass ich blöd aussehen würde am Reck. Aber was ich dann abgeliefert hatte, übertraf ihre kühnsten Erwartungen. Beim Hüftumschwung am Stufenbarren hatte sich der Bund meiner Turnhose um die Stange gewickelt. Und als ich dann runterwollte, ging es nicht. Ich musste mich erst zwei Runden rückwärts drehen, aber weil mir dafür der Schwung fehlte, packte die Turnlehrerin mit an. Frau Stephanopopolus, von uns Poponuss genannt. Die war fast hundertunddrei Jahre alt und ungefähr so viele Zentimeter hoch. Sie trug immer einen orangen Turnanzug. Auf dem Rücken war ein Hase mit einem ebensolchen Turnanzug. Er sprach eine Sprechblase. Sport is FUN, sagte der Hase. Frau Stephanopopolus musste ihre Sachen sicherlich in der Kinderabteilung einkaufen. Es war das erste Mal, dass ich sie habe lachen sehen. Als ich da am Reck hing. Am Ende bedankt sie sich auch noch bei mir.

«Wo sind wir denn, verdammt?», riss mich Yvette aus meinen Gedanken.

Ich sah sie an. «Na, am Zaun.»

«Seh ich selber!», sagte sie. «Warn wir schon mal hier?»

Ich nickte vorsichtig. Wollte sie mich verarschen?

«Sieht doch überall gleich aus. Ich steh nicht so auf Gegend.» Ihr Zeigefinger schlackerte wahllos hierhin und dahin. «Los. Such!» Zack rannte auf die andere Seite des Wanderweges.

Yvette rannte gebückt hinterher und stellte sich drüben hinter einen Baum. Ich tat es ihr nach, obwohl weit und breit keine Menschenseele zu sehen war.

Fast rutschte ich mit meinem eigenen Schwung eine steile Böschung runter. Tief eingeschnitten in den Wald sprudelte ein kleiner Bach.

«Bewegen ist nicht so deine Stärke, oder?» Yvette sprang über den Graben, Zack ihr nach. Das sah aus wie aus einem Computerspiel. Schon beim Hinterhersehen knallten meine Blicke gegen die steile Böschung und klatschten ins Wasser.

Ich hangelte mich ein paar Baumumarmungen weiter, denn wenige Meter links wurde die Böschung flacher. Ich setzte Fuß vor Fuß, rutschte trotzdem aus, rutschte raschelnd ein Stück, hielt mich an einem stacheligen Gebüsch fest, ließ los, rutschte weiter, rutschte mit dem als Bremse gar nicht so gut geeigneten Bremsfuß voran in den Bach, hatte einen nassen Fuß. Eiskaltes Wasser. Ich sagte Huh oder so was. Zog den Fuß schnell raus. Mein Huh hallte nach. Wie das erste Geräusch auf der Welt.

Huh.

Ich hörte es immer noch, obwohl es schon längst weg sein musste.

Hier direkt neben dem Bach hörte ich ansonsten nur den Bach. Das Wasser purzelte rollend und hüpfend über Steine, gegen den Rand und zurück und aufgeregt weiter. Kurz vor einem faustgroßen weißen Stein baute sich eine kleine Welle auf. Wo sie aus dem Wasserspiegel anstieg, entstand ein gestreiftes Muster, als wäre an der Stelle das Wasser gekämmt worden. Manchmal kreuzten sich zwei dieser Linien, dann sprang die Welle kurz und fand in ihren Rhythmus zurück. Jede Stelle im Bach hatte ihr eigenes Spiel. Viele durchsichtige Tänze, die immer gleiche Muster auf die Oberfläche zogen. Waben, Wellen, Kreise. Ich hielt meinen Finger an eine Stelle und veränderte den Tanz von einem Kreisen zu einem Kräuseln. Vor meinem Finger staute sich zitternd das Wasser zu einem kleinen Wellenberg.

«Was suchst du?» Yvette stand plötzlich über mir. Auf der anderen Seite des Baches stieg das Gelände sehr steil an. Sie schwebte da oben, die Hände in die Hüften gestemmt. Zacks Kastenkopf daneben.

Ich hatte nur kurz gesessen, aber es war nicht immer die Frage, wie lang die Zeit war, sondern wie dick. Der Moment am Fluss war sehr dick gewesen.

«Hilfst du mir jetzt, oder willst du weiter im Bach rumpopeln?»

«Ich …»

«Schon gut. Ich auch.»

Ich hielt mich an einem glitschigen Baumstamm fest, der unter meinen Fingern zu weichen Fasern zerfiel.

Yvette drehte sich um und lief los. In den Wald rein. Es war ein dichter Wald. Ein voller. Ein wilder. Ein krasser. Zwischen den alten, schlanken und hochgewachsenen Bäumen standen kleinere Bäume. Zwischen denen noch kleinere und Gebüsch in jeder Form. Überall war Gras. Hohes, dichtes Gras mit breiten Blättern. Gras, das in die Finger schnitt. Und wo nicht Gras war, war Moos. Nicht einfach nur Moos, grün und weich. Sondern auch hellgraugrünes Moos, grüngelbfrisches Moos und weißgrünschimmliges Moos, das aus kleinen Trieben bestand, die wie gefiederte Fingerchen aus der Erde schauten. Farne hatten auch noch Platz. Und Klee. Ein Über- und Nebeneinander. Außerdem stieg der Wald an und fiel gleichzeitig ab. Es gab nichts, wo nichts war. Schön war der Wald. Der Boden schmatzte unter mir, als ob er von meinen Füße kostete und dann doch nach jedem meiner Schritte beschloss, mich wieder freizugeben. Ein anderes Geräusch war das Murmeln des Baches, der sich in Schlangenlinie durch das Waldstück bewegte. Der Bach hatte tiefe Einschnitte in den Boden gefressen. An einer Stelle rauschte sogar ein kleiner Wasserfall.

Wo der Bach war, war es noch voller mit Pflanzen. Sie glaubten nicht, dass dort, wo schon etwas ist, nichts anderes sein konnte.

«Schön hier, oder?», sagte ich zu Yvette.

«Hab doch schon gesagt, ich interessiere mich nicht für Gegend. Ich bin aus einem anderen Grund hier», sagte sie. «Und im Camp war ich auch aus einem anderen Grund.»

«Und warum?», traute sich aus meinem Mund.

«Wenn, dann erzähle ich das allen zusammen.» Ihr spitzes Gesicht wurde noch spitzer. «Eigentlich ist es jetzt schon fast zu spät, es zu erzählen. Aber je länger man wartet, umso schwerer wird es. Du verrätst doch nicht, dass ich ein Geheimnis habe?!»

«Nein!»

«Du bist die Einzige, die halbwegs okay ist», sagte sie, drehte sich um und ging weiter.

Ich hinterher. Ich war okay. Die Einzige, die okay war. Ich war tief in Gedanken, als Yvette losquietschte: «Was ist denn das?»

Vor uns war etwas Großes. Eine Wand? Aber rund. Und bewachsen. Ein Stein? So groß?

Wir gingen näher heran. Das Teil war riesig. Je näher wir kamen, umso riesiger wurde es. Ein verworrenes Flechtwerk von totem Holz und lebendigem Holz.

«Das is 'ne Wurzel, oder?», flüsterte Yvette.

Ich verstand nicht, warum das Ding so groß war. Klar, hier wuchsen große Bäume, aber die Wurzel war gigantisch. Ich legte den Kopf in den Nacken. Yvette und ich müssten uns aufeinanderstellen, um oben ranzugelangen.

Das musste die Unterseite der Wurzel gewesen sein. Wie dicke Schlangen krochen die Wurzeln umeinander. Sie hielten Erde und sogar Steine. Die Wurzel krallte sich immer noch an allem fest, wo es gar nichts mehr festzukrallen gab. Davor eine Kuhle, in die man die Wurzel passgenau wieder einsetzen könnte. Die Kuhle war bewachsen wie der restliche Waldboden.

Es musste lange her sein, dass die Wurzel ein Baum war, dass der Baum sich eines Tages nicht mehr festhalten konnte, dass die Kuhle wieder mit Wald gefüllt worden war. Auch die Wurzel selber war völlig von Wald überzogen.

«Umgefallen», sagte Yvette. «Krass!» Sie ging herum. «Ich wette, dieser Zotteltyp hat sie entführt», kam es von der anderen Seite.

«Meinst du den Hans?», fragte ich.

«Genau, der Hans.»

«Ich glaube, der ist ganz harmlos.»

«Ich glaube, harmlos ist die kleine Schwester von pervers.»

Es war genau bei dem Wort pervers, dass Zack lossauste.

«Ey!», rief Yvette.

Er rannte zu einem Stapel Baumstämme ein paar Schritte von uns entfernt. Er knurrte und gebärdete sich wie ein böser Springteufel. Dann begann er zu buddeln. Knurrend. Unter dem Stapel war ein Hohlraum, und schon hing er halb drin. Wir rannten zu ihm.

«Was hat er? 'ne Maus? Oder einen Fuchs?», kreischte Yvette. «Er soll es fangen fürs Abendbrot. Los!»

In dem Loch schriequietschte was. Zack buddelte und buddelte. Ich sah, wie die Muskeln sich unter seinem Fell bewegten. Ein glänzendes Schwarz, als wäre es dunkles bewegtes Wasser. Der schwarze Rücken wurde immer aufgeregter. Ich war mir sicher, dass er es töten würde. Es. Ihn. Sie. Es. Ich weiß nicht, was zuerst war: Ich rief «Aus!» und Yvette «Nein!», und aus dem Loch rief eine Stimme nach Hilfe.

Erst als Yvette Zack am Halsband zurückriss, stoppte er. Sein Kopf war voller Erde. Das Maul hechelnd offen. Die hässlichen rosa Lefzen.

Yvette lag vor dem Holzstapel. Den Arm in diesem Loch. Dann zog sie ihren Arm raus, und an dem war noch ein Arm dran. Mit etwas Blut.

Ich stürzte dazu, zog mit.

ch hörte uns alle am Leben sein. Zack hechelte. Jedes Geräusch war in Zellophan, raschelte zu mir durch. Ich sah nach oben. Durch die Bäume durch. Sie waren hundert Jahre hoch, bis das erste Blau vom Himmel durchschimmerte. Eine Sonne war da oben.

Erzgebirge.

Dienstag. Nein, Mittwoch.

Hier an diesem grünen Ort war die Welt fast zu Ende gewesen. Antonia zitterte und japste nach Luft. Ich nahm sie in den Arm und spürte nur, dass durch diesen anderen Menschen Feuer und Erdbeben gingen. Ihr stand der Mund auf wie ein Tor.

Ich hörte Yvettes Stimme. Oh, verdammt, wiederholte sie immer wieder. Sie zog Zack am Nackenfell. Washastdugetan?, washastdugetan?

Ich sah auf den Stapel Baumstämme. Irgendwann vor zwei Förstergenerationen war der hier aufgeschichtet worden. Die Stämme waren grau und schmierig. Auf dem alten Holz wuchs neues Holz. Davor war ein Haufen Erde, die Zack rausgebuddelt hatte. Darunter ein Loch, in das Antonia reingekrochen war.

«Ich will nach Hause», sagte sie.

«Zum Tunnel?»

«Nein, nach Hause.»

Wir untersuchten sie, dieses kleine Keksmädchen. Arm und Stirn waren zerkratzt. Wenn man sich auskannte wie Freigunda, dann könnte man sehen, dass die Kratzer von Hundekrallen stammten. Blass sah sie aus, dieses dumme, total dumme Kind. «Wieso bist du in dieses Loch gekro-

chen?», wollte ich schreien. «Was hast du dir dabei gedacht?»
Ich schrie gar nichts.

«Lasst uns sofort Feuer machen», Yvette hatte schon das
Feuerzeug rausgeholt.

«Es ist Waldbrandgefahr.»

«Mann, die erfrier uns doch. Du läufst los und holst die
anderen. Wir müssen sie tragen. Wir müssen ins Krankenhaus. Sie muss mich verklagen. Und ich muss in den Jugendknast. Und Zack muss eingeschläfert werden.»

«Er kann doch gar nichts dafür», sagte Antonia. «Er hat
gedacht …» Sie schluckte.

«Sie muss was trinken. Und sie muss ins Krankenhaus.
Wir müssen das Blut abwaschen, Charlotte.»

«Hör doch mal auf!», sagte ich.

Wir liefen langsam zum Bach. Antonia zwischen uns.

«Die glüht», sagte Yvette.

«Aber mir ist kalt.»

Am Bach trank sie aus meiner Hand. Wir wuschen ihren
Arm und ihre Stirn. Das Wasser war ihr zu kalt.

Plötzlich knurrte Zack.

«Nein!», sagte Yvette sofort. «Bleib hier. Du hast heute
genug Scheiß gemacht!»

Er blieb neben ihr. Sah sich aber mehrfach um. Vielleicht
hatte er das vorhin nicht gut gemacht, aber gefunden hatte
er Antonia trotzdem.

Ich stand auf und ging nachsehen. Ich kletterte die Böschung hoch. Es war nur ein paar Schritte von der Stelle,
an der ich in den Bach gerutscht war. Da lag etwas Schwarzes. Das war gerade eben noch nicht da gewesen. Vielleicht
könnte man das Antonia um die Schultern legen. Ja, das
könnte man ihr ganz prima um die Schultern legen. Das
war eine schwarze Kapuzenjacke. Sauber, wie eben erst hin-

gelegt. Für den Hans war sie zu klein. Es war noch jemand in der Nähe. Und der hatte die Jacke hingelegt. Ich müsste bloß Zack losschicken, und der würde den Jackenhinleger schon finden, aber wer weiß, was er dann mit ihm anstellen würde. Ich nahm die Jacke, roch dran. Roch gut.

«Ey, was für ein Glück!», sagte Yvette.

Wir zogen Antonia die Jacke an. Sie war ihr viel zu groß. Ihr Gesicht bekam wieder Farbe.

Auf dem Rückweg sah ich mich immer mal um. Zack blieb ruhig.

«Was wollen wir sagen?», fragte Yvette. «Ihr wisst, Geheimnisse kosten eine Schokolade. Und ich kann echt nicht gut die Klappe halten. Nicht mal mit Schokolade.»

Das kranke kleine Keksmädchen lächelte. «Wir können ruhig die Wahrheit sagen. Ich bin weggelaufen, und Zack hat mich gefunden und dabei ein bisschen zerkratzt. Ist doch nicht schlimm.»

Das sah Bea aber anders.

Anuschka machte Wadenwickel und suchte Kräuter. Rike kochte Tee. Einige Mädchen legten ihre Hand auf Antonias Stirn. Freigunda fühlte mit dem Mund. Die Hand habe kein gutes Temperaturempfinden, sagte sie.

Die Jacke fand keine große Beachtung. Im Wald gefunden, ach so.

Wir sprachen wenig mit Antonia. Wir hätten sie ja sonst ausmeckern müssen wie sechs Mütter. Was fällt dir …, was hast du dir …, was glaubst du …? Mach das nie wieder!

Beim Essen klapperten die Löffel gegen die Tassen. Zum Nachtisch gab es Heidelbeeren mit Haferflocken, und Bea räusperte sich: «Ab heute wird Nachtwache gehalten. So was wie mit dem Hans sollte uns nicht nachts passieren. Selbst wenn die Hunde anschlagen, liegen wir unten im Tunnel wie in einer Falle. Ist jemand dagegen?»

Niemand war dagegen.

«Alle drei Stunden gibt es eine Ablösung. Von zehn bis eins, dann von eins bis vier, dann von vier bis sieben. Heute fange ich an, dann Charly, dann Anuschka.» Sie gab Antonia ihren guten Schlafsack und setzte sich oben auf den Rand neben die Leiter. Cherokee blieb bei ihr.

Die anderen gingen alle runter. Freigunda legte noch einmal ihre Lippen auf Antonias Stirn. «Das Fieber sinkt. Morgen ist es besser oder schlechter.»

Nachtgrüße wurden gemurmelt, gute Träume gewünscht. Gegähnt. Und schon war Ruhe. Wir alle auf einem Haufen. Die Hunde außen. Ein Mädchen hatte eine pfeifende Nase. Ein Hund zappelte und fiepte im Schlaf. Vielleicht träumte Zack vom Buddeln unter einem Holzstapel. Kajtek neben mir lag ganz ruhig.

Bea weckte mich Punkt eins und gab mir ihre Uhr. «Alles klar», flüsterte sie. «Eine schöne Nacht ist das.»

«Kann ich Cherokee mit hochnehmen?»

«Der ist stromern», flüsterte sie.

«Dann hilf mir mal bitte, den Kajtek hochzubekommen.» Wir schoben und zogen ihn den Baumstamm hoch.

«Viel Spaß», sagte Bea. Ihre Stimme klang, als ob sie grinste. Sie wusste immer genau, wovor ich Angst hatte. «Du wirst danach anders sein», sagte sie.

«Ja, vollgepinkelt», sagte ich.

Bea kicherte. Ich hatte sie noch nie kichern hören.

Die Nacht war klar und warm. Kleine Tiere waren auf dem Weg, die Unterseite von Strauchblättern nach noch kleineren Tieren abzusuchen.

Ich setzte mich mit Kajtek neben die Leiter. Das Messer nahm ich in die eine Hand, die Taschenlampe in die andere. Nicht verwechseln, wenn es schnell gehen muss. Kajtek ließ sich plumpsen. Es war ihm egal, wo er lag und ob es hell war oder nicht. Ich wusste, dass Kajtek nicht gut sehen oder hören konnte. Er konnte nur riechen, aber reichte das für einen Wachhund? Was, wenn der Wind schlecht stand? Wenn der Feind nicht roch? Wenn der Feind wie Wind roch?

Was denn für ein Feind?, fragte ich mich.

Nach den letzten Tagen traute ich dem Leben alles zu. Vampire, Drachen, Verfolger, Erzgebirgsgeister, Wassergeister, Sandgeister, Dunkelgeister. Wenn ein Geist käme, würden bestimmt die Ketten von Inken klappern.

Mein eigener Geist schien jedenfalls nicht zu funktionieren.

Die Angst verwandelte alles. Das Holz wurde durchlässig. Für andere Füße knackte der Boden nicht. Es konnte sich nur um Wunder handeln, denn diese Dinge widersprachen der Vernunft, der Logik und der Erfahrung. Die Angst konnte zaubern. Sie zauberte Figuren aus Umrissen, zauberte ihnen böse Augen ins Gesicht, zwei oder sogar drei. Zauberte jedes Knacken zu einem Schritt. Dass es still war, konnte nur heißen, dass sich die Anschleicher sehr leise anschlichen.

Bildete ich mir das ein, oder quietschte da etwas ganz hoch, jammerte und fiepte? War da was?

Ich saß da und war in einem anderen Zustand. In die Nacht hinausstarren, wo es nichts zu sehen gab. In die Nacht hinauslauschen, wo es nichts zu hören gab. In diesem Zustand war ich fast nicht mehr ich selbst. Blind war ich, taub, gelähmt und dumm.

Die anderen vertrauten mir. Da könnte ich mir selbst doch auch vertrauen.

Das war verrückt. Da lagen die da unten und vertrauten MIR.

Ich schaute hoch, ob irgendwo ein Licht war. Ganz oben dort leuchteten Sterne. Der Himmel war ein schwarzer Stoff mit kleinen Löchern. Ich verlor jede Perspektive. Ich sah keinen Boden, kein Nah und kein Fern, meine Hände nicht und auch sonst nichts. Dann wuchs ich durch die Bäume bis ganz hoch und vergrößerte mit dem Finger die Löcher für die Sterne.

Als ich an mir herunterschaute, auf meine Hände, die Lichtjahre entfernt waren, da lagen darin – ich konnte es erst nicht genau sehen und musste die Hände zu meinem Gesicht heben –, da lagen darin sechs Mädchen und fünf Hunde. Es waren gar keine Mädchen. Es waren alte Frauen. Sie hatten mir vertraut. Und ich hatte vergessen, sie zu wecken.

Dann raschelte es.

Ich dachte erst, dass ich mir das auch einbildete. Ich schrumpfte schnell zurück auf den Boden der Tatsachen. Es raschelte. Lampe an oder auslassen? Das Messer festhalten. Warum tat Kajtek nichts? Sein Kopf war oben. Er war wach.

Herz, schlag nicht so laut. O Gott, Herz, ich bekomme keine Luft.

Ich leuchtete zum Rascheln.

Cherokee. Er hatte ein Kaninchen gefangen. Das legte er neben mir ab. Ich hätte ihn loben können, aber ich wollte nicht. Er blieb bei mir, und mir ging es besser.

So was müsste bei einer Jugendweihe gemacht werden,

diesem komischen Festakt, wo sie einen beschenken und sagen, man wäre jetzt in den Kreis der Erwachsenen aufgenommen. Dieses Tralala mit Schlips und Haare hochstecken, Pickel überschminken und was aufs Konto kriegen.

Man war erwachsen, legte ich fest, wenn man nachts auf andere aufpassen konnte.

Das morgendliche Geraschel beim Aufwachen. Ich hatte mich schon daran gewöhnt. Neben mir hob Kajtek den Kopf und schaute über seine Schulter. Ich legte meinen Arm um ihn. Ich hörte zu, was die drei, vier Vögel in der Nähe vermeldeten. Sommer, riefen sie. Sommer, Sommer. Es gab keinen Grund, dem Gesang zu viel Eleganz und Mühe zu widmen. Der Frühling war vorbei, der Partner bezirzt und begattet. Die Eier gelegt und das Gelege gegen Feinde verteidigt. Nun galt es nur noch, wie ein Wecker die Uhrzeit hinauszuschreien. Sommer, sieben Uhr sechs. Anuschka kam von der Nachtwache rein. Die Hunde sprangen auf. «Halt, mein Kopfkissen flüchtet», rief Rike.

Freigundas Lippen prüften die Temperatur von Antonias Stirn. Es sei besser, aber gegen Abend könnte das Fieber wieder steigen. Es hieß abwarten.

«Doch, ich kann aufstehen», beharrte Antonia, aber wir frühstückten trotzdem unten im Tunnel.

«Du hast erst einmal gar nichts zu melden», sagte Bea.

Wir nickten.

«Ich bin doch nicht euer Kind.»

«Hast dich aber so benommen.»

Wir nickten alle.

Es war frisch im Tunnel, und wir hängten uns die gelben

Pfiffidecken um. Dünner Tee und ein halbes Brötchen mit einem ganzen Apfel.

«So was wie gestern soll nicht noch mal passieren.» Bea stand auf, um einen Zettel aus ihrer Arschtasche zu ziehen. Dann setzte sie sich wieder: «Wir haben jetzt Regeln!»

Und so sahen die Regeln aus. Unsere Regeln. Oder Beas Regeln. Beas Regeln für uns:

Was nicht im Sinne der Gruppe ist, wird unterlassen.

Die Hunde müssen besser gehorchen.

Keine macht sich über die andere lustig.

Wer das Wort hat, darf nicht unterbrochen werden.

Wenn es Streit gab, wird sich entschuldigt.

Keine geht allein irgendwas machen.

Jede, die irgendwohin geht, meldet sich ab.

Es hält immer eine in der Nähe Wache. Auch tagsüber. Wir brauchen ein Warnsystem. Wir brauchen Tarnsachen.

Bea zeigte vorwurfsvoll mit dem Blatt auf uns, wie wir da saßen, in die knallgelben Pfiffidecken gehüllt.

«In einem Zitronenpuddingwald würde uns keiner finden», sagte Rike.

Wir lachten.

«Ist Lachen eigentlich verboten?», fragte Yvette.

Bea blieb ganz ruhig. Eine Augenbraue hoch. Einmal durch die Nase geatmet. «Wenn wir laut sind, können wir leichter entdeckt werden. Dann steht wieder so ein Spinner wie gestern hier. Das war nicht gut. Der nächste Spinner hat eine Waffe.»

Sie stand auf und steckte den Regelzettel an das Ende einer Wurzel. Ganz in die Nähe von Inkens Ketten. «Wir können uns hier draußen Feinde machen, aber wir sollten nicht unser eigener Feind sein. Wir müssen zusammenhalten und klug handeln. Frieden ist das beste Dach.»

«Oh, das klingt wie der ganze andere Indianerscheiß von dir. Indianerscheiße ist wärmer als andere, oder was?»

«Yvette, du nervst!»

«Bea, du auch!»

«Hiermit erkläre ich sie zu Feind und Feind, sie dürfen sich jetzt eine reinhauen.» Rike verdünnte die Schärfe. Vielleicht hatte das damit zu tun, dass sie kochen konnte. Sie wusste, dass man gegen Schärfe Sahne setzen konnte.

«Ach, Scheiße, bestimmt ist Schlagen nicht erlaubt.» Yvette trank ihren Tee aus.

Der Regelzettel blieb nicht lange an der Wurzel hängen. Der Wind riss ihn ab. Vielleicht war es auch eine Mädchenhand. Eine verspielte Hundeschnauze. Wir hielten uns trotzdem daran.

Meistens.

Also oft.

Zusammen mit Rike färbte ich auf dem Hundetanzplatz die gelben Pfiffidecken blau-lila. Wir benutzten dazu eine Himbeermatsche, die wir im großen Topf aufkochten. Wir spannten ein Stück Plastikleine zwischen den Bäumen. Hängten die tropfenden Decken auf.

Rike erzählte mir, dass sie eines von fünf Kindern ist, ein Junge und vier Mädchen, und dass jedes Kind eine andere Taktik gefunden hat, die Aufmerksamkeit des Vaters zu erlangen. Die der Mutter wollte keiner. Die hatten sie alle.

Der Vater allerdings kam am Abend stets müde nach Hause, und alle stürzten sich auf ihn. Die älteste Schwester hatte sehr gute Noten, die legte sie ihm vor. Er lobte sie. Die zweitälteste Schwester hatte schlechte Noten. Die zeigte sie ihm, er schimpfte mit ihr. Der einzige Bruder verbrüderte sich mit dem Vater, sagte: «Ach, die Weiber!» Dafür knuffte ihn der Vater. Die jüngste Schwester setzte sich dem Vater auf den Schoß und küsste ihn wild. Der Vater ließ sie drei-, viermal auf seinen Knien hüpfen, dann setzte er sie auf den Küchenboden, sagte: «Und ab! Du Kuschelmaus!»

Die Mutter schmierte dem Vater jeden Abend mehrere Brote, mit Gürkchen am Rand und einem Klecks Senf. Dann verließ auch sie die Küche. Nur Rike blieb. «Erzähl!», sagte er, und Rike musste ihm eine Geschichte erzählen. «Lustig oder traurig?», fragte sie, und immer sagte er «Lustig!».

Wenn Rike fertig war, kamen die anderen Kinder schon im Schlafanzug und mit geputzten Zähnen zum Gutenachtsagen und bekamen einen Senfkuss vom Vater. Wenn Rike ins Kinderzimmer ging, in dem die Kinder gemeinsam schliefen, waren alle noch wach und erwarteten, dass Rike die lustige Geschichte noch einmal erzählte. Auch die Mutter blieb noch. Die Geschwister lachten leise in ihre Bettdecken, die Mutter hielt sich die Hände vor das Gesicht beim Kichern.

Erst wenn alle im Bett waren, war die Mutter an der Reihe, die Aufmerksamkeit des Vaters zu bekommen. Dann schrie er sie an.

Rike nahm einen Tannenzapfen und warf ihn so weit, dass wir nicht hörten, wie er fiel.

«Warum schreit er sie an?», wollte ich wissen.

«Er ist Leichenwäscher», sagte Rike und zuckte die Schultern.

«Meinst du, alle Leichenwäscher schreien ihre Frauen an?»

Sie zuckte wieder die Schultern. «Meine Mutter wollte, dass mein Vater arbeitet. Egal, was, hat sie gesagt. Vorher war er arbeitslos. Da durfte ich auch manchmal traurige Geschichten erzählen. Als er dann Leichenwäscher war, hat er nichts Trauriges mehr ertragen.» Sie sah mich an. «Oh, Mann, Charly, jetzt lass dich nicht runterziehen. Nächstes Mal frage ich dich vorher, ob die Geschichte lustig oder traurig sein soll.» Sie lachte, und ihre großen weißen Zähne blitzten.

Ich wollte nicht fragen, ob das gerade nur eine Geschichte war.

«Okay, ein anderes Ende für dich, ja? Abends, wenn wir im Bett waren, hat er sie abgekitzelt. Sie hat gequietscht, und ein paar Tage später war sie wieder schwanger.»

Ich schüttelte den Kopf: «Vom Abkitzeln, ja?»

Rike warf sich auf mich und kitzelte mich ab. «Ja, pass auf, ich mach dir ein Baby.»

Gegen Abend stieg das Fieber von Antonia wieder. Die sanften Kämpfer Wickel und Tee waren nicht stark genug. Die brutalen Kämpfer Zäpfchen und Tabletten hatten wir nicht da. Containern konnte man Medikamente nicht. Selbst wenn, wir wollten ihr kein abgelaufenes Zeug in den Po stecken.

«Wir können es doch klauen oder kaufen», überlegte Yvette. «Mann, die verreckt uns doch hier. Und dann haben wir Schuld. Unterlassene Hilfeleistung. Die bekommt einen Fieberkrampf, und dann ade. Bei zweiundvierzig Grad kocht das Eiweiß im Gehirn und verklumpt.»

Bea ließ ihre Hände auf- und abwippen. «Schschsch», sagte sie wie zu einem ausgebüxten Äffchen, das panisch auf dem Dach des Zoo-Imbisses hockt und schreit. «Ich koch bald dein Gehirn. Hör auf, der Kleinen so eine Angst zu machen. Angst ist schlimmer als Fieber.»

Yvette beruhigte sich nicht. «Guckt sie dir doch an, du Indianer, der böse Geist des Fiebers hat von ihr Besitz ergriffen. Das Bleichgesicht ist sehr bleich.»

Bea schaute zu Anuschka: «Was meinst du?»

«Wir sollten schon dringend was gegen das Fieber machen.»

Freigunda schüttelte den Kopf. «Nein, man soll nichts gegen das Fieber machen. Der menschliche Körper ist zweihunderttausend Jahre alt. Das Fieber ist noch älter. Und Zäpfchen sind vielleicht gerade mal hundert Jahre alt.»

«Aber früher sind ständig die Leute gestorben. Auch an Fieber. Wir sind nicht im Mittelalter, Mann», Yvette war jetzt aufgesprungen.

«Doch», sagte Freigunda. «Im Moment sind wir im Mittelalter. Und da kenne ich mich aus. Wir warten noch diese eine Nacht. Morgen ist das Fieber weg.»

Bea nickte. «So machen wir es.»

«Das kann doch nicht sein», regte sich Yvette auf, «dass hier die Risikobereiten das Sagen haben.»

«Die Ängstlichen sollten aber auch nicht das Sagen haben. Ich bin für Abstimmen. Wer ist dafür, dass wir bis morgen früh warten?» Und Bea hob gleich ihre Hand.

Eins zu sechs. Sogar Antonia wollte warten.

Das Sorgenkind schlief unruhig. Es lag neben mir. Drehte sich im Schlaf oder Halbschlaf oder im Wach oder Halbwach.

Ich schlief auch unruhig. Einmal wurde ich wach, als Antonia sich neben mich hinlegte. «Was ist passiert?»

«Ich war pullern», antwortete sie.

Am nächsten Morgen war ihr Fieber weg.

In der Nacht musste sie aber noch einen Fieberschub gehabt haben. Sie erzählte beim Frühstück von einer Frau mitten im Wald, die ganz schlimm gejammert hatte.

«Eine mit weißen Sachen?» Anuschka riss die Augen auf. «Eine alte?»

Nicken.

«Na, erzähl schon», sagte Bea.

«Ja, schieß los», forderte sie auch Rike auf, die total auf diese Geistergeschichten stand.

Während wir Kräutertee schlürften und Haferflocken aßen, erzählte Anuschka von einem jungen Mann, dem die Frau fremdgegangen war. Die Untreue schmerzte ihn so sehr, dass er sich ertränken wollte. So ging er zum wilden Bach und machte seinem Leben ein Ende. Die Mutter des jungen Mannes wartete zu Hause auf die Rückkehr des geliebten Sohnes. Er war ihr einziger. Doch er kam nicht. An diesem Tag nicht und auch an keinem weiteren. Die Mutter weinte jede Nacht. Im ganzen Tal hörte man die Klagen der Mutter. Sie haderte mit Gott, dass er die Menschen so unglücklich sein ließ. Dass sein Plan solches Leid vorsah, dass ein Jüngling freiwillig in den Tod ging. Gott strafte die ungläubige Frau damit, dass er sie über den Tod hinaus trauern ließ. Und so geht sie durch den Wald, immer an den Bächen entlang, und sie sucht ihren ertrunkenen Sohn. In der Nacht aber kann man sie sogar weinen hören, klagen, jammern und winseln.

«Darum wird sie die Winselmutter genannt», schloss Anuschka die Geschichte.

«Die arme Frau!» Antonia schüttelte sich. «Hast du sie auch schon mal gesehen?»

«Nein, die nicht, aber ich glaube, das Mörbitzmännel habe

ich mal gesehen. Das sieht eigentlich aus wie ein Mensch, aber gruselig irgendwie. Hier ganz in der Nähe. Auch ein Geist, der nicht zur Ruhe kommt, weil auf ihm der Fluch des Brudermordes liegt.»

«Der Fluch des Brudermordes?», brüllte Rike. «Himmel! Woher hast du denn diesen ganzen Scheiß? Lernt ihr das hier in der Schule? Habt ihr ein Fach Geisterkunde?»

Anuschka wiegte ihren Kopf langsam nach links und rechts. «Mein Opa hat mir das erzählt.»

«Warum verdammt noch mal erzählt dein Opa dir so gruseliges Zeug? Ihr seid schon ganz schön krass hier. Echt.» Rike schüttelte den Kopf. «Ich glaube dir inzwischen auch, dass ihr diese ganzen Geister seht. Ihr seid eben anders hier.»

Ich überlegte, ob das Erzgebirge wirklich gruseliger sein könnte als andere Gegenden. Das war doch nicht normal, dieses erhöhte Gespensteraufkommen. Gab es eine Regel? Je tiefer der Wald, je mehr Geister? In der Großstadt fielen die Geister nicht auf. Man hielt sie für Penner.

«Es gab früher so viele Geister, weil die Leute so viel Angst hatten», sagte Bea. «Das ist alles. Sie hatten keine Ahnung und keine guten Lampen. Angst macht Geister. Oder warum gibt es heute kaum noch welche?»

Anuschkas Augen wurden groß und rund. «Weil die Zeit des Bergwerks vorbei ist. Die Geister sind zur Ruhe gekommen. Es ist ja kein Krach mehr im Berg und im Wald. Keine Sprengungen und so ...»

Diese Argumentation wollte Bea nicht gelten lassen. «Und wieso winselt jetzt die Winselmutter auf einmal hier herum?»

«Ich glaube, dass wir die Geister geweckt haben, als die Taschenlampe in den Bergwerksschacht gefallen ist. Die

war ja angeschaltet. Das Licht da unten … Wer weiß …»
Anuschka lächelte und zog die Schultern hoch.

«Meinst du, dass hier im Tunnel auch ein Geist wohnt?», fragte Antonia und sah zum Loch, als ob jetzt gleich ein Mann ohne Kopf die Leiter hochklettern würde. Wobei, der müsste natürlich erst seinen Kopf raufwerfen, damit er die Hände frei hätte.

Anuschka lächelte immer noch. «Aber viele dieser Geister sind gar nicht schlimm. Die meisten eigentlich. Sie helfen den Menschen manchmal sogar. Wenn man sie nicht verärgert. Wer weiß, ob sie nicht …»

«Vergiss es!» Bea unterbrach nur selten eine. «Die Hundefutterbüchsen kommen vom Hans. Die Brötchen waren auch von dem.»

Ich meldete mich. Warum tat ich das? Ich nahm den Arm wieder runter und ließ die Wörter aus meinem Kopf in den Mund und raus. «Außerdem haben wir die ersten Brötchen gefunden, bevor uns die Taschenlampe in den Schacht gefallen ist.»

«Sehr helle!», lobte Bea.

«So wie die Lampe», kicherte Rike.

«Also ist hier noch jemand im Wald», sagte ich. «Auch wegen der Jacke. Und der Hans hat gesagt, dass er Jungs gesehen hatte.»

Anuschka schüttelte den Kopf. «Nein, der Hans spinnt. Es stimmt nicht, was er sagt.»

«Woran erkennt man die eigentlich?», fragte Rike. «Die Geister? Woher sollen wir denn wissen, dass Freigunda kein Geist ist? Die ist im Mittelalter gestorben.» Rike kicherte, ein paar andere lachten auch. Freigunda stand drüber.

«Schluss jetzt!», sagte Bea.

An diesem Tag war alles gut. Freigunda hatte Fische gefangen, kleine, aber viele. Wir hatten genug Tee. Nichts zu waschen, nichts zu schälen, nichts zu rupfen, nichts zu stopfen, nichts zu flicken, nichts zu pflücken, nichts zu zimmern, nichts zu hämmern, nichts zu raspeln, nichts zu mörsern, nichts zu flechten, nichts zu hacken, nichts zu wässern, nichts zu trocknen, keine Stöcke zu sammeln, zu schnitzen, anzuspitzen. Nichts zu spannen, zu häufen, zu verstecken, zu entdecken. Kein Loch, kein Fleck.

Eigentlich müsste so etwas Frieden heißen.

Wir lümmelten und lungerten. Wie Jungs auf einem Zaun, die warteten, dass wer vorbeikäme, den man kaputt spielen könnte. Ey, wenn ich aussehen würde wie du, würde ich lachend in 'ne Kreissäge laufen. Gib mir mal deine Jacke, ich will zum Karneval als Depp gehen.

Es kam natürlich keiner vorbei. Es hing wie eine fette Wolke über uns. Die Hunde zogen sich tief in ihr Fell zurück.

Der Wald machte das mit uns, die Hunde, die Ruhe, die verbrannten Oberarme, die neu entdeckten Muskeln. Die Sonne hatte uns hitzig gemacht, die Luft aufgepumpt. Bestimmt waren wir alle doppelt so groß wie am Anfang, und es drängte uns. Irgendwas irgendwohin.

Die Stimmung flapste sich schnell hoch.

«Bea, ganz ehrlich», sagte Yvette, «ich würde dir einfach gerne mal auf die Fresse hauen.»

«Okay», sagte die, stand auf und klatschte einmal in die Hände. «Gute Idee!»

Eine kurze Pause. Das Geräusch ihrer klatschenden Hände im Wald.

«Kennt ihr Christenringen?»

Kannten wir nicht. Machte nichts. War schnell erklärt. Zwei knien sich hin. Einander gegenüber. Die Hände wie zum Beten. Ungefähr ein Meter Abstand. Dann bis drei zählen und sich aufeinanderstürzen. Man durfte nicht aufstehen. Sieger sei, wer sich auf den andern draufsetzt.

Ungelogen, so ging ein Tag vorbei. Leise schnaufend schmissen wir uns aufs Kreuz. Angefeuert von Zischen und gehauchten Worten.

Als ich dran war, war ich von folgenden Gemütszuständen beim letzten angekommen:

angeekelt

ängstlich

aufgeregt

aufgeputscht

neugierig

kampfgeil

brutal

Ich legte niemanden aufs Kreuz. Meine Oberarme waren ewig lang, bevor der Ellenbogen kam – wie eine Stabheuschrecke. Ich war nicht wendig, ich war nicht stark. Es reichte mir, es ihnen so schwer wie möglich zu machen.

Ich kann mich erinnern, dass ich in der Schule nie so schnell gerannt war, wie ich hätte können. Ich ahnte, dass es bescheuert aussah, wenn ich rannte. Ich rannte ganz okay, bis mich alle überholt hatten. Dann war ich immer stehen geblieben. Und ich hatte getan, als wollte ich gar nicht gewinnen. Die Stabheuschrecke war stehen geblieben und hatte ihre dünnen Arme hochgehalten: Ich gebe auf, ich kann's nicht.

Jetzt war es das erste Mal, dass ich kämpfte. Ich hatte keine Chance, aber das war mir egal. Ich wollte schwitzen und mich reinstemmen, zugreifen und knurren. Ich wollte balgen.

Sie hatten einzustecken. Ja, ich war nicht leicht zu bändigen.

Nach dem Christenringen hatten wir Beulen, Schrammen, Demütigungen, blaue Flecken und irgendwie gute Laune. Voller sinnloser Kraft.

Die Königin des Christenringens war Bea. Nach ihr Freigunda. Sie kämpfte wie eine Besessene, als ginge es um Leben und Tod. Ihr flackernder Blick. Ihre gefletschten hässlichen Zähne. Als ich gegen sie kämpfte, erschrak ich, als ich nach ihren Oberarmen griff. Da war fast nichts. Aber steinhart.

Ich spuckte auf den Boden. Nie würde ich mir das wieder nehmen lassen. Ich war dürr – na und? Ich war langsam – leck mich! Meine Nase sah aus wie der Griff an einer Gießkanne – JAWOLL! So sieht die aus, diese Nase. Ich habe keine andere.

D ie Tage waren gut. Sie vergingen eben so. Sonne hoch, Sonne runter. Bestimmt zwei Tage ging das so. Da waren wir einfach Wald und wucherten zu und gewöhnten uns an den neuen Lebensraum wie Tiere, die nach einer Handaufzucht ausgewildert wurden.

Bei Yvette war es am deutlichsten. Zuerst verschwand ihr Parfümgeruch, dann wuchsen Haare, die sonst wegrasiert oder herausgezupft wurden. Auf ihrem Kopf schoben dunkelblonde die lila gefärbten Haare vor sich her. Eigentlich sah sie jetzt netter aus, nicht mehr wie eine spitze Comicfigur. Aber Yvette selbst schaute mit aufgeblasenen Backen in ihren Handspiegel.

«Du siehst gut aus!», sagte Rike gelangweilt. «Echt! Oder lass mich noch mal sehen. Nee, doch nicht.»

Yvettes Augenbrauen sprangen hoch. «Sag mal, kennst du dieses Gefühlehaben? Schon mal gehört? Kennst du doch, oder? Hab ich jedenfalls auch, so was.»

Rike lachte. «Sorry, hätt ich nicht gedacht. Hat man dir nicht angemerkt. Weißt du, ich hab gedacht, wenn man so viel Geld hat wie du, dann kann man sich das wegoperieren lassen. Stört ja nur. Neid braucht man eh nicht, man hat ja alles. Und so was wie Mitgefühl – schnipp – oder Liebe – schnippschnipp. Gewissen – schnibedibib. Und Sorgen sowieso nicht.»

Yvettes Augenbrauen tobten. «Ich habe auch meine Sorgen, kannst du glauben.»

«Glaub ich aber nicht. Verwöhnt, verwöhnt, verwöhnt. Ich weiß überhaupt nicht, was eine solche Volltussi wie du im Survival-Camp zu suchen hatte. Wolltest du lernen, wie du im Krieg Mascara aus Baumrinde herstellen kannst?»

Yvette stand auf und ging ein paar Schritte. Zu dem weichen Moos, kurz vor dem Hundetanzplatz. Wäre ein Typ im roten Anzug mit Zylinder vorbeigekommen, mit einer Glocke, die er über dem Kopf schwingt, und der hätte gerufen: «Leute, alle mal herhören! Wer will was riskieren? Hergehört! Ab jetzt werden Wetten angenommen. Wird Yvette heulen? Die Wetten stehen null zu tausend. Oder wird sie sich umdrehen und auf Rike zurennen und ihr die Zähne nach innen umklappen? Eins zu tausend für Heulen. Eins zu drei für Drescherei!» – ich hätte trotz der schlechten Quote auf Drescherei gesetzt.

Aber verdammt, mit Heulen wäre ich Wettkönigin geworden.

Yvette heulte.

Wir schauten uns ratlos an.

Antonia ging zu ihr und legte ihre Hand auf die zuckende Schulter. Yvette ließ sich zurückführen. Sie setzte sich und sagte …

Ich will nicht unnötig die Spannung steigern, aber dann kam die krasseste Beichte dieses Sommers. Oder die zweitkrasseste. Die krasseste kam erst ganz zum Schluss.

«Das ist klar, dass ihr denkt, ich wäre nicht so wie ihr. Bin ich ja auch nicht.» Sie putzte sich ihre spitze Nase. «Klar, was macht eine wie ich bei einem Survival-Camp?» Dann wartete sie, bis auch wirklich der ganze Wald zuhörte. «Inken ist meine Schwester.»

Und da machte ein Vogel «whuhu», und Rike machte «was?», und dann sagte jemand krass und jemand nein, und am Ende der Vogel noch mal whuhu.

Davon unbeirrt erzählte Yvette weiter. Der Vater sei ein reicher Anwalt, so reich, dass er an der Börse spekulierte und aus Langeweile hoffte, er möge mal Geld verlieren. Sie sei ein Wunschkind gewesen. In einer Arztpraxis zusammengerührt, weil die Mutter schon im Risikoschwangerschaftsalter war. Sie war nur deshalb ein Wunschkind, weil ihre Eltern alles andere schon hatten. Katze, Hund, Pferd, Auto, noch ein Auto, noch ein Auto, Haus, Boot, Ferienhaus. Warum also kein Kind? Dann könnte man sich auch noch ein Kindermädchen leisten. Ein junges oder hübsches oder ein junges und hübsches.

Weil man diesem Kind von Anfang an alles gab, war es nie zufrieden, sondern wollte immer mehr. Wenn Yvette gekräht hatte: Das da! Will haben!, dann hatte sie schon zwei davon, eins in Rosa, eins in Lila. Als sie fast alles hatte, wollte sie mit zwölf eine Tätowierung. Der Vater verbot es. Yvette hatte überhaupt keine Übung darin, mit Verboten umzugehen.

Sie war voll mit trockener Wut, und ihre einzige Idee war, das zu tun, was ihr Vater auch immer tat, wenn er nicht weiterwusste. Verklagen. Sie wollte ihn wenigstens blamieren. Und so begann sie, nach etwas zu suchen. Geheime Fotos. E-Mails, die etwas beweisen würden. Sie kroch auf Schränke, unter Betten und hinter Regale. Der Vater war nicht doof. Er verbrannte regelmäßig seine Vergangenheit und Gegenwart im Kamin. Seine Kontoauszüge natürlich nicht. Und in denen fanden sich zwei Überweisungen an eine Theresa Utpaddel. So viel Geld, dass Yvette sich sicher war, hier einen fetten Erpressungsfall gefunden zu haben. Sie hoffte, dass ihr Vater etwas richtig Schlimmes oder Peinliches getan hätte, denn dann könnte sie ihn ja auch erpressen.

Komisch war nur, dass es diese große Summe überwiesen hatte, als ob es gar nichts zu verbergen gäbe. Yvette bat den Haushandwerker, einen Privatdetektiv zu beauftragen. Der Haushandwerker war ein einfacher Mann. Er wurde nicht gut von Yvettes Vater bezahlt und wollte sich gern etwas dazuverdienen. Der Privatdetektiv sollte die Verbindung von Theresa Utpaddel und Herrn Tuckermann untersuchen. Dazu brauchte er nicht lange. Dann legte er dem Haushandwerker seinen Bericht vor, den dieser an Yvette weitergab. Demnach hatten Frau Utpaddel und Herr Tuckermann an derselben Universität studiert. Ehemalige Kommilitonen erzählten von einem Liebesverhältnis der beiden, welches ungefähr drei Jahre andauerte und trotz einer Schwangerschaft der Frau Utpaddel beendet worden sei, allerdings von ihrer Seite. Es könnte also sein, dass Herr Tuckermann der Frau T. Utpaddel finanzielle Unterstützung für ein eventuelles gemeinsames Kind zukommen ließ, schlussfolgerte der Detektiv. Yvette Folgeauftrag lautete, Fotos dieses Kindes zu besorgen. Sie erhielt sie keine Woche später. Das Kind war mittlerweile eine dreiunddreißigjährige Frau namens Inken Utpaddel, die dem Vater so ähnlich sah, dass sich weitere Fragen erübrigten. Der Haushandwerker gratulierte Yvette mit einem Schulterklopfen zu der Schwester.

Yvette freute sich wirklich, denn sie hatte ja alles, nur keine Schwester. Sie stellte sich eine tolle Schwester vor, die mit ihr redete, die dieselben Lieder mochte, die Zeit hätte.

Yvette wollte mehr über Inken wissen, bevor sie diese Frau in echt treffen würde. Nachdem sie einen weiteren Bericht des Detektivs bekommen hatte, wollte sie die Schwester allerdings nicht mehr treffen.

Der Detektiv hatte ganze Arbeit geleistet und eine traurige Geschichte zusammengesammelt.

Der Vater hatte niemals Unterhalt gezahlt und das Kind nicht anerkannt, hat einfach gesagt: Das ist nicht mein Kind. Inkens Mutter schrieb Brief um Brief. Eine einmalige Zahlung wurde vereinbart. Aber nach ein paar Jahren Ruhe kamen neue Briefe. Wieder eine Zahlung, höher als die erste. An diese Zahlung war die Bedingung geknüpft, dass sich Inkens Mutter nicht an das Jugendamt wende, und daran hielt sie sich. Als Inken acht Jahre alt war, starb die Mutter an Krebs. Sie hatte ihrem Kind stets erzählt, der Vater sei ein Rummelboxer gewesen. Das kratzte sicherlich an der Seele des Kindes, das ist, als wärst du vom Sternzeichen Assel. Du weißt zwar, das ist Quatsch, das hat nichts mit dir zu tun – aber Rummelboxer bleibt Rummelboxer, und Assel bleibt Assel. Inken wuchs dann bei ihrer Oma auf und lebte bei ihr bis zu deren Tod. Ab ihrem sechzehnten Lebensjahr hatte Inken Pflegegeld für die Großmutter bezogen. Statt tanzen zu gehen, ging Inken mit der Großmutter spazieren, und als die das nicht mehr konnte, blieben sie zu Hause.

Inken schaltete ihr den Fernseher ein, Frühstücksfernsehen, Vormittagsprogramm, Mittagsmagazin, Nachmittagsprogramm, Abendprogramm, Spätfilm, gerne Klassiker. Inken schnitt Brote klein, rührte Vitamine zusammen, kämmte die Oma und küsste die Oma auf den weichen Mund. Das Geld reichte gerade so. Als die Oma starb, war Inken neunundzwanzig. Sie hatte nie einen Beruf erlernt. Sie pflegte alte Leute im Ort und putzte im evangelischen Kindergarten. Sie wohnte allein in der Wohnung der Oma und trug ihre Sachen auf. Omasachen. Schnell hielt man sie für schrullig. Jemand gab ihr einen neuen Job. Sie sollte im Sozialladen die Gaben der Bürger entgegennehmen und für einen Euro weitergeben. Den Job verlor sie, weil sie geklaut hatte. Und zwar «alles Mögliche».

Das stand im Bericht des Privatdetektivs, aber in Wahrheit waren es vor allem Ketten und Armreife. Aber auch Haarreife und Ringe. Später Klamotten, besonders Mützen und Schals. Dann Uhren und Taschen. Sie liebte leere Portemonnaies. Puzzles. Decken. Gürtel. Schlüssel. Schlösser. Krawattennadeln. Orden. Sägen. Tassen. Kaputte Porzellanfiguren. Alte Fotoalben. Kassetten. DVDs. Schallplatten. Stofftaschentücher für Kinder. Plüschtiere. Ferngläser. Taschenlampen. Löffel. Alte Handys. Kugelschreiber.

Krüge fand sie auch gut. Bierkrüge am besten. Überhaupt Bierdeckel. Und Postkarten. Und Landkarten. Und Wandkarten. Und Kompasse. Und Wanderstöcke. Und Jägerhüte. Und Klappmesser. Und Bleistiftanspitzer. Und Kabel. Handykabel, Fernsehkabel, Kabelverlängerungen und Mehrfachstecker.

Alles war ihr wertvoll, denn sie besaß nichts, nichts. Stundenlang stromerte sie auf Müllkippen herum. Sie hatte vor, das alles einmal zu verkaufen. Einmal einen Stand beim

Trödelmarkt mieten und danach Geld haben. Aber sie mietete nie einen Stand. Sie sagte sich immer, dass sie könnte, wenn sie wollte. Sie wollte eben nicht. Sie nahm auch Zeug vom Straßenrand mit, wenn «zu verschenken» draufstand. Auch Katzen. Der Privatdetektiv hatte an die dreißig Tiere gezählt.

«Und da hatte ich keine Lust mehr, sie kennenzulernen», sagte Yvette. «Schwester hin oder her.»

Die Bilder, die Inkens Geschichte in meinem Kopf erzeugt hatten, lösten sich auf und nebelten davon.

Ich war wieder im Wald. Sommer, hell, frisch, sauber. So ein Wald war natürlich nicht wirklich sauber, aber es war kein ekliger Dreck, es war nur Wald. Ein Wald war auch ein Messie. Er rückte auch nichts raus. Er verbrauchte alles, wandelte es um.

«Und hast du dich dann gar nicht bei ihr gemeldet?», fragte Antonia.

Yvette schüttelte den Kopf.

«Hast du ihr nicht mal Geld geschickt?», Antonias Augen wurden ganz nass.

«Sie hätte sich doch nur irgendwelchen Scheiß davon gekauft.»

Wir schwiegen. Der Wald nicht. Ein langes Knattern von oben. Ein Vogel mit einer Ratsche im Hals.

«Da hast du lieber selber irgendwelchen Scheiß davon gekauft. Lippenstifte. Lila Haarfarbe …» Bea spuckte aus.

«Ey, ich hab's gewusst. Wenn ich euch das erzähle, macht ihr mich fertig. Kein Fitzelchen Verständnis.»

Bea schüttelte den Kopf. «Nee, hab ich auch nicht. Hättest ihr ruhig was abgeben können.»

«Ihr wisst doch überhaupt nicht, was ihr an meiner Stelle getan hättet! Aber gleich rumkritisieren. Komm, Bea, erzähl doch auch mal was, und dann sag ich: Das ist aber dumm, du bist ja bescheuert.» Yvette war rot im Gesicht.

Antonia zuckte schon wieder. Den Hunden wurde das Fell ungemütlich.

Ich saß in der Sonne. Der Schatten war eine halbe Stunde weitergewandert. Mir war heiß, aber ich blieb lieber sitzen.

«Und jetzt hast du gedacht, du lernst sie doch mal kennen», mutmaßte Anuschka.

«Ich habe regelmäßig ihren Namen gegoogelt. Natürlich ist sie nie irgendwo aufgetaucht, sie hat ja nichts gemacht. Ich meine, wenn man mich googelt, dann sind da bestimmt fünfzig Treffer. Reitverein, Schulzeitung, Tennis. Ich habe auch mal die Maske fürs Schultheater gemacht.»

Jetzt stand ich doch auf und setzte mich in den Schatten. Yvettes Internetpräsenz hätte ich locker mit meinem peinlichen Filmchen toppen können.

«Jedenfalls, als ich sie dieses Jahr wieder gegoogelt habe, war da plötzlich die Anzeige vom Feriencamp und ihr Foto. Und sie sieht meinem Vater noch ähnlicher als auf den Fotos von vor zwei Jahren. Die ganze Scheißfresse. Das war doch der Gipfel, dass mein Vater behauptete, sie wäre nicht von ihm. Genauso gut hätte er sich vor den Spiegel stellen können und sagen: ‹Das bin ich nicht!› Aber ich glaube, dass er sie nie gesehen hat.»

Ich versuchte, mir vorzustellen, wie der Vater aussah. Ich nahm meine Erinnerung an Inken und ließ ihr einen Bart wachsen. Und setzte ihr eine Brille auf. Dann ließ ich ihr Haar oben dünn werden und grau.

«Und dann wollte ich sie doch kennenlernen. So konnte ich ihr auch Geld zukommen lassen, wenn ich mich beim Camp anmeldete.»

«Und das hast du uns nicht schon früher erzählen können?», fragte Antonia.

«Hättest du denn? Erzählst du immer alles gleich, ja? Du bist ja toll. Dann bin ich eben nicht so toll wie du.»

Die wichtigste Frage stellte Bea: «Hast du es ihr gesagt?»

«Darum bin ich bei ihr geblieben, als ihr ins Waschhaus seid. Ich habe ihr ein bisschen was von meiner Familie erzählt. Also, dass wir mordsviel Geld haben, und da hat sie mich böse angesehen. Und ich hab ihr gesagt, dass meine Eltern aber nicht so nett sind, und da hat sie gelacht. Und ich habe ihr gesagt, dass ich aber schon sehr nett bin und dass ich mir eigentlich immer eine Schwester gewünscht habe. Sie hat gesagt, sie nicht. Ich habe sie dann nach ihrer Familie gefragt, und sie hat mich komisch angesehen und gesagt: Tot! Meine Familie ist tot, hat sie gesagt. Dann habe ich ihr erzählt, dass ihre Familie nicht tot ist, weil mein Vater ihr Vater sei und sie darum meine Schwester ...»

«Und dann?», fragte Antonia, der die Pause zu lang wurde.

Yvette reckte die spitze Nase hoch. «Sie hat den Kopf geschüttelt und auf die Uhr gesehen. Dann hat sie mich gefragt, wo ihr so lange bleibt, und ich hab gesagt, dass vielleicht eine von euch in die Pfütze vor dem Waschhaus gefallen ist. Da ist sie losgerannt.» Yvette senkte die spitze Nase. «Sie hat mir nicht geglaubt, dass wir Schwestern sind.»

Ungefähr zu der Zeit tippte ein Polizist in einer Kleinstadt etwas Unfassbares in seine Schreibmaschine. So stellte ich mir das jedenfalls vor. Bestimmt haben die gar keine Schreibmaschinen mehr.

Diese aufregende Kombination von Buchstaben und

Zahlen hatten sie beide noch nicht getippt: Der junge Polizist nicht und die alte Schreibmaschine auch nicht.

Eine Sieben gab es in Geburtsdaten, Telefonnummern, Adressen und dergleichen. Eine Sieben war nichts Spektakuläres. Das Wort Mädchen war auch schon vorgekommen. Ein Mädchen hatte vor nicht allzu langer Zeit einen Diebstahl beobachtet. Sie war gerade mal acht Jahre alt, und sie war eine sehr gute Zeugin. Bis zur Farbe der Druckknöpfe konnte sie die Windjacke des Diebes beschreiben. Die Druckknöpfe waren nämlich dunkelgrau, obwohl die Jacke schwarz war.

Sogar «als vermisst gemeldet» hatten der Polizist und die Schreibmaschine schon getippt. Ein Fahrrad, ein Auto, ein Mann ... alles Mögliche war schon vermisst gewesen. Fahrrad und Auto blieben übrigens vermisst, der Mann fand sich wieder an.

«Sieben Mädchen als vermisst gemeldet.»

So hatte sich der Polizist den Beruf vorgestellt, bevor der Arbeitsalltag ihn das Kaffeekochen und Protokollschreiben lehrte.

Und jetzt endlich: Das war es. Wie im Krimi. Gerade als er Dienst hatte, kam dieser etwas muffig riechende Herr rein, nahm sein speckiges Basecap ab und hustete ihm diese Nachricht hin. Und dann kam es noch besser. Eine erwachsene Frau sei auch noch verschwunden. Der junge Polizist wusste ein paar Floskeln, die er erst einmal mit großer Geste hervorbrachte: Ich muss das weiterleiten. Wir kümmern uns. Halten Sie sich für Befragungen bereit. Dann leitete er weiter.

Nachrichten rennen nicht. Sie hüpfen. Von Ohr zu Ohr. Von Ort zu Ort. So eine Nachricht muss aber nicht laufen. Sie wird getragen. Drähte und Funkwellen bringen sie schnell ins Land.

Es wurden Polizisten zu unseren Eltern geschickt. Immer zwei. Ein Mann, eine Frau. Die Frau mit dem Einfühlungsvermögen, der Mann mit der Kraft, um in Ohnmacht fallende Elternteile aufzufangen. Man hoffte, das Gespräch würde ungefähr so verlaufen:

Polizistin: Frau XY? Wir würden gern mit Ihnen reden, wir sind von der Polizei.

Frau XY: Ja, das sehe ich. Was hat mein Mann gemacht?

Polizistin: Es geht nicht um Ihren Mann.

Frau XY: O weh. Ich setz mich mal lieber hin. Kommen Sie doch herein.

Polizistin: Moment, wir müssen uns die Schuhe abputzen.

Frau XY: Ach, lassen Sie.

Polizistin: Ist es richtig, dass Ihre Tochter in ein Feriencamp gefahren ist?

Frau XY: Ja, aber es hat ihr dort nicht gefallen. Sie hat angerufen. Wir haben sie abgeholt. Sehen Sie. Sie putzt gerade Bohnen.

Mutter XY würde die Tür aufschieben und dem Polizistenteam den Blick in die Küche gestatten. Da säße das Mädchen und putzte Bohnen.

Polizistin: Na, dann guten Appetit!

Aber keines dieser Gespräche verlief so. Natürlich nicht. Vielleicht fielen die Eltern nicht in Ohnmacht, aber ein weltgroßes Scheunentor ging in ihren Herzen auf, und die Angst fuhr hinein wie ein Wind mit Scherben. Vermisst.

Meine Mutter wurde Jahre später noch wütend, wenn sie mir davon erzählte. Meine Mutter sagte Sachen wie: «Ich war rasend vor Sorge, während du in den Wäldern gespielt hast.»

Wir haben nicht gespielt. Wir haben dort gelebt. Wir hatten auch unsere Sorgen. Wenn das ein Spiel war, dann spielte meine Mutter auch jeden Tag.

Erst als sich herausstellte, dass die Eltern nichts über den Verbleib ihrer Töchter wussten, wurde die Nachricht zur Nachricht. Und ist so eine Nachricht erst einmal losgehüpft, teilt sie sich an jeder Station, wo ein Hüpfer aufprallt und wieder abhebt, hundertmal und explodiert in alle Richtungen weiter fort. Von kleiner Zeitung zu großer Zeitung, einmal um die Kioske herum, in die Schulen. Zu den Brüdern, den Freundinnen, den Tanten, bis ins Ausland.

Seltsam war, dass man keine Eltern von Tabea Frank fand. Keine vor Sorge wütende Mutter, keinen ängstlichen Vater. Eine Tabea Frank wurde überhaupt nicht vermisst. Stand aber auf der Anmeldeliste, die Busfahrer Bruno zur Polizei getragen hatte.

Und was taten wir? Wir pflegten uns und die Hunde. Wir ernährten uns und die Hunde. Wir wussten von nichts und spielten im Wald.

Wenn ich früher gesagt hatte: ich habe viel zu tun, hatte ich gemeint, dass ich nicht genug Zeit hatte, nach den Hausaufgaben fernzusehen.

Jetzt hatte ich nicht genug Zeit, den Wald anzusehen. Ich hatte immer gedacht, so ein Wald wäre zum Ansehen. Wie ein Sonnenuntergang. Man setzte sich davor oder im Falle des Waldes mitten hinein, und dann indianerte man ein paar Weisheiten vor sich hin. Der Kreislauf. Die Tiere. Die Gegensätze. Die Stille. Der Frieden.

Der Wald war für uns ein Supermarkt. Pflücken kostet drei Kratzer, Sammeln kostet Schweiß.

Der Wald war ein Gefährte. Das achte Mädchen.

Der Wald war ein Wohnraum. Wir richteten uns ein.

Hier war das Schlafzimmer. Das musste nach dem Schlafen aufgeräumt werden. Schlafsäcke zusammenrollen, in einen schwarzen Müllsack, Sack an einen Haken hängen. Hier zum Beispiel war ein Flur, der war nicht gerade, der hatte einen sandigen Teppich, den liefen wir entlang, wenn wir vom Schlafzimmer zum Bad gingen. Wo ich in den Bach gerutscht war, da wuschen wir. Uns und die Kleidung, die Hunde wuschen sich selbst. Wir machten uns frühzeitig in kleinen Gruppen auf. Eine jede brachte Wasser mit, wie sie es schaffte. Dafür benutzten wir das Campinggeschirr. Es gab Töpfe mit einem Henkel wie bei einem Eimer. Man konnte zwei dieser Töpfe voll Wasser gut tragen, wenn man sie mit den Tragegriffen links und rechts an einen starken Stock hängte. Den Stock legte man sich über die Schultern. Ich fühlte mich altmodisch. Im Wald gab es wenige Hinweise auf das Jahrhundert, und Wasserholen war so alt wie der Mensch. Ich schuftete als Magd für wenige Taler. Ich schleppte als Küchenmädchen bei Hofe das Wasser für die königlichen Fasanen. Ich war als Rittersknappe für die Pferde zuständig, einen jungen Apfelschimmel und einen alten Rappen. Ich holte Wasser zum Waschen der kranken Großmutter, die im Sterben lag. Ich holte Wasser, als die Scheune in Flammen stand und wir fast die gesamte Ernte verloren.

Am Wochenende liefen uns Pilzsammler durch das Bad. In den frühen Morgenstunden schaukelten sie ihre Körbchen leer in den Wald hinein und voll wieder heraus. In die Schonung kam nie jemand. Sie sah nicht einladend aus, und wahrscheinlich wusste jeder, dass hier keine Pilze oder Beeren wuchsen.

Eigentlich taten wir das, was unsere Eltern wollten. Wir waren in einem Ferien-Fun-Survival-Camp. Wir hatten Fun, wir survivalten. Wir waren unsere eigenen Aufsichtspersonen.

Unsere ruhige Zeit war der Abend. Hungrig setzten wir uns hin, und satt blieben wir sitzen. Feierabend.

Das war die Zeit, Fingernägel und Krallen zu schneiden. Haare zu kämmen und Fell zu bürsten. Geschirr in einer Schüssel abzuwaschen. Sitz und Platz zu üben. Die Tiere nach Zecken abzusuchen.

Die Dunkelheit zog dem Wald ein ganz anderes Kleid an. Es war so finster wie irgendwo weit draußen im Weltraum. Ein stiller Ort. Die Sterne, um sich zu orientieren.

Wir übernahmen den alten Brauch unserer Eltern, Großeltern, Urmenschen – im Dunkeln beim Feuer zu bleiben. Unser Abendfeuer war ein kleines Flackern aus drei Stöcken. Das Feuertier bekam spärliche Kost, damit es nicht wuchs, aber ununterbrochen Nachschub, damit es blieb, bis wir schliefen. Es fraß knackend seine Ästlein und bellte nicht.

Bea hatte einen Vorschlag. Sie sagte, wir sollten mehr wissen und lernen. Über Pflanzen, die Gegend, die Hunde. Der Vorschlag wurde angenommen.

Alle waren so irre zufrieden damit. Es war verrückt: Wir hatten Ferien und machten einen auf Schule. Aber es war keine Schule. Dieses Wort war ein misshandelter Frosch. Niemals könnte er wieder froh herumhüpfen. Schule war dieses stinkende Gebäude. Klos und Milch und Jacken und die Hamster im Bioraum. Wir nannten es einfach Lernen. Und es war so, wie wir es wollten. Nicht so eine Projektwoche-Verarschung. Da wird ja immer behauptet, dass wir uns einbringen sollen, mit eigenen Ideen und so. Sie sagten: Denkt euch doch mal was aus! – Halt! Stopp! Das geht nicht.

Unser Lernen war anders.

Jede von uns wurde eine Spezialistin. Bei einigen war das Fachgebiet klar.

Freigunda und die Hundeerziehung. Da wussten wir zu wenig und sie vielleicht zu viel.

Logisch, Anuschka und die Heilkräuter.

Rikes Gebiet war Essen, Nahrung, Kochen.

Bea konnte sich gut orientieren. Sie sagte, das sei zwar auch angeboren, aber man könne es durchaus trainieren.

Antonia war ein Fan vom Wetter, egal, welches. Sie wusste, warum Wolken taten, was sie taten. Sie bekam leuchtende Augen, wenn man sie ein bisschen über den Luftdruck reden ließ. Die Wolken dies, der Wind das, der Auftrieb, das Wasser, die ganzen Zusammenhänge. Man konnte mit ihr nicht normal über das Wetter reden. Keines der Mädchen sagte mehr unbedacht: Oh, heute ist es aber wärmer als gestern. Antonia belehrte einen dann gleich, und wenn sie so wichtig daherpiepste, dachte man immer, eine Maus wäre Kanzlerin.

Yvette sagte, sie würde sich mit Pferden auskennen. Da wieherte Bea laut vor Lachen. «Sonst noch was, was uns hier jetzt gerade gar nichts bringt?»

Rike schlug vor: «Skifahren. Oder Schminktipps.»

«Ich denke, wir sollen uns nicht übereinander lustig machen», maulte Yvette. Gerade sie, die unsere Regeln bescheuert fand und ständig meckerte. Ein passendes Sprichwort könnte sein: Was dem Reh nützt, weiß das Reh. Was dem Reh nichts nützt, weiß das Reh nicht. Leider gab es das Sprichwort nicht.

«Ja, wir sollen uns nicht übereinander lustig machen, aber das fällt echt schwer bei dir», sagte Bea.

Yvette sagte, sie hätte keinen Bock. Das hier sei doch freiwillig, oder? Dann dürfe sie auch einfach gar nichts machen. «Als Denkmal. Ich sitze faul herum und erinnere euch, dass jede hier machen darf, was sie will.»

Alle sahen sie an, aber nicht so, wie man ein Denkmal ansieht. Eher so, wie man ein Foto von einem offenen Bein ansieht.

Bea nickte zu meiner Überraschung. «Okay, du sollst unser Denkmal für Freiheit sein. Gut. Eine Gesellschaft wird stärker, wenn sie auch die toleriert, die sich nicht integrieren wollen. Und du?» Sie sah mich an.

Tja, und ich? Es war klar, das ich mal wieder als Letzte dran war. Ich hielt mein Maul, bis es nicht mehr ging. Ich konnte doch nicht sagen: Ich kann nichts. Oder: Ich kann Rätsel lösen. Oder: Meine Eltern können sehr gut putzen, das kann ich bestimmt auch. Nein, das war alles Schwachsinn.

Rike sagte, sie könne Hilfe gebrauchen. Sie könne zwar kochen, aber sie brauche jemanden, der sich ein bisschen einlesen würde, welche Pilze okay seien. Oder welche Beeren und so. Vielleicht könnten wir sogar Getreide finden.

Anuschka sagte, dass sie beim Kräutersuchen ebenfalls Hilfe gebrauchen könnte. So wurde ich Pflanzensucherin, Beerensammlerin, Kräuterpflückerin. Ich wurde sogar gut darin. Ich konnte genau hinsehen. Und ich hatte den richtigen Hund dafür. Kajteks Nase fand viele Pilze. Und das Pilzsuchtempo war genau seins.

Als Bea sagte: «Gut, dann haben wir jetzt einen Sammelschlumpf», ärgerte ich mich.

Später, viel später ging mir ein Licht auf. Bea hat uns einfach beschäftigt. Sie hat uns wichtig gemacht, jede Einzelne. Sie hat uns außerdem davon abgehalten, ständig zu streiten.

Ich hätte sie sofort als Weltsprecherin gewählt, als Präsidentin, sogar als Mutter. Alles hätte ich in ihre Hände gelegt. Ich getraute mich nur nicht, sie gern zu haben. Ich hatte viel zu viel Schiss, dass sie Gernhaben für einen Blinddarm hielt.

Wir entschieden zusammen, dass es am wichtigsten sei, dass wir alle mehr über die Hunde wüssten.

Freigunda setzte sich im Schneidersitz hin, legte ihren Haarvorhang zur Seite und starrte zum Himmel. Sie sprach einfach in den Abend hinein.

«Die wichtigsten Dinge über das Führen eines Hundes.»

«Hallo, hier sind wir!», sagte Yvette.

Freigunda schaute weiter gen Himmel: «Ihr sagt einen Befehl so kurz wie es geht und nur einmal. Wenn der Befehl nicht befolgt wird, folgt Strafe. Wenn der Befehl befolgt wird, gibt es ein Lob. Eine Strafe ist etwas Negatives oder das Entfernen von etwas Positivem. An Strafen gewöhnen sich die Lebewesen. Ich weiß, wovon ich spreche.» Das Licht des Feuers flackerte über ihr seltsames strammes, karges Gesicht. Rike stupste mich wieder. Ich wusste nicht, was jetzt lustig sein könnte.

«Lass es!», sagte Freigunda scharf zu ihr.

«Ich glaube nicht, dass du in dem Ton …», hob Rike an.

«LASS ES!» Freigundas Stimme war auf einmal durch einen Höllensound verstärkt, knisterte und fauchte. Dann redete sie mit normaler Stimme weiter: «Wenn ich dem Hund einmal etwas erlaube, heißt das für ihn, dass er das immer darf. Es gibt keine Ausnahmen. Das versteht ein Hund nicht. Eine gute Erziehung ist ein Zaun, der nicht zu überwinden ist, mit keinem Trick. Unregelmäßigkeit ist ein Loch im Zaun, das ihr selbst reingerissen habt. Ihr müsst jederzeit an jedem Tag dafür sorgen, dass der Zaun dicht ist. Wenn einmal ein Loch da ist, wird es schnell größer. Und irgendwann sind es so viele Löcher, dass ihr sie nicht mehr schließen könnt.»

Sie redete ungefähr eine halbe Stunde immer krasser werdendes Zeug vom Töten, Herrsein und Wölfen, dann pfiff sie Boogie ran und zeigte, was man mit einem folgsamen Hund alles machen kann.

«Es reicht», sagte Bea, als Boogie zu hecheln begann. «Ich glaube, wir wissen genug.»

«Genug? Nichts wisst ihr», zischte sie. Haarvorhang zu – Vorstellung beendet.

Inzwischen konnte ich es sehen, wenn Antonia etwas fragen wollte. Die ungestellte Frage kniff sie. Sie zappelte mit dem Po, und dann schob sie mit den Zeigefingern ihren Mund zu einem Schnabel. Heute war Anuschka dran. Die hatte sich auf eine Wurzel gesetzt und war gerade dabei, ihre Schuhe auszuschütten. Steinchen, Sand, Staub – in der Reihenfolge. Ich saß gegenüber an der sandigen Stelle und sah die Hunde nach Zecken durch.

Als Antonia lange genug geschnutet und gehibbelt hatte, fragte sie endlich: «Die Tunnel, sag mal, wenn die so gefährlich sind, warum ist der hier dann offen? Die anderen waren ja alle zu. Auf dem Bergbaulehrpfad.»

Anuschka ließ ihren Schuh sinken und stellte ihn vor sich ab. Zwischen ihren rechten Fuß in Socken und den linken, der noch in einem Schuh steckte. Jetzt hatte sie drei Füße.

«Der Tunnel hier war auch mal verschlossen, aber mein Großvater hat ihn aufgemacht, um uns den zu zeigen. Wir waren vielleicht dreimal hier. Dann haben wir die Himbeeren gepflanzt. Von dem Tunnel weiß sonst keiner. Ich hab also für euch mein Familiengeheimnis gelüftet.» Sie zog den zweiten Schuh aus, klopfte ihn gegen die Wurzel.

Antonia setzte sich vor die Wurzel ins nasse, fette Grün. «Wenn keiner von dem Tunnel hier weiß, warum weiß denn dein Opa davon?»

Anuschka klopfte noch eine Weile. Schuh gegen Wurzel. Aus dem Profil fiel der Waldboden zurück auf den Waldboden. «Der wusste mehr als die anderen. Ein hohes Tier war der. In der Partei.»

«NSDAP?»

«SED, du Hase.»

«Was für ein Tier war er denn? Also wie hoch?»

«Bürgermeister.»

«Oh, das ist hoch. Das ist hoch, oder, Charly?»

Ich nickte. Meine Hände vertieft im Kragen von Boogie. Strähne für Strähne ging ich ihr durch das Unterfell.

Anuschka stellte ihren Schuh zu dem anderen. Jetzt hatte sie vier Füße.

«Ja, Bürgermeister war er, und dann kam die Wende. Meine Mutter sagt, mein Großvater ist bei der Wende kaputtgegangen. Er war über Nacht arbeitslos. Bürgermeister konnte er ja nicht mehr sein, aber wenn du Bürgermeister warst, kannst du danach nicht Schuster werden. Er war also arbeitslos. Und auch schon alt. Dann war er in Rente. Alles, woran er geglaubt hat, war ja über Nacht …» Die richtigen Worte waren schon mal von ihr gedacht worden, das spürte ich, aber sie wollten noch nicht recht gesagt werden. Dann hatte Anuschka ihre Gedanken sortiert. «Stell dir mal vor, du glaubst an Gott. Und alle sagen die ganze Zeit, jahrelang, dein ganzes Leben: Den gibt es, das ist so, das hat der gemacht, den musst du anbeten, und alle anderen tun das auch. Und über Nacht heißt es dann auf einmal: Nee, den gibt's nicht, den hat es nie gegeben. Und dann kommen welche und lachen dich aus, weil angeblich niemand diesen Gott angebetet hat. Weil sie dir das alles nur vorgemacht haben. Sie lachen dich einfach aus. Glaubst du an Gott?»

Antonia nickte.

«Echt?» Anuschka lachte, «dann sag ich dir jetzt mal was: Den gibt's nicht. Stimmt's, Charly?»

Ich schüttelte den Kopf. Dann nickte ich. Da das immer noch nicht eindeutig genug war, sagte ich: «Den gibt's nicht!»

Wir lachten ein bisschen.

Anuschka machte weiter. «Und es heißt auf einmal: Wir haben jetzt einen neuen Gott. Es ist besser, du sprichst über den anderen nicht mehr. Glaub's mir!»

Anuschka und ich lachten.

«Ich hab's verstanden. Hört auf!»

«Aber es gibt ihn wirklich nicht», sagte Anuschka.

Der Wald hatte dazu nichts zu sagen. Zu vielen Themen hatte er nichts zu sagen. Ich fand eine Zecke, zog sie mit der Zeckenzange raus und zündete sie mit einem Feuerzeug an. Wir starrten auf das zischende Tier. Dann war es nur noch Asche. Eine Gedenkminute, dann sprach Anuschka weiter. «Mein Großvater war nach der Wende wie ausgewechselt. Vorher immer große Reden, und dann ganz leise. Bis er im Rollstuhl saß, ist er richtig gerne mit uns in den Wäldern gewesen. Mit mir und meinem Bruder. Im Rollstuhl wurde er dann komisch. Erst hat er noch gruselige Geschichten erzählt, und als meine Mutter ihm das verboten hat, hörte er fast auf zu sprechen. Seine letzten Worte waren: Friedrich-Engels-Stollen. Das ist der Name von einem Tunnel.»

«Ist dein Opa tot?», piepste Antonia.

«Nee, wieso?»

«Du hast doch gesagt, das waren seine letzten Worte.»

«Ja, das sagt er seit ein paar Jahren immer mal wieder, immer nur das. Friedrich-Engels-Stollen. Weißt du, wer Friedrich Engels ist?»

Kopfschüttelnde Zwölfjährige.

«Der Kollege von Karl Marx. Weißt du, wer Karl Marx ist?»

Wieder kopfschüttelnde Zwölfjährige.

«Der Kollege von Friedrich Engels.» Anuschka lachte. «Bist nicht so gut in Geschichte, oder?»

Ich war fertig mit Boogie, ließ sie laufen, pfiff mir Kajtek ran. Platzierte ihn zwischen meinen Beinen und begann, seine Fellschichten durchzusehen, schwarz zu braun zu beige zu weiß. Seine Haut war rosa.

«Und warum hat er Friedrich-Engels-Stollen gesagt? Hieß der hier so?», stieß ich das Gespräch wieder an.

Wusste Anuschka nicht. «Vielleicht hieß der so. Kann sein. Die hatten ja oft kommunistische Namen später.»

Ich versuchte, mich zu erinnern. Davon war am Bergbau-lehrpfad nichts zu lesen. Da stand nichts von Ernst-Thäl-mann-Stollen.

Antonia zwickten die Fragen in die Arschbacken. Sie zappelte und schnutete. «Aber», sagte sie, «ich dachte», sagte sie, «also, ich bin ja nicht gut in Geschichte, aber Kommunis-mus war doch viel später als Bergbau, oder?»

Anuschka schüttelte den Kopf, lächelte großmütterlich. «Nee, Spatz, Bergbau gibt es immer. Auch heute. Zu DDR-Zeiten haben die Russen hier Uranerz abgebaut.»

Antonia stand auf. Sah sich um. «Hier gibt es Uran? Wir sitzen auf Uran? Vielleicht ist in dem Tunnel noch Uran? Uran? Das ist doch radioaktiv. Das strahlt doch.»

Ich überlegte auch, ob ich aufstehen sollte, aber dem Uran war das sicherlich wurscht, ob man saß oder stand.

Anuschka lachte. «Du bist gut in Naturwissenschaften, merk schon. Setz dich wieder hin. Hier wurde nur Zinn abgebaut. Und Wismutglanz.»

Antonia blieb stehen. Kajtek sah zu ihr hoch. Atmete aus und legte seinen Kopf ab.

«Also, wenn die Stollen mit den kommunistischen Namen aus kommunistischer Zeit sind, dann ist der Friedrich-Engels-Stollen doch ein Stollen, in dem sie Uran gesucht haben, weil es ein neuerer Stollen ist.» Antonia hatte ganz langsam gesprochen.

«Möglich, aber dann haben sie hier wohl nichts gefunden und den Stollen aufgegeben. Sonst wäre der ja länger.» Anuschka war zufrieden mit ihrer Antwort.

Ich nicht. Da war ja schließlich dieser zugemauerte Seitenstrang im Tunnel. Dahinter ging es vielleicht tiefer in den Berg.

Antonia blieb stehen. In ihr hibbelte das Weglaufen, aber auch das Hierbleiben.

Anuschka begann, ihre Schuhe wieder anzuziehen. «Hör mal, überall, wo Uran war, haben sie es auch gefunden. Das ist wertvoll, das Zeug. Die haben nichts im Berg gelassen. Das ganze Erzgebirge ist zerlöchert. Hier ist nichts mehr. Beruhige dich!»

Ich konnte mir nicht vorstellen, dass ich auf einem zerlöcherten Gebirge saß. Gänge, Quergänge, Schächte zu tiefer liegenden und noch tieferen Quergängen. Ich strich durch Kajteks Unterfell. Ich fand eine Zecke, die sich noch nicht festgebissen hatte. Ich zerdrückte sie zwischen Fingernagel und Fingerkuppe.

«Ist bei euch einer gestorben?» Antonia war noch nicht fertig mit Fragen. «Wegen dem ganzen Uran hier. Verstrahlt oder so?»

«Nein, bei uns ist keiner gestorben. Sogar meine Uroma lebt noch. In meiner Familie werden alle uralt. Das ist irgendwie so. Bei uns ist bloß mal einer verschwunden. Mein Onkel. Zur Wendezeit, beim Mauerfall. Der hat rübergemacht. Und sich nie wieder gemeldet. Meine Uroma sagt immer, dass sie spürt, dass er noch lebt. Weil eine Mutter so was eben fühlt. Sie denkt, dass ihm irgendetwas passiert ist und er sein Gedächtnis verloren hat oder so. Sonst hätte er sich mal gemeldet. Ich glaube, das tröstet sie irgendwie. Mein Opa hat gesagt, die haben den da rumgedreht, die Kapitalistenschweine.»

«Schwul gemacht?», fragte Antonia.

«Ach Quatsch. Politisch rumgedreht.»

Danach war Antonia eine Weile ruhig. In ihrem Kekskopf arbeitete etwas. «Wieso hattet ihr denn auch einen Mauerfall? Die Mauer stand doch in Berlin.»

Und da, Entschuldigung, da musste ich einfach lachen. Antonia war echt niedlich. Sie könnte die Puppe eines Bauchredners sein.

«Holt mal bitte jemand Wasser fürs Abendbrot!?», rief Rike.

Anuschka stand auf. «Fragestunde zu Ende, du Spatz», sagte sie, nahm zwei Kanister und ging Richtung Bach.

Als sie wiederkam, links Wasser und rechts Wasser und ein paar Büchsen Hundefutter im Arm, hatte Antonia schon die heißen Uraninfos an Rike weitererzählt. Die hatte natürlich drei, vier Witzchen parat. Darum sei Anuschka eine so strahlende Schönheit, und das sei hier sowieso eine spannende Gegend. Und schon wussten es alle.

«Bitte, jemand muss mal die restlichen Büchsen holen. Der Hans war wieder fleißig», sagte Anuschka. Dann sah sie die finsteren Blicke der anderen: «Was denn hier los?»

«Du hast uns in ein Seuchengebiet verschleppt. Ich glaub, die Geister hier sind noch das mindeste Problem.»

«Das heißt das geringste», korrigierte Bea Yvette.

Yvette winkte ab. «Dass ich dich verklagen werde, wenn was ist, brauch ich dir nicht zu sagen. Wenn meine Haare ausfallen.»

«Nee, Yvette, brauchst du nicht.» Anuschka ging los, die restlichen Büchsen holen.

Alle zwei Tage standen Hundebüchsen da. Immer ein Stück weg von uns, aber so, dass wir sie fanden. Wir überlegten, ob wir alle mal nachts wach bleiben sollten, um den Übeltäter oder Wohltäter zu erwischen.

Die Abstimmung war fünf zu zwei dagegen ausgegangen.

Was hätten wir den Hunden sonst zu essen geben sollen? Wir wollten keine Hasen jagen und aus ihren Fellen Mützen machen, wie Freigunda vorgeschlagen hatte. Die Hunde fraßen echt viel, und es war nie genug, wenn es nach ihnen ging. Sie schauten immer verblüfft, wenn sie ihren Napf leer gefressen hatten. Sie fraßen wohl so schnell, dass sie es selbst nicht mitbekamen. Nach dem Fressen konnten sie sich nur an ihren letzten Gedanken vor dem Fressen erinnern. Der war: Gleich gibt es Fressen.

Ein bisschen so ging es uns auch. Kaum hatten wir genug

Essen organisiert, war es schon wieder weg. Von der Hand in den Mund.

«Hm, lecker», sagte Antonia immer und rieb sich mit der Hand den Bauch. «Warum kannst du so gut kochen, Rike?»

«Ach, na ja, meine Mutter ist Köchin.»

«Ich denke, die arbeitet beim Fernsehen.» Yvette hatte aufgepasst.

«Ja, sie ist Köchin beim Fernsehen.» Rike zuckte die Schultern.

«Vor oder hinter der Kamera?»

«Vor», sagte Rike und stopfte sich den Mund voll. «Also, sie war Köchin im Fernsehen», schmatzte sie. «Jetzt ist die Show abgesetzt, weil meine Mutter sich die Zungenspitze verbrannt hat und nicht mehr abschmecken kann.»

«Glaub ich nicht», sagte Yvette.

«Wahr!», sagte Rike.

«Wahr war, was klar war», sagte Yvette.

«Hörst also gern Rap!» Rike stopfte sich wieder den Mund voll.

«Ach, fick dich», Yvette stellte demonstrativ ihre Schüssel ab.

Rike schluckte runter: «Ach, richtig Gangsterrap? Wow!» Yvette stand auf, trug ihre spitze Nase beim Fortgehen hoch.

«Abmelden!», rief Bea.

«Melde mich ab!», fauchte Yvette und zu Rike, «leg dich nicht mit mir an!»

Die fuchtelte mit einer Hand in der Luft: «Sonst zeig ich dir, was ich kann. Ich koch für dich Futter und ficke deine Butter.»

Wir lachten uns scheckig.

Freigunda mischte sich in das Gespräch, als ob sie von ganz weit her kam, tief aus ihren Gedanken. «Selten war ein so einfaches Gericht schmackhafter bereitet. Die Auswahl der Kräuter ist harmonisch und originell.» Sie zog einen unsichtbaren Hut und schwenkte ihn. Ich war mir sicher, der unsichtbare Hut war mit langen Fasanenfedern geschmückt, sonst hätte sie ihn nicht so wild schwenken müssen.

Wir lachten wieder. Bea fand, dass wir leiser lachen sollten, also lachten wir leiser, aber davon wurde alles noch lustiger.

«Soll ich mich auch wieder anmelden?», fragte Yvette und setzte sich zu uns.

Ich staunte, dass sie so schnell wieder da war. Und dazu ein bisschen blass, ein bisschen still.

«Ich hab die Winselmutter gehört.» Ein bisschen kleinlaut. «Glaube ich. So ein Wimmern.»

«Oh, fang du nicht auch noch so an», sagte Bea. «Das wird ein Tier sein oder ein toter Baum.»

Rike grinste. «Oder ein totes Tier.»

Wir lachten, aber unser Lachen klang wie eine schiefe Säge.

Zum Schlafen kuschelten wir uns zusammen. Kam es mir nur so vor, oder lagen wir enger als sonst? Der Tunnel kam mir auch enger vor. Er war wie ein großer Schlafsack für alle. Jetzt waren wir so lange hier, dass ich begann, die Gerüche nicht mehr so stark wahrzunehmen. Weder die Hunde noch die Erde. Ich rollte mich ein, neben und neben und hinter und über mir Atemgeräusche.

Eine von ihnen.

Vier Stunden später weckte mich Bea, indem sie mir die Hand aufs Gesicht legte. Das war sehr effektiv. «Alles ruhig!» Sie band mir ihre Uhr um. Die Stirnlampe hatte sie auf den

Boden gelegt, sodass das Licht nach oben strahlte. Ich sah die Tunneldecke.

Ich kroch aus dem Schlafsack. Kajtek schaute mich an. «Kann ich wieder Cherokee zur Nachtwache mitnehmen?», flüsterte ich.

«Ja, er ist draußen. Ich pfeife immer kurz. Dann kommt er.»

Bea legte sich wie immer an den Rand der Gruppe. Sie gähnte. «Außer er kommt nicht. Dann pfeife ich noch mal.» Sie rollte sich ein. «Dann kommt er manchmal immer noch nicht.»

«Ich weiß», sagte ich. Alles, was Bea tat, wusste ich. Mir entging nichts von ihr. Aber woher sollte sie das wissen?

Ich zog mir meine Jacke an und nahm den Schlafsack mit raus. Die Stirnlampe von Bea, die eigentlich Inken gehört hatte, schaltete ich nicht an. Ich versuchte, meine Augen von innen leuchten zu lassen. So katzenmäßig. Mein Weg zur Leiter raschelte wahnsinnig laut, wie ein rüffelndes Wildschwein. Ich warf den Schlafsack hoch. Kletterte rauf und setzte mich an den Rand des Loches. Hier saßen wir alle bei der Nachtwache. Hier konnte man nicht einschlafen. Denn der Körper war klug. Wenn man einschlief, würde man runter ins Loch fallen. Der Körper wollte das nicht. Wenn man einschlief, riss einen der Körper sofort wieder hoch.

Ich pfiff kurz.

Er kam nicht. Eigentlich hatte ich es gewusst. In der ersten Stunde schaute ich mir den Mond an. Er war eine leere Wiege. Das Kindchen war kurz spazieren.

In der zweiten Stunde hörte ich ein Rascheln in der Nähe. Ich pfiff. Das Rascheln hörte auf. Ich glaube, das hätte Cherokee nicht gemacht. Der wäre zu mir gekommen. In der nächsten halben Stunde überlegte ich mir Sachen, die im Wald raschelten. Verletzte und gesunde Eichhörnchen, Pilze, die wuchsen, Gase, die entströmten, Blätter, die am Boden vertrockneten, kleine dürre Äste, die beim Herunterfallen irgendwo hängenblieben und hin und her schaukelten, bis sie weiter hinunterfielen. Würmer, Tropfen, Steine, die ins Rollen gerieten.

Es knisterte.

Ich pfiff kurz.

Es pfiff zurück.

Die nächsten zwei Stunden saß ich versteinert.

Das Knistern hatte sich wieder entfernt. Aber es hatte zurückgepfiffen.

Es. Ich kam nicht dagegen an, dass mein Gehirn sich zusammenfaltete und sich klein in eine Ecke legte. Es waren weniger Gedanken als klare Bilder in meinem Kopf. Eine alte Frau mit einem Nachthemd. Die Winselmutter. Sie lief heulend hin und her. Die Hände ausgestreckt wie ein Zombie. Ihr Nachthemd leuchtete. Ich sah auf die Uhr. Noch eine Stunde. Die Zeit ging rückwärts.

Als ich endlich aufstehen konnte, um Yvette zu wecken, konnte ich nicht aufstehen. Es war verrückt. Ich hatte gewartet und gewartet, dass die Zeit vergeht, und als sie vergangen war, konnte ich mich vor Angst nicht rühren. Los, sagte ich mir. Ich sagte es mit der Stimme meiner Mutter, der Stimme meines Vaters, und als ich es mit der Stimme von Bea sagte, konnte ich endlich aufstehen und die Leiter runterklettern.

Ich berührte Yvette an der Schulter. Zack knurrte.

Noch mal Schulterberühren, ins Gesicht leuchten, Namen flüstern. Sie schlief. Dann legte ich meine Hand auf ihr Gesicht. Ihr Arm schnellte aus dem Schlafsack. Ihre Hand fasste nach meinem Hals. Zack stand auf und knurrte lauter. Die anderen Hunde begannen, sich zu bewegen.

«Yvette», sagte ich mit engem Hals. Unsere Hände kämpften um meinen Hals.

«Du bist mit Nachtwache dran.»

«Nein», leise und bestimmt.

Ihre Hand drückte meinen Hals fester zu. «Nein.» Dann fiel ihre Hand runter und blieb liegen. Zack legte sich hin. Er wusste vor mir, dass ich es nicht noch einmal probieren würde.

Ich ging raus und wartete den Sonnenaufgang ab.

M orgens krabbelte Yvette aus dem Tunnel und fragte mich, warum ich sie nicht geweckt hatte.

«Du wolltest nicht», stammelte ich.

«Alter, ich wollte nicht?» Sie streckte sich und lachte. «Und da lässt du mich schlafen?»

Ich war den halben Tag müde. Alles war zäh, die Bäume irgendwie schief.

Mittags gab es ein Gespräch, von dem ich erst ganz am Ende bemerkte, dass ich daran beteiligt war.

«Hörst du mir zu?», fragte Antonia.

«Was?»

Rike lachte. «Sie hat dir was vom Wetter erzählt.»

«Dir auch», sagte Antonia. «Ihr habt beide nicht zugehört!» Sie schnaufte. «Jetzt muss ich alles noch mal erzählen.»

Wir schnauften auch. «Nein, musst du nicht!»

«Also, zusammengefasst wollte ich sagen, dass es wohl viel regnen wird in den nächsten Tagen, weil …» Sie sah uns an. «Ach, egal.»

«Entschuldigung, Antonia», sagte ich, «ich bin echt müde.»

«Herrgott, dann schlaf doch.»

Ich legte mich in die Schonung, Kajtek legte sich neben mich und brummte. Ich weiß nicht, warum, aber ich fühlte mich ohne Zudecke schutzlos, egal, was ich anhatte, und egal, wo ich lag. Ich deckte mich mit der Kapuzenjacke zu, die ich im Wald gefunden hatte. Sie war in meinen Besitz übergegangen. Leider roch sie nicht mehr so gut. Ein Blick hoch. Himmel. Ein Blick zur Seite. Hund. Dann schwebte ich hoch, gerade an den Stämmen der Bäume entlang. Hoch über dem Wald konnte ich sehen, wo jede von uns war.

Als ich aufwachte, träumte ich weiter. Ich hob den Kopf und sah eine alte Frau. Eine alte Frau in einem weißen Kleid. Sie ging vielleicht geduckt, vielleicht war sie auch so krumm. Das Laufen fiel ihr schwer. Keine drei Meter war sie entfernt. Ich war unter der schwarzen Jacke sicherlich nicht leicht zu sehen. Für alte Frauen mit alten Augen ohnehin nicht. Aber manchmal war in Träumen ja auch alles anders. Vielleicht konnte sie sehen wie ein Luchs und ganz schnell humpeln, wenn es drauf ankam. Wieso schwebte sie nicht, wenn ihr das Laufen schwerfiel? Wieso winselte sie nicht, wenn es die Winselmutter war? War das die Winselmutter? Ich schüttelte den Kopf. Die Jacke raschelte. Kajtek stank. Das war kein Traum. In meinen Träumen roch es nie nach irgendwas. Ich legte den Kopf zurück auf den Boden. Als ich wieder hochsah, war sie weg. Doch ein Traum.

Ich ging zurück zum Tunnel. Kajtek schnupperte intensiv den Waldboden ab. Da, wo sie gewesen war, falls sie da gewesen war.

Freigunda begrüßte mich mit einem Nicken. Alle sahen mich nett an. Ich wurde rot. Müsste ich nicht, wurde mir gesagt. Das sagten alle ständig. Das hasste ich. Wenn ich es echt nicht müsste, würde ich es ja lassen.

Antonia war zum Piepen mit ihrer Puppenmutterart. «Warum hast du denn geweint?»

«Ich hab nicht geweint.»

«Wir haben es doch gehört. Dann erzählst du es eben nicht.»

In mir kombinierte es: Ich hatte sie gesehen. Die Mädchen hatten irgendwas gehört. Sie war also da gewesen. Erst hatte Antonia sie gesehen, im Fieber, als Anuschka noch gar nicht davon erzählt hatte. Dann hatte Yvette sie gehört, und die neigte nicht dazu, sich was auszudenken. Und jetzt ich. Ich hatte doch nicht selbst im Traum gewimmert, oder? Nein!

Ich glaubte nicht daran, dass es die Winselmutter gab. Ich hoffte es aber. Ich fand es viel schlimmer, wenn hier eine Irre herumlief. Besser, ich hielt die Klappe. War ja egal. Drei Tage noch. Dann war unsere Ferien-Fun-Survival-Camp-Zeit vorbei. Wir würden zum Bahnhof gehen, mit oder ohne Fahrkarten nach Berlin fahren und uns von den Eltern abholen lassen. Wir würden sagen, dass der Bus schon wegmusste, die Inken auch. Ja, schön war's, würden wir sagen. Viel gelernt haben wir.

Abends zog ein Container-Raubzug los. Anuschka plus eins. Yvette war dran. «Zack kommt mit», sagte sie.

«Der bleibt hier!» Bea.

«Der hört nicht auf dich.» Yvette.

Sie schauten sich an. Manchmal sahen sich Leute im Film so an, bevor sie sich nackt auszogen. Oder wenn es eine Schlägerei gab.

«Und ich höre auch nicht auf dich.» Yvette rief ihren Hund, der sowieso neben ihr stand. Der brauchte eigentlich gar keinen Namen. Niemand anderes als Yvette wollte ihn bei sich haben, und er war ständig bei ihr.

«Mach dich locker, Bea. Es ist vielleicht das letzte Mal, dass welche containern gehen. Freitag, Sonnabend, Sonntag noch. Sonntag fahren wir schon nach Hause.» Da hatte Yvette recht. Bea nickte also.

Der kleine Raubzug brach auf. Zwei Mädchen, ein Hund.

Wir saßen auf dem Feuerplatz, schräg neben dem Hundetanzplatz. Viele Insekten kamen vorbei und überkrabbelten uns, wenn wir uns nicht bewegten. Saß man länger da, wurde man ein Stück Wald. Die Hunde grasten in der Nähe. Boogie und Rike kasperten herum. Bea las. Freigunda lag mit offenen Augen und hypnotisierte den Himmel. Ich spielte mit Antonia ein Kartenspiel namens Knack, das Bea Schnauzer nannte und Rike Schwimmen. Wir spielten um Kienäppel, die Antonia Zapfen nannte. Freigunda sagte, Zapfen wären länglich, Äppel eher rund.

«Mann, geht ihr mir auf den Zünder.» Bea setzte sich ein paar Schritte von uns weg.

«Das heißt Zeiger!», rief Rike ihr hinterher.

Wir waren nicht mehr so leise wie am Anfang. In der ganzen Zeit hatte nur einmal der Hans hier gestanden, und der war nie wieder aufgetaucht. Kein Förster, kein Raubtier.

Vielleicht fühlten wir uns auch einfach sicherer als am Anfang. Es gab überhaupt keinen Grund, sich zu verstecken. In drei Tagen wäre alles vorbei. Wir hatten uns schon unsere Facebook-Namen gesagt. Freigunda hatte keinen.

Es war elf, Antonia schlief schon, als zwei kleine Lichter aus dem Wald kamen.

«Ihr habt ja lange gebraucht.» Rike nahm ihnen die schweren Rucksäcke ab.

Anuschka sagte: «Sie suchen uns.»

Yvette, ganz aufgeregt: «Sie glauben, wir haben Inken umgebracht.»

«WAS?», schrie Rike. «Wir haben was?»

Inken umgebracht, dachte ich, und ich dachte es immer wieder. Inken umgebracht. Inken umgebracht. Ich konnte es nicht stoppen. Es hörte sich so komisch an, so falsch und unfassbar. Inken umgebracht. Inken umgebracht.

«Wie kommen die denn da drauf?»

«Wer sucht uns denn?»

Freigunda, die immer noch mit offenen Augen dalag, setzte sich hin und drehte ihr leeres, blasses Gesicht zu uns. «Ich habe immer nur Tiere getötet. Nie Menschen.»

Alle hatten Fragen, während ich weiterhin immer nur dachte: Inken umgebracht. Inken war doch quicklebendig, als wir sie das letzte Mal gesehen hatten. Sie stand in der Pfütze und brüllte uns an. Um sie herum schwammen tote Katzen. Echt, das glaubte einem doch keiner.

Anuschka und Yvette hatten eine Zeitung gefunden. Von gestern. Die hätte bei den Mülltüten gelegen. An der richtigen Stelle aufgeschlagen. Eine Schlagzeile: Mädchen und Campleiterin und so.

Yvette war so stolz auf irgendwas: «Und wir haben das gesehen und gedacht: Häh, das sind doch bestimmt wir? Und Anuschka so: Ja, krass, jetzt suchen sie uns.»

Anuschka holte die Zeitung aus ihrer Jacke. Faltete sie auseinander.

Jede wollte zuerst gucken. Wir steckten unsere Köpfe zu einem Kopf zusammen. Unsere Lampen bündelten ihre Lichtstrahlen auf dem Artikel, der überschrieben war mit «Sieben Mädchen und die Campleiterin vermisst».

Eine von unseren Stimmen begann zu lesen. Leise. Einige begannen, dazu die Lippen zu bewegen, andere flüsterten mit. Ein Schwarm Bienen summte die Infos. *Wie gestern schon ausführlich berichtet, bladibla, auf dem Gelände des ehemaligen Pionierferienlagers Ernst Thälmann, Nähe Bad Heiligen ... Mädchen verschwunden. Nach Aussagen vom Fahrer Bruno Binder ... habe weder die Mädchen noch die Campleiterin Inken Utpaddel angetroffen. In der Nähe des alten Pionierferienlagers habe er aber Reste eines Survival-Lagers entdeckt. Da dieses Outdoor-Lager nicht zu Ende gebaut wurde, ist davon auszugehen, dass das Camp schon nach einem oder zwei Tagen abgebrochen wurde ...*

Die sechsunddreißigjährige Inken Utpaddel ... mit den anfänglich acht Mädchen allein gewesen ... eines der Mädchen vorzeitig nach Hause ... Befragung durch Polizei ergab ... Campleitung sei schon in der ersten Nacht verschwunden, ebenso Gepäck ... Gesamtsituation unangenehm ... keine Informationen zu den anderen Mädchen ...

Bruno Binder sagte aus, dass Inken Diabetikerin Typ zwei sei und ohne ihre Medikamente jederzeit in einen Zuckerschock fallen könnte ... seiner Ansicht nach die Mädchen durch unterlassene Hilfeleistung ... von Anfang an einen gewaltbereiten Eindruck gemacht ... unkontrollierbare Gruppe ... Hinweise auf einen Kampf ... Blutschmierereien, satanistischen Inhalts ... älteren Ursprungs ... Kinder aus dem nahegelegenen Orten Dürfen ... derzeit ermittelt die ortsansässige Polizei.»

Das Foto zeigte ein Stück Kiefernwald bei Bad Heiligen. Ein rot-weißes Absperrband hing an dem kaputten Tor des ehemaligen Pionierferienlagers.

Morgens um fünf begann es zu regnen und hörte dann zwei Tage nicht auf.

«Scheiße», sagte Yvette.

«Regen», sagte Rike.

Keiner lachte.

Mir schmeckte immer noch kein Kaffee. Ich trank trotzdem einen. Vielleicht war der containerte Kaffee auch schlecht geworden. Wie verzweifelt musste man sein, wenn man jeden Morgen dieses bittere Zeug in sich reinkippte? Es schüttelte mich davon. Von Mal zu Mal immer ein bisschen weniger. Oder nur noch innerlich. Möglicherweise war das der Effekt, der munter machte.

Antonia saß an die Tunnelwand gelehnt, kraulte Boogie den hellen Bauch und las den Artikel über uns durch. Ihr Mund ging auf, ihr Mund ging zu. «Wieso habt ihr mich nicht geweckt? Jetzt bin ich die Letzte, die es erfährt.»

«Du hast geschlafen», sagte ich.

«Ja, darum hättet ihr mich ja wecken sollen.»

«Ach, was weiß ich.» Ich drehte mich weg.

Antonia las weiter. Oder alles noch mal. So lang war doch der Artikel gar nicht.

Freigunda sagte: «Meine Eltern bringen mich um.»

«Ich fliege von der Schule», sagte Anuschka.

«Das ruiniert das Geschäft meiner Mutter. Und das von meinem Vater. Er wird die verklagen. Die Zeitungstypen. Wenn nichts gegen uns vorliegt, können die doch nicht so eine Scheiße schreiben. Nur weil der Bruno sich so was zusammendenkt. Das ist Rufmord. Den verklagen wir. Wir können eine Sammelklage anstreben.»

«Mann, hör doch mal auf mit verklagen», sagte Bea. «Das ist doch alles ...» Sie hob die Hände, ließ sie wieder fallen. «Jetzt werden wir gesucht.»

«Das wolltest du doch», fauchte Yvette.

«Genau das wollte ich nicht.»

Antonia stand auf. «Hallo! Inken ist vielleicht tot. Sie ist Yvettes Schwester!» Sie zeigte zur Schwester der Schwester. Dann setzte sie sich wieder hin.

Zwei Mädchen zuckten die Schultern. Wir wussten ja, dass wir sie nicht umgebracht hatten. Also würde sie doch auch nicht tot sein.

Und selbst wenn? Ich meine, Inken ... niemand hatte sie gemocht. Sie hatte uns in ein defektes Klohaus gesperrt. Sie hatte Krallen statt Fingernägel, Münzeinwurfschlitze statt Augen, und sie lachte, als ob eine Robbe irgendwo runterfällt.

«Sie wollte ja nicht meine Schwester sein. Bitte, dann eben nicht», sagte Yvette.

«Ist doch egal, ob sie will oder nicht. Sie ist es.»

«Mann, Antonia, wir haben einen gemeinsamen Vater. Und der ist ein Arsch. Wie es aussieht, hat er sein Arschlochsein weitervererbt.»

Eine Weile war nur der Regen zu hören. Massen von Wasser fielen.

Dann sagte Yvette: «Ich glaube nicht, dass sie tot ist.»

«Was sollst du auch sonst sagen? Du wärst ja sonst verdächtig.» Bea machte sich schon den zweiten Kaffee. «Du bist hier die einzige Verdächtige. Als Schwester. Und als wir alle im Waschhaus waren, warst du mit ihr draußen. Du hättest ihr irgendwas geben können.»

Yvette riss Augen und Mund auf: «WAS GEBEN? Das ist doch Bullshit. Ihr habt sie doch alle gesehen. Sie stand in der Pfütze und hat rumgekreischt. Mit ihren Katzen. Und ich bin mit euch zusammen weg. Wann soll ich denn bitte …?»

Ich hätte gerne gehört, wie die Frage weitergegangen wäre. Wann soll ich denn bitte Gift in ihre Suppe geschüttet haben? Wann soll ich denn bitte ihre Medikamente ausgetauscht haben? Wann soll ich denn bitte …?

Ich traute Yvette so was nicht zu. Sei es auch bloß, weil sie niemals einen guten Plan hätte machen können oder weil sie sich schon lange verplappert hätte. Ich hielt sie für unschuldig. Wenn auch nicht unbedingt, weil ich an das Gute in ihr glaubte.

«Das macht mich so wütend, wenn du mich verdächtigst. Ich könnte dir die Haare in Brand hauen.»

«Dann verklag ich dich.» Bea verzog keine Miene.

«Alle Kinder aus dem Waldkindergarten beruhigen sich wieder.» Rike sprach in einem Erzieherinnensingsang. «Wir atmen ein, wir atmen aus. Sonst kommt ihr auf die Wutwurzel.»

Yvette regte sich trotzdem weiter auf. «Außerdem, bist du total verdächtig. Wer ist denn hier die mit dem Geld? DU hast die Fahrkarten bezahlt und das Tanken. Wo hast du denn das Geld her?»

«Das geht dich gar nichts an. Das hatte ich schon vorher.»

Antonia stand wieder auf. «Es ist doch bescheuert, sich jetzt hier gegenseitig zu verdächtigen.» Dann setzte sie sich wieder hin.

«Willst du uns beschuldigen, uns gegenseitig zu beschuldigen?», grinste Rike.

«Mann, hör auf damit!», zischte Freigunda. «Wir brauchen keinen Kasper!»

«Hatten sie im Mittelalter den Humor noch nicht erfunden, oder was ist dein Problem?»

Freigundas Augen verhießen nichts Gutes. «Ich würge mich selbst, wenn du nicht aufhörst. Ich lege Hand an mich.»

«Du weißt, ich kann sonst deine blöden Sprüche auch nicht ab», sagte Yvette, «aber wenn Freigunda sich selbst würgt, dann bitte mach weiter mit deinen Blödeleien.»

Rike atmete ein.

Freigunda griff an ihren Hals.

«Hört auf!», rief Antonia. Sprang auf. Rannte los. Kletterte die Leiter hoch, und weg war sie.

Yvette fluchte. Wörter mit sch. Mit f.

«Geh hinterher!», sagte Bea zu mir.

Es war schön, aus dem Tunnel wegzulaufen. Sollte Yvette fluchen, Freigunda sich erwürgen, Rike darüber noch einen Witz machen und Bea eine neue Regel aufstellen (man muss sich abmelden, bevor man sich erwürgt). Konnte man sich überhaupt selbst erwürgen? Ich entfernte mich. Oben war es sehr hell. Ein weißer Himmel. Der Regen silbern.

Antonia stand nur wenige Meter entfernt. Ich hatte mich schon darauf eingerichtet, ihr nachzurennen. Zu betteln. Komm schon, komm zurück. Es regnet doch. Mehr Argumente hätte ich nicht zur Verfügung gehabt.

Ich stellte mich neben sie. Wir starrten in die verwilderte Schonung. Eine hellgrüne Wand, an der das Wasser runterlief.

Ich hätte fragen können: Warum bist du weggelaufen. Sie hätte gesagt: Ich bin weggelaufen, weil.

Der Regen ging gleichmäßig nieder. Ein anhaltender Applaus. Die Blätter glänzten grün. Die Stämme der Bäume waren fast schwarz. Ich nahm Antonia in den Arm. Das konnte ich inzwischen. Jemanden in den Arm nehmen und dabei die Größere sein.

Wir kamen rein, als Bea sagte: «Die hat sich dünngemacht. Vielleicht wegen der Schulden. Niemals ist die tot! Wir sollten bleiben, bis sie wieder auftaucht.»

Das fand ich auch. Das fanden alle.

Wir könnten den Eltern zur Beruhigung eine Nachricht zukommen lassen. Das gefiel allen.

Dieser Regen hatte Ausdauer. Tropfen – mittelgroß, mittelschnell, mittelkalt. Sie höhlten ein Loch in meinen Kopf.

Das Wetter ist schrecklich ohne Wetterbericht. Wie tröstend war doch eine Wetterkarte, die einem sagte: Halte durch, nur noch einen Tag. Sei tapfer, noch zwei Tage. Sei jetzt ganz, ganz stark, noch drei Tage. Ich war überhaupt viel zu sehr daran gewöhnt, dass mir jemand etwas sagte. Eltern, Lehrer, Wetterbericht.

Früher gab es gar keinen Wetterbericht. Es gab Sätze, die sich reimen. Bauernregeln. Wenn der Hahn … Ist die Sonne rund und voll … Ich versuchte, so eine Regel aufzustellen. Regen im Tunnel – aber mir fiel kein Reimwort ein. Es gab keins. Regen im Sommer – wieder kein Reimwort. Eine tote Inken beginnt zu stinken.

Unsere Klogrube stand voll Wasser. Wir nahmen eine Plane mit, wenn wir was zu erledigen hatten. Die Plane über dem Kopf war wie ein kleines Zelt. Es trommelte auf den Kunststoff. Und unten, wo es nicht regnete, da regnete man selbst. Das Licht in diesem kleinen Zelt war hellblau. Das Moos und Gras unter mir blaugrün. Jedes Blatt glänzte satt.

Kleine Tiere waren unterwegs. Ich versuchte, nicht auf sie draufzupullern, aber manchmal liefen sie rein.

Die Hunde beeilten sich nicht unbedingt bei ihrer Notdurft. Sie gingen ein bisschen spazieren. Nass waren sie sowieso. Aus ihrer Sicht sprach nichts gegen das Nasssein. Es war eigentlich wie das Trockensein. Einfach ein Sein. Sie schnupperten den feuchten Waldboden ab. Der Regen wusch die Gerüche heraus. Die guten und die schlechten.

Die nassen Hunde stanken. Wir hatten kein Eckchen trockenen Stoff mehr zum Abreiben der Tiere. Wir hatten nicht mal was zum Abtrocknen für uns. Die Handtücher waren nass, die Wechselwäsche auch. Meine Schuhe waren nass, meine Füße weiß und aufgequollen. Wenn irgendeine von uns heimlich etwas Trockenes versteckt gehabt hätte, dann wären wir wie Hyänen darüber hergefallen. Wir hätten dran gezerrt und geknurrt. Eine jede hätte versucht, ihr Gesicht darin zu trocknen. Nur ein bisschen, nur die Wange. Nur damit man für ein paar Minuten wieder ein Mensch war.

Wir waren nicht weit davon entfernt zu grunzen.

Auch aus der Wand kam Wasser. An der Stelle, wo der Nebengang zugemauert war.

Eine Pfützenzunge leckte bis nach hinten in den Tunnel. Verschiedene kleine Tiere wollten plötzlich bei uns wohnen.

Die Vorräte gingen alle.

Rike überlegte, uns Hundefutter zu kochen. Wie ekelten uns, aber sie sagte: «Essen oder nicht essen? Ich frag euch heute Abend noch mal.»

«Ich kann doch auch in die Stadt, was holen», sagte Anuschka.

«Wer geht mit?», fragte Bea.

«Ich kann doch allein gehen. «Anuschka drehte die Hände nach oben und zuckte die Schultern.

«Nein!», sagte Bea. Drehte auch ihre Handflächen nach oben.

«Okay!», sagte Anuschka und zog die Unterlippe ein.

Dämon hatte Durchfall und war überhaupt in all der Zeit kein bisschen angenehmer geworden. Er keifte, wenn man zu nah an ihm vorbeiging. Freigunda war sehr grob zu ihm, danach leckte er ihr immer die Hände und wurde ganz aufgeregt. Ich wollte es nicht mehr sehen.

Mir wurde klar, dass ich nicht mal nach Hause könnte, wenn ich wirklich wollen würde. Sie würden mich nicht gehen lassen.

Es war keine schöne Situation, in einer solchen Situation zu sein. Eine, in der man nur bleiben konnte, wenn alle blieben, und in der man nur war, weil alle noch da waren. Der Teufel hatte uns einen Pakt angeboten. Er gab uns das Abenteuer und schweißte uns zusammen.

Ich war auch dagegen, dass eine von uns ging. Ich weiß nicht, was ich tun würde, um das Mädchen zu halten, aber ich wollte es auch gar nicht wissen.

Wir aßen Grassuppe. Mit den Resten vom Brot. Das Brot war im Beutel weich geworden und zerfallen. Rike presste mit der Hand das Wasser raus und knetete kleine Bälle. «Das Gas vom Campingkocher ist alle.»

«Toll!», fauchte Yvette.

«Was kann sie denn dafür?»

«Mann, Antonia setz dich hin!»

«Ich steh auf, wann ich will.»

«Und ich sag toll, wann ich will.»

Es gab niemanden mehr, der sagte: Hört auf zu streiten. Und was wäre die Antwort gewesen? Was geht denn dich das an? Du halt dich raus.

In dem Moment kam ein Geräusch zu uns. Plötzlich war es da. Es hatte lange im Wald nach jemandem gesucht, aber bei dem Wetter waren Sammler und Wanderer zu Hause geblieben, und niemand war da, der das Geräusch hören konnte. Durch den nicht enden wollenden dichten Regen war es bis zu uns gekommen, durch die Nacht und den Morgen. Dann hatte es sich den Kleinsten der Hunde ausgesucht, war hineingeschlüpft, und jetzt war es da.

Dämon begann zu zittern. Ein tiefer Schmerz bohrte sich durch ihn. So ein Geräusch hatte ich noch nie gehört. Es ging mir durch und durch. Ich wollte nicht in der Nähe von etwas sein, das solche Geräusche von sich gab. Antonia hielt sich die Ohren zu.

Dämon schnarrte.

Hier im Erzgebirge hieß ja so einiges Schnarrdies oder Schnarrdas. Ich hatte nicht recht gewusst, wie das überhaupt klingen sollte. Dämon schnarrte. Dann schrie er und würgte.

Freigunda steckte dem Hund den Finger in den Hals. Das Vieh würgte, und seine Augen wurden zu verrückten Bällen. Dann kotzte er. Schaum und Blut. Freigunda benutzte ihre Zeigefinger wie ein Besteck. Messerfinger und Gabelfinger schnitten im blasigen Brei herum. Sie schien nichts zu finden. Suchte aber weiter.

Ich atmete meinen Ekel weg.

«Er ist kaputt!», sagte Rike. Zeigte auf den röchelnden Hund, in dem irgendetwas gärte und uns bald um die Ohren fliegen würde.

Da zog Freigunda ihre Hände aus der Kotzepfütze und sprang auf Rike zu.

Einen Moment hing sie quer in der Luft.

Dann knallte es.

Sie hatte Rike mit solcher Wucht gestoßen, dass deren Kopf gegen die Wand schlug. Beide Mädchen fielen auf den Boden. Gleichzeitig standen drei oder vier Mädchen auf, mischten sich ein, lärmten. Ihre Hände griffen die Angreiferin, zerrten Freigunda von ihrem Opfer. Die Hunde bellten und sprangen herum. Jemand schrie, jemand fluchte. Eine Stimme sagte ständig: «Alle ruhig! Alle herhören! Alle ruhig! Alle herhören!» Ich weiß nicht mehr, was ich machte. Freigunda schüttelte die Mädchen ab. Keine andere hatte sie gestoppt, sie hatte sich selbst gestoppt. Sie wischte sich übers Gesicht. Mit diesen Händen. Dann ging sie zu Dämon zurück.

Alle anderen, auch ich, waren bei Rike. Sie blutete am Hinterkopf. Sie fasste ständig hin und hielt sich dann ihre Hand vors Gesicht. Wir beugten uns über die Wunde. Das ganze Blut, die Haare. Rikes ungläubige Hand.

«Lasst Anuschka ran. Alle weg!», sagte Bea.

«Sie soll herkommen. Mir mit dem Hund helfen!», kam es aus der anderen Ecke.

«Platzwunde», murmelte Anuschka. «Kann ich jetzt nicht viel machen. Erst mal auswaschen.»

Jemand atmete mir auf die Schulter. Es roch nach Regen und Eisen. Schlamm und Hund.

«Wir müssen ihre Haare an der Wunde abschneiden.» Jemand hatte eine kleine Schere an seinem Messer. Jemand nahm die abgeschnittenen Haare entgegen, reichte sie durch. Von Hand zu Hand. Wir alle berührten sie. Das braune Büschel mit dem Blut. Ein Ritual, das eine Gruppe für immer aneinanderbindet. Freigunda machte nicht mit. Bis auf das Schnarren des kranken Hundes und den Regen war es still.

«Und jetzt auswaschen.» Ein Blechtopf voll Wasser wurde durchgereicht. Ein Lappen war drin. Ein zerrissenes Handtuch.

Wir waren mehr Familie als Freunde in dem Moment. Der Unterschied ist vielleicht das Fehlen vom Geplapper.

Das Erste, was Rike nach langer Zeit wieder sagte, war: «Zwei Minuten vor Urmensch.» Die Antwort, als Freigunda sie nach der Uhrzeit fragte.

«Willst du noch mal durch den Tunnel fliegen?»

«Nee, liebreizende Freigunda, will ich nicht. Beim letzten Flug ist einfach die Uhr kaputtgegangen.»

Wir alle wollten auf das Zifferblatt schauen. Sehen, dass die Zeiger sich nicht mehr bewegten. Das Glas war gesprungen. Als hätten wir noch nie eine bewegungslose Uhr gesehen. Alle, die ich vorher gesehen hatte, waren nur stehengeblieben. Überhaupt war immer alles voller Uhren gewesen. Handy, Laptop, Fernsehen, Radio, Eltern. Eltern hatten immer eine Uhr.

Uns liefen die Tage weg. Der Sommer würde zum Herbst werden. Wenn sie uns suchen, werden sie uns finden. Und dann wird alles anders sein.

«Das war nicht in meiner Absicht», sagte Freigunda.

«Das wäre ja noch schöner», trumpfte Rike auf. «Wenn du das auch noch mit Absicht gemacht hättest. Gut, du wolltest mich umwerfen. Und du wolltest bestimmt auch meinen Kopf ein bisschen kaputt hauen. Aber die Uhr? Nein, das tut dir echt leid, oder? Du bist ein anständiges Mädchen.»

Bea machte die Schultern breit und räumte die Gruppe auf: Du ruhig. Und du ruhig. Sie sagte, der Regen wäre schlimm genug. Niemand bräuchte Feindseligkeit. «Was trennt den Mensch vom Tier?», fragte sie.

Der Regen plapperte, hatte keine Antwort. Sollte das eine Scheißprüfung werden? Was trennt den Mensch vom Tier? Er muss nicht angeleint zum Frisör gebracht werden? Er feiert Weihnachten? Der Mensch hat eine Uhr? Wollte sie darauf hinaus?

«Dass er sich entscheiden kann», sagte Bea. «Er kann sich entscheiden, ob er sich streiten will. Er kann sich entscheiden, das Richtige zu tun. Er kann sich entscheiden, gegen seine Instinkte zu handeln. Wir sollten ruhig bleiben.»

«Wäre das Richtige nicht, Dämon zum Tierarzt zu bringen?» Antonia zeigte auf den kleinen Hund, dessen Brustkorb sich schnell hob und senkte.

«Für den geh ich nicht runter in das Dorf und rufe huhu, hier bin ich. Echt, nee!», sagte Yvette.

«Wenn es in zwei Stunden nicht geschehen ist, dann helfe ich ihm.»

«Du WAS?», rief Yvette. «Echt, dann geh ich raus in den Regen, wenn du das machst …»

Freigunda schüttelte den Kopf. «Ich gehe raus in den Regen. Regen ist die einfachste Art der Reinigung.»

«Und die hast du bitter nötig.» Yvette mit gerümpfter Nase.

Der Unterschied zwischen Mensch und Tier war für mich in dem Moment nur, dass wir komplizierter knurrten. Mehr Worte für krrrrrrr.

«Nein! Nein! Fort, Teufel, fort!», zischte Freigunda plötzlich. Ihre Hände flatterten über dem Hund. Der Tod ist keine Wespe, die verwirrt ist, wenn sie die Geruchsspur in der Luft einen Moment verliert. Der Tod fliegt zielsicher.

Trifft. Sticht zu.

Dämon atmete seltsam und dann gar nicht mehr. Es ist nicht wie ein Schalter, der zwei Positionen hat. Als Dämon aufhörte zu atmen, fuhr ein Dimmschalter runter. Und dann ist kein Licht mehr da. Der kleine Hund atmete aus. Und entspannte sich.

Ich schaute weg.

Später dachte ich oft, dass wir nicht so viel über Sterben hätten reden sollen. Wir hatten es herbeigeredet. Wie Anuschka sagen würde: Der Tod hat lange Ohren und einen kurzen Weg.

Dämon war nicht der erste Hund, den wir verloren. Leider auch nicht der letzte.

W ann war er draußen», fragte Bea.
Hätte ich auch gefragt.

«Am Morgen. Mit mir.»

«War er anders als sonst?», fragte Bea weiter.

Hätte ich vielleicht später gefragt. Davor kommt eigentlich die Frage danach, was er gegessen hat.

Freigunda schüttelte den Kopf.

«Hat er was gefressen draußen? Hast du was gesehen?»

Wieder Kopfschütteln.

«Hat er gestern was gefressen?», fragte Bea.

«Hundefutter! Und er war ein bisschen länger bei den Himbeeren, aber er hat keine Himbeeren gefressen. Da sind gar keine mehr dran.»

«Wir sollten keine Hundebüchsen mehr an die Hunde verfüttern.» Damit war für Bea das Thema beendet. «Den Hund müssen wir begraben.»

Die Schlussfolgerung fand ich bescheuert. Alle anderen Hunde hatten auch Hundefutter gefressen. Meine Augen liefen Bea hinterher, die im Tunnel hin und her lief. Dann ging sie zum Ausgang und raus.

Wir sahen uns an. Unsere Gesichter dreckig und ratlos. Der Regen überschwemmte den Waldboden über unseren Köpfen. Wenn die Erde sich richtig vollsaugte, könnten die Tunnelwände nachgeben, und wir hätten ein nasses Grab. Wir blieben für immer und ewig die verschwundenen Mädchen. Oder zumindest für lange Zeit. Wer sollte denn jemals hier unten nach uns suchen? Es war ein wunderbares Versteck für eine Leiche, oder zwei oder sieben.

Ich weiß nicht, was mit meinen Gedanken los war. Seit der Nachricht, wir hätten Inken umgebracht, roch für mich alles nach umgebracht. Was tat Bea draußen? Freigunda sah gar nicht richtig traurig aus.

Alle trugen Fratzen aus Gemeinheit auf ihren Mädchengesichtern.

«Hast du was gesucht?», begrüßte Yvette unsere zurückkommende Chefin. «Oder hast du was versteckt?»

«Hab mich nach einer Stelle zum Begraben umgesehen.»

«Das musstest du jetzt unbedingt bei dem Regen machen? Das hatte nicht Zeit? Das ist so auffällig.»

«Verklag mich!»

«Wir müssen ihn aufschneiden», sagte Freigunda.

Ein paar Blicke, und es war beschlossene Sache.

Wir wollten die Antworten im Hund suchen. An einem sonnigen Tag hätten wir es vielleicht nicht gemacht. Auch nicht an einem anderen Ort. Oder bei einem anderen Hund. Hätte ich es bei Kajtek erlaubt? Es war wohl auch der Regen. Regen ist ein Wasservorhang. Ich wusste nicht mehr, ob wir hinter dem Vorhang waren oder davor. Zwischen uns und der Welt verlief eine Grenze. Dieses Gefühl: Sie suchen uns. Es war der Regen. Wenn die Sonne scheint, verliert man nicht seine Kindheit in einer halben Stunde.

Freigunda nahm den toten Hund. Legte ihn auf eine nasse Decke, eine der lila gefärbten Pfiffidecken.

Sie nahm ihr Messer. «Das ist übrigens Gundastich», sagte sie, verneigte sich kurz. «Man muss sie bitten zu schneiden. Ich habe sie zu meiner Geburt geschenkt bekommen.»

Freigundas Bitte schien erhört. Gundastich schnitt. Direkt unter dem Kopf fuhr die Spitze in die Haut. Schnell wurde der Schnitt größer. Das Blut sickerte aus seinem Behälter, aus seinen Leitungen und Systemen. Freigunda schob das Messer unter die Haut, löste sie an. Sie öffnete dem toten Hund seinen Mantel und half ihm hinaus. Nächste Schicht. Das Messer bewegte sich wie allein in ihrer Hand.

Freigundas lange, dreckige Finger suchten in dem kleinen Körper. Sie schnitt um stillgelegte Organe herum.

«Dünndarm», sagte sie und zog an einem grauen Wurm. Dann legte sie das Organ neben den toten Hund. Ein Mädchenfinger berührte diesen grauen, leblosen Wurm. Eine andere Mädchenhand fasste zu, hob ihn ein Stück hoch. Ich wollte auch und wollte nicht.

Gundastich schnitt weiter Organe frei. Das Messer konnte klein und vorsichtig schneiden und groß und kraftvoll. Es war wie eine Handpuppe, die zum Leben erwacht war. Freigunda schnitt die Verbindungen zwischen Organen und Körper ab. Legte die Organe neben den Hund.

«Blase», sagte sie. Wir tasteten die glatte Oberfläche ab.

«Herz», sagte sie, genauso wie sie vorher Blase gesagt hatte. Als bestünde nur in der Form und im Namen ein Unterschied. Ich hätte gedacht, dass ein Herz etwas Besonderes sein müsste. Es hatte ja gerade noch geschlagen. Und Angst gehabt. Jemand nahm das Herz in beide Hände. Dann gaben wir es rum.

Bis auf den Regen war nichts zu hören.

«Ganz leicht», sagte Antonia.

«Milz», sagte Freigunda, legte noch ein glattes Ding hin. «Leber.» Inzwischen war das Herz bei mir angekommen. Blase, Herz, dachte ich. Bedeutete uns das Herz zu viel? Ein Organ. Oder bedeutet uns die Blase zu wenig? Das Hundeherz war wie ein ekliger Pfirsich. Der Regen rauschte in meinem Kopf. Ich schaute mich zu Kajtek um.

Die Hunde saßen mit weit offenen Augen an der Tunnelwand.

Hundhülle und Hundfüllung lagen nebeneinander. Freigunda hatte alle Organe herausgeholt. Sie lagen alle einzeln und so weit voneinander entfernt, als hätten sie nichts miteinander zu tun. Es sah aus, als hätte dieses Wesen einen sinnlosen Bauplan. Mein Bauch brummte sehr tief.

Ich hoffte, das Leben nahm es mir nicht übel, dass ich mitmachte.

«Aha», sagte Antonia und steckte ihren kleinen Finger in die Blase. Ich wollte ihren kleinen Finger nehmen und ihn aus dieser kleinen Blase ziehen.

«Magen. Das Zentrum. Hier werden die Säfte gemischt.» Freigunda sprach liebevoll, zerrte aber am Magen wie eine Handwerkerin, die etwas schlecht Verputztes entfernt. Der Magen war rotbraun, eine weiße dünne Haut drum herum. Ich weiß nicht, wann es aufgehört hatte, dass ich es eklig fand, aber ich war weit drüber.

Gundastich fuhr in den Magen hinein. Dann ein Schnitt. Freigundas Besteckfinger wühlten sich hinein, klappten die Seiten auseinander.

Unsere Köpfe wuchsen in der Mitte zusammen.

«Mehr Licht!», sagte Freigunda.

Bea holte die Stirnlampe und schnallte sie Freigunda auf den Kopf.

Von Freigundas Stirn fiel ein Schweißtropfen in den offenen Magen. «Nichts!» Sie nahm die Stirnlampe ab. «Dann war es etwas, das er schon verdaut hat.» Sie gab Bea die Stirnlampe zurück. Dann ging sie raus in den Regen.

Wir untersuchten weiter die Leiche. Wenn man damit einmal angefangen hat, kann man kaum noch aufhören. Die Hunde zogen sich tief in den Tunnel zurück.

Der Geruch wurde übergroß. So einen Tunnel kann man nicht stoßlüften, aber von irgendwo kam immer ein leichter Luftzug. Ich tippte auf den zugemauerten Tunnelarm, der nicht ganz verschüttet worden war. Aber dieser Zustrom schien den Geruch eher noch hineinzuziehen. Wir hatten plötzlich Angst, dass es etwas Ansteckendes sein könnte.

«Wir schlafen nicht mit dem Zeug hier!», sagte Bea. Sie räumte alles zusammen und wickelte es in die Pfiffidecke.

«Soll er ein Grab bekommen?»

Bea schüttelte den Kopf. «Antonia, du bist echt zu gut für unsere Welt. Die Tiere werden ihn fressen.»

Am Abend kam Freigunda zurück.

«Ist alles okay?»

«Ich konnte ihn gar nicht leiden. Ich war nur für ihn zuständig.» Damit setzte sie sich lächelnd zu uns.

Am nächsten Morgen war der Regen vorbei. Eine jede sagte es selbst, damit es vom Aussprechen noch wahrer wurde: Es hat aufgehört zu regnen. Es regnet nicht mehr. Der Regen ist vorbei. Was für schöne Sätze.

Wir sprangen auf. Wir drängelten, als könnte diese Regenpause nur von kurzer Dauer sein, und es galt, jede Sekunde auszukosten.

«Ich bleibe hier», sagte Bea. Hob die Hand zum Abschied.

Eine schwache Morgensonne hing zwischen den Bäumen. Ein gekochtes Ei in dem Weiß der ausgeregneten Dunstwolken. Schon nach kurzer Zeit hatte die Sonne sich durchgekämpft. Sie leuchtete den neuen Tag an. Es sollte ein guter werden. Die Stämme zerteilten das Licht, und es drehte sich in vielen kleinen Sonnen. Es roch moosig. Tropfen drippelten von den Bäumen. Die Vögel änderten die Lieder.

Im Grunde reichte es uns schon, dass wir uns in den letzten zwei Tagen nicht gegenseitig totgeschlagen hatten, um vor guter Laune zu platzen. Die Energie machte uns sprungbereit, flugklar und übermächtig. Wir gingen zum Stausee baden. Die Klebrigkeit abspülen. Den Sommer genießen. So jung sein, wie wir waren.

Die Hunde tobten, dass jeder von ihnen zweimal zu existieren schien. Wenn sie Stifte gewesen wären, dann hätten sie ein großes Krickelkrackel auf dem Waldboden hinterlassen.

Freigunda rannte mit den Hunden. Ich fand, sie hätte ein bisschen besser verstecken können, wie gut ihr der Tod von Dämon bekam. Eine Witwe war sie, über die im Dorf bald geredet werden würde.

Kajtek hinkte tapfer mit.

Durch die Bäume war schon der Stausee zu sehen, eine große, hellgraue Fläche. Wir kullerten wie Obst durch den schräg abfallenden Wald. Eine Stelle war so steil, dass man am besten immer einen Baum ansteuerte. Man rannte ihm in die Arme. Wenn man zu doll an den Baum knallte, regneten kalte Tropfen herab. Weiter unten wurde es felsig. Wir kletterten lieber, anstatt zu springen. Wir wollten uns nicht verletzen. Nass werden und dreckig werden waren keine Gefahren mehr.

Ein Bach begleitete uns bis zum Ufer und mündete in eine schmale Bucht. Keine drei Meter breit. Die Bäume hielten das Licht ab. Das Wasser war schwarz und still.

«Die Stelle hier heißt Tellerpfütz», teilte Anuschka mit.

Die Tellerpfütz wurde zum See hin breiter. Das Licht wie Lack auf dem Wasser. Blank geputzt und gelassen lag der See vor uns. Kein Tier und keine Welle. Ich hob den Kopf zur Sonne und atmete alles ein: Licht, Leuchten, das Glitzern und drei Vögel. Verdammt, jetzt waren wir schon fast zwei Wochen im Tunnel, und nur einmal waren wir an diesem See gewesen. Weil Bea nicht wollte, dass man uns sieht. Was ein Quatsch. Dann hatte es geregnet. Und jetzt mussten wir uns auf einmal wirklich verstecken. Ich merkte, wie ich unzufrieden wurde. Und zwar gerade, weil es so schön war am See.

Die Hunde rannten im Wasser rum. Boogie hatte das Maul auf und schlabberte das Ufer lang. Keine drei Minuten später musste sie furchtbar kotzen. Danach rannte sie gleich wieder los.

«Die freuen sich auch, wenn sie mal rauskommen.» Dass wir nickten, nahm Yvette als Anlass, noch weiterzugehen: «Alter, wir werden da gehalten wie Gefangene.» Und als immer noch keine widersprach, ging es richtig los: «Bea verbietet uns alles. Da frage ich mich, warum wir so eine geile Sache machen, dieses Abhauen und so, wenn wir dann immer nur im Tunnel hocken und flüstern. Ist doch wahr!»

«Wie heißt die Bucht noch mal? Tellerflitz?», fragte Rike. «Ich nenne sie Nackenitz.» Schon war sie nackt und rannte über die runden Steine zum Wasser, hüpfte und kreischte.

Dieses Kreischen zog in die Wälder hoch, und hoffentlich

klang es eher nach einem verletzten Vogel als nach einem badenden Mädchen im Wasserschutzgebiet.

Freigunda ging als Nächste ins Wasser. So wie sie war. Wie auf Rollen gezogen, verschwand sie ganz langsam im See. Starr und diszipliniert. Je mehr sich ihre Kleidung vollsog, umso mehr konnte man ihren dürren, krummen Körper erkennen. Ein Mittelalterkörper. Sie sah aus, als hätte die Hebamme es nicht rechtzeitig geschafft, weshalb der Vater mit zugepackt hatte, aber zu grob. Ihr Rücken hatte sich nie ganz aufgerichtet. Und trotzdem war sie so stark.

Ich sah mich um. Yvette sah sich auch um. Antonia zog sich aus. Sie hatte nichts zum Weggucken. Sie war noch mehr Gemüse als Mädchen.

Es waren sogar schon zwei Hunde im Wasser. Zack nur bis zum Hals. Boogies Kopf schwamm wie eine Fellboje bei Rike.

Ich warf meine Kleidung auf einen Haufen, im Tempo einer militärischen Übung. Ich war zum ersten Mal nackt unter Leuten seit wasweißich. Niemand beachtete mich. Kajtek legte sich neben meinen Klamottenstapel und schaute kurz mit seinen Ich-versteh-schon-Augen: Geh du mal ruhig baden, du verrücktes Ding, ich bleibe hier liegen.

Ich rannte ins Wasser, damit ich es mir anziehen konnte. Es war wärmer als die Luft. Der Grund war sandig, und meine Füße sanken ein beim Laufen. Ich schob meine Zehenspitzen in den Sand. Unter der oberen Sandschicht wurde es sofort kalt. Ich stieß mich ab und schwamm. Wie das wohl für die Fische von unten aussah?

Vor mir auf dem Wasser schwamm mein halber Kopf. Ein ganz und gar zerzittertes Spiegelbild. Darüber der Himmel. Ein bisschen schwamm ich noch, dann flog ich. Um mich herum andere fliegende Mädchen. Sie plätscherten durch die Spiegelung. Sie prusteten die Wolken ein und aus.

Schwimmen war die einzige Möglichkeit, genau im Horizont zu sein. Wir flogen schweigend in einer langgezogenen Formation. In irgendeine Himmelsrichtung. Schräg vor mir Boogies roter Kopf, die Ohren angelegt.

Ich holte Antonia ein. Die anderen Mädchen waren ein Stück vor uns. Ein Feriengefühl. Ein normaler Sommer.

«Ich geh wieder raus», rief sie. Dann drehte sie um und fing an zu japsen. Zu spucken und zu keuchen.

«Was ist? Hast du dich verschluckt?»

«Da ist jemand», sagte Antonia. «Da ist jemand. Da! In der Bucht.» Sie sprach leise. «Da ist wer.»

So weit konnte ich den Kopf nicht verdrehen. Es vergingen zwei ewige Sekunden, bevor ich meinen Körper im Wasser gewendet hatte.

Nah bei der Stelle, wo wir unsere Sachen ausgezogen hatten, stand jemand. Seine Art zu stehen war nicht die eines Mannes. Seine Größe nicht die eines Kindes. Ein Junge mit roten, wuscheligen Haaren. Neben ihm tauchte noch jemand auf. Ein größerer Junge, ganz dunkel angezogen, mit einem Zopf. Jemand und jemand suchten etwas am Boden. Sie hockten sich hin. Der eine stand auf, ging zum anderen, hockte sich zu ihm. Ihre Zeigefinger rührten Zeichen in die Luft über dem Boden. Sie zeigten da und dort, von hier nach da. Sie sahen nicht auf den See, überhaupt nicht in unsere Richtung. Es würde nicht mehr lange dauern, bis sie uns bemerken mussten. Der See lag glatt, unsere Köpfe wie auf einem Tablett. Um sich hier zu verstecken, müssten wir tauchen.

Das Auf-der-Stelle-Schwimmen wurde anstrengend.

«Was machen die?», flüsterte Antonia.

Man konnte beim Schwimmen nicht die Schultern zucken. «Weiß nicht. Aber sie haben uns noch nicht gesehen.»

Mir war kalt von außen und heiß von innen. Was taten die hier im Wasserschutzgebiet?

Und dann war es schon zu spät für jede Überlegung. Ich sah einen dritten Jungen. Einen ganz blonden mit Brille. Er war bei unseren Sachen. Er war bei Kajtek. Kajtek stand umständlich auf. Bellte über den See.

Und ich rief: «Ey! Weg da!» Und begann zu schwimmen. Ich pflügte durch das Wasser, so schnell ich konnte, aber nicht schnell genug. Ich war mutig aus Angst.

Die anderen Mädchen hatten es jetzt auch mitbekommen. Sie riefen «Ihr Schweine!» und «Lasst ja unsere Sachen liegen!» und «Perverse Wichser!». Jede von uns versuchte, schnell zum Ufer zu kommen. Es war wie in diesen Träumen, wo man nicht vom Fleck kommt.

Als ich endlich am Ufer war, stürmte ich nackt raus und fluchte den Jungs hinterher. Die waren längst verschwunden. Als sie uns gesehen hatten, waren sie so erschrocken, als wären sie die Nackten.

Ich hockte mich zu Kajtek. Mit ihm war alles in Ordnung. Auch die anderen Mädchen und Hunde waren am Ufer angekommen. Sie wühlten, schauten, ob etwas fehlte. Auf den ersten Blick war alles da. Wir japsten. Ich sah, wie die Rippen sich hoben und senkten. Ich sah schnell wieder weg. Aber egal, wo ich hinsah, es hoben und senkten sich Rippen. Wir zogen uns wieder an. Die Hunde und Freigunda schüttelten sich.

Langsam entspannten wir uns wieder.

Ich suchte nach Spuren, die wir noch nicht gleich vertrampelt hatten. An den Kuhlen, die Füße in den groben Kies getreten hatten, gab es kaum etwas abzulesen. Ich fragte mich, was die Jungs hier auf dem Boden gesucht hatten. Dann fand ich es. Ein Stück Papier. Zusammengefaltet. Nass.

Ich steckte es ein. Ohne vorher nach links und rechts zu sehen. Denn nach links und rechts sehen ist so ziemlich das Auffälligste, was man machen kann.

Plötzlich stand Rike neben mir, legte ihre Hand auf meine Schulter. «Sie haben dich nackt gesehen und sind weggerannt!» Sie klopfte mir auf den Rücken. «Damit bist du die Heldin des Tages, du hast sie in die Flucht geschlagen. Mit nackten Tatsachen. Echt, sie hatten richtig Schiss!»

Ich lachte mit, obwohl mir der Zettel ein Loch in die Hosentasche brannte.

Die Sonne hatte die Ufersteine aufgewärmt. Wir saßen und ließen unsere Hintern brutzeln. Diese Momente fraß ich. Ich fragte nicht nach der Herkunft dieser Momente, auch nicht nach ihrem Zucker- oder Fettgehalt. Ich fraß sie einfach. Ich wollte ganz dick werden von Sonne und Freundschaft.

«Na ja, is ja noch mal gutgegangen», sagte Antonia und streichelte Kajtek den Sand aus dem Fell.

«Was soll denn bitte gutgegangen sein?», fragte Yvette, die Hände in die Hüften gestemmt. «Wir waren nackt, und drei Jungs haben uns gesehen. Es waren nicht andere Mädchen oder Frauen oder ältere Männer. Nein, es waren Jungs. Jungs in unserem Alter. Du weißt schon, was Jungs in unserem Alter wollen? Die wollen Mädchen in unserem Alter sehen. Also uns. Und was wollen Mädchen in unserem Alter? Mädchen in unserem Alter wollen NICHT von Jungs in unserem Alter gesehen werden. Oder?» Sie drehte

sich wie ein Huhn hin und her, flügelschlagend nach Zustimmung.

Antonia zuckte die Schultern. «Aber es ist doch nichts
passiert. Sie sind weggegangen.»

«Antonia, Antonia», schüttelte Yvette ihren Kopf. «Du
denkst, dass Jungs einfach weggehen. Jetzt werde ich dir mal
was verraten: Jungs sind die am wenigsten vertrauenswürdi-
gen Menschen überhaupt. Weltweit. Egal, in welchem Land.
UND!» Yvette hob ihren Zeigefinger ganz hoch. «Und weißt
du, warum?»

Die Schultern von Antonia zuckten. Es waren, was Jungs
angeht, komplett unerfahrene Schultern.

«Das Problem von Jungs ist, dass sie unbedingt jemand
beeindrucken wollen, aber nicht die geistigen Möglichkei-
ten dazu haben. Also müssen sie sich körperlich beweisen,
und das führt dazu, dass sie ständig was kaputt machen.
Sie rennen rum, hauen sich aufs Maul, springen irgendwo
runter. Also, mir tun Jungs total leid. Ihr Gehirn ist überhaupt nicht einsatzfähig. Ihre Gedanken sind wie Jagdhunde
ohne Beine. Es ist so traurig, ihnen zuzusehen, wenn sie sich
mal konzentrieren sollen. Ich habe Jungs in der Klasse, die
spielen unterm Tisch an sich herum. Man müsste sie ein-
schläfern in dem Alter, echt, meine Meinung!» Yvette war
angespannt. Ihr Gesicht ein Porträt aus der Zeit der Ver-
zerrung. Bestimmt war diese Epoche der Malerei von mir
selbst ausgedacht und sehr gesellschaftskritisch.

«Ich verstehe überhaupt nicht, warum überall in der Welt
Männer an der Macht sind, wo Jungs doch so unfassbar bescheuert sind. Diese ganzen Pauls und Leons, die bei euch
in der Schule rumrotzen und denken, dass sie cool aussehen,
wenn sie sich den dünnsten Schnurrbart aller Zeiten wachsen lassen. Das werden eure Chefs. Diese Idioten! Die ent-

scheiden, wie viel Geld ihr mal bekommt! Und was ihr dafür tun müsst. Und das Schlimmste daran ist … weißt du, was das Schlimmste daran ist?»

Sie hatte es immer noch auf Antonia abgesehen. «Das Schlimmste ist, dass Mädchen viel klüger sind. Viel klüger! Bis zum Mond und zurück. Sie können sich konzentrieren, abwägen, zuhören, sich zurücknehmen, warten, unterscheiden, was wichtig ist und was nicht. Und aus all diesen tollen Sachen machen sie nichts. Nichts!»

Yvette gestikulierte für einen ganzen Saal voller Frauen, die es satthatten, die es anders wollten, die aufsprangen und Nieder-mit-dem-Irgendwas! riefen. Hoch-das-andere! Dabei saß da nur die kleine Antonia.

«Und warum machen Frauen daraus nichts? Weil sie sich verlieben. Also wegen Jungs. Oder weil sie heiraten. Also wegen Männern. Und weil sie Kinder bekommen. Auch wegen Männern. Weil die Scheißmänner dann nicht zu Hause bleiben. Sondern die Frauen bleiben zu Hause. Jungs sind echt kein Stück besser. Sie überholen uns bloß. Und wir lassen uns überholen. Zum Kotzen!» Yvette spuckte ins Wasser.

Ich fragte mich, ob das Gerotze betont männlich sein sollte.

Auf einmal war es ganz still. Wir warteten alle, wer zuerst was sagen würde.

«Ist doch wahr!», legte Yvette nach.

«Dann mach's anders!», sagte Anuschka.

«Das werde ich auch. DAS werde ich auch!»

Anuschka lachte einen angespitzten Hohnlacher. «Du meinst, du willst es versuchen! Dann mach mal. Verändere alleine die Welt!» Sie sah Yvette nicht einen Moment an. Sie sah auf den See. «Mach das!»

Auf dem See schwammen zwei Enten. Ein Pärchen. Der

funkelnde Mann mit seinem blau glänzenden Kopf. Daneben das Entenweibchen. Still und zufrieden zogen sie an diesem Gespräch vorbei. Sie schwammen vom frühen Morgen in den späten Morgen, um sich Kreise auf der Wasserfläche, die sie niemals verließen.

Anuschka schaute auf den See, als hätte sie ihn verstanden. Ihre Augen angelten Gedanken, und wenn sie einen hatte, warf sie ihn aus Mitleid zurück. Sie sah nicht unzufrieden aus und nicht zufrieden. Sie sah erwachsen aus. Zufrieden damit, unzufrieden zu sein. Für mich war Anuschka eine totale Überraschung. Ich hätte mir vorstellen können, dass sie einiges über Jungs zu sagen hatte. Nichts Gutes.

Die andere Überraschung war Yvette, die die Welt verändern wollte. Bis dahin hatte ich gedacht, dass sie gar nichts wollte. Ein gähnendes Garnichts mit einer Bürste in der Hand. Dass sie in der Welt nur nach etwas suchte, in dem sie sich spiegeln konnte.

Die nächste Überraschung war Freigunda, die sich jetzt einmischte. Normalerweise waren ihr unsere Gespräche höchstens ein Augenbrauenzucken wert. «Ich habe fünf tüchtige Brüder. Ich will nicht schlecht gesprochen wissen von den Männern und Jungen. Sie leisten ihre Arbeit. Sie kommen voran. Ich selbst bin lieber wie sie als wie ihr.»

«Dankedankedanke», rief Rike. Sie verbeugte sich. «Zu viel der Ehre, dass du trotzdem mit uns sprichst! ICH habe übrigens einen total bescheuerten Bruder. Jetzt ist die Frage, ob man seine Weltsicht an seinen Brüdern festmachen sollte. Oder an seinen Eltern. Oder sich selbst.»

«An was denn sonst?», fragte Freigunda.

«Na, an der Welt! Heißt ja Weltsicht. Nicht Brüdersicht!»

«Welt!» Das Wort kam wie ausgespuckt aus Freigundas Mund. «Kann mir gestohlen bleiben!»

Ich fragte mich, ob dieser Streit so entspannt lief, weil Bea nicht dabei war. Nicht einmal die Antoniapolizei war aufgestanden. Ließ es sich friedlicher streiten, wenn man streiten durfte? Führte ein Deckel immer zum Überkochen? Hätten wir in all der Zeit viel weniger gestritten ohne Bea? Bis jetzt hatte ich immer gedacht, dass wir uns ohne ihre Regeln schlimmer in die Wolle bekommen hätten.

«Wir sollten aufbrechen», schlug Rike vor.

Wir standen auf und gingen zurück in den Wald. Mädchen neben Hund hinter Mädchen neben Mädchen.

Ich sah den Enten hinterher, die ihrer Wege schwammen. Zu zweit. Vielleicht waren die Küken schon flügge. Vielleicht hatten sie keine. Vielleicht hatte der Fuchs das Gelege geholt. Vielleicht hatte die Ente sich entschieden, dieses Jahr keine Küken zu bekommen.

Wir gingen am Bach entlang, entgegen der Fließrichtung, hoch in den Wald.

Ich ging langsam, um das Schlusslicht zu sein. «Wegen Kajtek! Geht mal schon.» Ich zeigte auf meinen alten Hund. Patschte ihm auf den dreieckigen Kopf, zwischen die Fledermausohren, damit er wusste, dass alles seine Richtigkeit hatte.

Erst als die Rücken der Mädchen weit genug entfernt waren, im Schrägwald über mir, nahm ich den Zettel aus der Tasche, lehnte mich an einen Baum und versuchte, das nasse Stück Papier aufzuklappen, ohne es zu zerreißen.

Ein maschinengeschriebener Brief.

Lieber Matheo Streiter,

Ihre Bewerbung als Lehrling der Milchtechnologen hat uns

sehr gefallen. Hiermit laden wir Sie am 23. 08. zu einem Vor-
stellungsgespräch in unsere Geschäftsstelle ein. Bitte melden Sie
sich und bestätigen den Termin bis zum 18. 08.

Am liebsten hätte ich den nassen Wisch einfach ins Farn-
kraut fallen lassen. Milchtechnologe.

Die Mädchen waren schon ein ganzes Stück weg. Ich faltete den Brief zusammen.

«Komm, Kajtek!»

Beim Zusammenfalten sah ich eine dünne Bleistiftnotiz
auf der Rückseite. *Mädchenmeute: 4517732*

Ich steckte das Papier weg und ging den anderen nach.
Mädchenmeute. Sollten wir das sein? Die Jungs werden sich
wohl nicht selbst damit meinen. Das Wort Meute kannte
ich nur von Hunden. Das passte natürlich. Wir hatten ja
Hunde.

Das konnten sie aber nur wissen, wenn sie uns beobachtet
hatten. Und zwar nicht nur beim Baden. Wenn sie uns jetzt
zum ersten Mal gesehen hatten, hätten sie ja nicht den Zettel gesucht, auf dem dieses Wort stand. Mädchenmeute. Sie
waren aufgetaucht und hatten gleich gesucht. Also waren sie
vorher schon am Stausee gewesen und hatten den Zettel hier
verloren. Er war ja nass. Der hat bestimmt die Regentage
über hier gelegen. Das Wasser vom See schwappt ja nicht
ans Ufer. In der Zeitung hatte nichts über unsere Hunde gestanden. Woher sollte das auch der Busfahrer Bruno wissen?

Das Verschwinden des Transporters mit den Hunden war
noch nicht mit uns in Verbindung gebracht worden. Eigentlich nur eine Frage der Zeit, dass das rauskam. Es würden
Fotos von uns veröffentlicht werden, bestimmt war das
schon geschehen, das wird ja so gemacht, wenn jemand verschwunden war. Für sachdienliche Hinweise und so weiter.
Dann würden sich die drei Leute erinnern, die uns in der

Bahnhofskneipe gesehen hatten. Der dicke Typ mit der Angelweste, die Frau, die mit ihm geredet hat, und die Wirtin. Sie würden sagen: Ja, die haben wir gesehen. Die haben den Transporter geklaut. Erst den Schlüssel, dann den Wagen. Mit den Hunden drin. Das würden die sagen. Und dann würden sie auf die Fotos tippen. Die hier, die mit den kurzen Haaren, die da, die Blonde. Die auch – so eine Große.

Meine Eltern würden die Welt nicht mehr verstehen. Wieso sollte ich bei so etwas mitmachen? Ich war doch sonst so vernünftig. Ein ruhiges, kluges Kind.

Wenn die ganze Autonummer herauskäme, hätten wir nicht nur Inken auf dem Gewissen, sondern wären auch noch Autodiebe und Hundeentführerinnen.

Vielleicht hatten sich die Informationen während der Regentage überschlagen. Vielleicht, hoffentlich, war Inken wieder aufgetaucht.

Und die Jungs? Hatten die uns gesucht? Woher wussten die, dass wir hier waren? Hatten sie uns zufällig gefunden?

Die kannten uns auf jeden Fall. Die hatten von uns gelesen. Mir war übel. Kajtek betrachtete mich. Mir wurde flau vor Augen, blind im Bauch, schwach in den Knien und total mutlos im Nacken. Jetzt hatte ich diesen Zettel, und da stand drauf, was draufstand. Hätte ich doch den Zettel bloß nicht. Dann würde da auch draufstehen, was draufsteht, aber nicht in meiner Hand. Also, was tat ich? Was tut man, wenn man so einen Zettel hat? So einen Zettel muss man essen.

Ich schaute noch mal drauf. Das könnte ich mir nicht merken. Ich müsste alles abschreiben. Auf einen anderen Zettel. Erst dann könnte ich diesen Zettel aufessen. Aber dann hätte ich den anderen Zettel.

Ich hatte eigentlich bis jetzt gar nicht schlecht über Jungs gedacht, immerhin hatte ich keinen Bruder. Aber Yvettes Sicht kam mir ganz richtig vor. Diese Jungs, die uns begafft hatten, die würden uns auch verraten. Die Art, wie sie sich schleunigst verpisst hatten, hatte etwas Bedrohliches. Warum sollten die Angst vor mir haben? Klar, sie wollten nicht gesehen werden. Sie wollten uns an die Polizei verkaufen. Was mochten wir bringen? Drei iPods, drei iPads, drei iPhones und drei Motorräder. Worauf warteten sie? Dass unser Preis stieg? Bestimmt war eine Belohnung ausgesetzt.

«Mann, ey. Was mach ich jetzt?», sagte ich, leise schräg runter zum Hund.

Normalerweise beruhigte mich der Wald. Alles wuchs zum Licht, fiel um bei Mangel oder Einschlag und war im Vergammeln nicht unzufriedener als im Wachsen. Und das beruhigte mich sehr. Wald, Wald, dachte ich. Und dann aber Brief, Brief. Scheiße. Die könnten uns doch nicht einsperren oder so. Wir waren keine achtzehn. Meine Panik war so groß, dass ich sofort dachte, dass sich Antonia nur deshalb nach mir umdrehte und wartete: Sie hatte bestimmt mein Herz schlagen gehört. Ich schüttelte die Panik ab. Eine Technik, die ich von den Hunden gelernt hatte. Verdammt, die Hunde würden es riechen, wenn ich mich nicht wieder beruhigte. Boogie kam immer und stupste einen, wenn man unruhig war. Sie war ein hochverräterischer Stupsradar.

«Kajtek kann nicht mehr», sagte ich, bevor Antonia fragen konnte, was los sei.

Sie nickte bloß und lächelte. Dann lief sie eine Weile schweigend neben mir.

«Kann ich dir was anvertrauen?»

«Klar!», sagte ich sofort.

Ach du Kacke. Bei solchen Ankündigungen wurde mir immer gleich ganz anders.

«Ich hab Mist gemacht.»

«Mist gemacht», wiederholte ich.

«Ähm, also, jemand hat mir Schokolade geschenkt.»

«Was? Wie jemand?»

«Na, eine von den Mädchen. Sie hat gesagt, dass sie die Schokolade auch geschenkt bekommen hat. Aber so viel, dass sie die nicht aufessen kann. Und da hat sie mir eine Tafel abgegeben. Die Bedingung war, dass ich nicht drüber rede und sie alleine esse. Ich wollte mir die Schokolade einteilen. Und da habe ich die Schokolade versteckt. Hinter dem Hundetanzplatz. Bei den Himbeeren.» Sie atmete tief durch.

In meinem Kopf fassten sich die unsinnigsten Gedanken an den Händen, tanzten Ringelreihe.

Sie meinte doch nicht jemand, sie meinte: Anuschka. Wieso hatte die ständig Schokolade, und so viel davon? Ich würde inzwischen für eine Tafel Vollmilch auch sonst was tun.

«Und als Freigunda gesagt hat, dass Dämon sehr lange bei den Himbeeren war, da …» Sie schaut mich an, ob ich schon verstehe.

Ich verstand noch nicht. «Ja?», ermunterte ich sie.

«Also, kurz bevor wir los sind, habe ich bei den Himbeeren nachgesehen, und da war keine Schokolade mehr. Nur das Papier.»

«Und du denkst jetzt, Dämon hat die Schokolade gefressen.»

Sie nickte. Dabei sah sie so zerknickt aus, dass ich lachen musste. «Und jetzt bist du traurig, weil die Schokolade weg ist?»

Sie schüttelte den Kopf. «Schlimmer!»

«Du bist wütend, weil die Schokolade weg ist?»

«Ich habe Freigunda gefragt, woran Hunde sterben kön-nen. Also, wie man sie vergiften könnte. Sie weiß ja alles über Hunde ...» Antonia starrte mich mit großen Augen an.

«Mit Schokolade?»

Sie nickte.

A m Tunnel war keine Bea. Cherokee kam uns entgegen. «Wo ist Bea?», fragte Antonia. Sie war von uns die, die am meisten mit den Hunden redete.

Cherokee reagierte nicht. Bei Hundeantworten wusste man nie, woran man war. Ihr Gehirn funktionierte ja so, dass ein Reiz immer dieselbe Reaktion auslöst. Wenn also Cherokee seine Bea von ganzem Hundeherzen liebhatte und man sagte zu ihm: «Weißt du, wer tot ist? Die Bea!» Dann würde er mit dem Schwanz wedeln, weil er bei dem Wort Bea immer mit dem Schwanz wedelt.

Wir riefen in den Tunnel rein. Das Echo klatschte uns die Rufe zurück.

«Scheiße, sie haben sie gefunden», fluchte Yvette. «Das waren die Jungs. Ich schwöre es. Die sind runter in den Ort gerannt und haben ...»

«Wenn jemand sie gefunden hätte, dann wären die doch noch hier. Dann würden die uns auch haben wollen», sagte Rike.

«Vielleicht hat Bea sie abgelenkt. Irgendwas erzählt», überlegte Antonia.

Wir ließen die Hunde nach Spuren schnüffeln. Kajtek humpelte zielsicher los.

«Das ist Richtung Stadt», sagte ich. «Ich bin mir sicher, dass Bea wiederkommt. Die holt was, die ist bestimmt nur was organisieren gegangen», sagte ich. «Bestimmt! Sie ist nur kurz ...»

Yvette grinste ein böses Gesicht zu mir rüber: «... nur kurz runter in den Ort, um zu erzählen, dass sie damit gar nichts zu tun hat. Dass WIR Inken und das Auto ...»

«Oder aber ...», sagte Beas Stimme hinter uns, «... sie war nur mal kurz in Milchfels, um Essen zu organisieren und neue Zeitungen zu holen. Während ihr im See geplantscht habt.»

Die Hunde umhüpften sie. In solchen Momenten hätte ich gern zu den Hunden gehört.

«Und?», fragte Bea.

«Und was?», schnippte Yvette.

«War was?»

«Was soll gewesen sein? Wir waren baden. Badabingbadabong. Erst nass, dann trocken, kennst das ja.»

Wir erzählten ihr von den Jungs. Bea kniff das Gesicht auf Sturm. «Wie sahen die aus? War einer mit so langen Haaren dabei?», fragte Bea.

Wir nickten.

«Dann hab ich die drei gerade im Ort gesehen. Der mit den langen Haaren hat mich komisch angegafft.»

«Der wird dein Bild irgendwo gesehen haben», vermutete Yvette. «Wieso rennst du auch einfach so in der Gegend herum? Wir sollen das ja auch nicht, aber du darfst ...»

Der Moment, in dem ich von dem nassen Brief hätte erzählen können, war vorbei.

«Der Unterschied zwischen dir und mir ...», hob Bea an, «... also, einer der Unterschiede ist der, dass man von mir kein Foto hat. Ich habe mich unter leicht abgewandeltem Namen angemeldet. Meine Mutter denkt, ich wäre bei meiner Großmutter. Meine Großmutter denkt, ich wäre bei meiner

Mutter. Darum kann ich in den Ort gehen.» Sie nahm einen Arm voll Zeitungen aus dem Rucksack. «Ich kann einfach in einen Laden gehen und etwas kaufen. Badabingbadabong.» Sie legte die Zeitungen auf dem Hundetanzplatz aus. Kante an Kante, und alle ganz gerade. Fünf verschiedene Tageszeitungen von drei Tagen und zwei Magazine. Dann stellte sich Bea zu uns, Arme verschränkt, und sagte nichts. Die Stille zwischen uns war gewaltig wie zwei Stillen.

Wir waren jetzt die sieben Mädchen. Das waren wir vorher auch gewesen, aber niemand hatte es aufgeschrieben. Etwas, das aufgeschrieben ist, ist ja gleich viel wahrer. Da stand es. Es gab keine Spur von uns. Da stand sogar, wir wären weg.

Wir standen vor diesen Zeitungen, die mehrheitlich behaupteten, dass wir noch immer weg wären. Ich fühlte mich wirklich halb weg.

Die seriöseren Zeitschriften schrieben was von *Aufenthaltsort unbekannt.* Ein Käfer lief von hinten über ein Wort. Zuerst über *wunden.* Dann über *versch.* Dann krabbelte er zu einem der glatten Magazine. Dort rutschte er beim Laufen. Vielleicht hatte ihn der Glanz des beschichteten Papiers angelockt. Und die satten Farben des Titelbildes. Ein Grün, ein Gelb und ein Rot. Das Bild zeigte sieben Mädchen von hinten und einen Wald, in den die Mädchensilhouetten hineinliefen. Auf ein gelbes Licht zu. Das lockte den Käfer an. Da wollte er auch hin. Als er dort nichts fand, was interessant roch oder gut schmeckte, krabbelte er weiter zu der roten Schrift: *Wie können Menschen heutzutage noch verschwinden?*

Der Käfer blieb auf dem *heutzutage* sitzen. Meine Blicke, die ihm hinterhergelaufen waren, blieben kurz noch bei ihm, dann sprangen sie über die Zeitungsquadrate, wie ein

Hüpfspiel, das kleine Mädchen mit Steinchen spielen. Eine Zeitung nannte uns: die Mädchen aus Bad Heiligen. Eine andere schrieb von den Heiligen Mädchen. Mädchenmeute aber stand nirgends. Auch nichts von den Hunden.

«Respekt!», sagte Rike.

Damit löste sich die Starre. Die Zeit, die über uns geschwebt hatte, die kehrte zurück zu ihrem alten Tempo. Der Käfer lief über *Menschen* fort.

Wir verteilten die Zeitungen und lasen die Artikel. Nur die über uns. Nichts von der Welt, von anderen Ländern und anderen unverständlichen Dingen. Ein Krieg, noch einer, ein halber. Wir tauschten untereinander hin und her.

Es war verrückt, über sich selbst zu lesen. Zwischendurch sagte eine «Was?» oder «So ein Schwachsinn!».

In einer Zeitung hieß es, die Tragödie habe sich schon am ersten Tag des Feriencamps ereignet. Denn als der Busfahrer Bruno Binder das Baumaterial brachte, habe er Inken Utpaddel schon nicht mehr vorgefunden. Und wir hätten uns seltsam verhalten.

Das war eine gute Stelle, um «Schwachsinn!» zu sagen. Er selbst hatte doch an diesem ersten Tag zu uns gesagt, Inken werde bald wiederkommen. Wenn jemand komisch gewesen war, dann er.

Auch drei Tage nach Bekanntwerden des Verschwindens der sieben Mädchen gibt es trotz erhöhter Aufmerksamkeit aller Polizeidienststellen in allen Bundesländern immer noch keine Spur. Die vielen Hinweise aus der Bevölkerung werden überprüft. Der mit dem Fall betraute Kommissar Gödesheim sagte gestern, dass man «im Dunkeln tappe», was die genauen Geschehnisse betreffe. Aus den bisher sichergestellten Beweisen ließe sich das Geschehen nicht rekonstruieren. So gäbe es zwar Spuren, die auf

ungewöhnliche Ereignisse schließen lassen, aber auf ein Gewalt-
verbrechen weise konkret nichts hin.

Für ein Verbrechen spreche einzig, so Kommissar Gödesheim,
dass es in einem Land wie Deutschland schwierig bis nahezu
undenkbar sei, dass sieben Mädchen und eine erwachsene Frau
gleichzeitig und spurlos verschwinden. Das Verbergen einer Lei-
che oder eben von acht Leichen sei dagegen ein weitaus leichteres
Unterfangen.

Das las sich alles superspannend. Solche komplizierten Rätsel fand ich toll. Aber immer, wenn ich mir klarmachte, dass
es da um uns ging, also auch um mich, flog mir mit großer
Wucht ein Ball in den Bauch. Und dann bekam alles in meinem Magen große Lust rauszukommen.

Bei der nächsten Zeitung blätterte ich auf der zweiten
Seite in unsere Gesichter rein. Das war mein Facebook-Foto.
Verdammt! Da haben wir Armer schwarzer Kater gespielt.
Ein lustiges Spiel, bei dem man nicht lachen darf und darum
ganz viel lachen muss. Auf dem Foto halte ich den Kopf
schief, schaue schräg nach oben, den Mund zum Miauen
geöffnet. Peinlicherweise haben wir uns an jenem Abend alle
mit Kajalstift einen schwarzen Punkt auf die Nase gemacht
und auf jede Wange drei dünne Schnurrhaare. Aber am
schlimmsten war, dass ich auf diesem behämmerten Zei-
tungsfoto die Schnurrhaare und den Punkt nicht im Gesicht
hatte. Sie waren irgendwie an dieses Foto gekommen und
hatten es auch noch retuschiert. Ich hatte das Gefühl, dass
sie mich mir weggenommen hatten. Und das vor allem, weil
sie den Punkt und die Schnurrhaare hatten verschwinden
lassen. MEINEN Punkt und MEINE Schnurrhaare. Ich
sah auf dem Foto aus, als wäre ich total bescheuert, als würde
ich den Mond anheulen. Mit dem Punkt und den Schnurr-

haaren, MEINEM Punkt und MEINEN Schnurrhaaren, hätte man wenigstens geahnt, warum ich so verbogen dasitze und so entrückt aussehe. Armer schwarzer Kater. Jetzt war mir wirklich nicht zum Lachen.

Ich sah mir die anderen Fotos an. Alles private Bilder. Vielleicht von Facebook. Ich fragte Antonia. Ihr Bild war auch aus dem Internet. «Ich versteh nicht, wo die das herhaben? Also, wie die da rankommen. Wenn die mir eine Freundschaftsanfrage gestellt haben, dann konnte ich die ja gar nicht beantworten, weil ich ja nicht da bin …» Ihre Stimme schnipste hoch, schnipste wieder runter und kullerte noch ein Stück.

«Hab ich auch schon überlegt», sagte ich. «Dann muss jemand von deinen Facebook-Kontakten den Zugang erlaubt haben.»

«Von meinen Freunden?», quietschte sie.

Ich zuckte die Schultern. «Wie viele hast du denn?»

«Hunderteinundzwanzig.» Sie sah aus, als ob sie ernsthaft im Kopf durchging, wer so etwas machen könnte. «Und du?»

«Ich hab nur dreiundfünfzig. Ich komm ja aus einem kleinen Ort.»

Sie sah mich an, als hätte ich gesagt, dass ich nur fünf Euro auf dem Konto habe. «Lies das mal. Das ist noch krasser!»

Die Überschrift behauptete *Wie vom Erdboden verschluckt*. Darunter, etwas kleiner: *Wenn Kinder und Jugendliche verschwinden*. Ich überflog den Artikel. Der Altersdurchschnitt von Menschen, die verschwinden, liegt bei fünfundzwanzig. Also relativ jung. Der Artikel hatte viele Zahlen parat. Wie viele in welchem Land in welchem Alter für wie lange. Daraus ergab sich: steigende Zahlen, europaweit. Dann der Hammer: Wenn die Menschen, speziell bis achtzehn Jahre, nach vier Tagen nicht wieder auftauchen, dann sank die

Wahrscheinlichkeit, dass man sie lebendig fand, um achtzig Prozent. Da wir schon drei Tage als vermisst galten, waren wir also einen Tag später – also heute – mit achtzigprozentiger Wahrscheinlichkeit quasi tot. Statistisch gesehen. Aber wenn man an einem Hasen einmal links und einmal rechts vorbeischießt, ist der auch statistisch tot. Hat mein Mathelehrer mal gesagt.

Mir taten die Eltern leid. Meine am meisten. Das hatten sie nicht verdient, und genau das würden sie sagen, wenn ich wieder da war: Das haben wir nicht verdient. Das Gemeine war, dass ich ja wusste, dass ich sie wiedersehe, sie das aber nicht wussten.

Allerdings, räumte die Illustrierte ein, habe es einen Fall von sieben gleichzeitig verschwundenen Mädchen noch nicht gegeben. Das würde unsere Überlebenswahrscheinlichkeit stark erhöhen. Wir wären sicherlich zusammen, und sieben Mädchen würden sich sowohl bei einer Entführung wie bei einem Unfall gegenseitig helfen können.

Dann fiel mir auf, dass sie außer den Fotos gar nichts hatten. Sie mussten all ihre Kraft in die Beschaffung der Fotos gesteckt haben. Von Bea gab es keins. Ein graues Quadrat und ein Fragezeichen, und darunter stand Tabea Frank. Aber so hieß sie ja gar nicht.

Am meisten beschäftigte uns ein Interview von Bruno. Genauer gesagt, Herr Binder, Busfahrer, siebenundvierzig Jahre alt. In einer Zeitung namens ZEITUNG. Die ZEITUNG war die einzige Zeitung, die ein Interview mit ihm bekommen hatte, darum stand auch «exklusiv» drüber. Bestimmt hatten sie ihm einen solchen Haufen Geld gegeben, dass es sich damit ordentlich knistern ließ. Auf dem Foto trug Bruno die Speckmütze. Seine Augen wollten kein Licht, sein Mund versuchte ein Lächeln. Er hielt eine Zigarette in der Hand. Von Fotos mit Zigaretten gab es nur zwei Arten: cool oder asozial. Man sah, dass er roch.

Als ich das Interview las, meinte ich seine rauchige Stimme zu hören, die mir erzählte, was passiert war, vielleicht passiert war. Ich konnte mir nicht vorstellen, dass auch nur die Hälfte davon stimmte.

Anfang des Jahres sei der Boden von Inkens Schlafzimmer in den Keller durchgebrochen. Inken lag Gott sei Dank nicht im Bett, als das geschah. Sie konnte gar nicht im Bett liegen. Auf dem Bett lagen Sachen. Viele Sachen. Und Katzen. Viele Katzen. Und unterm Bett, da waren auch Sachen gewesen. Nasse Sachen. Wegen Schimmel waren die Balken verfault. Im Keller wäre außerdem dieser sehr gefährliche Schimmel gewesen. Das Haus wurde abgesperrt, die Katzen beschlagnahmt und ins Tierheim gebracht. Inken zog zu Bruno und weinte.

Herr Binder, erfuhr man, war ihr Vermieter, auch bester Freund, aber zuerst ihr Vermieter, dann auch ihr Liebhaber, aber an allererster Stelle ihr Vermieter. Er hatte das Haus, in dem Inken gewohnt hatte, für sich selbst gekauft, um da drin zu wohnen, wenn er alt ist. Das Haus wurde sofort abgesperrt. Später sogar abgerissen, aber erst mal noch nicht. Inken habe gebettelt, ihre Sachen zu retten. Das waren ihre Sachen. Es mögen alte Sachen gewesen sein, aber ihre. Es mögen stinkende Sachen gewesen sein, aber ihre. Der Herr Binder habe geschimpft. Weil ihn der ganze Krempel ja erst in den Schlamassel reingebracht hatte. Irgendwann war er aber weichgebettelt. Sie sind in das Haus, haben alles in schwarze Säcke gestopft, dann die schwarzen Säcke in den

Bus vom Herrn Binder gebracht und anschließend alles in seine Garage. Nur die getrockneten Katzen, die durfte Inken mit in Brunos Wohnung nehmen. Getrocknete Katzen?, fragte die ZEITUNG. Getrocknete Katzen, antwortete der Bruno. Vier Stück. Sie hatte sie in Teekisten auf dem Ofen getrocknet. Weil sie die Katzen bei sich behalten wollte. Behalten war ja das Hauptproblem von Messies. Und Katzen wären auch nur Sammelgegenstände für sie gewesen. Sie wollte Bruno die Trockenkatzen zeigen, aber der war nicht scharf darauf gewesen. Ihre lebendigen Katzen fehlten ihr so sehr, dass sie ihre toten Katzen bei sich haben wollte. Was tut man nicht alles, sagte Bruno. Später hat er sie überreden können, die Katzen zu beerdigen. Auf dem Gelände vom Ferienlager. Da, wo die große Pfütze dann war. Bestimmt sei Inken deshalb sauer mit ihm und würde sich nicht melden. Er hatte sie überredet, die Katzen zu begraben, und dann …

Aber erzählen Sie doch bitte der Reihe nach, Herr Binder, bat die ZEITUNG.

Für die Schäden am Haus wollte die Versicherung nicht zahlen, denn die Mieterin sei keine Naturkatastrophe, sondern schuld. Und der Vermieter hätte ihr schon lange kündigen müssen. Gegen Messies ist der Hausbesitzer nicht versichert. Die darf man einfach nicht bei sich wohnen lassen. Auch nicht, wenn sie immer wieder versprechen aufzuräumen. Messies können doch gar nicht aufräumen, sonst wären sie keine Messies. So was kann ein verliebter Vermieter natürlich übersehen. Da saßen sie nun beide und hatten beide nichts. Weil die Inken als Kind im Ferienlager Ernst Thälmann ihre glücklichsten Tage verlebt hatte, sind sie auf diese Idee mit dem Camp gekommen. Außerdem hatte die Inken dieses große Paket bei einer Wohnungsauflösung ersteigert, mit Decken und Taschenlampen und anderen Sachen. Alle mit einem Eichhörnchen drauf.

Sie haben die Baracken des alten Ferienlagers gereinigt und Schlösser angebracht. Schlösser hatte sie ja genug. Das war im März. Der Bruno hörte auf, für das Pflegeheim zu fahren. Sie schrieben «Wilde Mädchen» auf den Bus. Sie wollten den Mädchen Werte beibringen. Werte wie Wald und Natur und Draußensein, Tiere und Ruhe und aus nichts was machen. Aus Müll. Was wäre denn nach einem Krieg, nach einem Sturm, einem Kometen oder Feuer? Müll wäre da. Und wenn man nur noch Müll hätte, würde man nicht so abfällig darüber sprechen.

Dann haben sie das letzte Geld in die Anzeigen gesteckt. Nur für Mädchen. Bei Jungs hatten sie befürchtet, dass die aufmüpfig werden, abhauen. Das hätten sie von Mädchen nicht gedacht. Das sei alles diese Tabea Frank gewesen. Vielleicht war das gar kein Mädchen. Hatte ja auch kurze Haare. Die sei einfach zum Bus gekommen, hätte bar bezahlt und wäre eingestiegen. Mit einem Gesicht, so ein Gesicht, so eine bittet man nicht wieder aus dem Bus hinaus. Ohne dieses Mädchen, da war Bruno Binder sich sicher, ohne dieses Mädchen wäre dann nicht alles so schiefgegangen … Sie wollten doch nur ein tolles Camp machen, und dann …

«Herr Binder hat Tränen in den Augen. Er wirkt verzweifelt», stand da. Ach nee, diese ZEITUNG. Deren Leser erkannten einen Specht nicht, wenn er gegen ihre Stirn hämmerte. Darum hieß die Zeitung auch ZEITUNG, sonst dachten die Leser, das wäre was zum Hütchenfalten. Sie hatten tatsächlich auch ein Foto mit seinem verheulten Blick. Bestimmt hatte er sich ins Auge geraucht. Oder sie hatten ihm für die drei Tränen noch mehr Geraschel rübergeschoben.

«Da sollte man gemeinschaftlich raufpullern», sagte Rike. «So voll aufmüpfig!»

«Aber stimmt doch, ohne Bea wären wir nicht abgehauen, oder?», überlegte Antonia.

«Oder ohne Yvette», sagte Bea. «Sie hat Inken erzählt, dass sie ihre Schwester ist, und dann ist die ausgeflippt.»

«Jetzt war ich's wieder! Klar. Wer sonst? Inken war doch vorher schon am Rumflippen. Die hat doch vorher auch schon rumgebrüllt, weil Charly gelacht hat.»

Alle schauten mich an. Ich dachte ja gar nicht dran, jetzt irgendetwas zu sagen.

«Schuld ist ein nutzloses Konzept», fand Anuschka. «Hat mein Opa immer gesagt.»

«So was sagen nur Leute mit ordentlich Dreck am Stecken», lachte Rike.

Wir einigten uns auf einen Wortlaut, und jede von uns schrieb ihn auf einen Zeitungsrand.

Liebe Mama, lieber Papa, es geht mir gut. Ich habe nichts Schlimmes gemacht. Wir warten, bis Inken Utpaddel gefunden wird. Bis bald.

Unsere Eltern würden ja wohl unsere Handschrift erkennen. Oder so Handschriftenauskenner von der Polizei würden unsere Handschriften erkennen. Man würde ihnen zum Vergleich unsere Geologiehefter geben und unsere Briefe.

Bea schrieb nichts.

Yvette schrieb *Liebe Mutter, lieber Vater.*

Keine von uns hatte eine Ahnung, wie exakt man herausbekommen konnte, wo ein Brief abgeschickt worden war. Wir sprachen über Poststempel, Briefzentren, aber was

Genaues wussten wir nicht. Nur ein bisschen was aus Krimis.

Anuschka sagte, Tschechien sei nicht weit. Einfach über den Kamm des Gebirges.

Wir waren alle dafür, obwohl so klar wäre, dass wir eher im Süden als im Norden seien, eher im Osten als im Westen.

Bea steckte unsere sechsfache Nachricht in ihre Jackentasche und hob die Hand zum Abschied. Sie nahm Cherokee mit.

Ein Büschel Haar in meiner Hand. In der anderen das Messer. Ein Schnitt. Ein Büschel. Es schnitt sich schwer. Ein Messer ist keine Schere. Eine Schere ist nämlich zwei Messer mit einer Schraube. Wir hatten nur die kleine Schere am Multitool von Yvette.

«Warte doch, bis ich fertig bin», sagte Anuschka. «Dann kannst du die Schere haben.» Zu ihren Füßen mischten sich unsere Haare. Unten Yvettes lilafarbenes Haar, darauf Antonias blonde feine Haare. Jetzt war Rike dran.

Wir hatten beschlossen, uns die Haare abzuschneiden. Wegen, weil, darum. Dann würden wir aussehen wie Jungen. War natürlich Quatsch. Wir wären Mädchen mit kurzen Haaren. Wir übten, uns zu bewegen, als hätten wir Eier.

«Ach, geht auch mit dem Messer. Muss ja nicht schön werden», sagte ich. Haar in meiner Hand. In der anderen das Messer. Ein Schnitt. Ein Büschel.

Kajtek hielt still.

«Machst du Boogie danach auch?», fragte Rike.

«Kann ich machen. Sie muss nur stillhalten, sonst schneide ich ihr aus Versehen ihre lustigen Ohren ab.»

«Stillhalten? Das geht nicht.» Rike grinste mich an.

«Ja, bei dir geht stillhalten auch nicht», schimpfte Anuschka. «Vor allem nicht den Mund. Was willst du eigentlich für 'ne Friese?»

«Igitt, Friese sagen doch nur Prolls», lachte Rike. «Ich hätte gern so 'ne Spitzponyfriese. Weißt du? Wo so ein Stachel vorne hochsteht. So ein Fußballerhorn. Wo man immer denkt, wenn die einen Kopfball machen, stechen sie den Ball kaputt.»

Wir lachten.

Anuschka nicht. «Ist doch cool.»

«Findste?», quietschte Rike. «So einen Penis am Kopf? Und auch noch erigiert? Solche fahren später rote Autos. Mit großen Aufklebern hinten drauf. Damit alle wissen, was für wilde Musik sie hören.»

«Halt still!», sagte Anuschka und schnitt los. Links den Kamm, rechts die Schere. «Und vor allem SEI still.»

Für eine Weile war es wirklich still. Ich vertiefte mich wieder in das Fell von Kajtek. Ein Büschel in meiner Hand. In der anderen das Messer. Ein Schnitt. Unter dem schwarzen Deckfell kam Braun, dann Weiß. Unten war das Fell ganz weich. Ob ihm das Fellabschneiden wirklich helfen würde gegen die Hitze, wusste ich nicht genau. Manchmal waren wir an besonders heißen Tagen mit den Hunden zum Bach gegangen. Das Wasser war immer kalt. Selbst Kajtek hatte seine Freude daran gehabt. Er hatte sich in den Bach gelegt und war grinsend liegen geblieben, während Cherokee und Boogie herumtobten. Solche Ausflüge sollte es jetzt nicht mehr geben. Wir hatten beschlossen, uns nicht mehr weit vom Tunnel zu entfernen. Nur noch Bea. Ihr Gesicht war einfach ein Gesicht. Unsere Gesichter waren gesuchte Gesichter. Auch mit kurzen Haaren blieben sie das. Nur von weitem konnten wir vortäuschen, Jungen zu sein. Deshalb hatten wir uns das überlegt: Haare ab. In der Abstimmung waren fünf Hände dafür. Anuschka hatte gemeint, dass man sie in der Gegend doch sowieso erkennen würde.

Ich kannte außer Bea kein Mädchen mit kurzem Haar. Weiß nicht, das ging irgendwie nicht. Das kam gar nicht in Frage. Mütter sagten immer mal: «Los, komm, 'ne schöne Kurzhaarfrisur. Das ist doch praktisch.» Meine Mutter sagte manchmal «flott». Da fühlte ich mich ihr so überlegen. Praktisch wäre es auch, Einteiler zu tragen mit Knöpfen zwischen den Beinen.

«Boogie, Süße», rief ich. Sie war sofort da. «Leg dich.» Tat sie auch. Aber «Stillhalten» ging nicht. Sie hatte viele Pläne unter ihrem Fell. Losrennen und was fangen. Sich hinschmeißen und herumrollen. Hundepläne eben. Ihr Fell war viel weicher, viel länger als das von Kajtek. Es fasste sich ganz wunderbar an.

«Hast du einen Freund, Rike?» Anuschka schnitt beherzt, es regnete braune Strähnen.

«Hatte einen. Der wohnt aber in Amerika.» Rike machte eine Pause. «Und spielt in einer Band. Und es war auch eher eine einseitige Sache. Also, er wusste gar nicht von mir. Anfang des Sommers hat er eine Schauspielerin geheiratet. Eine, die immer blöde Frauen in Filmen spielt und sich dafür gar nicht anstrengen muss. Und da war er für mich abgemeldet.»

«Du spinnst doch», sagte ich.

«Ja, auf jeden Fall. Wenn ich es mir ausgedacht habe, spinne ich, und wenn ich es mir nicht ausgedacht habe, spinne ich auch.» Rike lachte und fuhr sich über den runden Hinterkopf, der wie ein wilder Haargarten aussah, in dem der Haargärtner mal Lust gehabt hatte zu mähen und mal nicht.

«Charly, danach bist du dran.» Boogie sprang sofort auf,

weil ihr Frauchen etwas gesagt hatte. «Hinlegen», sagte ich, zog sie mir wieder ran und schnitt weiter.

Rike strubbelte sich die Stoppeln vom Kopf. Sie sah aus wie ein Elfjähriger, der Kaugummis klaut. Sie besah sich in einem der Campingtöpfe, in dem unser Wasservorrat bereitstand. Sie feixte und schnitt Gesichter, über die sie noch mehr feixte, während Anuschka begann, mein Haar zu ernten.

Ein Blick in den Wasserspiegel zeigte mir wenige Minuten später meinen Vater. Mein Vater, der noch mal jung ist und noch mal zur Nationalen Volksarmee muss, der noch mal diese Briefe an meine Mutter schreibt. («Mein schönes Zuhausemädchen!» Ich hatte die Briefe aus Versehen mal gefunden und irgendwie auch alle aus Versehen gelesen.)

Es wurde mir inzwischen unheimlich, wie viel ich an meine Eltern dachte. Ich hatte das Gefühl, dass sie meine Kinder wären, denn ich machte mir so viele Sorgen darüber, dass sie sich Sorgen machten.

Ich beruhigte mein Gewissen damit, dass ja die Postkarte bald unterwegs zu ihnen sei.

«Na, du bist ja auch ein Süßer!» Yvette zwinkerte mir zu. Ohne lila Haare sah sie ganz anders aus. Ihr spitzes Kinn, ihre spitze Nase und die spitzen Ohren waren ganz niedlich.

Auch Freigunda war völlig verwandelt. Ohne ihren Haarvorhang schlitzte sie die Augen gegen die Sonne. Dann lächelte sie kurz.

Wir flirteten alle ein bisschen miteinander. Süßer hier, Süßer da. Das ergab gar keinen Sinn, denn wenn wir miteinander flirteten, weil alle aussahen wie Jungs, dann war das hier weder lesbisch oder heterosexuell, aber auch nicht schwul. Oder?

Mir fiel ein Buch aus der Schulbibliothek ein. Das hieß «Verwirrende Pubertät».

Am Abend setzte ich mich mit der Karte hin und ging Beas Wanderung mit. Ich stellte mir die kleine Bea und den noch kleineren Cherokee vor, die über das bedruckte Papier liefen, wie der Käfer über die Zeitungen gelaufen war. Im Faltknick der Karte könnte Bea Nachtruhe halten. Das Papier dort war ganz weich gefaltet.

Zu Fuß über die Grenze, das klang aufregend. Da war bloß ein Bergkamm, hatte Anuschka gesagt. Eine natürliche Grenze. Zur einen Seite fiel das Erzgebirge nach Deutschland ab. Zur anderen rollte sich die Gegend tschechisch abwärts. Natürliche Grenzen mochte ich. Wenn ein Land an einem Fluss, einem Meer oder einem Bergkamm endete, dann war das logisch. Die Völker waren nicht zueinander gekommen. Bei Grenzen, die einfach so durch die Gegend liefen, könnte von heute auf morgen ein Land ein halbes Feld mehr haben wollen. Das mochte ich nicht.

«Und was schätzt du?», Rike kam kauend zu mir. «Wann ist sie wieder da?»

«Übermorgen?», fragte ich und klappte die Karte zusammen. Der Geruch, der zu mir rüberschlug, war eindeutig. Nichts anderes roch so. Döner.

«Das war doch nicht in den Mülltüten, oder?», fragte ich ungläubig.

«Nee, hat Yvette gekauft. An einer Bude in Milchfels. Lecker. Deiner hängt da am Baum.»

«Gekauft?», fragte ich, lauter, als ich wollte.

«Ja, mit Geld.»

«An einer Bude?»

«Ja, wie denn sonst. Wir sind hin und haben gesagt, sechs

Döner bitte, ohne Zwiebeln, alle mit Knoblauchsoße. Du magst doch Knoblauchsoße?»

Ich nickte. Dann schüttelte ich den Kopf.

«Was jetzt, magst du, oder magst du nicht, Habibi?»

«Ich verstehe nicht, dass ihr einfach so zu einer Bude gelatscht seid. Wir verstecken uns hier. Ich meine, wir stimmen immer alle über alles ab, und ihr …»

«Aber dafür haben wir uns doch die Haare abgeschnitten», schmatzte Rike.

«Für Döner?», sagte ich.

«Mensch, Charly, wir haben abgestimmt. Du hast geschlafen», schmatzte Rike. «Lass gut sein. Ich esse gern auch deinen Döner.»

«Wie ist denn die Abstimmung ausgegangen?»

«Also ich war dafür und Yvette auch. Antonia hat sich enthalten. Anuschka war dagegen. Freigunda war irgendwo und hat geschnitzt. Du hast geschlafen.»

Der Knoblauchgeruch machte mich ganz blöd. «Ihr habt zu viert abgestimmt, obwohl wir sieben Mädchen sind, und dann habt ihr mit zwei Stimmen beschlossen, diesen Scheiß zu machen? Ich hoffe, Bea ist bald wieder da.» Ich stand auf und wollte meinen Döner holen, denn Essen war Essen.

«Ich glaub, sie braucht länger. Mit Absicht, verstehst du», sagte Rike hinter mir her. «Es ist ihr doch scheißegal, was mit uns ist. Vielleicht haut sie ganz ab.»

«Ich glaube, du warst zu lange mit Yvette zusammen», ich drehte mich um.

«Und du zu lange mit Bea», schlug es in meinem Rücken ein.

Bea kam am nächsten Vormittag zurück. Sie hatte einen Kratzer und lief komisch. Zu den kurzen Haaren sagte sie nichts, ganz konkret überhaupt nichts. Mir war unangenehm, dass sie vielleicht dachte, dass wir sie nachmachen.

«Der Brief ist eingesteckt!» Sie packte neue Zeitungen aus und Äpfel, die sie gepflückt hatte. «Inken wird weiterhin vermisst. Die gute Nachricht ist, dass man diese große Pfütze abgepumpt und nur Katzenleichen drin gefunden hat. Inken nicht.»

Dann legte sie sich schlafen.

Wir fraßen die frischen Äpfel und die Zeitungen.

Blablablab, ein Mädchen namens Tabea Frank wird nicht vermisst. Blabla, Phantombild nach Beschreibungen des Busfahrers Bruno Binder wurde erstellt. Auf dem Bild sah Bea nicht aus wie Bea. Ich war mir sicher, Bruno hatte keine von uns allzu lange angesehen.

Blabla, immer noch keine Spur von uns. Ich fühlte mich wie ein Zauberer in der Kiste. Draußen hörte ich die Zuschauer murmeln. Wie ist das möglich? Wo sind sie hin?

«Kajtek, kannst du mich noch riechen?»

Seine Nase schaute mich wachsam an.

«Ist mit uns alles gut?» Rike kam mit Boogie zu uns. Boogie schmiss sich neben Kajtek auf den Waldboden und drängte sich brummend an ihn ran.

«Alles gut», sagte ich.

Ich hatte beschlossen, ihr nicht böse zu sein, dass sie war, wie sie war. Ich war ja immerhin auch, wie ich war.

«Guck mal», Rike hielt mir eine Zeitung unter die Nase.

Rote Kreise um Mädchenköpfe auf Klassenfotos. Scheiße, ich sah da so scheiße aus. Ich stehe auf den Klassenfotos immer hinten. Bohnenstange, größer als der größte Junge, mein komisch nach vorn gezogenes Gesicht. Ich hatte die Anlage zu einem hübschen Huhn. Als schüchtern wurde ich beschrieben, als still und klug.

Meine Beliebtheit bestätigen Mädchen, die nie mit mir geredet hatten. Ja, ich sei immer so angenehm. Henriette Gerhardt behauptete das. Die hätte mich früher noch nicht mal wahrgenommen, wenn ich ihr brennend vor die Füße gefallen wäre. Sie meinte sicherlich die Art angenehm, wo man nicht unangenehm war. Verdammt, das bedeutete ja, dass ich nicht unsichtbar war. Vielleicht bluffte diese Henriette auch nur. Die hatte ein Mikrophon gesehen und was reingeseiert, als sei sie auf einer Wohltätigkeitsveranstaltung, und am Abend beim Abschminken war sie dann noch glücklicher als sonst gewesen.

«Hast du meine Familie gesehen?», fragte Rike.

Ein Foto. Aus einem Urlaub. Am Meer. Fünf Kinder. Tatsächlich. Ein Junge, vier Mädchen. Ein Vater, ganz zart wie ein Püppchen. Eine Mutter, aus drei Kugeln bestehend. Und ganz blass. Ein Schneemann. Eine schlecht gelaunte Familie an einem weißen Sandstrand.

Rike meinte: «Und das war einer von den guten Tagen.»

Es war komisch, dass die Zeitungen uns näherkamen, ohne in unsere Nähe zu kommen.

Sehen Sie weitere Fotos auf Seite 7. Da war Freigunda mit ihrer Familie. In Lammfelle gehüllt. Kleine Lederbeutelchen am geflochtenen Gürteln. Wilde Haare, wilde Bärte, drei Hunde. Zwei riesengroße und ein kleiner.

Sieben Geschwister: Thorralf, Gerdmann, Lugersohn, Ullmann, Elei, Gudrun, Lorelei.

Freigundas Familie sagte, dass sie Freigunda auf jeden Fall

zutrauten, einen Menschen zu töten. Es gäbe doch immerhin genug Gründe auf der Welt, jemanden zu meucheln. Sie schimpften unverhohlen über ihre Tochter. Ihre Arbeit bliebe liegen. Die Mutter und die Schwestern müssten allein die Tiere versorgen und an den Ständen arbeiten. «Freigunda, komm nach Hause!» stand über dem Artikel.

«Wieso haben sie dich überhaupt weggelassen?», fragte Antonia.

«Und wo hattet ihr das Geld her?», wollte Yvette wissen. «Entschuldigung. Das wirkt jetzt wieder so. Dass ich nur an Geld denke, aber ich frag mich das wirklich.»

Freigunda bewegte ihren Kopf, als hätte sie die langen Haare noch. «Unsere Familie genießt kein großes Ansehen beim Jugendamt. Wir sind in Ungnade gefallen, da meinen Eltern nicht wichtig ist, dass wir eine staatliche Schule besuchen. Sie wollen lieber, dass wir gute Menschen werden.» Sie lächelte. «Da wir diesmal den ganzen Frühling in Berlin geblieben sind, hatten wir eine feste Familienberaterin, und die hat angeordnet, dass alle Kinder an altersgerechten Sommeraktivitäten teilnehmen. Ich selbst habe zusammen mit der Familienberaterin das Camp ausgesucht. Es wurde vom Amt bezahlt. Wie sagt ihr? Badabingbadabong!» Sie nickte. «Keine weiteren Fragen.» Sie schnappte sich die Zeitung mit ihrer Familie und ging runter in den kühlen Tunnel. Der Tag war einer der sehr heißen Tage.

Die krasseste Zeitungsstory war die von Anuschkas Ex-Freund Rick. Richard, sagte Anuschka. Er war der Aufmacher auf einer Mädchenzeitung. Ein total hübscher Typ. Mit einem spitzen Pony vorne, wie Rike es beschrieben hatte. Und mit einer Kette, die mir bekannt vorkam: Lederband, silberner Anhänger, eine halbe Münze. Das war einer, bei dem es egal war, ob er singen oder schauspielern konnte.

Der musste einfach nur die Augen verträumt in die Ferne richten und die Lippen leicht öffnen. *«Anuschkas Ex weint jeden Tag.»* Die Zeitung «Mädchenwelt» hatte Fotos von Rick gemacht, als sollte er Boy des Jahres werden. Man sah ihn auf Seite zwei, drei, vier und fünf. Ein Typ – das kann man sich kaum vorstellen –, der sich zwei Striche in die Augenbraue rasierte. Links und rechts kleine blau funkelnde Ohrstecker. So blau wie seine Augen. Unterm Ohr hatte er eine Tätowierung – einen Sheriffstern.

Wir kullerten auf dem Boden herum. Ein Sheriffstern am Hals. Etwas so mustergültig unsinnig männlich jung dumpf Doofes hatten wir ja noch nie gesehen. Es gab ein Foto von ihm – ja, im weißen Unterhemd –, darauf hatte er wie ganz nebenbei seine Hände auf seinen Kopf abgelegt und schaute dazu verwegen nachdenklich in die Ferne. Wir legten ihm immer neue Sätze ihn den Mund: *Wo hab ich nur meine Hände gelassen? Ach, auf meinem Kopf sind sie. Wieso vergesse ich immer den Schirm, wenn es regnet. Ach, hätte ich doch nicht den Superkleber angefasst.*

Ich glaube, der Ricktag war der lustigste in unserer gemeinsamen Zeit. Wir sagten danach «Frag Rick!», wenn wir keine Antwort wussten. Die Liebe seines Lebens sei die Anuschka, das schönste Mädchen und auch so super vom Charakter so. Verzeihen solle sie ihm, und er habe gar nicht, und er wüsste jetzt, und er werde nie mehr, und eine neue Tätowierung habe er auch. Anuschkas Name, auf seinem Oberarm. Ich glaube, Rick tat immer das Erste, was ihm einfiel, das Naheliegendste. Tätowierung – Oberarm, mochte er gedacht haben, und damit war er zufrieden. Dann noch, bevor er überhaupt beginnen konnte nachzudenken: Anuschkas Name. Bestimmt hieß sein Bär früher Teddy.

Wie reagierte Anuschka? Sie blieb gelassen, zuckte mit den Schultern, schloss die Augen und seufzte.

Ich verstand nicht, was sie damit meinte, aber sie sagte nichts. Ein Zucken, ein Seufzen, ein Zwinkern: So ist die Liebe. So ist der Rick eben. Ich kann nichts dafür.

Je mehr unsere Vorher-Leben zu uns durchdrangen, umso weniger war mir nach Rückkehr. Im Wald gab es kaum Schubladen, vielleicht, weil es keine Möbel gab. Falls wir überhaupt Schubladen hatten, dann waren sie flach, und man konnte jederzeit raussteigen, wenn man wollte. Heute doof sein und morgen klug. Heute hübsch und morgen hässlich. Heute zwölf und morgen achtzehn. Ich war hier nicht verpflichtet, so zu sein, wie ich sonst war. Ich war Wetter, Tageszeit und Nahrung. Ich war Reaktion und Müdigkeit. Insgesamt war ich mehr alles drum herum als innen drin. Das war sehr schön so.

Unsere Charaktereigenschaften zeigten sich an unseren Taten. Wer stark war, hob mehr hoch als wer anders. Wer cool war, schrie nicht rum. Hier gab es keine Behauptungen, nur Beweise. Ich musste nicht vor einem bunten Freundschaftsbuch sitzen und überlegen, was meine Lieblingsfarbe war. Was sagte das schon über mich aus? Oder mein Sternzeichen, mein Lieblingsfilm.

Die Fragen in unserem neuen Steckbriefbuch sahen anders aus:

Hast du Angst im Dunkel?

Kannst du dich bei Hunden durchsetzen?

Glaubst du an Gespenster?

Kannst du das Herz eines toten Hundes anfassen?

Kannst du gut schleichen?

Wie riechst du, wenn du dich zwei Tage nicht wäschst?

Wirst du braun, oder bekommst du nur einen Sonnenbrand?

Rennst du weg bei Streit?

An diesem Tag ging Cherokee wieder stromern. Aber nicht wie sonst. Er war weg und kam nicht wieder. Nach dem Frühstück nicht. Zum Mittag nicht. Abends nicht. Es wurde dunkel, und er war immer noch nicht wieder da.

Diesmal war auch Bea beunruhigt. Sie behauptete, sie wäre es nicht. War sie aber. Sie erzählte, dass er normalerweise zu der Hündin bei der Köhlerei lief und sie zusammen spielten, sich putzten und stupsten. Cherokee wollte sich paaren, aber das ging nicht durch den Zaun.

«Du wusstest die ganze Zeit, wo er immer war?», fragte Antonia.

«Klar», sagte Bea.

Antonia schippte die Unterlippe vor. «Das hättest du doch mal sagen können. Du musst nicht so eine Mördergrube aus deinem Herzen machen, herrje!»

Rike lachte. «Du bist die putzigste Antonia auf der ganzen Welt, echt!»

Wahrscheinlich war die angestaubte Bemerkung von der Mördergrube daran schuld, dass Bea kurz darauf meine Nähe suchte.

«Ich möchte ein Stück mit dir laufen. Ist das okay?»

Ich nickte. «Wohin willst du denn?»

«Zum See», sagte sie. «Ich sag den anderen noch Bescheid.»

Ich stand zwischen den Bäumen, und mich unterschied nur mein klopfendes Herz von ihnen. Dann gingen wir los. Durch den Mondwald. Wir wussten, wo die Krater waren. Je länger ich den dunklen Wald kannte, umso mehr wunderte ich mich, was ich früher für Dunkelheit gehalten hatte. Man sah den nächsten Baum doch früh genug. Meine Augen waren andere Augen geworden. Ich hatte nicht mehr das Gefühl, dass Dunkelheit die Abwesenheit von Licht ist, sondern eher, dass im Dunkeln anderes Licht war. Licht für die Ohren und Licht für die Nase. Licht für den Instinkt, der besser sah als zwei Augen.

«Glaubst du, dass Cherokee am See ist?»

Ich bekam keine Antwort. Wir gingen zu einer steilen Stelle, hoch über dem Wildholzsee. Hier ging die Luft frei über das Wasser und kühlte uns ein wenig.

«Komm, setz dich!»

Ich fragte mich, warum ich immer tat, was sie wollte. War ich verliebt in sie? Ich war noch nie verliebt gewesen. Höchstens in meine Katze.

Wir setzten uns nebeneinander, und unsere Schultern berührten sich.

Das bisschen Stille, das zwischen uns passte, wurde unangenehm und breit. Bea wollte etwas loswerden. Und egal, ob ich es haben wollte oder nicht, ich bekam es.

Sie erzählte, dass sie auf dem Weg nach Tschechien in einem Internetcafé gewesen war, um die neusten Nachrichten über uns zu lesen. Ob Inken gefunden worden sei. Ob inzwischen ein Foto von Bea aufgetaucht war. Dann hatte sie nach dem Verein «Für Hundeproblemfälle» gesucht. Ob die schon die Mädchen, die ihr Auto geklaut hatten, auf den Fotos erkannt haben. Zum Glück nicht. Das war gut. Bea las, dass der Verein ehrenamtlich arbeitete, auf Spendenbasis, manchmal mit Unterstützung von Tierschutzorganisationen. Es waren drei Frauen, die in ihrer Freizeit versuchten, Hunde aus Tierheimen in Europa nach Deutschland zu vermitteln. Sobald dafür Interessenten gefunden waren, wurden die Hunde mit dem Transporter geholt, um zu ihren neuen Besitzern gebracht zu werden. Momentan waren die drei Frauen in Griechenland unterwegs. «Wir melden uns ab Ende August» stand auf der Homepage.

Bea hatte unsere Hunde gesucht. Und gefunden. Sie waren unter der Rubrik «vermittelt» aufgeführt.

Kajtek war fünfzehn Jahre alt. Cherokee brauchte Medikamente. Zack hatte ein Aggressionsproblem. Wuwan sollte am Ohr operiert werden. Boogie hatte schon mal ein Kind gebissen. Dämon hasste andere Hunde und kam nicht gut mit Frauen klar. Angeblich wäre er bei männlichen Bezugspersonen im Tierheim sehr lieb.

Die Vereinsvorsitzende hieß Paola Irgendwas. Den Nachnamen hatte sich Bea nicht gemerkt. Ich erinnerte mich an den Tag, an die Gaststätte, an den fetten Typen mit der Angelweste, der die Hunde vergasen wollte, und an die nette Frau. Die war also von einer Tierschutzorganisation! Scheiße! Irgendwo hatte ein netter Mann auf Dämon gewartet. Ein Korb hatte im Flur bereitgestanden, ein Halsband mit einem silbernen D-Anhänger.

Bei uns waren zwei der sechs Hunde gestorben beziehungsweise verschwunden. Wuwan konnte uns doch gar nicht hören, als wir ihn gerufen hatten. Wir hätten länger suchen sollen.

Mir war kalt geworden. Beas Schulter dockte von meiner ab.

Sie stand auf, trat ein paar Schritte zurück.

Ich sah, hörte, wie sie ihre Sachen abwarf wie eine Verkleidung, die sie zurückließ. Ich fragte nicht. Dann rannte sie an mir vorbei und sprang.

Ich sah sie da für immer in der Luft hängen. Es gab kein Zurück, und ich wollte nicht wissen, wie es weiterging, also blieb die Zeit stehen.

Eine schwüle Nacht, klare Sterne, die sich im Wasser spiegelten.

Ein fliegendes Mädchen. Fast nackt.

Ich weiß nicht, wie schnell Gefühle in einen Körper einschießen, aber die Angst ist ein Gefühl, das sofort da ist. Vielleicht danach die Sorge, die Hoffnung, die Wut.

Unten klatschte es.

Ich hörte von Bea nichts.

Ich wartete.

Wenn es weiter so still blieb, dachte ich, müsste ich hinterherspringen. Oder?

Sollte nicht wenigstens eine von uns zurück zur Gruppe? Warum eigentlich? Wenn eine nicht zurück zur Gruppe konnte, gab es keine Gruppe mehr.

Und dann tauchte unten im See etwas Helles auf. Arme. Ein Kopf.

Im Dunkeln ein halbes Mädchen im See. Ein Spucken und ein Lachen.

Ich atmete aus und sackte in mich zusammen.

Bea breitete unten die Arme aus. Ich sah das schwarze Wasser und den schwarzen Himmel und wie eins das andere spiegelte. Überall Sterne und ein Mädchenoberkörper im Weltall.

Noch nie, noch nie, noch nie hatte ich einen Menschen wie sie gekannt. Der solche Sachen macht. Und gleichzeitig ärgerte ich mich tierisch über sie. Wie konnte sie freiwillig etwas so Gefährliches machen?

«Komm, spring auch!», rief Bea hoch.

Auch ein Satz für den Grabstein.

«Nein!», rief ich.

Sie lachte, dann stieg sie aus dem Wasser. Ich hörte es und sah ganz unten das Helle durchs Dunkle laufen. Sie kletterte rauf.

Ich hockte da wie ein Depp. Konnte ihr nicht entgegenklettern. Konnte nicht weg. Dieser blöde Wald, blöde See, diese total durchgeknallte Bea.

Wenn ihr etwas passiert wäre, dann hätte ich hier oben gestanden und gewartet, gerufen und geweint. Dann hätte ich allein nachts durch den Wald laufen und allen sagen müssen, was passiert war. Ich hätte ihren Eltern immer und immer wieder erzählen müssen, wie sie runtergesprungen war. Wenn sie sich hier das Leben genommen hätte, dann hätte sie meins versaut. Und dann wäre sie tot gewesen. Wieso war ihr das so scheißegal?

Ich hörte sie in der Nähe rascheln, ein paar Meter weiter. Ich lief hin, legte mich auf den Bauch und hielt meine Arme runter, um ihr zu helfen.

Sie kletterte lachend an meinem Rettungsarm vorbei. Dann hinkte sie zu ihren Sachen, zog sich an.

Ich atmete heftig ein, ein Satz wollte raus, mehrere Sätze schubsten sich: Du bist blöd, das war egoistisch, und was ist eigentlich mit deinem Knie los, ey?

Bea redete schnell und viel. «Wir müssen das Auto loswerden, anzünden, keine Ahnung, irgendwo runterwerfen. Ich wollte schon immer mal ein Auto kaputt machen. Aber selbst wenn wir das Auto los sind, haben wir immer noch die Hunde ...» Sie richtete sich auf. «Scheiße, wir kommen aus der Nummer nicht raus. Ich könnt gleich noch mal springen, aber mein Knie bringt mich um.» Sie lachte laut.

Sie hätte jetzt einen Tiger gefressen. Und danach noch Nachtisch. Ohne Löffel. Sie legte sich auf den Rücken und lachte wieder. «Wir könnten auch einfach runter in den Ort gehen und sagen, hier sind wir. Dann hätten wir uns auch gar nicht verstecken müssen. Gar nicht weglaufen. Gar nicht zum Camp anmelden. Gar nicht geboren werden.» Sie trommelte mit ihren Händen auf den Bauch und sang «Scheißescheißescheiße».

«Das geht mir ein bisschen zu schnell grad.»

«Und mir geht's zu langsam.» Sie sah mich komisch an, zuckte die Schultern. «Nee, echt, entweder macht man es richtig oder gar nicht. Und wenn man es angefangen hat, dann sollte man es durchziehen. Und wenn man dabei draufgeht. Also, nachdem man es erledigt hat, natürlich.»

Ich schüttelte den Kopf.

Nein, ich war nicht in sie verliebt. Oder nicht mehr.

Der Rückweg war mühsam. Und viel länger als der Hinweg. Ich wollte nicht zum Tunnel zurück. Ich wäre lieber die ganze Nacht unterwegs gewesen. Bea hätte mich zu meinen Eltern bringen können, mit dem Auto. Dann hätte sie den Wagen allein anzünden oder irgendwo runterwerfen können. Ich hätte versprochen, nichts zu verraten. Meine Eltern hätten es auch versprechen müssen. Mir war das alles zu viel. Zu viel. Zu viel. «Reingerutscht» wurde als Ausrede lächerlich. Es hatte ja genug Abzweigungen gegeben, um wieder rauszurutschen.

Ich hatte einen Klumpen im Bauch, weil ich die Sache mit den Hunden für mich behalten sollte. Geheimnisse sind schwer zu verdauen. Sie grummeln, und wenn sie anfangen, sich zu zersetzen, dann frisst es auch ein Stück von einem selber auf, sodass um das Geheimnis herum ein Loch entsteht. Bald wäre ich voller Krater, wie der Mondwald.

Am nächsten Morgen ging Bea Cherokee suchen.

«Na, brechend geil», sagte Yvette. «Geile Anführerin. Rennt einfach los. Jetzt, wo wir gesucht werden. Wer weiß, wann sie ihr Foto haben. Kann ja nicht mehr lange dauern. Und wer weiß, wann sie meine bescheuerte Schwester finden und was die dann abzieht.» Und so weiter, und so weiter.

Ich drehte ihre Stimme runter und den Wald hoch. Ich verfolgte die monotonen Tonfolgen der Vögel, als ob ich versuchte, kurz aufleuchtende Punkte im Dunkeln wahrzunehmen. Ich versuchte, die Töne zu hören, bevor sie kamen. Ich versuchte, einen Sinn dafür zu entwickeln, wie sie sich gleich anhören würden.

Als meine Konzentration nachließ, hörte ich sofort Yvettes Stimme wieder. Rike atmete laut ein und laut aus, dann fiel sie theatralisch um. Wir kannten Yvettes Meinung. Wer seinen Hund nicht unter Kontrolle hat, der ist keine gute Chefin.

Zu einer Chefin braucht es aber mehr als nur einen gehorsamen Hund. Sagten die anderen.

Bea kam auch abends nicht zurück.

Es wurde dämmrig. Keine Bea.

Es begann zu regnen. Keine Bea und kein Cherokee.

Es wurde Nacht. Dann gingen wir schlafen, und am nächsten Morgen waren weder Bea noch Cherokee zurück.

Anuschka schlug vor, dass wir sie suchen gehen sollten.

«Ach, ja klar», zickte Yvette. «Der blöde Hund rennt weg, die blöde Bea hinterher, und wir jetzt alle auch noch …»

«Ja, weil wir auch alle blöd sind», sagte Rike, «aber lieber blöd als …»

Antonia stand auf und ging.

«Läufst du weg?», fragte Anuschka.

«Ja, ich laufe weg, aber ich sage vorher Bescheid.» Antonia ging in den Wald hinein und war bald nicht mehr zu sehen.

Das Gezicke wuchs an. Es wechselte von Grün zu Gelb. Es machte den Wald ganz ungemütlich.

Ich stand auf, schnipste mir Kajtek her und sagte, dass ich Kräuter sammeln gehe.

«Ohne Korb, is klar», sagte Yvette. «Ihr steckt doch unter einer Decke!»

«Geht dich doch nichts an.»

Ich ging nicht in dieselbe Richtung in den Wald, in die Antonia gegangen war. Kein Bock auf Gespräche. Wenn sie noch ein weiteres Geheimnis hatte, würde ich das nicht aushalten. Dann würde ich einsacken wie die alten Bergbautunnel. Ich ging natürlich keine Kräuter sammeln. Das Kraut, das ich gebraucht hätte, wuchs nicht. Vielleicht würde ich einfach zum Bahnhof gehen, nach Hause fahren. Aber dann dachte ich: Was ich tue, geht auch die anderen Mädchen an. Ich kann unsere Gruppe nicht platzen lassen. Wir sollten abstimmen, wie es weiterging. Ich bin überhaupt nicht frei.

So ähnlich muss es sein, Kinder zu haben oder einen Job, oder eine Weltanschauung, eine Religion, ein Auto. Ich hatte das Gefühl, dass mich jeder einzelne Schritt, den ich ab jetzt setze, schwerer und langsamer macht. Es gibt keine Freiheit außer der, die du dir aussuchst, und die wird dann dein Gefängnis.

Der Gedanke kam so logisch daher und passte hinten und vorne nicht zusammen. Mannmann, in meinem Kopf war eine Spirale.

Bea hatte mal gesagt, dass wir auch hierbleiben könnten, im Wald. Wenn wir hier sterben würden, würde irgendwer einmal unsere Knochen finden, und wir wären Legenden für immer. Wir würden in die Sagenwelt des Erzgebirges eingehen und für immer leben, statt nur für die Zeit unseres Lebens.

Ich schloss kurz die Augen.

Dann lief ich los und ließ den Wald entscheiden, wohin ich ging, je nach Busch und je nach Baum. Kajteks Geräusche begleiteten mich. Ich hörte sein Humpeln. Dann wurde sein Schnuppern intensiver, sein Humpeln hektischer. Ich hatte gar nicht gewusst, dass er so schnell sein konnte. Ich hielt mit ihm mit. Ein Frauchen, das bei Fuß lief. Die tiefen Äste schlugen mich. Das war egal. Wenn man sowieso total zerkratzt ist und nicht vorhat, den Wald zu verlassen, kam es auf weitere Kratzer nicht an. Ich hatte gelernt, mich einfach gegen Schmerzen zu entscheiden. Zumindest gegen so läppische wie bei Kratzern.

In diesem Teil des Waldes war ich noch nicht gewesen. Es war zu weit weg vom Tunnel. Es gab hier nichts, was es nicht auch bei uns in der Nähe gab. Andererseits sah der Wald hier so anders aus. Man konnte hier ganz harmlos spazieren gehen und dabei «dumdidum» singen. Der Weg war eben, das Gras dicht und hoch, fast wie ein Feld.

In einer Kuhle, hinter einem Baum, nah bei vielen Heidelbeersträuchern, kurz vor einem moosigen Tal, das ein Bach geschnitten hat, fanden wir Cherokee. Sein Fell war nass, er zitterte. Sein Schwanz schlug kurz auf den Boden, wie ein Ringer, der auf der Matte abklopft. Als er versuchte aufzustehen, war das der sinnlose Kampf, einen Regenschirm mit gebrochener Rippe zu spannen.

«Bleib liegen», flüsterte ich. «Ist gut, ist gut.»

Ich versuchte, ihn durchzuchecken. Die Augen waren wie immer, nur etwas gestresst. Im Maul kein Blut. Seine Pfoten waren auch okay. Keine Verletzungen. Aber er wollte nicht am Bauch berührt werden.

«Okay», sagte ich. «Also nicht wirklich okay.» Dann dachte ich, dass ich den Hund beruhigen sollte. «Okay, alles okay», sagte ich wieder. «Wir gehen jetzt Hilfe holen. Wir holen Bea, ja? Und dann bekommst du die Tabletten, die du brauchst, oder eine Spritze, okay? Das machen wir schon.»

Ich musste ihn allein lassen. Hätte ihn ja nicht tragen können. Freigunda hätte bestimmt gewusst, was zu tun war. Bea vielleicht auch. Ihn töten, damit er nicht leidet. In die Stadt gehen, einen Tierarzt rufen. Etwas aus Ästen bauen, auf das ich ihn legen und ziehen konnte.

«Kajtek, bleib hier!», sagte ich.

Dann rannte ich durch den Wald. Yvettekrater, Farntümpel, Stürzebaum, Kleiner Trichter, Großer Trichter, die Drei Kratertäler, Moosige Klamm, Wurzelklamm, Nahe Klamm.

st Bea wieder da?»

«Siehst du sie?», fragte Yvettes Stimme zurück.

Ich hätte gerne gebrüllt. Kannst du nicht vernünftig antworten? Wenigstens einmal!

«Wo ist Anuschka?»

«Hier nicht!»

«Danke. Du bist echt 'ne Hilfe!»

Yvette zeigte schräg links.

Ich kletterte wieder hoch. Rannte zur Grube. Sah Anuschka, die hockte, mit Hose runter. Ich rannte hin. «Ich habe Cherokee gefunden. Er ist verletzt. Also, krank irgendwie. Der Bauch, glaube ich.»

«Drängle doch nicht so!»

«Mach ich doch nicht. Mach ich nicht. Ich bin ganz entspannt.»

«Deine Aura drängelt aber», sagte sie.

Als sie fertig war, holte sie ihren raschelnden Beutel aus dem Tunnel. Alle Mädchen wussten, was der Beutel enthielt. Dann legten wir los.

«Was hast du den anderen gesagt, was los ist?»

«Ich hab gesagt, dass du einen Sonnenstich hast», sagte sie.

«Kannst du mir so genau wie möglich beschreiben, was mit Cherokee ist?»

Ich erzählte alles, aber verschwieg das Wichtigste. Dass Cherokee Medikamente braucht. Ich hätte erklären müssen, woher ich das weiß und woher Bea das weiß, und dann hätte ich alles verraten müssen. Dass wir Scheiße gebaut hatten.

«Vielleicht hat er ja eine Krankheit, also eine, die er vorher schon hatte. Vielleicht braucht er Medikamente. Kann doch sein», sagte ich.

Sie schaute mich erstaunt an. «Medikamente», wiederholte sie. «Ich halte nicht so viel von Medikamenten. Weißt du, warum die Kräuter besser helfen?»

Wusste ich nicht. Fragte also, als würde es mich interessieren. Meine Gesichtsfarbe beruhigte sich. Ich weiß nicht, ob jeder Mensch ein Thema hat, bei dem er abgeht wie ein Wespennest, das einen Angriff abwehrt. Anuschka surrte jedenfalls beim Thema Medikamente los.

«Die Kräuter helfen, weil du dir Mühe geben musst. Du musst sie suchen. Dann musst du sie zupfen und zerkleinern, mit dem Wiegemesser schneiden und danach trocknen. Dann musst du Wasser kochen und umrühren. Dann riecht es gut. Manchmal riecht es auch nicht gut. Und noch besser hilft es, wenn das jemand anders für dich tut. Und wenn dann jemand auch noch zu dir sagt: Das ist das. Das ist für das.

Und das ist das. Dann hilft es. So ein Aspirin, das schluckst du einfach. Dann ist es weg. Riecht nach nichts. Schmeckt irgendwas zwischen gut und schlecht. Medizin muss aber ganz klar gut oder schlecht schmecken.» Anuschka tätschelte ihr Beutelchen am Gürtel. «Ich bevorzuge die Kräuter. Und man sollte sich viel Mühe geben beim Zubereiten. Meine Mutter ist Allgemeinmedizinerin und schwört auch auf die Kräuter, aber die Leute wollen lieber die homöopathischen Kügelchen. Sie ist die Einzige hier in der Umgebung, die das anbietet. Aus dem ganzen Erzgebirge kommen die Menschen zu ihr. Meine Mama sagt, die könnten auch Liebesperlen aus der Naschabteilung nehmen. Weißt du, warum diese Zuckerperlen wirken?»

«Wirken die denn?»

«Die wirken, ja. Und das tun sie, weil die Leute wissen, dass sie ganz kompliziert hergestellt werden. Die werden verdünnt und dann noch mal verdünnt und dann noch mal. Am Ende ist gar nichts mehr drin. Das wissen die Leute auch, die dran glauben. In den Kügelchen ist der Geist von dem Mittel noch drin, glauben sie. Es gibt Fabriken mit riesigen Verdünnungsbottichen, und am Ende muss jemand mit einer alten ledernen Schürze die Kügelchen um die Fabrik tragen. Oder so. Das ist alles auf dem Niveau von Geisterbeschwörung. Sagt meine Mama. In diesen Kugeln, das glauben die, ist der Geist von dem Gegenmittel. Der GEIST!»

Okay, vielleicht war es bis dahin ein Wespennest, jetzt wurde es erst zu einem Hornissennest.

«Du und deine Geister», sagte ich.

«Das sind nicht meine Geister!» Anuschka blieb stehen und sah mich ernst an. «Meine Geister sind Geister. Ehrliche Geister. Die kosten nichts. Ob es die nun gibt oder nicht, ist doch egal. Ich bescheiß damit niemanden. Und meine Kräuter sind Kräuter. Die helfen wirklich. Die Kügelchen sind Patientenverarschung. Dass sie denen helfen, liegt daran, dass die meiner Mutter vertrauen. Die würden auch verbrannte Rezepte schnupfen. Und wenn meine Mutter ihnen das Wort ‹geheilt› auf die schmerzende Stelle schreiben würde, dann würden sie sich auch besser fühlen.»

Ich hätte dies und das einwenden können. Zum Beispiel, dass ihre Mutter die Patienten doch auch verarschte. Die zwei Sachen, die ich in dem Moment begriff, waren:

Erstens: Fummele nicht zu lange am Wespennest.

Zweitens: Ich muss das nicht wirklich verstehen.

Dann waren wir in dem Waldstück mit dem weichen Gras. Ich rief nach Kajtek.

«Hier, das ist die Stelle», ich zeigte neben den Baum. Da war flach gedrücktes Gras, ungefähr großer-Hund-groß.

Jetzt war nicht nur Cherokee weg, sondern Kajtek auch.

Das war wie ein Fluch.

Ich rief und rief, aber alles war nur ins Grün reingerufen.

Als wir wiederkamen, hockten die Mädchen vor den Augenhöhlen. Ein Halbkreis mit gesenkten Köpfen. Eigentlich wusste ich es schon, aber ich hatte Angst, es wäre was noch Schlimmeres. Denn ich sah Bea nicht.

Der Kreis öffnete sich.

In der Mitte lag ein leerer Hund.

So ein Sommerwald war kein passender Ort für ein Hundebegräbnis. Die Sonne – als wäre nichts. Die Vögel – als wäre nichts. Der Duft. Der Himmel. Das Grün. Als wäre nichts.

Vielleicht war das das wahnsinnig Traurige am Tod: Das Leben scherte sich gar nicht drum.

Zack und Boogie buddelten ein tiefes Loch.

Mir war windig in den Rippen, es zog mich schwer nach unten, und meine Gedanken waren wie ein Schiff ohne Kompass.

Freigunda sang ein Lied. Eine eckige Melodie. Es ging darum, dass der Tod vorantanzt. Ein Knochenmann mit Geige. Und Arm und Reich und Alt und Jung müssen mit ihm tanzen, wenn er kommt. Müssen mit ihm tanzen, müssen mit ihm tanzen, müssen mit ihm tanzen, wenn er kommt.

Kajtek sah mit seinen trüben Brunnenaugen zu mir hoch. Wer hätte gedacht, dass diese anderen Hunde vor ihm sterben würden. Erst Dämon, dann Cherokee. Vielleicht war Wuwan gar nicht tot. Aber das war kein Trost. Wir hatten innerhalb von zwei Wochen drei Hunde auf unseren sieben Gewissen.

Das wussten die anderen nicht. Sie dachten immer noch, wir hätten die Hunde gerettet. Ich könnte es Rike erzählen. Oder Antonia. Dann würde ich mich erleichtern, aber sie beschweren.

Ich fragte mich, wie Cherokee hierhergekommen war. Freigunda, hieß es, hatte ihn gefunden. Ganz in der Nähe. Ich glaube nicht, dass er sich noch so weit geschleppt hatte. Jemand anders musste ihn geschleppt haben.

Wer? Warum?

Ich musste an die Jungs denken. Und an ihren Zettel. Und an das Wort auf dem Zettel. Mädchenmeute.

Bea blieb verschwunden.

Die Waldbrandgefahr war so hoch, dass es fast schon wirklich brannte. Das Hecheln der übriggebliebenen Hunde kam mir vor wie eine Folter. Drei von sechs, dachte ich. Unsere Schuld. Und ich konnte es nicht sagen. Er hätte Medizin gebraucht. Unsere Schuld. Inken. Alles unsere Schuld.

Wenn ich an Inken dachte, spürte ich sofort einen fetten Kloß in meinem Hals, der sich in meinen Mund schob. Dort wurde er immer fetter. Gedanken, die gedacht werden wollen und die du nicht denken willst, die denken sich dann einfach von alleine. Um deinen Kopf herum. Außerhalb deines Gehirns.

Inken tot. Inken lebendig. Inken sucht uns. Inken findet uns. Was dann? Irgendwer findet Inken. Ihre Leiche. Was dann? Was dann? Was dann?

Nein, diese Gedanken konnten nicht in meinen Kopf.

Das alles hier war eine Nummer größer geworden als geplant.

Beas Verschwinden gab mir ein neues Rätsel auf. Ich hasste alle naheliegenden Lösungen. Nein, sie hatte uns nicht verlassen. Ihr war nichts passiert. Bittebitte, lass ihr nichts passiert sein. Wen flehte ich da an? Ich hatte keine Ahnung.

Den ganzen Tag war sie weg.

«Wir brauchen eine neue Chefin», sagte Yvette. «Wir können sonst nichts beschließen. Das kotzt mich an. Wenn sie wiederkommt, sagt sie, wir hätten nichts beschließen dürfen ohne sie. Wenn wir eine neue Chefin haben, dann können wir ohne sie was beschließen, oder?»

«Ja, aber nicht dich», sagte Rike.

«Wen denn sonst?»

«Ich bin für Anuschka.»

«Ich bin für Rike.»

Wir beschlossen abzustimmen. Jede durfte zwei Namen

auf einen Zettel schreiben, damit nicht jedes Mädchen einen anderen Namen aufschrieb und so keine Chefin gewählt werden konnte. Und damit keine Chefin mit nur zwei Stimmen gewählt wurde, mit der dann die anderen unzufrieden wären. Wir gaben den Stift rum.

Ich schrieb Freigunda und Charlotte. Mich nur deshalb, weil ich wollte, dass hinter meinem Namen wenigstens ein Strich stand. Freigunda traute ich gute Entscheidungen zu. Sie war vorsichtig, aber nicht zu sehr, umsichtig, schlau und dachte über alles in Ruhe nach. Anuschka fand ich eigentlich auch geeignet, aber ich durfte ja nur zwei wählen. Yvette wollte ich nicht, Rike war zu albern, Antonia zu klein. So ähnlich müssen die anderen auch gedacht haben. Nur dass ihnen an Freigunda auch irgendwas nicht passte.

Rike ließ es sich nicht nehmen, die Zettel würdevoll auseinanderzufalten und die Namen dramatisch zu verlesen. Die Spannung stieg. Mein Name. Sie musste gleich als Erstes meinen Zettel erwischt haben. Schon wieder mein Name.

Ich hatte am Ende sechs Stimmen. Mir knallte das Rot in den Kopf. Fanden die das lustig? Meinten die das ernst? Und: Es war so peinlich, dass damit klar war, dass ich mich selbst gewählt haben musste. Ich schnappte nach Luft und Realität. Mund auf. Mund zu. Ich, Chefin? Eine Chefin, die rot wird?

Alle sahen mich freundlich an.

«Na, nimmst du die Wahl an?», fragte Rike. «Sonst wäre Yvette Chefin. Aber bloß mit zwei Stimmen. Das wäre 'ne Minderheitenregierung. Da würde ich lieber noch mal wählen lassen.»

Viele Mädchen nickten.

Yvette knurrte: «Gewählt ist gewählt.»

Wer hatte die denn gewählt, außer sie sich selbst? Bevor sie Chefin wurde, sollte ich es tatsächlich lieber selbst sein.

Ich wusste nur nicht, wie. Wenn jemand jetzt ein Klavier ranschleppen würde, könnte ich es auch nicht spielen. Chefin sein – keine Ahnung!

Ich sagte, dass ich mal müsste. Ich musste gar nicht.

Ich hatte aber auch gar nicht gesagt, was ich müsste. Und noch bevor ich drüber nachdachte, machte ich die Antonia. Nahm die Beine in die Hand.

Nee, Rennen ist schneller. Dabei hebt man die Füße mehr vom Boden. Also bestand das Rennen aus Hüpfen und Fliegen. Ich lief einfach nur entschlossen, höchstens zügig. Alle Einzelheiten wurden zu grünbraunen Flächen. Eine Fläche links von mir, eine rechts. Unter mir ein peitschendes Rascheln.

Bis zur Köhlerei.

Das Tor war verschlossen. Der Hund war nicht da, aber Bea auch nicht. Ich glotzte den versteinerten Köhler und seinen Hund an. Dann rannte ich. Ja, das war Rennen. Meine Füße knallten auf den Wanderweg. Alle Vorsicht und alle Stille der letzten Wochen fielen von mir ab. Irgendwann holte mich mein Verstand ein. Eigentlich war er sonst immer das Schnellste an mir. In den letzten Wochen war ich sportlicher geworden. Aber doch nicht dümmer! Ich blieb stehen. Wenn ich so laut wäre, würde ich Bea nie finden. Sie würde sich verstecken. Vielleicht war ich sogar schon an ihr vorbeigerannt. Ich drehte mich um. War da was gewesen? War da ein Kopf eingezogen worden?

Ich stand eine Weile.

Dann ging ich zurück.

Dann blieb ich wieder stehen.

Kehrte um und lief weiter Richtung Stadt. Jetzt aber ruhiger. Nicht mehr so, als wäre irgendwer hinter mir her. Ich suchte die Chefin, um nicht die Chefin zu sein.

Ich ging am Haus des Hammerschmieds vorbei, am Feldrain entlang und dann direkt zur Klippe.

Ich legte mich auf den Bauch, schob mich nach vorn zum Abgrund. Da war die Drachenmilch. Ich konnte es sehen. Quarz, hatte Anuschka gesagt. Außerdem hatte sie gesagt, dass sich die Leute früher fürchteten, dass der Drache zurückkäme, um die Stadt zu zerstören. Denn der Ritter, der das Drachenkind getötet hatte, der hat auch die Stadt gegründet. So die Geschichte. Dann schob ich mich zurück und sah mir die Stadt an. Die vielen Türme, die schwarzen Schuppendächer. Die Glocken schlugen, aber nicht von der Kirche, sondern vom Rathaus. Ich hörte den Türmer rufen.

Jetzt war ich auch ein Türmer. Einfach abgehauen war ich. Wieso hatten die mich gewählt? Ich kam mir nicht geschmeichelt vor, nur verarscht. Lachten die jetzt die ganze Zeit? *Charly Chefin – so ein Schwachsinn. Siehst du, sie ist sogar weggelaufen. Ich hab dir doch gesagt, dass die wegrennt. Komm, du schuldest mir zwanzig Euro. Neenee, nicht so schnell, ich habe gewettet, dass sie heulend wegläuft. Und geheult hat sich nicht. Ich gebe dir höchstens zehn.* Die Stimmen hallten in meinem Kopf wie im Tunnel. Sogar die Hunde konnten reden. Kajteks Stimme war sehr angenehm. *Ja, sie ist eben feige. Total feige.*

Ich überlegte umzukehren. Nur, um es ihnen zu zeigen. Um es mir selbst zu zeigen.

Ich setzte mich aufrecht an die Kante und sah auf die Stadt hinab. Fühlte einen unglaublichen Sog abwärts. Wahrscheinlich war das eine der Hauptaufgaben im Leben: dem Sog abwärts zu widerstehen. Aufgeben ist ein weiches Bett, hatte meine Oma mal gesagt. Ich hatte grinsen müssen damals, weil wir auf dem beige gemuschelten Samtsofa saßen und Oma ihre Füße auf den gemuschelten Samthocker hochlegte. «Brauchst nicht zu grinsen!», sagte sie. «Ich hab meine Schlachten geschlagen!» Großmütter! Man sollte sie nicht unterschätzen.

Ich zog meine Füße aus dem Abgrund, rutschte im Sitzen nach hinten und stand erst auf, als mir nicht mehr schwindelig werden konnte.

Dann ging ich runter zur Stadt. Ich musste Bea finden.

Die Bea auf dem Foto sah zu allem entschlossen aus. Sie kniff auch sonst oft die Augen zusammen, aber so doll doch nicht. Unter der Überschrift stand: «Was hat dieses Mädchen mit den Heiligen Mädchen gemacht? Ist dieses Mädchen allein schuld? Wer ist sie? Die geheimnisvolle Siebte.»

Ich musste die Zeitung haben. War sie alleine schuld? Was meinten die damit überhaupt? Und die wichtigste Frage: Wer ist sie? Das hatte ich mich von Anfang an gefragt.

Bestimmt kann man auch Zeitungen containern. Nach einem Tag waren sie ja abgelaufen, und irgendwo mussten die ja bleiben. Ich meinte mich zu erinnern, dass abgelaufene Zeitungen abgeholt werden. Irgendwohin gebracht. Ich hätte also einen Tag warten müssen. Diesen Tag hatte ich nicht. Ich sah Beas Gesicht auf einem Blatt, über das mein Vater immer sagte, dass sich eines Tages die Bäume dafür rächen würden, dass wir sie für so einen Dreck fällten.

Klauen war viel leichter als gedacht. Das lag auch daran, dass ich mit meinem Gesicht nicht einfach in einen Laden reingehen und sagen konnte: «Guten Tag, ich hätte gerne eine von Ihren Zeitungen!»

Geld hätte ich sogar gehabt, aber ein anderes Gesicht

hatte ich nicht. Die kurzen Haare machten mich auch nicht zu jemand anderem. Der Sonnenhut war zum Rumlaufen vielleicht ganz okay, aber er reichte nicht als Tarnung, um mit jemandem zu reden. Charlotte, fünfzehn, die Schweigsame, stand neben meinen Fotos. Wir hatten Namen wie eine Girlband. Anuschka, die Schöne. Antonia, die Kleine. Ich – na klar: die Große. Oder eben die Schweigsame.

Und jetzt also Rabea, die Geheimnisvolle. Sie hieß gar nicht Tabea.

Ich musste nicht mal in den Laden reingehen. Ich nahm die Zeitung aus einem Drehgestell. Die Jacke verschluckte sie ganz und gar. Ich lief zügig. Dahin, woher ich gekommen war. In den Wald. Die Häuser waren mir nichts mehr. Sie waren mir zu viel voller Menschen. Mir war einfach nicht danach, bei ihnen mitzumachen. Gut riechen zu müssen. Für alles Mögliche Strom zu brauchen. Für Flackern, Tuten, Piepen, Blinken, Rauschen, Brummen.

Als ich am Waldrain war, hörte mein Herz wieder auf, wie verrückt gegen die zusammengerollte Zeitung zu boxen. Ich setzte mich auf den weichen Boden – trockener Sand, auf dem fast nichts wuchs. Um mich herum flache, kleinblättrige Bodenkletterer. Dann las ich: «*Rabea Adler, das Mädchen, über das bis gestern keiner etwas wusste. Keiner hatte sie gesehen, niemand sie vermisst. Jetzt hat sich endlich die in Berlin lebende Mutter der Sechzehnjährigen gemeldet. Nach eigenen Angaben hat die zweiundvierzigjährige Frau ihre Tochter bei der Großmutter in Potsdam vermutet. Die Großmutter wiederum sei sicher gewesen, dass ihre Enkeltochter zu Hause wäre. Die Mutter berichtet, dass Rabea Adler regelmäßig verschwand, aber stets innerhalb kurzer Zeit zurückkam. Im letzten Jahr sei sie mehrere Wochen als blinder Passagier mit einem LKW quer durch Schweden mitgefahren.*

Der Grund dafür sei die Trennung der Eltern gewesen. Lesen Sie weiter auf Seite drei ...»

Auf der dritten Seite war noch ein weiteres Foto zum Bea-Artikel. Ein unscheinbares Haus in einer normalen Berliner Straße. Auf dem Dach stand groß «FREE». Weiße Farbe. Gerade Buchstaben. Unter dem Foto die Erklärung: *«In diesem Haus wohnt Rabea Adler. Vermutlich stammen die Buchstaben auf dem Dach von ihr: FREE (Frei)»*

Die Mutter ist verzweifelt. Das Mädchen sei so wild und anders (mir klang das nach einer Mutter, die auch sagen könnte, «das Mädchen sei so still und anders» oder sogar «das Mädchen sei so wie alle und kein Stück anders»). Bea würde immerzu Ärger machen und sich nicht an Abmachungen halten. (Ich konnte mir gar nicht vorstellen, dass man Bea überhaupt Vorschriften machte. Bis jetzt war mir nicht mal in den Sinn gekommen, dass Bea eine Mutter hatte. Hatte sie denn eigentlich keinen Vater? Ach so, die Trennung.) Schule schwänzen sei noch das kleinste Problem. «Das machen ja viele», sagte die Mutter. (Bei uns nicht, dachte ich. Da macht das keiner. Wir waren froh, wenn wir einen Schulabschluss bekamen, damit wir wegkonnten aus Bernitz.) Mit dem Schuleschwänzen füge sie wenigstens nur sich selbst Schaden zu, aber regelmäßig würde Rabea Adler im Umland Pferde entführen. Bei den Sozialstunden, die sie auf dem Spargelhof «Maxens Stuben» ableisten musste, habe sie auch mehrmals unerlaubt die Pferde geritten.

Auf das an die Presse herausgegebene Fahndungsfoto hin hatten sich sehr schnell Herr und Frau Hahn gemeldet. Das Ehepaar veranstaltet seit Jahren Reitspiele bei Dorffesten im Berliner Umland. Bei einem Reitspiel vor gut drei Wochen sei es zu einem Zwischenfall mit dem gesuchten Mädchen gekommen. Bei dem Reitfest handelte es sich um ein altes Spiel namens Fassschlagen, bei dem nur Männer ab sechzehn Jahren teilnehmen durften. Rabea Adler sei nicht die erste Frau, die versucht habe, sich in den Wettkampf einzuschmuggeln – aber die erste, der es gelungen sei. Sie habe sich mit einem gefälschten Ausweis angemeldet und, was viel ärgerlicher sei, den Wettkampf gewonnen. Statt es damit bewenden zu lassen, sei Rabea Adler aber nach Entgegennehmen des Preisgeldes von tausend Euro auf dem Scheunendach erschienen, hätte stehend herunteruriniert und gerufen: «Mädchen können alles!»

Daraufhin sei der zweitbeste Reiter als Fasskönig gekürt und fotografiert worden. Das unrechtmäßig entgegengenommene Preisgeld verlange das Ehepaar Hahn von der Minderjährigen zurück.

«Lesen Sie morgen: Eine Psychologin zum Fall von Rabea Adler über Mädchen, die sich wie Jungs benehmen.

Außerdem: Wir suchen den Vater des Mädchens.»

Ich ließ die Zeitung sinken. Sie lag wie eine kleine Decke auf meinem Schoß.

Wow, Bea war der neue Star. Bis jetzt war am meisten über Freigunda berichtet worden. Beziehungsweise über ihre Familie. Und über Anuschka war auch immer viel geschrieben worden. Weil sie so schön war. Und weil ihr Rick so schön war.

Aber jetzt war Bea die Interessanteste. Klar, das war sie eh schon gewesen. Die da draußen hatten es nur noch nicht gewusst.

Mit einem LKW mitgefahren. Durch Schweden. Das Dach beschmiert. Die Schule geschwänzt. Pferde entführt. Sich als Junge ausgegeben. Fasskönig geworden. Vom Dach gepinkelt.

Buh!», rief sie und sprang hinter einem Baum hervor.
Erschrecken ist wie Sterben, nur ohne tot sein. Ich
hasste es. Schon immer. Ich war einfach zu schreckhaft, um
erschreckt zu werden. Ich hielt die Hand aufs Herz und
fragte, ob sie das lustig finde. «Ich nämlich nicht!», sagte ich.

«Och, Leberwürstchen!» Sie kam zu mir und klopfte meine Schulter. Wie eine Zärtlichkeit für ein Tier.

«Du», sagte ich, was gesagt werden musste, «Cherokee ist tot.»

«Ich weiß. Ich hab ihn gefunden und in die Nähe des
Tunnels getragen. Dann hab ich Kajtek zu den Mädchen
geschickt und bin gleich wieder los.»

Ich untersuchte dieses Mädchengesicht, das aussah, als
hätte es schon alle Berge von oben und alle Meere von unten
gesehen. «Bist du nicht traurig?»

Sie atmete ein und aus. «Es ist nie alles da. Und wenn du
das verstehst, dann ist plötzlich alles da. Egal, was da ist.»

Da musste sie lange drüber nachgedacht haben. Ich traute
mich nicht, nach ihrem Vater zu fragen.

«Gib mal!» Bea nahm mir die Zeitung aus der Hand.
Sie starrte ihr Foto an. «Scheiße! Da seh ich ja echt gefährlich aus.» Sie begann zu lesen. Lachte dabei. Sagte dreimal
Quatsch und einmal ein schlimmes Wort für weibliches Ge-
schlechtsteil. Entweder meinte sie ihre Mutter, ihre Großmutter oder Frau Hahn, die Reitturnierveranstalterin. «So
eine bin ich also», sie funkelte mich wild an. «Ich würde
mich nicht mit mir abgeben. Also, wenn ich du wäre.»

«Macht mir nichts», sagte ich tapfer.

«Was treibst du eigentlich hier? Sollst du mich suchen?»

Ich nickte, froh, dass sie es mir so leicht gemacht hatte mit der Antwort.

«Also habt ihr keine neue Chefin gewählt?»

«Nicht, solange ich da war.» Das kam mir nicht vor wie eine Lüge. Ja, gut, wir hatten gewählt, aber die Wahl war ja nicht erfolgreich gewesen. Ich hatte sie nicht angenommen.

«Na, dann hab ich ja noch Chancen.» Sie grinste. «Pass mal auf!» Sie pfiff. Das war der Pfiff, auf den Cherokee gehört hatte. Wie eine Märchenfigur kam dieser haarige Riese zwischen den Bäumen durchgesegelt. Ein Tier von einem Tier. Das war der Wolfshund aus der Köhlerei. Ich hatte noch nie Angst vor Hunden gehabt, und nach den letzten Wochen bildete ich mir sogar ein, sie ganz gut einschätzen zu können – aber dieser rennende Wolfshund löste in mir etwas aus. Mein Stammhirn sagte: Lauf weg, schließ den Zaun, das Tor, die Fenster, die Stadttore – schnell! Er wird dich fressen, deine Kinder, deine Großmutter, die geschlagene Butter, das Möhrchen und die harte Wurst.

Und es gab noch andere, ganz aktuelle Ängste: Wenn der mir ins Gesicht sprang. Wenn der mir gegen die Brust sprang. Wenn der knurrte. Dann könnte ich nicht so tun, als hätte ich keine Angst. Bei anderen Hunden sah man die Stimmung an der Körperhaltung. Bei dem sah man nur Haare. Anderen Hunden konnte man ins Gesicht sehen. Der Wolfshund hatte kein Gesicht, nur Haare. Die Zunge hing weit heraus. Wie eine Steinfratze an einem mittelalterlichen Brunnen. Ich musste einfach glauben, dass er ungefährlich war. Warum sonst hätte Bea ihn mitgenommen? Warum hätte sie ihn rangepfiffen? Der würde schon nichts tun. «Das ist der aus der Köhlerei, oder?»

«Exakt dieser! Ein geiles Vieh, oder?» Bea zog eine Packung Kaugummi aus der Jackeninnentasche. «Was denkst du, bleib ich mit dem Chefin?»

«Klar!»

Der Wolfshund wurde größer und größer. Sein Hecheln rasselte heran und sägte sich in mich rein. Meine Knie hatten auf Schlottern gestellt. So ein Tier konnte ja auch völlig bekloppt sein. Von der Isolation auf dem Köhlerhof. Von diesen Haaren im Gesicht. Das Tier stoppte kurz vor uns. Mein Herz blieb ebenfalls stehen. Dann warf sich das Vieh auf den Boden und drehte sich auf den Rücken. Vorderbeine hoch in die Luft, Hinterbeine nach links und rechts aufgeklappt, blieb es liegen.

«Sie heißt Susi!», sagte Bea. «Sie unterwirft sich sofort.»

Mein Herz holperte gegen den Brustkasten und schlug ein wenig hektischer, aber immerhin gleichmäßig weiter.

«Sie glaubt, dass sie ein Hamster ist oder so.»

Bea hatte sich zu dem Wolfshamster gehockt und begann, den riesigen Brustkorb auszuklopfen. Susi brummte begeistert und suhlte sich von einer auf die andere Seite.

Ich hockte mich dazu und zog Susi am langen dünnen Vorderbein. Wir spielten mit ihr und lachten.

«Sie ist so trottelig und treu. Sie weiß überhaupt nicht, wie groß sie ist.» Bea schüttelte den Kopf. «Eigentlich würde sie super zu dir passen.»

Was hatte sie gerade gesagt? Trottelig und treu? Würde also super zu mir passen? Mein Grinsen wurde Stein, brach mir aus dem Gesicht, fiel runter. Ich hatte doch die ganze Zeit gewusst, wie sie über mich denkt! Mein ganzes Leben, ach was, vor meiner Geburt hatte ich das schon gewusst: Wenn ich auf die Welt komme, werden mich alle für trottelig treu halten.

Bea tat, als ob sie dem riesigen Hundegetier in den Hals

beißen würde. Susi freute sich. Erst als ich nicht mitlachte, merkte Bea, das etwas anders war als vorher. Sie hatte den Moment auf dem Gewissen. Einen Moment von Glück oder Freundschaft, in dem ich gedacht hatte ... egal, ich wollte gar nicht dran denken, was ich vielleicht gedacht hatte.

Susi stellte sich auf ihre vier Beine, die aussahen wie Heizungsrohre mit kurzen Haaren. Bea rieb sich die Stirn: «Was denn?» Dann wurde ihr klar, was sie gesagt hatte. «Ey, ich meinte das als Kompliment.» Wenn sie weiter ihre Stirn so reiben würde, dann könnte ich bald direkt in ihr Hirn gucken. «Ich meine, weil du auch viel mehr kannst, als du denkst. Und weil du dich auch ständig unterwirfst.»

«Mach ich doch gar nicht!», sagte ich. Ziegen, die sich im Gatter einklemmen, haben mehr Würde in ihrer Stimme.

«Unterwürfig finde ich, wenn du mich fragst, was wir jetzt machen. Würde ich dich nie fragen. Aber das ist doch nicht schlimm. So bist du eben.»

«Bin ich gar nicht!» Ich dampfte. Noch nie hatte mich jemand so getroffen. Ich müsste weglaufen. Reinschlagen. Weinen. Aber sie hatte recht. Ich würde sogar jetzt noch am liebsten fragen: Und was soll ich machen? Was würdest du in meiner Situation tun? Soll ich mich wehren?

«Du kannst mich mal.»

«Ja, das ist doch schon ein Anfang! Beschimpf mich ruhig mal.»

«Nein, echt, du bist scheiße.»

«Ja, ich bin scheiße. Manchmal. Aber du findest mich eigentlich gar nicht scheiße. Du findest mich supercool.»

«Pff», meine Lippen ließen Dampf ab. Ich hatte keine Schimpfwörter parat. Ich kannte blöde Kuh. Blödmann. Flachnase. Ich wollte mich nicht sogar beim Beschimpfen blamieren. Mein Vater sagte: Hast du 'nen Piep? Meine Mutter sagte: Ich glaub, bei dir baggert's. «Ich finde dich scheiße», sagte ich. Dann wurde ich rot. Verdammt. Ich fand sie nicht scheiße.

Bea stand auf, hüpfte ihre Hose in eine bequeme Position und breitete ihre Arme aus: «Also, Charly, komm mit oder bleib hier. Aber das musst du jetzt echt alleine wissen.» Sie ließ die Arme wieder sinken. «Wenn du mitkommst, läufst du mir hinterher, und wenn du hierbleibst, bleibst du hier, weil du mir nicht hinterherlaufen willst. Um mir zu beweisen, dass du nicht treudoof bist. Egal, was du tust, du wirst dich unwohl fühlen. Das liegt daran, dass du dich eben sowieso ständig unwohl fühlst. Eigentlich willst du mitkommen, weil du nicht alleine im Wald sitzen willst. Also, dann komm doch mit!»

Sie knotete Susi eine orange Wäscheleine an das Halsband. Dann lief sie los. Sie sah sich nicht um.

Ich saß da und sah ihr hinterher. Was wollte sie jetzt von mir? Warum tat sie das?

Wie schön wäre es, ein Hund zu sein. Mitzugehen. An einer Leine. Sitz zu machen. Ich legte meinen Kopf in meine Hände. Auf dem Waldboden stand keine Lösung. Nadeln. Braune. Grüne.

Dann erhob ich mich zur vollen Größe. Einen Meter achtundsiebzig.

Jeder Tritt und Griff auf dieser Leiter, die ich zusammen mit Freigunda gebaut hatte, war mir in Fleisch und Blut übergegangen. Ich brauchte nur noch eine Hand, wofür ich früher zwei brauchte.

Irgendwas war komisch. Gut hatte es im Tunnel noch nie

gerochen. Aber jetzt roch es richtig schlecht. Hatte ich so was schon mal gerochen? Wahrscheinlich nicht, ich hätte sofort jeden Ort verlassen, an dem es so roch.

Die Mädchen waren nicht da. Auch die Hunde waren weg. Die Sachen lagen herum. Jacken. Die Schlafsäcke waren nicht weggeräumt. Der Kochtopf stand verkehrt herum auf dem Boden. Ich fasste ihn an. Kalt.

«Wir sollten gehen», sagte ich zu Bea.

«Kannste ja machen», sagte sie und ging weiter rein. Vor lauter Mut hatte sie überhaupt kein Empfinden für Gefahren. Ich vor lauter Angst allerdings auch nicht.

«Guck mal, sie haben diese Seitenwand aufgemacht.»

«Was denn für 'ne Seitenwand?»

«Na, das gemauerte Stück hier hinten links.»

Ich reckte den Hals, aber wo ich stand, konnte ich nichts sehen. Bea knipste ihre Taschenlampe an, leuchtete Wand und Boden ab. Dann verschwand sie um die Ecke. Jetzt wäre es ein guter Moment, sagte mein Herz, ein guter Moment zum Losrennen. Wenn ich diesem Impuls nicht bald folgen würde, wer weiß, würde mein Herz durch die Brust brechen und allein weglaufen.

«Ach du Scheiße!» Wenn Bea etwas schockte, wollte ich es gar nicht wissen. «Wow! Scheiße! Komm mal her!»

Ich kann mich nicht erinnern, wie ich reingegangen bin. Aber am Ende stand ich in diesem Seitengang. Man konnte durch ein Loch in der Mauer steigen. Es war wirklich eine dünne Mauer. Wie Rike vermutet hatte.

Ich fummelte nach meiner Taschenlampe und ging dem Licht hinterher noch weiter in diesen Nebentunnel. Bea machte die ganze Zeit wow und whuhu-Geräusche. Ich machte andere Geräusche und hielt mich an meinem Licht fest. Das konnte nicht sein.

Ein menschliches Skelett. Angezogen. Es lag einfach da. So liegen Leichen also da, dachte ich. Seit fast zwei Wochen hatte es neben uns gelegen, die ganze Zeit. Ein Gerippe.

Bea hockte vor ihm.

Ich glaube, ich hatte mir die Hände vors Gesicht gehalten. Vor die Stirn, die Nase – aber jedenfalls nicht vor die Augen, denn ich sah alles.

Ich drehte mich etwas weg, leuchtete in den schmalen Tunnel.

Ein paar Kisten. Einige zu, einige auf. Überall lagen Holzfiguren. Waren das? Das waren. Warum, verdammt noch mal, lagen hier Nussknacker rum? Mit rot lackiertem Jäckchen. Ein breites böses Grinsen. Ein dreckiger weißer Bart. Hunderte dreckig weiße Bärte. Überall dieses Grinsen, das sich kaum unterschied von den Zahnreihen des Skelettes. Ein Skelett. Ich erschrak, als ich wieder hinsah. Ein sehr großer Nussknacker. Mir wurde scheißkomisch im Bauch.

Bea fingerte in den leeren Augenhöhlen herum. In dem leeren Dreieck, wo einmal die Nase war.

Ich musste mich wieder wegdrehen.

Noch eine offene Kiste. Wie es aussah, war die vor kurzem erst geöffnet worden. Der Holzdeckel war zersplittert, die Splitterstelle heller als das Holz. Ich ging zwei Schritte hin und leuchtete rein.

Geschnitzte Figuren, bunt lackiert. Hellblau, weiß. Frauen. Engel. Das waren Kerzenhalter. Die Engel lagen kreuz und quer, ihre Flügel verhakt. Oder doch keine Engel. Die hatten Kronen auf. Königinnen mit Flügeln. Und da waren auch Männerfiguren. Schwarz und rot. Bergmänner. In Uniform.

Hier musste gerade erst jemand gewesen sein. Vielleicht

war er noch in der Nähe. Hans? Oder die Mädchen? Wo waren die?

«Lass uns gehen», flüsterte ich.

«Wieso denn?», fragte Bea. «Ich hab noch nie ein echtes Gerippe gesehen. Guck mal, hier diese Linien auf dem Schädel. Geil. Wie eine Naht.» Ihre Finger fuhren den Zickzack ab. Von dem, wo mal ein Ohr war, zum anderen, wo mal ein Ohr war. Nach hinten zum Nacken. «Hier ist 'ne Verletzung. Ein Bruch. Der hat den Schädel eingeschlagen bekommen. Kann man sich so stoßen? Das war ein Mann, bestimmt. Also, der Tote, meine ich. Was denkst du? Ein Bergmann.»

Ich drehte den Kopf weg. Atmete aus. Dann bückte ich mich und nahm einen der Nussknacker in die Hand.

Seit wann gab es denn Nussknacker? Mann, mir fehlte das Internet zum Nachschauen. Mir fiel wieder dieser Zettel ein, der in der Anmeldung für das Wilde-Mädchen-Camp gewesen war. Das Internet verhindere das Denken.

Ich drehte den Nussknacker in meinen Händen. Unten drauf stand: Made in GDR. Manchmal ging es auch ohne Internet. Dann war das Skelett nicht ein Bergmann, sondern ein DDR-Mann. Warum stand das auf Englisch drauf? In der DDR konnte doch gar keiner Englisch, hatte ich gedacht.

«Wolln wir nicht gehen?», fragte ich.

«Wohin denn, Charlotte? Wo willst du denn immerzu hingehen? Überall werden wir gesucht.»

«Ja, aber hier muss doch was passiert sein.»

«Na, die anderen werden sich erschrocken haben. So wie du. Die kommen schon wieder.»

«Aber die Hunde sind auch weg. Kajtek wäre doch nicht einfach weggelaufen.»

«Wenn du meinst», sagte sie und untersuchte die Kleidung des Skeletts.

Meine Oma erklärte immer alles mit der Geburt. Sie sagte, meine Mutter wäre mit der Saugglocke rausgeholt worden und hätte sich dann bis zum vierzehnten Lebensjahr geweigert, Mützen aufzusetzen. Wegen der Saugglocke.

Zu meiner Geburt gibt es folgende Geschichte: Meine Mutter lag lange in den Wehen. Ich wollte und wollte nicht kommen. Irgendwann sei eine Putzfrau durch den Kreißsaal gelaufen – ich stellte mir immer vor, dass sie das ganze Fruchtwasser aufwischte – und gegen den Blecheimer getreten. Der sei umgefallen, mit lautem Getöse. In dem Moment hätte ich mich auf den Weg gemacht. «Wupps», sagte meine Oma, «warst du da. Aber nur, weil du einen Schreck bekommen hast.»

Einmal hatte meine Oma mich gefragt, ob ich zum Fleischer gehen könnte, um Gehacktes zu holen. Ich sagte nein. Oma lachte und fragte, ob sie erst einen Eimer umschmeißen müsse, damit ich mich auf den Weg mache. Meine Eltern waren in Aufruhr. Ich sagte, Oma habe gefragt. Auf eine Frage dürfe man mit Nein antworten. Meine Mutter daraufhin: Oma hat aber bitte gesagt. Wenn jemand bitte sagt, dann ist es keine Frage, sondern eine Bitte. Daraufhin ich: Dann hätte Oma sagen sollen: Geh bitte zum Fleischer! Und nicht: Gehst du bitte zum Fleischer?

Mein Vater schmiss die Tür von außen zu und tauchte nach einer halben Stunde mit Gehacktem auf. Mein Vater war übrigens eine Sturzgeburt.

Ich fragte mich, wie Beas Geburt war.

Als der Hund oben bellte, rannte ich sofort los.

Bea nicht.

Susi war oben. Bea hatte sie an einen Baum gebunden. Ich rannte aus dem Tunnel und kletterte die Leiter hoch.

Oben sah ich: einen Rücken. Den Rücken einer alten Frau. Sie lief weg. Das war die Winselmutter. Oder? Doch! In der Hand hatte sie etwas. Etwas Eckiges. Sie lief so schnell sie konnte.

Bea kam die Leiter hoch: «Los, hinterher!» Sie machte die bellende Susi von der Leine und sagte: «Fass!»

Susi rannte in Richtung Winselmutter, an ihr vorbei und in den Wald hinein.

Die alte Frau war nicht gut zu Fuß. Wir hätten sie sofort erwischt.

Was wäre dann anders gelaufen?

Alles!

Bea und ich rannten. Meine Beine drehten durch. Ich war auf acht oder neun Meter an den krummen Rücken der Winselmutter ran, als ich sah, was sie in der Hand hatte. Einen Benzinkanister.

Ich hörte Bea schreien. Irgendwo hinter mir.

Ich drehte im Laufen den Kopf. Sah sie nicht.

Schaute über die andere Schulter. Sah sie nicht.

Ich rannte zurück. Bea lag da. Auf dem Rücken. Hielt mit beiden Händen ihr Bein fest und mit beiden Lippen einen Schrei zurück. Sie nahm die Hand vom Bein. Ihr Knie war dick. An einer anderen Stelle als sonst. An der Seite.

Was war das? Wo kam so schnell eine so riesige Beule her?

«Meine Kniescheibe!»

«Was?»

«Das ist meine Kniescheibe. Die ist rübergerutscht. Ich bin beim Rennen weggeknickt.»

Es sah so unwirklich aus. Ich weiß nicht, was ich gedacht hatte, wie das mit Kniescheiben ist, aber so hatte ich es mir jedenfalls nicht vorgestellt. «Wieso? Ich meine, und jetzt?»

Wenn das mein Knie gewesen wäre, dann – keine Ahnung, ich wäre in Ohnmacht gefallen, mindestens.

«Mann, renn der Alten hinterher!», brüllte Bea, und ich rannte los wie eine Bekloppte.

Die Winselmutter war weg.

Drei Meter neben mir stand eine Charlotte, und ich wusste nicht, wer die eigentliche Charlotte war: Die, die da stand und sich das ansah, oder die, die zurück in den Tunnel ging, weil Bea sie schickte. Ich sollte zum Rucksack. In der Tasche vorne, Reißverschluss innen, da wären Tabletten gegen Schmerzen. Die andere Charlotte sah zu und war skeptisch, aber das war sie immer. Bea schluckte die Tabletten, erst eine, dann eine zweite. Bei der dritten fragte ich nach. Sie sagte, sie bräuchte drei.

Ich schleppte sie durch den Wald. Ihre Hände waren kalt, das Gesicht käsig.

Es ging ihr gut, sagte sie, blendend.

Ich sagte, Krankenhaus. Sie sagte, niemals. Ich sagte, Hilfe suchen. Sie sagte, neinnein. Das heilt schon so. Sie brauche Ruhe und vielleicht ein gefrorenes Schnitzel. Sie wurde immer schwerer, halb an meinem Arm und halb auf meiner Schulter. Ich schleifte sie mehr, als dass ich sie stützte. «Bea, echt, wir müssen Hilfe holen.»

Ich schnaufte. Ich musste mehr Kraft haben, als ich Kraft hatte. Mein Arm war ein harter Klumpen mit unbrauchbarem Gelenk. Mein Nacken eine Matratze, aus der die Federn herausgesprungen waren. Bea summte. Von der Dramatik der Melodie her nahm ich an, es wäre ein Lied aus dem Befreiungskampf, Partisanen, mindestens. Ich legte Bea am Waldrand ab. Mich legte ich direkt daneben. Und wenn es niemanden störte, würden wir einfach hier liegen bleiben, bis wir zwei Skelette wären. Ein summendes und ein schnaufendes.

Die Erde unter mir fühlte sich nicht sicher an. Ich hatte das Gefühl, es könnte auch andersherum sein: dass ich oben war und die Erde unten. Meine Hände krallten sich in das Gras.

«Bea, wir müssen zu einem Arzt!»

«Mann, lass mich mit dem Scheißarzt zufrieden. Ich kann doch nicht jetzt zum Arzt. Die behalten uns gleich da. Hast du vergessen? Inken. Unterlassene Hilfeleistung. Und wenn du mir jetzt nicht sofort hilfst, hast du noch mal unterlassene Hilfeleistung, also, was auch immer, unterlassen ...»

«Wir müssen aber trotzdem! Das wird doch nicht von alleine besser.»

«Warum nicht? Mir ist schon mal die Kniescheibe rausgesprungen. Also, schon ziemlich oft. Deshalb hab ich mit dem Ballett aufgehört. Das Gute daran ist, dass jemand, der ein bisschen Ahnung hat, die Kniescheibe wieder reinschieben kann.»

Über der Wiese hing eine flache Geräuschglocke. Die Grillen sirrten ihre Hinterbeinmusik. Das Summen stieg hoch und kam nicht weit. Etwas krabbelte hier über meinen Arm. Etwas kribbelte dort an meinem Bein.

«Traust du dich?»

«Was? Ich?»

Später lag ich neben Bea. Ich dachte an Kajtek, meine Eltern, an Rike und an mich selbst. Ballett, dachte ich. Bea hatte doch nie und nimmer Ballett gemacht.

Dann hörte ich ein Rumpeln.

Sie kamen mit einer Schubkarre.

TEIL DREI

Die Laube

Das Grundstück war umgeben von einem schmiedeeisernen Zaun mit Blumenmotiven. Der gelbe Lack blätterte ab. Darunter kam eine blaue Lackierung zum Vorschein.

An den Rändern des Geländes war der Bewuchs höher. Die Pflanzen hatten sich am Zaun hochgezogen und waren durch die schmiedeeisernen Blumen gewachsen. Pflanzen hatten sich an den Pflanzen festgeklammert, die sich am Zaun hochgezogen hatte.

Die Wiese tat, was sie wollte. Mitten drin, tief eingesunken, drei Luftmatratzen.

Durch die Ritzen der zerbrochenen Steinplatten auf der Terrasse drängelte sich Gras. Ein großer Tisch stand da, aus einem dicken Baumstamm gemacht. Drum herum vier Hocker aus dünneren Baumstämmen.

Die Laube war ein Würfel mit einem Dach. In jeder Seite ein quadratisches Fenster, vorne eine schmale Tür. Mein Vater sagte manchmal am Ende eines Satzes: «Und fertig ist die Laube.» Das verstand ich jetzt das erste Mal.

Neben der Laube wuchs Schilf, in dessen Mitte eine kleine alte Metallbadewanne in die Erde eingelassen war. Auf dem Wasser schwammen Seerosen, auf den Blättern saßen Frösche und sprangen ins Wasser, wenn ich sie ansehen wollte.

Wir hatten abgemacht, dass ich nur rausging, wenn ich

zum Plumpsklo musste. Das war ein bemalter Schuppen am unteren Ende des Gartens. Drin roch es nach Chlor, Rost und altem Holz. Eine Wand voller Werkzeug, an der Decke Spinnen. Ein Brett mit Loch, ein Eimer. Das war mehr Luxus als unsere Grube im Wald.

Vom Fenster aus war das Plumpsklo zu sehen. Ich zog die Gardine wieder zu. Der Sonnenschein sollte draußen mal allein so tun, als wäre das ein Sommer wie die anderen davor.

Drinnen hatte ich mir alles schon hundertmal angesehen. Trotzdem begannen meine Augen ihren Rundgang von neuem: Auf dem Boden ein schwerer Orientteppich. In der Mitte begegneten sich zwei Kämpfer auf Pferden. Der mittlere, wichtigste Teil des gewebten Bildes war verdeckt von einem massiven Tisch mit Marmorplatte und Löwenbeinen. Die Löwenkrallen waren mit gelbem Nagellack bemalt.

Auf dem Tisch lagen Dutzende Zeitungen. Ich hatte alle schon durchgesehen und die Artikel über uns gelesen.

Es gab kein Uns mehr.

Im Raum verteilt standen drei offene Rucksäcke, aus denen schwarze T-Shirts quollen. Ich zupfte an einem. Katakombia, Brutal Attack Tour 2013. Es roch nach Jungsschweiß.

Ich ging zur Kochnische. Sie war eigentlich nur ein umgebauter alter Schrank. Oben waren zwei Öffnungen ausgesägt. Eine für eine runde Emailleschüssel. Und eine weitere für zwei kleine Kochplatten. Die Türen waren ausgehängt. Eine Gardine aus dickem Stoff mit großen Blumen hing davor. Ich zog den grün-gelben Raschelvorhang zur Seite. Er fühlte sich an wie aus kleinen Glassplittern gewebt. Im Schrank eine weitere Emailleschüssel, voll mit sandigen Kartoffeln. Daneben stand eine große rote Metallflasche. Zwei Zeichen erkannte ich auf Anhieb. Einen Totenschädel. Und eine

Darstellung, wie etwas explodierte. Gas stand drauf. Vorsicht Gas.

Ich dachte an das Skelett. An die Mädchen, an die Hunde und dann wieder an das Skelett. Ich schüttelte den Kopf.

War die Gasflasche eigentlich auf oder zu? Wenn ich das jetzt rauszufinden versuchte, würde ich die Gasflasche vielleicht versehentlich aufdrehen. Meine Hand blieb in der Luft stehen.

«Bring mich raus!», sagte Bea hinter mir. «Ich will raus.»

«Hey, du bist ja wach. Wie geht es dir?»

«Bring mich raus!»

«Was ist denn?»

«Na, raus.» Sie zeigte Richtung Tür. Fuchtelte mit der Hand hin und her.

Es dauerte, bis Bea halbwegs stand.

Ich musste ihr helfen. «Willst du nicht lieber …?»

Sie humpelte mit mir los und fluchte wegen ihres Knies wie ein Pirat im Ruhestand. Meine Schulter jammerte in Erinnerung an den Vortag. An der Tür angekommen, streckte Bea ihre Hand nach der Klinke aus. «Es ist zu. Irgendwer hat uns hier eingesperrt. Es ist zu.»

«Ganz mit der Ruhe.» Ich zog die Klinke nach oben, und die Tür ging auf. «Simsalabim», sagte ich. Unglaublich, wie cool ich war. Wie ich zu Bea «ganz mit der Ruhe» gesagt hatte. Wie ich die Tür aufgemacht hatte. Ich hatte Coolwasser getrunken, drin gebadet, es selbst gebraut.

Ich brachte Bea zum Holztisch auf der Terrasse. Ich rollte einen der Baumstammhocker zu ihr rüber, damit sie ihr Bein drauflegen konnte. Als sie saß, zog sie das Hosenbein hoch. Das Knie war blaugrün geschwollen.

«Oh, Mann. Ich hol was zum Kühlen.» Ich machte ein Geschirrtuch nass und brachte es ihr. Dann setzte ich mich auf einen der Baumstammhocker und erzählte ihr von der Katze meines Onkels, die nicht in sein Tonstudio durfte. Mein Onkel machte nämlich Musik und hatte ein kleines Studio mit einem Teppich, der Schall schluckte. Weil die Katze so stark haarte, durfte sie da nicht rein. Also hatte mein Onkel die Türklinke nach oben gedreht, sodass die Katze sie nicht aufbekam. Alle anderen Türen im Haus bekam sie nämlich auf.

«Das mit den Türklinken macht man eben so, damit die Tiere nicht rauskommen. Du hättest dich nicht so aufregen müssen.»

Bea legte ihre Hand auf meinen Oberschenkel. «Das sag ich dir nächstes Mal auch, wenn du es mal wieder nicht packst, was zu sagen, ohne rot zu werden. Du hättest doch nicht so rot werden müssen.» Sie nahm ihre Hand von der glühenden Stelle auf meinem Bein.

«Und jetzt hätte ich gern eine Erklärung: Wo bin ich hier, und wie komme ich hierher?»

Als ich im Wald lag, wurde ich Boden. Ich war fast, aber noch nicht eingeschlafen. Mein Rücken war festgeklebt, an den Gelenken waren kleine Hebel, die mit kleinen Haken in kleine Schieber eingerastet waren. Arme und Beine lagen wie abgeworfenes Material neben mir. Ich wartete auf gar nichts. Das lähmte mich zu Stein.

Als die Schritte kamen, drehte ich nicht mal den Kopf. Ich hörte ein Rumpeln. Von weit her. Der Knochenmann mit seiner Sackkarre. Das Mörbitzmännel, der böse Geist mit den alten Brötchen, die Winselmutter mit Benzinkanister, ein Nussknacker.

«Hey!», sagte eine Stimme. Und noch mal und noch mal. Dann rüttelte die Stimme an meiner Schulter. Eine andere Stimme legte die Hand auf meine Stirn. Eine dritte Stimme wurde aufgeregt: «Ey, Bea, ey, ey, ey!»

Ich kannte die Stimmen nicht. Das waren keine Mädchen. Komisch. Es gab doch nur Mädchen im Wald, dachte ich. Dann machte sich ein Gedanke auf den Weg – von irgendwo hinten in meinem Gehirn. Der Gedanke: Du solltest mal nachsehen. Du solltest rausgehen und nachsehen. Es war ganz dunkel in mir, und der Weg war viel weiter als sonst. Und dann kam ich da an, wo ich hingewollt hatte, oder doch nicht ganz: Zuerst wackelten meine Finger. Und kurz bevor ich es selber geschafft hätte, meine Augenlider zu finden, irgendwo in dieser Müdigkeit und in diesem schweren Alles-egal und in den Schmerzen – da riss jemand von außen mein eines Auge auf.

Das war hell.

Das war tatsächlich ein Junge.

Ein großer mit Brille.

Das war doch der Blonde, den ich am Stausee gesehen hatte.

Hinter seinem Kopf tauchte ein weiterer Kopf auf. Ein rundes Gesicht mit Sommersprossen. Der Junge mit den roten Wuschelhaaren. Der große Bruder von Pippi Langstrumpf. Eine Stimme fragte: «Ist sie okay?» Ich konnte den Kopf dazu nicht sehen, aber bestimmt war das der schwarz Angezogene mit den langen dunklen Haaren.

Das waren die Jungs mit dem Zettel. Einer von ihnen hieß Matheo Streiter und hatte sich beworben um irgendwas mit Käse. Mehr wusste ich nicht über sie.

Ich machte erst einmal wieder mein Auge zu. Dann öffnete ich beide gleichzeitig. Der Blonde lächelte. Lag das an der Brille, dass ich dem vertraute? Dem vertraute ich sofort.

«Bist du okay?»

Ich wurde das erste Mal im Liegen rot. Ich nickte.

«Was ist denn passiert?», fragte der mit den roten Locken.

Ich wollte mich aufsetzen. Da der Blonde sich über mich gebeugt hatte, knallten fast unsere Köpfe zusammen. «Oh, 'tschuldigung», sagte er.

Und ich auch: «'tschuldigung!»

«Nee, ich», sagte er.

Und ich «Na ja, ich auch …» Und dann grinsten wir so breit, dass der Vogel im Baum hoch über uns dachte, eine neue Art Lebewesen sei entstanden. Ein Grinsemensch.

Ich fing mich wieder. «Was passiert ist … Ähm … total viel …»

«Ist gut. Okay», sagte der mit den roten Locken. «Trink mal was.» Er holte aus einem eckigen Rucksack aus braunem Fell eine runde Blechflasche. Das schmeckte wie Früchtetee.

«Heute meine ich», sagte der Lockenkopf. «Warum ihr hier liegt und sie …», er zeigte auf Bea. «Warum sie so weggetreten ist? Wie lange liegt sie schon da?»

Ich zuckte die Schultern. «Sie hat sich, also, hat sich das Knie verrenkt. Sie hat gesagt, dass könne man wieder einrenken. Wäre ganz leicht. Weil ihr das … das ist wohl schon ein paarmal passiert.» Ich schwitzte wie verrückt. Versuchte, keinen der Jungs anzusehen, die mich alle drei anstarrten. Auch der dritte, der mit den langen schwarzen Haaren. Der hatte ein Gesicht wie ein Löwe: der Mund, die schmalen Lippen, die Kieferknochen, die gelben Augen. Dem vertraute ich nicht. Die anderen beiden waren okay. Die Brille, die Sommersprossen – klare Zeichen für Vertrauenswürdigkeit.

«Und was hast du gemacht?», fragte das Löwengesicht. Er sprach ganz langsam, als wollte er sichergehen, dass ich ihn auch wirklich verstand.

«Ähm, was hab ich gemacht?» Ich sah zu Bea rüber. «Ich habe gemacht, was sie gesagt hat. Das Bein genommen und dran gezogen. Sie hat geschrien, dann hat sie noch eine von den Tabletten genommen, obwohl ich gesagt habe ...»

«Was für Tabletten?», fragte er wieder ganz langsam. Glaubte der, ich war bescheuert?

«Die sind in ihrer Hose.» Ich zeigte zu Bea.

Pippi Langstrumpfs Bruder durchsuchte Beas Taschen. Sie hätte ihm eine geschallert. Dann warf er die Tabletten dem Schwarzhaarigen zu. Der beguckte sie von vorne bis hinten. Er war hier der Oberbegucker. Das nervte mich, denn er war nicht mein Oberbegucker. Chefin war immer noch Bea. Oder ich. Ich war gewählt worden.

«Drei Stück insgesamt also. Dann wird sie eine Weile ausgeknockt sein. Das sind ganz schön starke Teile. Fünfundzwanzig Milligramm Doxylaminsuccinat. Wieso hat sie die bei sich?» Er klapperte mit der halbleeren Schachtel. «Wenn sie bis morgen Mittag nicht wach ist, gehen wir ins Krankenhaus.» Dann zu mir. «Die Kniescheibe ist wieder drin?»

Ich zuckte die Schultern.

Während der Lockenkopf Beas Knie betastete, versuchte ich herauszufinden, ob Essen in meinen Magen reinwollte oder eher raus. Bitte, jetzt nicht kotzen!

«Also, das Knie ist dick, aber die Kniescheibe ist an der richtigen Stelle. Soweit ich das fühlen kann.» Er hörte trotzdem nicht auf, an Beas Knie herumzutasten.

«Oh, Entschuldigung», sagte der Blonde plötzlich. «Wir haben uns gar nicht vorgestellt. Ich bin Jurek.» Er gab mir die Hand. «Das ist Ole.» Er zeigte auf den Rothaarigen, wozu er mir seine große, nette Hand wieder wegnahm. «Und das ist der Matheo.» Der Langhaarige nickte und sagte dann mit seiner Idiotenbetonung: «Ihr kommt erst einmal mit zu uns. Hier könnt ihr ja nicht liegen bleiben.»

Ich weiß nicht, ob ich genickt habe.

Die Jungs luden Bea auf eine mörtelverkleckerte Schubkarre. Dann machten wir uns auf den Weg.

Tausend Fragen rannten durch meinen Kopf. Vor allem wegen der Mädchen. Ich dachte an Rike und Antonia, an die anderen auch.

Der Langhaarige, Matheo, sprach ruhig und ohne viel Betonung. «Wir können nicht mit der Schubkarre durch die Anlage.»

«Die Kleingartenanlage», ergänzte Jurek für mich und lächelte.

Ich befahl meinen Augen «bei Fuß» und sah Ole an. Wenn ich jetzt aber immer Ole ansah, wenn ich Jurek ansehen wollte, dann würde Ole denken, dass ich ihn ansehen wollte. Wo sollte man bloß hinsehen, wenn Jungs da waren?

Ich nickte. «Ja, klar. Nee. Durch die Kleingartenanlage können wir nicht so durch.»

Sie beratschlagten sich. So rum gehen oder so rum gehen oder noch ein bisschen warten? Eine Decke über Bea legen und mir eine Mütze aufsetzen? Ich hätte gern mit Bea getauscht. Gut, kaputtes Knie hin oder her, aber ich war hier allein mit drei fremden Jungs. Es fiel auf, wenn ich nichts sagte. Immerhin war ich nicht in Ohnmacht gefallen oder so. Und da jetzt die Frage war, wie ich und Bea durch die Gartenanlage in die Laube gelangen könnten, wäre es komisch gewesen, wenn ich mich verhalten hätte, als wäre ich ein Sack, den sie schmuggeln mussten.

«Ich bin dafür, auf die Dämmerung zu warten», hörte ich mich sagen.

Alle stimmten mir zu.

Komisch, dachte ich, die wissen ja gar nicht, wie schüchtern ich bin. Dann muss ich es auch nicht sein. Dieser Trick wirkte sofort.

Oberhalb von Milchfelsen machten wir Pause.

«Ich geh runter und hol was zu essen», Matheo zeigte ins Tal.

«Er arbeitet da», erklärte mir Jurek.

Matheo ging den Berg runter, Richtung Sonnenuntergang. Der Supermarkt sah aus, als ob er brannte. Die vier Fahnen klapperten an die Fahnenstangen. Das erinnerte mich an das Camp, an das Barackendorf bei Bad Heiligen. Fünftausend Jahre war das her. Zweieinhalb Wochen. Fast drei.

«Was ist?», fragte Jurek.

Ich zog die Mundwinkel hoch und wieder runter, versuchte, mein Gesicht zu neutralisieren. «Ähm ... Kennst du die Geschichte von dem Drachen?», fragte ich und stammelte noch ein bisschen. «Der Drache ... Mit der Drachenmilch ... Und der Felsen hier ...?»

Als er nickte, wäre ich am liebsten in dem Felsen versunken. Klar kannte er das. Er war ja von hier. Was für eine blöde, blöde Frage. Gott, war ich dämlich. Ich würde gegen vier Gänse nicht im Halma gewinnen.

Ich schaute zu, wie Ole versuchte, Bea aus seiner Blechflasche zu trinken zu geben. Er hatte ihren Unterkiefer in die Hand genommen, drückte mit dem Daumen auf die eine Wange, mit dem Zeigefinger auf die andere und ließ langsam Wasser in den geöffneten Mund laufen. Wie ein Bauer einem Kälbchen die Flasche gibt. Bea würde ihm echt eine

schallern, aber hallo. Die Sommersprossen würden ihm weg-
fliegen.

Jurek holte ein grünes Metallfernglas aus seinem Rucksack. Bestimmt vom Militär. Irgendeine Armee irgendeines
Landes hatte ein Fernglas weniger. «Bei der Alten ist Licht
in der Laube. Die Frau auf dem Nachbargrundstück. Die
ist bestimmt fast neunzig. Hier, guck mal!» Er hielt mir das
Fernglas hin.

Durch das Fernrohr kamen mir die Häuser übergroß ent-
gegengesprungen. Wie ein taumelndes Flugzeug kurz vorm
Absturz rasten meine Blicke durch die Häuser. Ein runder
Ausschnitt der Stadt flitzte vor meinen Augen hin und her.

«Nicht so schnell bewegen.» Jurek rückte ein Stück zu mir
und hielt das Fernrohr fest. Mein Sturzflug durch die Stadt
stoppte auf einer Wiese.

«Was siehst du?»

«Wiese.»

«Und jetzt?» Er bewegte vorsichtig das Fernglas in meiner
Hand. Berührte mich dabei nicht.

«Immer noch Wiese.»

«Und jetzt?»

«Einen Weg, einen Zaun.»

«Und jetzt müsste schon der erste Garten kommen. Siehst
du ihn? Und dann ein rotes Haus mit weißen Fenstern?» Er
drehte das Fernglas weiter und lenkte meinen Blick durch
die Gärten. «Siehst du?»

«Ja.»

«Wenn du jetzt vorsichtig weiter nach rechts gehst, dann
kommt da der nächste Garten, die große Wiese. Ja? Siehst
du das?»

«Ja! Da ist eine Hollywoodschaukel.»

«Gestreift?»

«Gestreift.»

Es war, als ob wir im Sitzen zusammen spazieren gingen.

Er ließ das Fernglas los. «Und der Garten weiter rechts, das ist der von der alten Frau.»

Ich suchte den Garten ab. Beete hoch und runter. Keine alte Frau. «Ist das Haus gelb?»

«Ja, hast du das?»

«Ja, aber keine alte Frau.»

«Zeig mal!» Er kam mit seinem Kopf sehr nah heran. Seine Brille klackte an das Metallgehäuse des Fernglases. Erst fand ich das frech, dann gut. Dann dachte ich, dass ich meinen Kopf ja auch wegdrehen könnte, wenn es mir unangenehm wäre.

«Geht grad zum Auto.» Jurek nahm seinen Kopf wieder weg. Ich schob meinen wieder hinter das Fernglas. Dann sah ich ein Auto. Ein braunes. Igitt!

«Und dieses kackbraune Auto …» Er lachte.

Langsam wurde es mir unheimlich, dass wir die ganze Zeit dasselbe sahen und dachten. Jetzt saß er mir auch zu eng. Jetzt war sein Kopf zu nah und sein Lachen zu blöd.

Das braune Auto fuhr weg. Ich überlegte, ihr mit dem Fernglas hinterherzufahren, aber ich hatte keine Lust.

«Gib mal her», sagte Jurek und nahm mir das Fernglas aus der Hand. «Mal sehen, wo sie hinwill.» Er war ganz kribbelig vor Freude. «Ich wäre so ein super Geheimagent!»

Ich stand auf und ging weg. Ich konnte unmöglich neben ihm sitzen bleiben. Der Junge, der ich als Junge gewesen wäre.

Ole stand immer noch bei Bea. Er hatte gedankenverloren seine Hand auf ihrer Schulter liegen. Ich hoffte jedenfalls, dass es gedankenverloren war. «Puls und Atmung sind okay», sagte er und nahm die Hand weg. «Is ja auch bald dunkel. Dann können wir in die Laube. Die Alte ist weggefahren?»

«Ja, mit dem kackbraunen Auto.»

«Ist besser, wenn sie euch nicht sieht. Uns kennt sie schon.»

Mir kam die Frage blöd vor, aber ich bekam sie nicht besser hin. «Ihr wisst, wer wir sind, oder?»

«Klar», sagte er. «Wir sind Fans von euch. Seit der ersten Stunde.»

Ole guckte mich komisch an. Er verzog sein Gesicht, Augenbrauen hoch und wieder runter.

Unsere Fans. Seit der ersten Stunde. Das ist doch peinlich. Also, für mich.

Jurek hustete. «Was in den Hals geflogen.»

Er hatte überhaupt keinen Grund zu erklären, warum er hustete. Außer er hätte mit Absicht gehustet und nur behauptet, er hätte was im Hals. Beim Atmen sagte ja auch niemand, sorry, ich musste grad mal, ich hätte sonst keine Luft mehr bekommen.

Gott sei Dank sah ich Matheo den Berg raufkommen. Und konnte sagen: «Matheo kommt!»

Wir mussten aufpassen mit der Schubkarre bergab. Zwei Jungs an je einem Griff, einer vorne dagegengestemmt, damit die Schubkarre nicht Fahrt aufnahm. Wir gingen am Ort vorbei in die Kleingartenanlage. Aus einem Garten waren Fußballgesänge zu hören. Aus einem anderen stank der Kohleanzünder.

Gartentor quietschte auf, quietschte zu. Hau ruck, trugen die Jungs Bea in die Laube. Sie hing wie eine Brücke, die ein Naturvolk aus Tauen geknotet hat, zwischen den Ufern Matheo und Jurek.

Sie legten Bea ab und begannen zu kochen.

Auf dem Tisch ein riesiger Haufen Zeitungen. «Fans der ersten Stunde», dachte ich.

«Wisst ihr was über die anderen?», fragte ich.

Sie wussten nichts. Sie hatten gehofft, ich würde was wissen.

Jetzt ging es uns wie dem Rest des Landes.

Scharfkantige Gedanken schnitten tausend Teile aus mir. Ich dachte tot-krank-gestürzt und noch viel mehr. Es klang jetzt wirklich wie eines meiner Rätsel von der Rätselseite: Ein Skelett liegt in einem Tunnel, fünf Mädchen und drei Hunde sind verschwunden, eine alte Frau mit einem Benzinkanister läuft weg.

Genau in diesem Moment kam die Nachricht raus. Und was so eine richtige Knallernachricht ist, die knallert natürlich auch. Die verstopft die Leitungen. Die zischt, wenn man sie ausspricht. Dann fliegt sie in die Luft und schreibt sich selbst an den Himmel.

Und einer wusste es schon und sagte es jemandem, der es noch nicht wusste, und der sagte es jemandem, der es noch nicht wusste, und dann wollte der es auch weitersagen, aber alle wussten es schon.

Peng machte es, und das ganze Land wusste es. Menschen, die Nachtdienst geschoben hatten und jetzt ihren wohlverdienten Tagschlaf schliefen, die wurden geweckt, damit man es ihnen sagen konnte. Überall tippten Finger Nummern in Tastaturen. Münder pressten sich an Mikrophone und gaben immerfort dieselbe Nachricht weiter.

Als die Nachricht rauskam, wurde auf einmal ein Ort

berühmt, von dem vorher noch nie jemand gehört hatte. Wolkenknochen, zwischen Drescherlandstock und Gelobt Bienenhammer.

Was? Wo?, fragten die Journalisten. Was ist denn das für ein Name? Ach, das ist normal im Erzgebirge? So heißen die Orte da. Mittelwüst. Herrensorge. Himmelsstein. Kuhkrone. Schattentanne. Fürstenschädel.

Ein Mann vom Film rief bei seinem Rechtsanwalt an. «Ja, ich will die Rechte an denen. Ich nenne die Story ‹Die wilden Waldmädchen›. Oder ‹Wald Girls›, so wie wild, wie wild, English, verstehst du? Überleg mal: ein Schriftzug mit Piratentouch. So was Taffes, weißt du. So alphamädchenmäßig. Die hatten ja auch noch Hunde. Das wird super. Du, das wird ganz groß. So emanzipationsmäßig. Ja, klar, das knallt wie Sau. Da kann man auch Puppen draus machen. Für die ganz Kleinen. Klar, mit den Hunden dazu.» Und dann wurden Autotüren zugeschmissen, klackernd, tönend, scheppernd, leise, laut, dumpf, quietschend. Die kleinen Zeitungen schickten ihre Leute, die großen sowieso. Die Fernsehsender schickten ihre Teams. Am liebsten wären sie mit Blaulicht vorgefahren, wenn es nicht verboten wäre – lassen Sie mich durch, ich bin vom Fernsehen. Was dreht ihr grade in Thüringen? Abbrechen, sofort. Fahrt nach Wolkenknochen zum Krankenhaus.

Es gab Stau. Stau auf der Zufahrt nach Kreis Drescherlandstock. Für so viele Autos waren die Straßen nicht gebaut worden. Wolkenknochen war ein kleiner Ort mit Gassen, die im Mittelalter völlig genügt haben.

Jeder Journalist musste zuerst da sein. Wie die Lachse den Fluss hinauf drängelten sie sich nach Wolkenknochen. Zum Krankenhaus. Sie wollten reinstürmen, die Mädchen aus den Betten zerren und die ersten Bilder haben. Ausgemergelt sollten sie sein, verwirrt, dehydriert, verrückt. Vielleicht hatten sie die anderen zwei Mädchen gefressen? Die Einschaltquoten würden explodieren, wenn man als Erster ein Interview bekäme. Oder so ein richtig gutes Porträt von einer von denen. Die Hübsche. Das wäre am geilsten, wenn die irgendwas richtig Cooles gemacht hätte. Oder das Mittelaltermädchen.

Ein Sender war so schnell bei den Eltern von Antonia, so schnell konnte keiner «übergriffig» sagen. Aus dem Bett geklingelt. Haben Sie gehört? Hatten sie noch nicht. Sollen wir Sie hinbringen? Nicht aufregen, hier, ein Kaffee. Und dann haben die die armen Leute auf der Autofahrt gefilmt. Wie sie weinen. Wie sie reden. Wie sie streiten.

Gegen acht Uhr morgens wurde Wolkenknochen abgeriegelt. Polizei aus den Nachbarorten war da und ließ nur noch Anwohner durch. Presseleute nur, wenn andere Presseleute abfuhren. Natürlich fuhr niemand ab. Die hatten alle ihre Story noch nicht. Man bekam ein paar Leute vors Mikrophon. Den Bürgermeister, der wusste aber auch nichts. Den Dorftrottel, der wusste zu viel. Und den Ex-Freund von der Hübschen, der wusste echt gar nichts. Sah aber gut aus. Und der durfte ins Krankenhaus.

Vor dem Krankenhaus stand Polizeischutz. Die sprachen in rauschende Geräte: Eltern der Kinder anwesend. Durchlassen, alles klar. Der Sender, der sich die Eltern von Antonia ausgeborgt hatte, der musste sie am Krankenhauseingang abgeben. Die Eltern gehörten leider nicht dem Sender. Die gehörten nur sich selbst, und sie schissen auf ihre Fahrer und rannten zu ihrer Tochter.

Schon am Morgen hatte ein kluger Mann seinen mobilen Asiaimbiss hergefahren. Sonst stand Wang immer auf dem Marktplatz. Jetzt stand er beim Krankenhaus. Der Kaffee war schlecht, aber es gab keinen anderen. Müde Journalisten trinken alles, wenn es wach macht. Am späten Vormittag hatte sich ein Bäckerwagen dazugesellt. Mit etwas besserem Kaffee. Dann folgte noch ein Expressomobil mit heißen Würstchen im Brötchen. Mitten in der Stadt Wolkenknochen entstand eine neue Stadt.

Wir waren schlafen gegangen, bevor die Nachricht überall kursierte.

Als ich an dem Morgen wach wurde, war ich nicht sicher, ob ich wach war oder ob ich gestorben war im Schlaf und trotzdem aufwachte.

Meine Schulter, verdammt, bestand die aus Eiter oder was? Ich hatte Bea durch den halben Wald geschleppt. Und jetzt war ich – wo genau?

Irre Träume waren durch meinen Schlaf gezogen. Eine Winselmutter, ein Feuer, ein Bellen, ein Rennen, eine Kniescheibe, die wie ein Diskus durch die Gegend zischte. «Fang sie!», rief Bea. Ich fing sie. Wieder Feuer, Knochen, Skelette, alle Mädchen auf einer Schubkarre.

Was war passiert, und war es wirklich passiert?

Ich war in dieser Laube mit diesen … und da hörte ich ihre Stimmen schon.

«Pst, Mann!», zischte Matheo.

Ich blinzelte leicht. Die dünnen, behaarten Beine der Jungs liefen durch die Laube. Sie liefen zur Emailleschüssel, Zähne putzen. Sie liefen zum Wasserkocher, Kaffee machen. Dann zogen sie sich Hosen an. Sie klapperten rücksichtsvoll.

«Schreib mal noch 'nen Zettel, wo wir sind und wann wir wiederkommen.»

Woher kam Jureks Stimme?

Ich blinzelte nach ihm. Er stand am Fenster und aß etwas.

«… arbeitet im Supermarkt, und Jurek hat einen Job beim Türmer. Ich kellnere nachmittags, und am Vormittag versuche ich herauszufinden, was mit den anderen Mädchen ist …», murmelte Ole.

«Müssen die doch nicht so genau wissen …» Matheo leise.

«Soll ich jetzt wieder was durchstreichen oder was? Sieht doch aus, als hätten wir was zu verbergen.»

«Ich bin immer noch dafür …» Ich erfuhr nicht, wofür Ole war. Sie gingen. Ein Hubschrauber flog über den Garten. Entfernte sich wieder.

Als es still war, hörte ich mein Herz. War's noch meins? Das Herz von Charlotte Nowak, Tochter von einer Putzfrau und einem Putzmann?

Draußen schrien die Gartenvögel, schrien ganz andere Sachen als die Waldvögel. Ein Garten war ein aufgeräumter Wald. Ein Pferd, zu dem man immerzu hü-hott sagt. Wachsen sollte was, aber dort, nicht hier, nicht so hoch, nicht so doll. Der Wald und der Garten sind nur zweiten Grades verwandt. Ich vermisste den Wald und alles. Die Mädchen auch. Die Hunde, na klar. Aber der Wald … sein Licht, sein Geruch. Ich fühlte mich falsch in dieser Laube.

Ich hatte mich eine Weile umgeschaut, bis Bea wach geworden war und ihren Türklinken-Anfall bekam. Draußen auf der Terrasse wollte sie dann eine Erklärung.

Ich hatte mich neben sie auf einen Baumstammhocker gesetzt und erzählt. Von Jurek, Ole und Matheo. Von der Schubkarre. Vom Heimweg. Dass ich nicht wusste, wo die anderen Mädchen waren.

Bea nickte mit geschlossenen Augen. «Die Typen wissen

das bestimmt. An denen stimmt doch was nicht. Da ist nicht nur ein Knopf falsch rum angenäht. Oder kommt dir das nicht komisch vor, dass die mit einer Schubkarre im Wald rumschieben? Und dass die uns zufällig finden? Und dass die hier die ganzen Zeitungen rumliegen haben?»

«Sie haben gesagt, sie wären Fans von uns.»

«Und woher wussten sie, wo wir sind? Wo kommen die denn her?» Bea schlitzte die Augen.

«Die kommen von hier. Vielleicht kannten die den Tunnel sowieso.» Ich zuckte mit den Schultern.

«Fans! Man kann doch nicht einfach Fan von jemandem sein, der nicht darum gebeten hat.»

«Wenn ich von uns gelesen hätte, dann hätte ich uns auch toll gefunden.»

«Fan sein ist was für Schwächlinge», sagte sie. «Haben die Kaffee hier?»

Ich stand auf und ging in die kühle Laube. Draußen wurde es langsam warm. Die Morgensonne heizte die Terrassenplatten auf. Im Wald war es immer angenehm gewesen, im Tunnel immer kühl.

Ich kam mir vor, wie von jemand anderem gespielt. In der falschen Kulisse. Beim Kaffeemachen dachte ich, dass Kaffeemachen bestimmt was für Schwächlinge war. Und darüber nachdenken, was für Schwächlinge ist, ist auch was für Schwächlinge. Mir selbst machte ich einen Ostfriesentee. Im Erzgebirge. So ein Quatsch!

«Hier!» Ich stellte Bea den Kaffee auf den großen Baumstumpf.

«Komm nicht ran», sagte sie.

Ich schob ihr die Tasse rüber. Wenn Fan sein was für Schwächlinge war, dann war Star sein was für Arschlöcher.

Ein paar Minuten lang übernahm der Garten das Gespräch. Ein Monolog aus Zirpen und Summen. Weit weg hörte ich Menschen etwas tun. Ein Motor, eine Musik, eine Axt. Es war so leer hier. Die Bäume standen so weit auseinander. Das andere wuchs so flach. Mir war das alles nichts. Ich wollte in einen Schatten, eine Höhle, an eine Stelle, wo Moos wuchs.

Ich hatte eigentlich viel größere Sorgen. Was war mit den Mädchen? Mit Beas Knie? Wo war Kajtek? Was war das für ein Skelett?

«Weißt du, worüber ich mich ärgere?», fragte ich Bea und redete gleich weiter: «Ich hätte gern die alte Frau in die Finger gekriegt. Die weiß garantiert was über das Gerippe im Tunnel und über diese Erzgebirgssachen da.»

Bea zuckte die Achseln. «Das ist wahrscheinlich nur eine Irre.»

«Machen deine Tabletten gleichgültig? Was ist denn mit dir?» Ich schüttelte den Kopf. «Überleg mal, die Irre wollte den Tunnel anzünden.»

«Wie kommst du denn darauf?», fragte Bea.

Richtig, sie hatte ja den Benzinkanister nicht gesehen. Als ich ihr davon erzählte, zuckte sie die Schultern.

«Bea, die wollte da was anzünden. Diese Holzfiguren. Damit die niemand findet. Und das Gerippe wollte die bestimmt auch anzünden. Wir haben sie dabei gestört. Jetzt, wo keine von uns mehr im Tunnel ist, kann sie ungestört ...» Meine Arme waren ganz meiner Meinung und flatterten gegen meine Flugunfähigkeit an. Bea sollte unbedingt kapieren, dass ich hier an einer ganz heißen Sache dran war. «Überleg doch mal, vielleicht wollte die uns die ganze Zeit da raushaben. Wegen dem Gerippe und dem Zeug, diesem Erzgebirgszeug. Und darum ist die da auch herumgespukt. Vielleicht hat die auch die Hunde vergiftet. Wer weiß, was mit den anderen Mädchen ist. Vielleicht ist was ganz Schlimmes passiert.»

Bea drückte auf eine dicke Stelle an ihrem Knie. Verzog das Gesicht. «Vielleicht ist nichts Schlimmes passiert.» Sie drückte wieder auf das Knie und verzog wieder das Gesicht. «Das ist Schmerztraining», erklärte sie.

Meine Arme sanken herab. «Trotzdem!», sagte ich. «Wenn wir zu lange warten, fackelt die Winselmutter alles ab. Und dann kann man das Gerippe nie mehr identifizieren. Da ist doch ein Verbrechen passiert. Der liegt doch nicht zufällig da.» Ich trank einen Schluck Tee. So schmeckte Ostfriesland also. Wie nasses Heu.

Bea beendete ihr Schmerztraining, nahm ihre Tasse und pustete in den Kaffee. «So wie das Skelett aussah, lag das doch mindestens dreißig Jahre da. Und wenn der damals fünfzig war, dann wäre er jetzt auch tot. Ist doch egal, wie das passiert ist.»

«Und wenn er zwanzig war?»

«Dann hatte er doch die zwanzig besten Jahre seines Lebens.» Sie sah zum Himmel, als wäre da was. Da war nichts. Hellblau war er, weit und ohne Baumkronen davor. Und wenn man zu lange hinsah, stieg die Sehnsucht auf.

Ich trank meinen Tee aus. «Es ist nicht egal, warum jemand tot ist. Finde ich. Wenn das egal wäre, weil wir alle am Ende tot sind, dann könnten wir uns ja auch zum Spaß die Köpfe einschlagen, und Kriege wären sowieso egal.»

Obwohl ich gerade noch gesagt hatte, dass es nicht egal war, spürte ich auf einmal, dass es das doch war. Alles war egal und nicht egal. Bumm. Was macht man mit so einer Erkenntnis?

Bea zuckte die Schultern. «Wem bringt es was, wenn man herausfindet, was genau passiert ist?»

Ich tippte mir auf die Brust. Mit Rotwerden übrigens, war mir aber scheißegal. «Mir. Einfach mir, Bea.»

Als ich das Radio anmachte, sagte es meinen Namen. Ich schreckte so zusammen, dass ich erst dachte, ich hätte einen Schlag bekommen.

Mein Herz rumste bis zum Anschlag. Ich. Also mein Name. Im Radio. Und da sagte jemand, ich wäre in einer Laube. Eine fremde Stimme. Nicht ganz fremd. Hatte ich schon mal gehört.

«Und die andere heißt Rabea Adler … In einer Laube sind die. Bei drei Jungs. Die verstecken die da.»

«Mach mal lauter», rief Bea rein.

Ich drehte lauter.

«Hier im Ort glaubt mir sowieso keiner», sagte die Stimme im Radio. «Aber glauben Sie mir, das ist doch das beste Versteck für die Mädchen. Ich kann ja sagen, was ich will. Mir glaubt ja keiner. Ich bin der Hans. Sie haben bestimmt schon von mir gehört.» Der Hans also.

Die Moderatorin bedankte sich und gab ab ins Studio.

«Was war das denn? Woher weiß der das? Wir müssen weg hier.» Bea zeigte zum Himmel hoch, dabei schmiss sie die Kaffeetasse vom Baumtisch.

Da war wieder der Hubschrauber. Kam der näher? Gleich würden sie hier landen und uns bestürmen mit Fragen, Mikrophonen, Kameras und Handschellen. Verdammt, was hatten wir denn verbrochen? Inken war doch nicht wirklich tot? Ich hatte doch nichts gemacht. ICH hatte nichts gemacht. Sie konnten mich doch nicht wie eine Verbrecherin behandeln.

Das Hubschraubergeräusch wurde leiser.

«Er hat ja nicht gesagt, welche Laube», sagte ich.

Wir lauschten. Ich meinte, Freibadgeräusche zu hören. Ein Wellenkreischen, eine Ansage, das Federn vom Sprungbrett.

Ich sammelte die Scherben der Tasse auf. Es war keine schöne Tasse gewesen. Blau mit Gold. Drachenfest stand auf einer Scherbe.

Das Radio sagte: «Hier ist die Stimme des Erzgebirges mit den Nachrichten. Die sechstägige Suche nach den Heiligen Mädchen ist beendet.»

«Mach mal lauter!» Bea hätte noch eine Tasse runtergeworfen, wenn sie eine gehabt hätte.

«Sei doch leiser!» Ich hüpfte zum Radio, drehte ordentlich auf und wieder ein Stück zurück. «Wie die Nachrichtenagentur NFF gestern bekanntgab, sind fünf der sieben verschwundenen Mädchen im Gebiet des Erzgebirges, in der Nähe von Gelobt Bienenhammer, aufgegriffen worden. Gestern Nachmittag waren die Mädchen mit drei Hunden am Ortsrand von Drescherlandstock aufgetaucht und hatten einen Autofahrer um Hilfe gebeten. Eines der Mädchen befand sich in einem problematischen Zustand. Im Krankenhaus von Wolkenknochen wurde sie versorgt. Ihr Zustand ist nach wie vor problematisch. Die anderen Mädchen wurden ebenfalls untersucht. Sie sind wohlauf. Über den Verbleib der zwei fehlenden Mädchen ist noch nichts bekannt. Bei diesen Mädchen handelt es sich um die fünfzehnjährige Charlotte Nowak und die sechzehnjährige Rabea Adler.»

Ich atmete erst mal aus. Alle lebendig. Dann atmete ich wieder ein. Und sie hatten die Hunde dabeigehabt. Alle drei. Dann atmete ich wieder aus und sah Bea an.

Aus dem Radio kam ein Lied über Flucht und Unklarheiten in zwischenmenschlichen Beziehungen. Liebe, nehme ich mal an. Escape with you, huhu. Ich fragte Bea, was sie glaubte, welches Mädchen krank geworden sei.

Sie zuckte mit den Schultern.

Ich grübelte in Endlosschleife. War Antonia krank? Bitte nicht Antonia. War Rike krank? Hoffentlich nicht. Anuschka? Ja, vielleicht Anuschka. Oder Freigunda? Das konnte ich mir nicht vorstellen. Sie hatte mal gesagt, dass sie nie geimpft worden sei und darum wäre sie so widerstandsfähig. Und Yvette? Ich beschloss, dass Yvette im Krankenhaus war. Das wäre mir am liebsten. Aber wenn es doch Antonia war?

«Denkst du nicht drüber nach?», fragte ich noch einmal. «Echt nicht?»

«Das ist, als ob du eine Milchkuh im Kreis jagst. Davon gibt sie nicht mehr Milch. Musst du nicht verstehen.»

«Doch, doch. Ich verstehe schon. Milch.»

Wie war ich hierhergekommen? Ich? Die stille Charlotte? Mein Platz wäre bei Oma im Garten gewesen. Ich hätte durch das Fernsehen von diesen Mädchen erfahren. Dann wären es eben nur sechs gewesen. Das hätte ich cool gefunden, endlich mal was Interessantes in den Nachrichten. Nicht nur Geld, Parteien, Börse, Fußball.

Ich versuchte, mir selbst zu beantworten, warum ich hier war. War wohl eine Verkettung von und dann und dann und dann. Bis Inken wieder da ist, hatten wir gesagt. Und wenn sie nie wieder da war? Dann müssten wir damit leben, dass sie tot war. Und wir müssten unsere Strafe dafür bekommen. Und es würde nicht so was wie weniger Taschengeld sein. Oder Stubenarrest. Die Strafe wäre, dass wir schuld waren.

Ich fragte mich, warum ich hierblieb. Bea.

Und ich fragte mich, warum sie hierblieb. Knie.

Es kam ein Lied über das Sterben. Das Sterben aus unerwiderter Liebe. Schwachsinn. Das war einfach nur Erpressung.

Ich drehte am Radio. Es gab nur zwei Sender. Die Stimme des Erzgebirges und einen Kindersender. Dort lief gerade ein Lied, in dem eine hüpfende Pizza wollte, dass man mit ihr nach Italien fuhr. Der Refrain forderte dazu auf, ebenfalls zu hüpfen.

Nach dem Lied sagte eine Frauenstimme, dass sie die Babett sei und dass wir zum Ferienquatschen mit Babett eingeschaltet hätten. Heute mit dem besonderen Thema «Abhauen!». Sie sprach eine Weile über das Von-zu-Hause-Abhauen. Das habe diesen Sommer sehr zugenommen. Alle hätten ja von den sieben Heiligen Mädchen gehört. Diese Welle von kleinen Ausreißern könne sie sich nur damit erklären, dass es unter den Kindern und Jugendlichen eine große Sehnsucht nach dem Abhauen gäbe, nach der Natur und der Gefahr. Heutzutage würden die Kinder doch ständig von Erwachsenen bewacht und beschützt werden.

«Im Studio begrüßen wir Theresa Uhlmann. Sie ist dreizehn Jahre alt, kommt aus Wiesland. Diesen Sommer ist auch sie von zu Hause abgehauen. Hallo, Theresa. Erzähl doch mal. Warum bist du denn abgehauen?»

«Wir wollten den Heiligen Mädchen helfen.»

«Wer ist wir?»

«Na, die vom Forum Mädchen ...» Sie stockte kurz. «Das habe ich doch vorhin schon erzählt.»

«Ja, den Namen musst du natürlich nicht sagen. Wenn ich das kurz noch mal für unsere Zuhörer erklären darf. Es gibt ein Internetforum, wo nur Fans zugelassen sind. Und da ist die Theresa sehr aktiv. Theresa, kannst du mir das bitte mal erklären: Was ist an den Heiligen Mädchen so spannend für dich?»

«Ich war vorher Fan von einer Band. Ich sag jetzt nicht, welche, weil mir das inzwischen peinlich ist. Die Musik war auch gar nicht so gut. Ich hab mein ganzes Taschengeld für die ausgegeben. Und die sind ja schon stinkreich, die brauchen mich ja nicht. Als dann die Heiligen Mädchen überall in den Zeitungen waren, da fand ich das viel besser. Echt, die machen mal was. Und ich muss nichts kaufen. Oder mir irgendwelche Musik anhören. Vor allem fand ich Bea toll. Das wäre eine coole Freundin, glaube ich. Und dann fand ich auch gut, dass die in so einem Camp waren. So was würde ich auch gerne machen. Aber ich hätte mich eigentlich nicht getraut. Das ist ja eher so spinnermäßig, wenn man im Wald rumhockt. Als Kinder haben wir viel im Park gespielt, oder im Garten. Ich finde das gut, dass man jetzt sagen kann, dass man Natur mag. Jetzt ist man nicht gleich ein Emo und selbstmordgefährdet, nur weil man gerne an einem Feuer sitzt. Es geht ja um Freiheit.»

«Und mit diesen wunderbaren Worten verabschieden wir uns in eine kurze Musikpause. Die Theresa ist auch danach noch da und erzählt uns was über das Internetforum.»

Aus dem Radio kam ein Lied mit der Aussage, dass Ferien geil sind, hauptsächlich weil da Ferien sind. Ferien, tralalala, die beste Zeit, tralalal. Das würde ich so nicht mehr unterschreiben.

War es uns wirklich um Freiheit gegangen? Oder war es immer nur Bea um Freiheit gegangen und allen anderen um was anderes? Die letzten Wochen war ich alles andere als frei gewesen. Frei in dem Sinne, dass keine Erwachsenen da waren. Ist die Abwesenheit von Erwachsenen schon Freiheit? Oder die Abwesenheit von Schule? Oder war es die Abwesenheit von Straßenverkehr und Werbung und Geld und Nachbarn und Terminen? Wir waren in einem Wald eingesperrt.

Wir mussten leise sein und uns ducken. Ich hatte noch nie so viele Pflichten gehabt. Die Hunde, das Wasserholen, die Nachtwachen, ununterbrochenes Aufräumen und Säubern. Ein Wald voller Hausaufgaben. Und Hunde als Kinder. Ich war mindestens fünfzehn Jahre älter geworden. Okay, übertrieben. Vielleicht zehn.

«Hallo, ihr seid bei Ferienquatschen mit Babett. Bei mir ist die Theresa Uhlmann. Sie ist, so wie viele andere Mädchen in diesem Sommer, von zu Hause abgehauen. Theresa, wie lange warst du weg, und wo wolltest du hin?»

«Ich war drei Tage unterwegs, und ich wollte mir das Camp ansehen, wo die Mädchen waren. Ich war da verabredet mit Freundinnen aus dem Internet. Wir wollten Inken finden. Tot oder lebendig.»

Die Moderatorin lachte. «Entschuldigung. Das klang gerade so dramatisch. Ihr könnt doch nicht die Polizeiarbeit übernehmen.» Eine kleine Pause. Die Moderatorin räusperte sich. «Ihr wolltet den Mädchen jedenfalls helfen. Vielleicht hättet ihr das wirklich geschafft. Manche Sachen können Kinder viel besser als Erwachsene. Theresa, ihr seid wirklich die totalen ...», sie sagte totalen, als ob sie dabei die Arme hob, «die totalen Auskenner, wenn es um die Heiligen Mädchen geht. Aber sag mal, wo habt ihr denn die ganzen geheimen Informationen her, an die sonst keiner gekommen ist?»

«Ja, wir sind Auskenner.» Theresa hörte sich stolz an, und Stolz war kein guter Berater. Es war ein gefräßiges Gefühl. «Ja, also, wir haben das mit den Hunden auch schon vorher gewusst. Das ist eigentlich erst seit gestern bekannt, dass die Mädchen die Hunde bei sich hatten. Aber wir haben das schon seit Wochen gewusst. Wir haben sogar Geld gesammelt für den Verein ‹Hundeproblemfelle› und deshalb auch das Forum so benannt.»

Ich dachte bei mir: Theresa, pass auf, wo deine Worte hinlaufen.

«Aber woher habt ihr das denn alles gewusst?», fragte die Moderatorin.

Theresa gab bereitwillig Auskunft. «Beim Forum ist ein Mitglied, die wusste immer Sachen, die nicht in der Zeitung standen. Sie hat gesagt, dass sie nicht verraten wird, wer sie ist, und wir haben das dann akzeptiert. Wir glauben, dass es eins von den Mädchen selber ist. Gestern haben wir die neue Information über die anderen beiden Mädchen bekommen, dass es ihnen gutgeht. So viel kann ich sagen.»

Vorsicht, Theresa, murmelte ich. Ich schloss die Augen und hoffte, dass sie nichts weiter wusste oder dass sie es nicht sagte.

«Also glaubst du, dass die zwei anderen Mädchen noch dort in der Nähe sind?»

«Ich glaub, dass ein Pfund Rindfleisch 'ne gute Suppe gibt», sagte Theresa.

Ich lachte.

Die Moderatorin lachte nicht. «Na klar, das verrätst du natürlich nicht. Verstehe ich.»

Theresa hatte die Notbremse gezogen. Kurz vor dem Bahnhof Verrat am Vorort Verplappern.

Ich entspannte mich.

Die Moderatorin verabschiedete sich von Theresa und bat die Hörer, noch dranzubleiben, gleich gäbe es das Gewinnspiel. Nach dem Raketenlied, dass sich viele Zuhörer gewünscht hätten. Das Lied fing an. Ein Countdown, dann ein billiger Rhythmus. Die Kinder sollten sich durch Drehen in Raketen verwandeln. Ich fragte mich, was Liedermacher eigentlich gegen ruhig sitzende Kinder hatten.

Ich dachte an diese Dreizehnjährige, die von zu Hause weggelaufen war, um uns zu helfen. Kinder wollten sich nicht nur drehen.

ch musste mir das Forum ansehen. Mädchen.
   Mädchenirgendwas.
Theresa glaubte, dass eine von uns sich regelmäßig eingeloggt hatte. Das war doch Quatsch. Für so etwas hatten wir gar keine Zeit und Gelegenheit. Anuschka war mal allein in der Stadt gewesen, aber nur einmal ganz am Anfang. Bea war sogar zwei- oder dreimal weg gewesen, aber erst gegen Ende.

Mir fiel Mimiko ein, aber die konnte doch gar nichts wissen.

Mädchenirgendwas.

Wegen der Hunde so genannt, hatte Theresa gesagt. Sie hatte nichts verraten, aber ich wusste es plötzlich.

Ich zog den Zettel aus der Seitentasche meiner Hose. Ganz klein gefaltet. Sehr geehrter Herr Streiter. Da, auf der Rückseite.

Mädchenmeute: 4517732

Matheo war der Informant.

Oder halt, sagte ich mir. Vorschnelle Schlüsse waren wie Feuerwehrleute mit beschlagenem Helm, die die Tür eintreten, obwohl der Schlüssel steckt. Bis jetzt wusste ich nur, dass die Jungs einen Zettel gesucht hatten, auf dem vorn Matheo Streiters Namen steht und hinten ein Wort und eine Zahl. Erst mal musste ich überprüfen, ob das Wort zum besagten Internetforum passte und man sich mit der Zahl einloggen konnte.

Und dann hieß das immer noch nicht mehr, als dass die Zugangsdaten zum Forum hinten auf einem Zettel standen, auf dem vorne Matheos Name stand.

Der Informant musste er trotzdem nicht sein. Das könnte auch dieser Hans gewesen sein oder ... Ich brauchte ein Stück Papier. Ich riss mir eine Anzeige aus einer Zeitung. Große weiße Fläche, kleine Frau mit rotem Kleid mit Kochlöffel in der Hand, Zeigefinger verschwörerisch auf dem Mund: *Die kleinen Geheimnisse.* Die Anzeige warb für Instantsuppe.

Ich schrieb unter *Geheimnisse*:

Matheo

Ole

Jurek

Hans

Bea

Mimiko

der Freund von Anuschka, Rick

die Winselmutter?

Dann sah ich mich in der Laube um. Nicht nur mit den Augen. Auch ein bisschen mit den Händen. Ganz vorsichtig öffnete ich einen Rucksack nach dem anderen.

Im grünen Rucksack von Matheo fand ich Folgendes: Unterwäsche, karierte Boxershorts, ein Buch über eine ferne Welt, in der Krieg herrschte, ein Messer, eine Karte. Märkisch Oderland. Sogar eine sehr detailreiche. Das war östlich von Berlin, oder?

Nächster Rucksack.

Ich schaute zwischen dem schwarzen und dem Fellrucksack von Ole hin und her. Ich schnappte mir Oles Rucksack, ganz hartes Fell, rötlich wie Oles Haare. Hirsch vielleicht. Mein Herz nervte. Wenn einer von den Jungs zurückkäme, dann würde mein Kopf schwarz werden, so dunkelrot wäre der.

Ich hätte Bea sagen können, dass sie aufpassen soll, aber dann hätte sie gefragt, warum. Ich hätte es ihr erklären müssen, und dann hätte sie gesagt: Also vertraust du ihnen auch nicht, siehste. Hab ich dir doch gleich gesagt. Das sind Idioten. Lass uns hier abhauen. Los, trag mich mal auf die andere Seite der Welt! Und ich dann: Nee, nur wegen Internet. Und sie: Wieso denn? Und ich: Da gibt's so ein Internetforum über uns. Und da wäre sie dann ausgeflippt. Flipp, flipp. So 'ne Scheiße, das dürfen die nicht! Was weiß ich.

Das brauchte ich jetzt nicht.

In Oles Rucksack fand ich: Unterwäsche, blau und grau und rot. T-Shirts von weiteren Bands. Ontinga, Bonesjumper, Traxxas. Der spannendste Fund war ein Diktiergerät. Als ich es kurz abspielte, war Wasser zu hören, ein Fluss.

Ich stopfte alles zurück und widmete mich Jureks Rucksack. Ich überlegte. Meine Hände zögerten. Los, sagte mein Kopf. Da kann doch ein iPad drin sein oder ein iPhone. Ich wusste selbst, dass das Quatsch war. Wahrscheinlich hatten die Jungs ihre Geräte bei sich. Ein Tablet, das würde er vielleicht nicht mitnehmen, sondern im Rucksack lassen. Mein Kopf sagte, sieh nach, was es mit der Mädchenmeute auf sich hat.

Jurek hatte weiße Unterhosen. Ein Buch, Arkardi und Boris Strugatzki, «Picknick am Wegesrand». Ein bisschen Werkzeug, Bindfaden, ein Heft mit Notizen. Als ich es aufklappte, sagte Bea draußen: «Hör auf, der eine Idiot kommt!»

Fuck, Doppelfuck! Sie hatte meine Kramerei mitbekommen. Und einer der Jungs kam. Heft mit Notizen zugeklappt. Heft in den Rucksack. Rucksack zu. Rucksack an seinen Platz zurückgelegt. Mich selbst an einen anderen

Platz gesetzt, weit weg vom Rucksack. Beine übereinander. Beine wieder normal. Hände im Schoß. Hände woandershin. Oberschenkel. Hände greifen Zeitung, halten sie fest. Augen zur Tür. Augen in die Zeitung. Ich hörte draußen seine Stimme.

«Ja, das ist die Laube von Hans», antwortete er auf Beas Frage. «Aber der ist okay. Ich bin übrigens Jurek!» Eine Pause. «Na, dann eben nicht!»

Ich stellte mir vor, wie er ihr seine Hand hingehalten hatte. Und wie sie diese Hand angesehen hatte, als wäre sie die Hand von Hitler. Mindestens.

«Hier, Kirschen!», sagte er zur Begrüßung und hielt mir eine braune Papiertüte hin.

«Weißt du, welche von den Mädchen krank geworden ist?»

Er schüttelte den Kopf. «Kein Rankommen. Vielleicht war Ole erfolgreicher. Der hat da Tricks drauf. Musst du mal hören, wenn er bei seinen Eltern anruft. Die denken, wir machen eine Kanutour.»

Jurek lachte. Er hatte spitze Eckzähne.

Wir aßen Kirschen. Wir sammelten die Kerne auf einer Zeitung mit Beas und meinem Foto vorn drauf. Ich legte zwei Kerne auf meine Augen. Jurek legte mir einen Kern auf den Mund.

Er erzählte, dass die Stadt kopfstünde. Überall Kameras und Mikrophone und Journalisten. «Die Reporter», sagte Jurek dramatisch, schrieb es groß mit beiden Händen in die Luft, spielte mir einen Kinotrailer mit dramatischen Propeller- und Schwertkampf-Geräuschen vor. «Sie sind überall. In jedem Park. Auf jeder Bank. Auf allen Wiesen.» Seine Lippen stülpten sich auf und rauschten einen Kamerazoom. «Sie können warten! Aber eines Tages greifen sie an. Und sie haben Fragen.» Er gab seiner Stimme einen dramatischen Tonfall. «Sie haben viele Fragen. Auch an dich!»

Ich lachte mit und dachte nicht darüber nach, wie ich aussah, wenn ich lachte.

«Ich ruf mal Ole an.» Jurek holte ein Smartphone aus der ausgebeulten Seitentasche seiner abgeschnittenen Armeehose. «Ole, mein Freund!» Dann wurde er ruhig. «Okay, ja, klar. Du hast heute also deinen ersten Tag, und Telefonieren ist eigentlich verboten. Ja, verstehe. Bis dann, mein Bester.»

Jurek ließ sein Smartphone in die Tasche gleiten. «Er macht Zivi im Krankenhaus von Wolkenknochen.»

«Wirklich?»

«Ach, Quatsch! Er wird die vollgelabert haben, und dann haben sie ihn reingelassen. Ich sag doch, der kann so was.»

Dann saßen wir nebeneinander, schweigend wie Feldsteine, bis Jurek eine Nachricht von Ole bekam. «Yvette», sagte er zu mir rüber. «Und es geht ihr immer noch schlecht. Lebensmittelvergiftung.»

Ich fühlte mich schuldig, weil ich mir ja gewünscht hatte, dass es Yvette wäre.

«Ich muss das Bea sagen.»

Bea meinte, Yvette werde sich bestimmt an einer fiesen Bemerkung vergiftet haben.

«Nicht lustig!», sagte ich.

Wenn ich der Polizist wäre, was hätte ich denn getan? Man hätte mich angewiesen, ich sollte aus der einen Kreisstadt in die andere Kreisstadt fahren, um dort mit ein paar anderen Polizisten aus anderen nahen Kreisstädten vor einem Krankenhaus aufzupassen, dass keine Reporter, Gaffer, Journalisten, Spinner und insgesamt also keine Unbefugten das Krankenhaus betreten, in dem ein Mädchen liegt, eines der Mädchen, die ein paar Wochen lang vermisst und landesweit gesucht wurden.

Das konnte ich mir ganz gut vorstellen. Ich konnte mir auch vorstellen, dass ich da schon ein paar Stunden gestanden hätte vor diesem Krankenhaus, für das sich das ganze Land interessiert. An diesem Tag hätte ich schon eine Stunde Pause gehabt, und da hätte ich im Mannschaftswagen ein Erbsengericht gegessen und einen dünnen Kaffee von einem Imbiss namens Mister Wang getrunken. Ich wäre also müde und/oder genervt und/oder würde an zu Hause denken, wo es einen Wecker gäbe, der zur Weckzeit kräht, weil meine Frau das lustig fände. Ich hätte eine komische Frau, eine die mich Maus nennen würde. Und da stünde ich also, beruflich ein Gesetzesvertreter, privat eine Maus, stünde da also, links ein Kollege, rechts ein Kollege, und wer weiß, was die für Spitznamen bei ihren Frauen hatten. Ich hätte eine Position am Hintereingang zugewiesen bekommen. Nicht mal am Vordereingang, wo die ganzen Journalisten sich auf die Schultern von Kollegen setzten, um ein Bild vom Krankenhaus zu liefern, auf dem keine anderen Journalistenköpfe sind.

Und dann stelle ich mir vor, dass da ein junger Typ auf mich zukäme, ein junger Rotschopf in Pflegerhose und Pflegerhemdchen, der steuerte genau den Hintereingang an und sagte, er mache hier sein soziales Jahr. Und er käme eh schon zu spät, und ob ich ihn mal durchlassen könne.

Was hätte ich getan?

Die Mütze abgesetzt?

Mich am Kopf gekratzt?

Und dann guckt der dich an mit seinem weichen Gesicht.

Dem wuchs noch kein Haar am Kinn. Der war unmöglich Journalist, das wäre klar. Ein Wunder, dass der überhaupt schon sechzehn war. In dem Moment würde der Junge seinen Arm hochreißen und zum Parkplatz rüberrufen: «Frau Doktor Lippmann, FRAU LIPPMANN!»

Die würde zurückwinken. Mit einer schnellen Bewegung würde sie ihr Auto zuschießen, wie eine Westernheldin, cool über die Schulter, und dann hergeflattert kommen. Sommermantel, Segelschuhe, Sonnenbrille. «Gibt es ein Problem?», würde sie mich und den Jungen fragen.

«Er sagt, er ist Zivi hier», würde ich sagen. Und weil das ein bisschen wenig nach Polizei und Staatsmacht klingen würde, hätte ich nachgeschoben: «Können Sie das bestätigen, Frau Lippmann?»

Und das war sein großes Glück, sagte Ole und grinste. Dass der Polizist, in dessen Kopf und Leben ich mich versuchte einzufühlen, dass der Ole als Zivi bezeichnete und dann Frau Lippmann um Bestätigung bat.

Frau Lippmann habe daraufhin gesagt: «Erstens heißt das nicht Zivi, das ist heute der Bundesfreiwilligendienst. Zweitens würde ich mich freuen, wenn Sie mich korrekt ansprechen würden. Ich bin Frau Doktor Lippmann, und drittens kann ich als Chefärztin nicht jeden Pfleger bei uns kennen.»

Und ich muss sagen, wenn ich mich jetzt in den Polizisten einfühlte, dann fühlte ich mich damit nicht gerade wohl. Dann hätte ich ungefähr gedacht: Ach, lassen wir die beiden rein, der eine kennt den anderen und der andere den einen, das wird schon alles seine Richtigkeit haben.

«Und dann hat er mich reingelassen.» Ole zuckte die Schultern. «Im richtigen Augenblick hat mich die Frau Doktor gefragt, in welche Abteilung ich müsste. Und ich hatte natürlich einen Namen parat, zu Dr. Roland, hab ich gesagt. Dann aber schnell, sagte sie, und ich war im Krankenhaus.»

«Und dann bist du zu Yvette?», fragte ich. «Hast du sie gesehen?»

«Ich bin in die Abteilung Innere gegangen. Da habe ich mich herumgedrückt, bis niemand im Schwesternzimmer war. Dann an den Rechner und die Namen durchgesehen, bis Yvettes Name auftauchte. Wie es aussieht, sind die anderen Mädchen nur kurz untersucht und dann entlassen worden. Dann habe ich mir mein Cape umgeschnallt, bin durchs Fenster geflogen und auf schnellstem Wege hierher.»

Jurek lachte.

Mir gefiel das gut, wenn er lachte. Ich war froh, dass ich niemandem erklären musste, warum. Es hätte schwachsinnig geklungen. Er sah so stark aus. Es erschien mir unfassbar peinlich, jemand wegen so was zu mögen. Das war, wie wenn Leute sagten: Ich mag Regen, danach ist alles so frisch. Oder: Ich lache gerne, das macht so Spaß.

Ich hatte das Gefühl, dass Bea mich dabei ansah, wie ich ihn ansah.

«Was?», fragte ich.

«Nüscht!», sagte sie.

Die Jungs befragten ihren Superhelden nach Einzelheiten. A: Wo hatte er die Pflegerkluft her? Aus dem Berufsbekleidungsladen in der Rathauspassage. B: Woher wusste er, wie die Ärzte hießen? Man hört sich eben so um im Ort.

Er war stolz. Jurek und Matheo auch. Sie beklopften ihm die Schulter.

Bea ließ Luft aus den Lippen. «Und jetzt?», fragte sie. «Heute Abend weiß es eh die ganze Welt. Es liegt das Mädchen im Krankenhaus, das nicht entlassen wurde. Da hättest du auch was Sinnvolles machen können.»

Ole bekam ganz runde Augen. «Das sagt das Mädchen, das vom Dach gepinkelt hat.»

Jetzt machte Bea runde Augen. Dann Schlitze.

«Außerdem hab ich es für Charly getan. Das war Apfelsaft aus einer Flasche. Dir kann es ja egal sein.»

Bea schüttelte den Kopf, als ob sie einem armen Irren dabei zusah, wie der versuchte, Wasser anzuzünden.

Die und eine coole Freundin … Ja, das sollen sich die da draußen mal so vorstellen. In Wahrheit war kein Rankommen an sie. Am meisten störte mich, dass ich sie nicht mehr cool fand. Das tat weh.

«Bea, reiß dich doch mal zusammen», flüsterte ich.

«Was denn? Ich soll jetzt nett sein, weil sie uns hier in diese Laube verschleppt haben? Es gibt für mich keinen Grund, ihnen zu vertrauen. Du weißt schon, dass es eine Belohnung für Hinweise gibt?»

«Ja, und wenn du mir weiter auf den Keks gehst, dann hol ich mir die Belohnung selber», sagte ich.

Bea starrte mich lange an.

Als Kind hatte ich mal zu einem rothaarigen Kind gesagt, dass rote Haare ein Zeichen dafür seien, dass die Eltern einen nicht haben wollten. Das Kind weinte, und ich musste mich entschuldigen. Ich sagte, meine Mama hätte das gesagt, und meine Mama musste sich dann auch noch entschuldigen. Und ich musste mich dann noch bei meiner Mama entschuldigen, denn sie hatte das natürlich nicht gesagt.

Ich hatte mir angewöhnt, lieber zu schweigen. Und kaum gewöhnte ich mir das wieder ab, rutschte mir so ein Ding raus.

Am Abend fragte ich Jurek, ob ich mal mit seinem Smartphone ins Internet könnte.

«Da, klar.» Er griff in die tiefe Tasche und gab mir sein angewärmtes Smartphone.

Matheo versteinerte ein wenig. «Aber besser keine Nachricht schicken oder so.» Was der hatte, das brauchte auch noch einen eigenen Namen. Jugendseriosität oder so. Dass er immer von Problemen ausging, hatte schon seine Spuren um seinen Löwenmund hinterlassen.

«Der beste Empfang ist hinten auf der Weide. Außerdem ist es da schön. Komm, zeig ich dir», sagte Jurek.

Draußen war das Licht blau, die Bäume fahl. Sie waren sicher glücklich in der Abendkühle. In den Garten fiel die Hitze tagsüber wie eine Bombe hinein. Abends wurde gewässert. Das ständige Klackern von stotternden Kreis-Sprenganlagen und das Rauschen von jemandem, der noch mit dem Schlauch selber durch den Garten liefen.

Der Garten von Hans hatte ein Gefälle. Für Ballspiele wäre die schräge Wiese auch in gemähtem Zustand nichts. Man konnte nur um die Wette herunterkullern. Das taten wir, und Jurek gewann.

Unten beim Schuppen stand eine große Trauerweide, oben war eine Plattform. Jurek kletterte mir vor.

Ich kletterte nach. Es waren Krampen in den Baum geschlagen, die waren wie schmale Bügel. Die Hände konnten reinfassen – kühl –, die Füße draufsteigen – glatt.

Jurek gab mir die Hand. Auf dem Boden der oberen Plattform lag ein Seil. Das hätte ohne Jureks Hand als Jureks Hand funktioniert, aber so war es mir lieber.

«Erste Etage, Kleintierabteilung», sagte er.

Die Plattform war auf Kanthölzern befestigt, die an den Baum geschraubt und genagelt waren. Auf den Kanthölzern lagen so dicke Bretter, dass sie sich nicht einmal durchbogen, wenn man zu zweit drauf stand. Wir standen sehr nah beieinander, und mir wurde sofort schwindlig.

Auf der Plattform stand eine kleine rostige Bank, die mal ein Schmuckstück gewesen sein musste. Dann war sie ausgemustert und mit einem Flaschenzug unter vielen «Weiter links, weiter rechts, höher, höher»-Rufen begleitet hier hochgezogen worden.

«Ach so, Internet», sagte Jurek und diktierte mir den Zahlencode.

Ich setzte mich auf die Bank. Er legte sich auf die Bretter, die Hände auf den Bauch gelegt, die Arme standen ab wie Henkel. Dann pfiff er. Es war ein kluges wehmütiges Pfeifen. Ich versuchte, nicht ständig hinzusehen, wie er die Lippen spitzte.

Im Internet zu sein, das war wie sich nach all den Tagen an einem Waschbecken die Zähne zu putzen. Oder sich mit einem sauberen Waschlappen zu waschen, der nicht nach Wald und Hund roch. Da war sie, die größte, dümmste, klügste Bibliothek der Welt. Ein Porno- und Klamottenladen. Ein Selbstdarsteller- und Süchtigenuniversum. Und während ich durch Fakten und Fakes bummelte, erkannte mich keiner. Ich musste mich nicht ducken, nicht leise lachen, keine Klopfzeichen machen. Genau genommen, war doch das Freiheit. Im Internet konnte man jeden Tag vom Dach pinkeln. Komisch, das Internet hatte mir nur ganz selten gefehlt im Wald.

Andererseits hatte mir früher nie der Wald gefehlt. Da wusste ich aber noch nicht, dass der Wald – wie soll ich es sagen, ohne dass es blöd klingt? –, dass mir der Wald so viel bedeuten würde. Ich konnte ihn also vorher gar nicht vermissen. Ich kannte ihn ja gar nicht. Vorher.

Komisch, Jurek kannte ich vorher auch nicht. Vor zwei Tagen.

Ich tippte: «Mädchenmeu–» Der Browser ergänzte sofort. Mann, war ich gut. YES! Eine Maske erschien. *Anmeldung erforderlich.* Anmeldename. Jetzt könnte ich Glück haben oder Pech. Warum nicht mal Glück, dachte ich. Ich ging in das Anmeldefeld für den Namen, und es bot mir sofort einen an: Gesine.

Wieso kannte Jureks Smartphone den Anmeldenamen?

Jetzt noch das Passwort. Es wäre blöd gewesen, hätte ich jetzt nach dem kleinen Zettel kramen müssen – obwohl Jurek sich immer noch mit geschlossenen Augen dem melancholischen Pfeifen hingab. Aber ich war vorbereitet. Ich hatte die Zahlen auswendig gelernt. War nicht meine Stärke, aber ich hatte mir eine Eselsbrücke gebaut.

4517732: 45 Minuten dauert eine Schulstunde, klar. EINE Schulstunde dauert so lang: darum die 1. 7 Mädchen waren wir. Das war so wichtig, dass es gleich zweimal kam. Drei Hunde hatten überlebt, zwei waren gestorben.

Schnell klickte ich den Lautsprecher in der Taskleiste aus. Nicht, dass beim Anmelden ein Geräusch kam, das Jurek kannte.

Ich war nicht wirklich überrascht, dass ich problemlos ins Forum kam. Neben dem Schriftfeld links und rechts ein Wald. Bäume, Blätter. Dunkelgrün, unten braun. Fast ein bisschen herbstig. So sah das Erzgebirge gar nicht aus. Das konnten sie natürlich nicht wissen. Sie – die Mädchen, die sich für uns interessierten. Die Mädchen, die alle Artikel verlinkt hatten und alle Fotos sammelten.

Ich hätte nicht gedacht, dass ich eine so harte Gänsehaut bekommen könnte. Käse könnte man auf mir raspeln.

Ich überflog alles.

Links zu Artikeln, Berichten

Skizze des Pionierferienlagers Ernst Thälmann

Inken Suche, Recherche

Soforthilfe für den Verein «Hundeproblemfelle», Unterthema Geld sammeln, Spenden

War Inkens Verschwinden geplant? Steckt Bruno Binder mit drin? Unterthema: Sind sie ein Paar?

Unterforen zu jedem Mädchen. Antonia. Anuschka. Charlotte.

Wenn ich versuchte zu denken, dass das, was sie Charlotte nannten, ich war, ich hier, ich selbst auf diesem Baum, dann verstand ich plötzlich so wenig wie ein Tier, das Menschen zuhört.

Fans von uns. Auch von mir.

Ich klickte auf den neuesten Beitrag. Thema: Resa im Radio

Alle aufgepasst!!!!!!! Resa ist heute Morgen im Radio!!!! Lässt sich auch übers Netz empfangen. Hier der Link.

Kommentare:

Resa, das hast du gut gemacht. Grüße, Kussiwuschi.

Hätte es besser gefunden, du hättest uns vorher gefragt. Fast hättest dich verplappert. Muss ja nicht sein. Kate.

Ich hab es leider verpasst. Wisst ihr, wo ich es nachhören kann. Und Kate, ich glaube, du hättest es auch gemacht, oder? Was hat denn Resa fast verraten? Dieohnefahrrad

Resa hat fast den Namen des Forums verraten, aber hat sie ja nicht. Ist ja nichts passiert, reg dich ab, Kate. Wuschi.

Ein Spion war ich bei den Spionen. Ein Doppelagent. Mir wurde ganz kribbelig.

«Und?», fragte Jurek.

Ich erschrak. «Was, was?», stammelte ich. Ich hatte ihn fast vergessen. «Bin grad am Lesen.»

«Sag, wenn was Spannendes bei ist. Was über Charlotte oder so.» Dann pfiff er wieder.

Für mich war Jurek auch verdächtig, denn es war sein Gerät. Ich fand es ratsam, erst einmal alle außer mich selbst zu verdächtigen. Das erhöhte die Wahrscheinlichkeit, dass ich recht hatte, und gab mir ein gutes Gefühl. Der dümmste Fehler von Ermittlern war, dass sie irgendwen für unschuldig hielten, nur weil der so aussah oder noch nie was getan hatte.

Erstens: Alle waren verdächtig, im Forum Mädchenmeute Informationen über uns weitergegeben zu haben. Besonders natürlich Matheo Streiter.

Zweitens: Ich war nicht verdächtig.

Auf dem Bildschirm ploppte unten ein Chatfenster auf.

Enni schrieb: «Hi, Gesine. Was gibt's Neues? Weißt du was über das Mädchen im Krankenhaus? Wo sind die anderen zwei?»

Gerade hatte ich noch gedacht, ich wäre hundertprozentig die einzige Unverdächtige, da schrieb ich schon: «Hi! Ich weiß nur …», schrieb ich im Namen von jemandem, den ich wahrscheinlich kannte, aber von dem ich nicht wusste, wer es war, «dass Yvette eine Lebensmittelvergiftung hat.»

«Ich» schrieb ich und war es gar nicht.

Es war also einer von den Jungs. Aber welcher? Matheo war komisch. Ole war vorwitzig und hätte Spaß an so was. Und Jurek war verdächtig, gerade weil er mir so unverdächtig vorkam. Im Grunde war es ja egal. Nur Bea sollte davon besser nichts wissen. Sie würde sofort humpelnd in der Ferne verschwinden. Vielleicht für immer. Und vielleicht war es ja doch Bea selbst.

«Ja, Lebensmittelvergiftung war schon bekanntgegeben», schrieb Enni. «Was ist mit den anderen? Bitte, bitte, weißt du was?»

«Charlotte und Bea geht es gut», tippte ich.

«Weißt du, ob sie sich stellen wollen?»

«Nein», schrieb ich, «wollen sie nicht.»

Ich rutschte von der Trauerweide und kam mir schmierig vor. Doppelagent – ein Scheißberuf! Die Beraterin im Job-center sagte vermutlich: «Oh, da müssen sie aber moralisch total unintegrer sein. Sind Sie sicher, dass Sie das können?»

Jurek nahm meine Hand. Wir raschelten die schräge Wiese hoch. So eine Hand in der Hand, das war ja Wahnsinn. Das hieß doch, dass er mich mochte.

Die Dämmerung nahm sich ihren Teil vom Tag. Die Nachttiere machten sich bereit. Es roch von irgendwo nach Felsgestein und Wasser. So könnte es bleiben, dachte ich, aber es konnte natürlich nicht so bleiben. Ich musste zu Kajtek und zu meinen Eltern und zur Schule.

Aber nicht jetzt!

«Wir haben uns was überlegt. Sie ist dagegen», begrüßte uns Matheo in der Laube. Er nickte zum Sofa rüber, wo Bea lag und mit Waldbrandgefahr-Augen erst mich und dann alle anderen anzündete.

«Wir müssen darüber reden, wie es weitergeht. Wir, also wir», er zeigte auf sich, Ole und Jurek, «wir wollen eigentlich so lange bei euch bleiben, wie ihr hier seid. Ich muss aber am Montag zu einem Bewerbungsgespräch. Sonntag erwarten uns auch unsere Eltern zurück. In vier Tagen ist für mich

Ende Abenteuerzeit. Gut wäre, also richtig optimal wäre, wir könnten in der Zeit dafür sorgen, dass Inken sich meldet. Richtig?»

Drei nickten, eine drückte an der Beule an ihrem Knie herum.

Matheos Mund war ein gerader Strich. Er schaute in eine ernstzunehmende Zukunft. «Wir wollen euch helfen. Bea ist die Einzige, die schon eine Akte hat, sehe ich das richtig? Außerdem hast du das Auto gefahren. Wegen Inken kann man euch nichts anlasten. Denn es gibt ja keinen Beweis, dass Inken einen Zuckerschock hatte und ihr daran schuld seid. Ihr werdet nur durch die Aussage von Bruno Binder belastet. Man kann Bea also nur für das Auto …»

«… und die Hunde …», warf Ole ein.

«… und das Reitturnier …», ergänzte Jurek.

«… und noch ein paar andere Sachen …», sagte Bea.

Matheo seufzte. Sollte sich mal nicht so aufspielen. Er machte seinen Zopf auf und wieder zu. Er sah hinterher aus wie vorher. Dann sprach er weiter: «Wegen der Hunde und dem Auto müssen wir auch noch mal reden. Der Tierschutzverein verzichtet vielleicht auf eine Anzeige, wenn das Auto wieder auftaucht. Okay, macht das untereinander aus.» Matheo hatte einen Vater gefressen, oder zwei, einen besorgten und einen dieser Hau-ruck-ich-organisier-das-jetzt-mal-Väter. «Wegen Inken jedenfalls», hob er wieder an, «haben wir überlegt, dass wir sie einfach durch eine Zeugenaussage belasten. So wie Bruno euch durch seine falsche Zeugenaussage belastet. Dann steht Wort gegen Wort.»

«Falschaussage gegen Falschaussage», warf sich Ole in die Brust. «Lüge gegen Lüge.»

«Is gut, Shakespeare, setz dich wieder!» Jurek klopfte neben sich auf das Sofa.

«Nein, ernsthaft, Jungs», redete Matheo weiter, «und Mädchen», mit Blick zu uns. «Warum sollte man Bruno mehr glauben als uns? Als euch? Wenn ihr beide irgendwas gesehen habt, das Inken belastet …»

Bea schüttelte den Kopf. Das würde nicht klappen, wäre doch Quatsch, hätte sie vorhin schon gesagt. Man bleibt doch erst recht in seinem Versteck, wenn es Vorwürfe gibt. Man rennt doch nicht in ein offenes Messer, in ein gezücktes Mikrophon, ein Blitzlicht. Im Gegenteil: «Ich habe doch auch keinen Bock zu rufen: Hallo, hier bin ich, fragt mir ein Loch in den Bauch, wegen Auto und Hund und Reitturnier. Da bleib ich lieber hier. Inken wird auch schön bleiben, wo sie ist. Da kann sie hocken und mit den Armreifen klappern.»

Wir überlegten hin und her. Man müsste Inken eine Falle stellen. Sie locken. Könnten wir behaupten, ihre Katzenleichen zu haben? Ihre Ketten? Konnten wir behaupten, etwas zu wissen? Wie viel Geld musste man ihr bieten? Aber woher es bekommen?

«Wenn Beas Knie wieder okay ist …», fing Ole an.

«Nee, nee», unterbrach ihn Bea. «Ich bin auf gar keinen Fall euer Grund, hierzubleiben. Echt, geht alle nach Hause, beendet die Schule und lernt was Anständiges. Es kann sein, dass ich was-weiß-ich-wohin gehe. Wenn ich wieder gehen kann. Einfach weg.»

Ihre Sehschlitze meinten mich. «Da muss ich keinen dabeihaben. Ich bin gern allein.»

Von weit her brachte der Wind das Geräusch eines Zuges und eines Schrankensignals.

«Inken und die Mädchen … das ist mir total egal.»

Jetzt hätte ich auch gern eine Stelle gehabt zum Draufrumdrücken. Schmerztraining.

Ich lachte einen bösen Ton, den ich vorher noch nie gehört hatte, von dem ich nicht gewusst hatte, dass er in mir drin war.

Sobald es richtig dunkel war, gingen wir raus. Denen, die im Dunkeln sehen konnten, waren wir egal. Fledermäuse lasen keine Zeitung. Mäuse hörten kein Radio.

Ole telefonierte einige Meter von uns entfernt. Er hielt das Diktiergerät neben sein Ohr. Vom Band plätscherte der Fluss. «Ja, Sonntag», sagte er. «Bestimmt. Eine Schleuse noch. Ja, ich grüße alle. Schöne Grüße», sagte er zu den Fröschen, die neben der Laube quakten. «Von meinem Papa.» Er wartete kurz. «Schöne Grüße zurück.»

Dann schaltete er den Fluss aus und ging rein.

«Er kann gut lügen», sagte ich.

«Schauspielern», sagte Jurek.

Die Frösche quakten abwechselnd, dann zusammen. Unser Gespräch musste sich für die Frösche so ähnlich anhören wie ihr Gespräch sich für uns.

«Ich muss gerade an Gesine denken», sagte ich und dachte dabei: Ich will dich nicht anlügen, aber wie soll ich sonst an die Infos kommen?

«Wer ist das denn?»

«Meine beste Freundin.»

«Die Freundin von Matheo heißt auch so», sagte Jurek.

Das war ja leicht gewesen. Jawoll, hurra, frohlockte es in mir. Du bist die Größte, du bist die Größte. Und zu albernen Beckenbewegungen, die ich allerdings nur im Kopf vollführte, sang ich: Und morgen finde ich raus, wer das Skelett im Tunnel ist, und wer die Winselmutter, und wo Inken ist, und dann werde ich Jurek küssen und Wuwan wiederfinden und überhaupt und überhaupt und überhaupt.

«Und was ist mit Gesine?»

«Was?»

«Deiner Freundin?»

«Die? Ähm, die hat heute Geburtstag.»

Wow, war ich gut. Rot wurde ich auch nicht. Es war ja ohnehin dunkel. Eine gute Zeit für Leute, die dazu neigen, durch plötzliche Ausdehnung von Blutgefäßen in der Haut ihre Gesichtsfarbe zu verändern. Hatte ich mal irgendwo so ähnlich gelesen.

Als er meine Hand nahm, stieg mir doch die Hitze hoch. Er legte sein Smartphone in meine Handfläche. «Ruf sie doch an!»

Verdammt! Ich schwankte, ob ich lügen sollte, dass Gesine taub war oder kein Telefon habe. Ich würde doch irgendeinen Anruf vortäuschen können ... So wie Ole. Aber es gab so was wie Nummernrückverfolgung. Ich könnte so tun, als ob, und dann sagen, dass Gesine nicht ranging, schon schlief, verreist war.

«Gesine geht heute ... heute ist doch Donnerstag, oder?, da hat sie immer Tanzen.»

Er lachte sein Jureklachen. «Donnerstags geht Gesine also zum Tanzen. Dann ruf an. Es ist Freitag.»

«Was ist denn so lustig daran?»

«Wie schlecht du lügst. Du wolltest wissen, wer von uns die Gesine von der Mädchenmeute ist, oder?»

«Mann, woher weißt du das?»

Er hielt sich den Bauch vor Lachen. Ich rupfte Gras ab und warf es nach ihm. Er lachte weiter.

«Ole hat mich vorhin gefragt, ob ich heute schon auf Mädchenmeute war, weil Gesine schon angemeldet war. Es war aber keiner von uns, also musstest du es sein. Hättest doch einfach fragen können.»

Ich kratzte mich am Kopf. Einfach fragen. Okay.

«Und warum macht ihr das? Alles über uns ausplaudern? Was soll der Scheiß?»

«Oh. Wow! Vorwürfe! Meine Lieblingsschokoladenfüllung.» Jurek setzte sich und schüttelte das Gras von seinem T-Shirt. «Wir haben dieses Forum entdeckt und uns dann angemeldet. Wir alle drei sind Gesine. Wir haben, na, sagen wir mal, ein bisschen Falschmeldungen gestreut. Dass ihr in Baden-Württemberg seid. Das haben wir bei der Presse auch gemacht. Die hätten euch doch sonst längst gefunden. Ohne uns. Wir wollten helfen. Dann haben wir Kontakt mit der Tierschutzorganisation aufgenommen, um ihnen die Hunde abzukaufen. Sie wollten gar kein Geld, aber wir haben ihnen trotzdem was überwiesen. Als Spende. Sie werden bestimmt keine Anzeige erstatten, wenn das Auto wieder da ist. Gut, oder?»

«Gut», sagte ich. «Ja, das ist gut. Okay, danke!»

«Das klingt schon viel besser.»

Ich hätte fragen sollen, warum sie das tun. Warum? Vielleicht hätte er es mir sogar gesagt. In diesem Moment.

Und dann wäre wieder einmal alles ganz anders geworden. Weniger so und mehr so.

Ich lag so lange still neben Jurek im Gras, dass oben unten wurde und unten oben. Ich lag nicht auf der Erde, sondern die Erde war federleicht auf meinem Rücken. Unter mir war ein schwarzer Teppich mit Sternen. Ich könnte loslaufen, die Erde an eine andere Stelle bringen.

Am Morgen klopfte es.

Die Jungs hatten draußen auf den Luftmatratzen geschlafen. Ich dachte, warum klopfen die denn? Ich dachte, die wollten alle drei ganz früh in die Stadt. Hatten sie doch gesagt.

Es klopfte dreimal, wie ein Klopfzeichen. Ich habe mich immer gewundert, wie das gehen soll, dreimal lang, dreimal kurz klopfen. Man kann nicht lang klopfen.

Es klopfte dreimal schwach, dreimal stark.

Dann eine Stimme. «Ich bin's!» Geflüstert. Keiner der Jungs. Ein Mann.

Bea lag auf dem Sofa. Die Augen hatte sie geschlossen. Sie tat so, als würde sie nichts hören.

«Wer?», flüsterte ich zurück.

Da war Bea auf einmal doch wach. «Bist du bescheuert?»

Ja, echt, war ich bescheuert? Ich hätte doch bloß meine Klappe halten brauchen. Vielleicht wäre Ich-bin's wieder weggegangen.

«Na, der Hans!», kam es von draußen. Und dann klinkte auch schon die Türklinke hoch. Ein Schatten füllte den Türrahmen aus, mit O-Beinen und langen Locken. Er hob die rechte Pranke und klimperte mit den Fingern. «Hallo, Kuckuck!» Gegen das Licht konnte ich sein Gesicht nicht sehen. «Darf ich rein? Na klar darf ich rein», sagte er und kam rein. «Bleib sitzen, alles ganz entspannt.»

«Sie kann gar nicht aufstehen», erklärte ich und blieb auch sitzen.

«Das Knie. Jaja. Schon gehört. Ich weiß doch. Ich hab hier was.» Er packte aus seiner gelben Umhängetasche Röll-

376

chen, Döschen, Tuben und Packungen. «Nimmste einfach alles. Irgendwas davon hilft bestimmt. Aber auch nicht zu viel. Man weiß ja nie.» Er grinste.

«Du kannst mich mal», sagte Bea.

«Das macht nichts», sagte Hans und lächelte weiter.

Ich hatte noch nie einen so fröhlichen Erwachsenen gesehen. Sich freuen und lachen, das konnten Erwachsene natürlich. Wenn man ihnen einen schweinischen Witz erzählte, wenn sie satt waren, wenn man ihnen etwas schenkte zum Gutriechen, oder wenn Freunde Alkohol mitbrachten und sie dann beim Würfeln gewannen, aber da gab es immer eine Ursache für ihre Zufriedenheit. Bei Hans war dieses Lächeln einfach so da.

«Ich wollt euch nicht überraschen bei irgendwas ... Ich dachte so, vielleicht ihr und die Jungs. Man weiß ja nicht. Wo sind die denn?» Er setzte sich direkt neben mich. Er und ein starker Sonnencremegeruch. Er hatte kurze karierte Hosen an und ganz lange braune Beine. Er streckte sie aus und lehnte sich an die Sofalehne. Bestimmt war er eins neunzig, mindestens.

Ich war froh, dass Bea hier war. Auch wenn sie so tat, als wäre sie nicht hier.

«Die Jungs, die sind, ich denke, die sind arbeiten.» Ich wusste es wirklich nicht.

«Jobben. Super», sagte er. «Coolcool. Würde ich auch gern machen, aber ich brauch kein Geld. Na ja.» Er nickte wichtig. «Geht's euch gut hier? Ein schöner Fleck Erde, oder? Ihr könnt so lange bleiben, wie ihr wollt. Mi casa es su casa!», sagte er. «Mein Haus ist unser Haus, versteht ihr? Das Hanshaus ist für alle da, die Hans mag und die Hans mögen.»

«Ich will raus», sagte Bea.

«Kein Problem», meinte Hans.

«Sie kann im Moment nicht so gut laufen», erklärte ich.

«Kein Problem», wiederholte er.

«Für mich schon.» Bea schüttelte den Kopf, wie es sonst Eltern machen. Sie schnappte sich Oles Basecap und setzte es auf. «Mach die Tür zu. Ich will den Scheiß nicht hören.»

Ich hätte gern gestritten. Was soll das? Denkst du, ich will den Scheiß hören?

«Die Tür bleibt auf!», sagte ich. Ich hatte sogar mit dem Zeigefinger auf sie gezeigt.

Bea nickte. Dann grinste sie. «Zu Befehl!»

«Du bist nett!», sagte der Hans. «Ich finde dich irgendwie gut, so wie du bist. Du bist so stark und … Das merkt man gleich. Das hab ich gleich gesehen. Ich bin reingekommen und hab gewusst: Das ist die Chefin. Die hat hier das Sagen.» Er tippte sich an seine Nase.

Bea draußen schwieg.

«Ich finde das dufte, was ihr hier abzieht. Echt, Respekt. Das ist mal was! Ich fand ja schon die Jungs gut. Wie die euch helfen und so. Aber ihr. IHR!» Er nickte an die zwanzigmal. «Echt! Das ist mal der Welt die rote Karte zeigen. Hier! Nimm das! Watsch!» Er klatschte eine große Ohrfeige in die Leere des Raumes. Dann nickte er wieder zwanzigmal. «Die sagen zu euch: hier Schule, Karriere und so, euch schön anpassen und so, Englisch lernen, und was macht ihr? Ihr seid echt die Größten für mich! Ihr geht einfach in den Wald! Alter, das find ich geil!» Dann schüttelte er dreißigmal den Kopf. «Weißt du, wir haben nur blöd Pillen gefressen. Immer rein damit! Party, Party. So was Cooles wie ihr hätten wir nicht hinbekommen. Echt, Respekt. Einfach in den Wald gehen und da wohnen. Das nenn ich modern. Weißte, das wird der neue Trend. In den Wald gehen. Und ganz ohne

Drogen und so. Ihr habt doch keine Drogen genommen, oder?»

Ich schüttelte den Kopf.

Er auch. Zehnmal. «Nee, ihr seid mir welche. Geil!» Er stand auf, streckte die Arme zum Himmel und rief «GEIL!», als hätte seine Mannschaft ein Tor geschossen. Dann begann er, rhythmisch den Ruf «Ge-ne-ra-ti-on WALD!» in die Laube zu schmettern. Immer wieder.

Bea klopfte von außen den Takt auf den Baumstamm-tisch.

«Ge-ne-ra-ti-on WALD!» Er hörte gar nicht mehr auf damit. Er wurde immer röter im Gesicht, immer glücklicher. Er schloss die Augen und flüsterte es noch ein paarmal. Bea klopfte den Takt leiser.

Es war so bescheuert und schön.

Als Hans die Augen wieder öffnete, kam er von irgend-woher zurück in die Laube. Ein Kind, das vom Rummel heimkam, konnte nicht glücklicher sein. Er zwinkerte und setzte sich wieder auf das Sofa.

Ich dachte, ich frag ihn einfach. «Hans, hast du uns das Hundefutter gebracht? Und die Brötchen?»

Er schaute mich lange an, dann sagte er: «Wollt ihr 'ne Story hören. Echt eine wahre?»

Hatte ich genickt? Hatte ich nicht.

«Also, Story, geht los. Passt auf, als ich jung war, na ja, so jung auch wieder nicht, dreißig war ich da, da hat es nachts hier mal am Fenster geklopft. Eine alte Hand. Aber eine echte. Nur die Hand. Mit langen dünnen Fingern, und hier bei mir an die Fensterläden haben die geklopft.» Er zeigte zum Fenster an der schmalen Seite der Laube, unter der das Schlafsofa stand. «Mitten in der Nacht. Da hab ich aber gestanden im Bett. Ist ja nicht so, dass sich ein Hans nie gruselt. Also, als ich jung war, hab ich mich viel gegruselt. Boah, hab ich mich gegruselt. Ich hab ja so ein paar Drogen genommen. Also, nicht richtige. Aus der Tschechoslowakei. Ein Medikament. Für Verrückte. Wir haben immer gesagt: Ist das für Verrückte, die schon verrückt sind, oder ist das für Leute, die verrückt werden wollen? Oder ist das für Verrückte, die verrückt werden wollen? Oder ist das für Verrückte, die noch verrückter werden wollen? Wenn du darüber nachdenkst, wirst du richtig verrückt.» Er lachte glücklich und frei. «Was Besseres gab es aber vor der Wende nicht. Nach der Wende gab's ein paar ganz feine Sachen. Da gab's schöne Gefühle zu kaufen, aber auch echt gruselige. Und die haben das Gleiche gekostet. Wusstest du nie, was bei rauskommt. Schön oder gruselig. Schön oder gruselig. Meistens schön. Aber manchmal auch gruselig. Risiko. Hast ja auch dein Geld nicht wiederbekommen, wenn's scheiße war. Stell dir vor, du gehst zu so 'nem Typen, der im Keller die tollen Gefühle kocht. Und dann sagste: Alter, da kam gestern beim Tanzen im Kulturhaus ein Drache aus der Decke. Direkt neben der Stroboskopanlage. So ein großer grüner Drache mit lauter Licht. Und der Drache hat dich reingezogen. Voll in die Decke, und dann einmal durch die Lüftungsanlagen. Und dann waren überall Drachen, so voll überall Drachen. Ey, keine Ahnung, wie ich an dem Tag nach Hause gekommen bin. Die ganze Stadt hat gebrannt. Ich hab gedacht, die müssen sie doch nicht abfackeln, nur weil der Kommunismus nicht siegt. Man sollte sein Herz nicht an eine Idee hängen. Weißt du, warum? Weil die Idee kein Herz hat. Die Idee liebt dich nicht zurück. Darum bin ich auch nicht zur Armee in der deutschen pupsekratischen Pupseplik. Das ist wie Atombombe für den Frieden. Der ganze blöde Uranbergbau hier. Die ganzen Strahlen. Und die sagen, ich wäre verrückt. Ich hab gesagt, das mach ich nicht, für dieses Schachtelland an die Waffe. Da glaube ich lieber an Gott. Und dann bin ich zu den Bausoldaten. Meine Eltern hatten mich ja rausgeschmissen, und ab da hab ich dann hier in der Laube gewohnt.»

Hans lehnte sich gemütlich zurück.

«Ja und, was war mit der Hand?», fragte ich.

«Was für eine Hand?» Seine Augen kullerten mich ratlos an, als hätte er noch nie was von einer Hand gehört.

«Die Hand, an deinem Fenster!», erinnerte ich ihn. «Die hat doch geklopft.»

«Ja, krass, die hat nachts voll ans Fenster geklopft. Und dann habe ich den Fensterladen geöffnet, den hier – das konnte ich so im Liegen machen. Ich hätte echt nicht aufstehen können. Ich war voll abgerockt von dem Drachen. Und dem ganzen Feuer in der Stadt. Überall Feuer. Und ich lag auf dem Rücken, und da kam die Hand rein. Und ich hab die so gegen das Mondlicht gesehen. Vor dem Himmel. Die Wolken hatten angefranste Ränder, als ob da Himmelswölfe dran gefressen hatten. Und dann diese Hand. So eine alte Hand. Ich hatte ja im Kulturzentrum diesen krassen Trip mit dem Drachen gehabt. Der hat mich in die Lüftungsanlage gezogen.»

«Ja, hast du schon erzählt.» Ich befürchtete, er würde mir seinen Trip gleich noch mal erzählen.

«Hab ich schon erzählt», nickte er und schlug die langen, dünnen Beine übereinander.

«Und die Hand? Die hat also geklopft. Was wollte die denn?»

«Echt? Die Hand hat geklopft? Bei dir auch? Was wollte die denn? Starthilfe für ein Auto? Mitten in der Nacht? Das ist doch krass, oder?»

In dem Moment schlug die Tür zu. An dem Tag ging kein Wind. Bea war extra aufgestanden und zur Tür gehumpelt, um sie zuzuschmeißen.

Hans hatte sich bei dem Knall auf den Boden geworfen und eingerollt. Seinen Kopf beschützte er mit den Händen. Ich hatte im Naturführer einen Käfer gesehen, der sich so einrollte. Der bunte Saftroller. Schon nach zwei Sekunden schaute Hans' Gesicht wieder zwischen Hans' Fingern hervor. Er setzte sich einfach wieder auf das Sofa neben mich und lächelte.

Jeder erwachsene Mensch, ich glaube, wirklich jeder in jedem Land, hätte die Saftroller-Nummer erklärt. *Ich hab mich erschrocken, das mach ich dann immer so, ich bin schreckhaft, hast du dich nicht auch erschrocken? Ich dachte, da kommt wer.*

Hans lächelte und sagte: «Mitten in der Nacht hat die Hand geklopft.»

A ls Hans ging, humpelte Bea im Garten hin und her. Einen Besen als Krücke.

Von Knie-Schonen wollte sie nichts hören. Schonen habe man früher gemacht, sagte sie mir. Heutzutage wurde empfohlen, Schwachstellen zu belasten.

Dafür hatte ich nur ein Achselzucken übrig, ging zur Terrasse und setzte mich auf einen Baumstammhocker. Der Sommer ballerte runter. Nach einer Weile holte ich mir Jureks Mütze, um meine Gedanken kühl zu halten. Die Mütze roch nach Jurekkopf, und ich konnte an gar nichts anderes mehr denken als an eine Hand in einer Hand. Als mir zu warm wurde, schob ich den Stuhl in den Halbschatten einer Rankpflanze, die neben der Terrasse wuchs. Die Pflanze war ein Holzgerüst hochgeklettert, jetzt war sie schon wieder dabei, runterzuklettern, weil es nicht weiter hochging. Ein Trieb reckte sich nach etwas zum Festhalten. Nur noch eine Armlänge bis zum Dach. Schade, dass ich nicht hier sitzen konnte, bis sie rübergewachsen war.

Zwischen den Blättern waren strahlenförmige Blüten. Weiße Sonnen mit langen Tropfen als Strahlen. Ich hob meinen Arm, bis der Schatten einer dieser Sonnen genau in meiner Armbeuge war. Dann ließ ich die Schattensonne auf meine Handfläche wandern. Schloss die Hand und hatte die Sonne auf der Faust. Nicht zu fassen.

Im Garten rechts bewegte sich was. Ich zog sofort die Mütze tiefer ins Gesicht. Drehte den Kopf. Eine kleine, gebückte Gestalt lief durch den Nachbarsgarten. Ich ließ mich vom Stuhl gleiten und hockte mich hinter die Ranke. Und dann schlug mein Herz dreimal stark.

Das war sie.

Die Alte.

Die Winselmutter.

Ich erkannte sofort diese gebückte Art zu gehen. Ihr langes Leben saß auf ihrem Rücken. Das war sie.

Das Gespenst.

Der Geist.

Die mit dem Benzinkanister.

Sie ging in die Laube und kam nach etwa drei Minuten wieder heraus. Hinter sich her zog sie eine schwarze Mülltüte, die sie neben der Laube ablegte. Dann schlurfte sie weg. Das Gartentor schloss sie nicht ab. Also kam sie wohl noch einmal zurück.

Ohne Für und Wider lange abzuwägen, entschied ich für Für und rannte los. Zum Zaun, mit vier Bewegungen über den Zaun (gar nicht gewusst, dass ich das konnte) zu der Mülltüte hin, Tüte auf, reingesehen, schnell alles registriert wie eine Registrierkasse: Piep: Liebesromane, jede Menge, «Die Liebe ihres Lebens»; Piep: Grillanzünder; Piep: Haarlack, eine Dose.

Dann rannte ich zurück zum Zaun, mit drei Bewegungen war ich wieder drüber (wow, dachte ich, davon sollte ein Film im Netz hängen).

Ich hockte mich wieder hinter die Rankpflanze und atmete durch.

Eine Schnellanalyse der registrierten Gegenstände ergab: Sie wollte Feuer legen und sichergehen, dass dieses Feuer groß und gefräßig wurde. Benzin fehlte noch. Aber das war ja in dem kackbraunen Auto von der Alten. Was brauchte sie noch? Holz. Holz gab es im Wald genug.

Ich hörte ein langgezogenes Quietschen, das ich schon einmal von sehr weit weg gehört hatte. Bei der Nachtwache. Die Winselmutter kam wieder und zog ein Wägelchen hinter sich her. Ein ungeöltes Rad weinte jämmerlich. Die Alte legte die Mülltüte auf das Wägelchen und winselte damit weg.

Jetzt ging die was anzünden. Diese verdammte Verrückte. Die zündete jetzt irgendwas in dem Tunnel an. Unseren Tunnel. Und das Skelett. Und die Nussknacker. Sie verbrannte meine Beweise. Woher hatte sie vom Tunnel gewusst? Von uns gewusst? Wieso? Ich brauchte Antworten auf diese Fragen.

Ich rannte los. Zum Gartentor und raus.

«Ey!», hörte ich Bea. «Ey! Hey!»

Sich immer abmelden – keine Zeit.

Hinterher! Die zündet den Tunnel an. Den Tunnel! Das Skelett. Die Kisten mit Zeug! Ich rannte den Kiesweg lang. Wie schnell musste man rennen, damit man nicht erkannt wurde? Hatte ich die Mütze auf? Hatte ich. Sie fiel aber runter. Keine Zeit zum Bücken. Waren da Leute in den Gärten? Keine Zeit zum Hinsehen. An mir rasten Zäune vorbei. Maschendraht, Jägerzaun, Hecke. Ich kam am Parkplatz an. Da waren nur die Autos. Rot, schwarz, braun. Ich pumpte, sah mich um. War sie weg? Wie denn? Sie war ja nicht die Schnellste. Braunes Auto. Na klar. Das hatte ich doch durch das Fernglas gesehen. Ich rannte hin. Fahrerseite. Da saß sie. Ein faltiges Püppchen. Auf der Beifahrerseite ein weißes Kleid. Mein Herz hätte fast die Seitenscheibe eingedroschen. Meine Finger klopften im Tempo meines Sprints. «Sie! Entschuldigen Sie! Ich wollte Sie etwas fragen, ich wollte …»

Sie sah mich an. Schüttelte den Kopf und startete den Wagen.

Ich rannte dem kackbraunen Wagen hinterher, bis das Seitenstechen meine Organe zerschnitt.

Atmen.

Was hätte ich sie fragen wollen?

Warum?

Warum ging die Winselmutter Feuer machen, dachte ich. Man muss immer nach dem Warum fragen. Oft war das darum so blöd, dass man gar nicht darauf kommen konnte. Perfekt wäre ein Detektivgespann aus einer sehr schlauen Person und einer Person voller Neid, Missgunst, Eitelkeit und überhaupt so vielen Todsünden wie möglich, damit diese Person sich gut in die Täter einfühlen könnte.

Wenn so eine alte Frau Feuer machen ging, dann … dann muss es um was gehen.

Hinterher, befahl ich meinen Gedanken, verfolgen Sie diese Frau!

Sie fuhr bis an den Waldrand und meine Gedanken hinterher. Dort starb der Motor des Autos, denn so ein treues

Auto hält keinen Tag länger als seine Besitzerin. Der Wagen kühlte aus. Die Uralte zog den Müllsack hinter sich her, drückte eine kurzzeitige Schneise in den Waldboden hinein. Als das Gras sich wieder aufrichtete, war schon alles erledigt. So stellte ich mir das vor.

Als ich zum Garten zurückging, hob ich die Mütze von Jurek auf und setzte sie wieder auf. In den Gärten waren nicht viele Leute, aber ein paar schon.

Mir war nach Rennen», sagte ich zu Bea, die vor der Laube saß. «Einfach so.»

«Ja, kenn ich», nickte sie. «Ich darf ja nicht.» Sie zeigte auf ihr Knie. «War vielleicht trotzdem eine blöde Idee, hier rumzuflitzen.»

Ich zuckte die Schultern. «Kann sein.» Ich grinste. «Mit blöden Ideen kennst du dich ja aus.»

«Allerdings.» Sie hielt mir ihre Hand hoch. Ich klatschte ab.

Und kurz war es gut, hier zu sein, wo ich gerade war. Vielleicht wäre es woanders einfacher, aber egal, da war ich ja nicht.

Am Mittag begann es zu nieseln.

Die Vögel zwitscherten einen Ton tiefer.

Wie schön wäre es jetzt im Wald. Ich war so halb dort und halb bei Jurek, der beim Türmer war. Mir war so schwer. Ich wollte die ganze Zeit etwas tun, von dem ich nicht wusste, was es war.

Am frühen Nachmittag kamen Jurek und Matheo zurück. Jurek wieder mit Kirschen. Wir setzten uns in die Laube, denn es regnete immer stärker und sah auch nicht aus, als ob es wieder aufhören würde. Obwohl Jurek jetzt da war, hatte ich immer noch dieses Irgendwas-Wollen in mir. Was war das? Was war mit mir? Wieso hatte ich Gefühle ohne Bezeichnung und Bedürfnisse, die ich gar nicht kannte? Dieser Regen erinnerte mich an das kleine Herz eines Hundes in meiner Hand.

Da flog das Gartentor plötzlich auf.

«Der Sommersprossentyp kommt», verkündete Bea, die auf der Türschwelle saß, Oberkörper trocken, Beine nass.

Ich konnte durchs Fenster sehen, wie Ole durch den Garten stürmte. Der Regen wich vor ihm zurück.

«Ich war auf einer Pressekonferenz», platzte er rein. «Im Hotel Zum Schwarzbeergrund», schnaufte er. «Hier!» Er hielt seine Umhängetasche hoch. «Ich hab's gefilmt.»

«Was denn für eine Pressekonferenz?», fragte Matheo.

«Na, mit den Mädchen im Hotel. Das war so krass. Ich hab mich da reingeschummelt.» Oles Kugelwangen glänzten von Regen und Schweiß. Er schnappte sich ein Handtuch, rubbelte sein Gesicht trocken und rief ins Tuch «das war so cool». Dann redete er außerhalb des Handtuchs weiter. «Ich hab mir einfach diese große Tafel vorm Hotel geschnappt und bin reingelaufen. Auf der Tafel war ein großer Pfeil. Pressekonferenz. Und ich …», seine Augen glänzten, «ich bin einfach in diese Tafel rein. Die war so zum Klappen. Und dann bin ich mit der Tafel los. Konnte an der Seite so rausgucken … Und alle Journalisten, echt alle, sind mir hinterhergelaufen. Ich hab sie in den Konferenzraum geführt und bin gleich dringeblieben. Ich hab so ein Schwein gehabt, dass das der Konferenzraum war und nicht das Klo.» Er fiel nach hinten um und brüllte einen Freudenschrei.

Jurek und ich lachten mit. Matheo schmunzelte.

Bea murmelte: «Notschlachten! Bescheuert, der Typ!»

Draußen wurde der Regen stärker. Er spülte den Geruch aus den Bäumen.

«Also, du warst auf einer Pressekonferenz», fasste Matheo zusammen.

«JA!», brüllte Ole auf dem Boden. Und er hielt die Tasche hoch. «Und ich hab's gefilmt.»

Er hopste aufs Sofa zwischen mich und Jurek. Matheo setzte sich auf meine andere Seite.

Bea blieb auf der Türschwelle sitzen.

Ole holte sein Tablet raus und startete das Vido. Man hörte Klappern, Rauschen. Ein Schwenk durch einen Raum. Menschen, viele Menschen.

«Da!», zeigte Ole. «Das ist die Tafel.» *12 Uhr Pressekonferenz. Konferenzsaal Steigerglück*, stand darauf. Ein langer Tisch war zu sehen. Eine Reihe bunter Mikrophone. Eins, zwei, drei, eine Sprechprobe. Die Menschen klatschten. Dann Rascheln und Blitzlichter. Die Mädchen kamen. Eins, zwei, drei, vier, fünf, kleiner als meine Finger.

«Kannst du das nicht größer machen?», fragte Matheo.

Wir redeten alle gleichzeitig:

«Sei doch mal still!»

«Nimm doch deinen Kopf weg.»

«Gleich kommt ein Zoom. Ich hab doch gezoomt.»

Die Kamera zog sich in Anuschkas Nähe. Sie trug ein Kleid. Darüber die Ketten von Inken. Ihr Haar war offen. Wunderschön sah sie aus. Dann war Antonia zu sehen. Sie sah winzig aus, und der Kopf so klein mit den kurzen Haaren. Daneben saß Freigunda. Ihr standen die kurzen Haare wirklich sehr gut. Sie trug einen weißen Kittel mit einer Kreuzschnürung am Ausschnitt. Am Gürtel hing Gundastich. Sie starrte in die Journalisten hinein.

Meine unkonkrete Sehnsucht wurde konkret. Ich wollte zu ihnen, bei ihnen sein, mit ihnen und überhaupt. Ich wollte zu meinem Hund. Sofort. Zu meinen Eltern. Endlich. Und bei Jurek bleiben.

Draußen pladderte es inzwischen ordentlich.

«Was hat der gefragt?», fragte Bea von der Türschwelle.

«Wo sie die ganze Zeit gewesen sind, hat der gefragt. Ich mach mal noch ein bisschen lauter.»

Im Wald wären sie gewesen, sagte Rike. Und wo Inken sei, wüssten sie selber gern. Von Charlotte und Rabea hätten sie nichts gehört, gar nichts. Aber sie würden davon ausgehen, dass mit ihnen alles in Ordnung sei, denn so lange Charlotte bei Bea sei und Bea bei Charlotte, könne ihnen eigentlich nichts passieren. Sagte Rike.

Bea sah mich an. Ich sie.

Nächste Frage. Wie die Eltern reagiert hätten. Zusammengefasst: Stinksauererleichtert. Rike zeigte ihre großen Zähne: «Aber die bekommen sich schon wieder ein.» Die Journalisten lachten.

Dann ging es um die Hunde. Freigunda begann eine längere Ansprache über die Haltung von Hunden. Sie schloss mit den Worten, dass der Hund ein Hund sei und der Mensch nur ein Mensch.

Bea lachte. Ich lachte mit.

Rike entschuldigte sich im Namen der Gruppe für die Sache mit den Hunden. Sie erklärte, dass alle gedacht hätten, richtig zu handeln. Erst gestern haben sie erfahren, dass diese Aktion nicht geholfen, sondern einem tollen gemeinnützigen Verein geschadet habe. «Das tut uns allen sehr, sehr, sehr leid.»

Dafür gab es Applaus.

Den Hunden würde es gutgehen, erzählte Rike weiter.

Wie es aussieht, dürften wir sie behalten, sofern die Eltern damit einverstanden sind. Das sei bei allen der Fall. Auch bei Charlotte.

Ich musste die Hände vor den Mund pressen. Ich durfte Kajtek behalten. Mein Hund! Jurek legte seinen Arm um Ole und erreichte mit seiner Hand so meine Schulter.

Rike sprach weiter. Dass der Verein «Hundeproblemfelle» bereit sei, von einer Anzeige abzusehen, läge vor allem daran, dass Yvettes Eltern für die entstandenen Unkosten aufgekommen wären. Sie hätten sogar darüber hinaus großzügig gespendet. Wieder Applaus. Warum betonte Rike so komisch, dass es so viel Geld sei? Dann sagte sie auch noch, dass die Familie von Yvette ausgesprochen wohlhabend sei. Wollte sie unbedingt, dass Yvette gekidnappt wurde?

Dann sah Rike Yvette an. Die hatten irgendwas abgesprochen.

«Was ist?» Bea kam rüber und klemmte sich neben Matheo. Ihre Beine glänzten vom Regen, der draußen ruhig und ausdauernd niederging.

«Leider nützt einem Reichtum nichts, wenn man krank ist. Mein Vater, er hat …» Yvette schaute hoch, schaute runter. «Er hat Blutkrebs. Und er braucht einen Spender. Am besten wäre jemand aus der Familie. Ich habe eine Schwester da draußen. Irgendwo.» Yvette holte mit dem Arm aus und zeigte vage in die Richtung, in der sie da draußen und irgendwo vermutete. «Und ich hoffe, dass sie noch lebt. Und ich bitte sie von ganzem Herzen», jetzt griff sie sich an die Brust, «sich zu melden und unseren Vater zu retten.» Yvette senkte den Kopf.

Bea klatschte und lachte. «Meisterleistung! Also nicht das Schauspielerische, aber der Plan. Der Plan ist gut.»

«Wieso?», fragte Ole. «Was denn für ein Plan?»

Richtig, sie wussten es gar nicht. Das hatte noch nirgends gestanden. Nicht mal bei der «Mädchenmeute».

«Inken ist die Schwester von Yvette», erklärte ich.

«WAS!», riefen Ole und Matheo, und Jurek fragte: «Wie? Also wieso? Also wieso stand das noch nirgends.»

Ich begann zu erklären. «Sie haben nur einen gemeinsamen Vater, aber unterschiedliche Mütter, und der Vater hat ...»

«Können wir nachher darüber reden?», fragte Ole. «Die Aufnahme ist gleich zu Ende.»

Im kleinen Kasperletheater gingen die kleinen Kasperlepuppen von der Bühne, und Oles Gesicht grinste in die Kamera. Er winkte. Und Schnitt.

Wir waren in Jubelstimmung.

Ich sagte: «Und vielleicht meldet sich Inken ja, um ihren Vater zu retten oder wenigstens kennenzulernen.»

«Oder wegen der Kohle», sagte Bea. «Ist ja egal, warum. Saucooler Plan.»

Wir fanden den Plan so cool, dass wir es alle einmal sagen mussten. Dann dasselbe noch mal mit «geile Idee» und «da bin ich ja mal gespannt».

Keiner von uns hat auch nur einen Moment geglaubt, dass Yvettes Vater wirklich Krebs haben könnte.

Nach dem Regen gingen Jurek und ich raus in den Hochglanzgarten. Die Frösche hatten so gute Laune wie wir. Wir waren uns sicher, dass Inken sich melden würde. Wenn sie am Leben war.

Der Regen versank im Gras, in der Erde, immer tiefer, und zischte, als er tief unten auf Magma traf. Ein Arm berührte einen anderen Arm. Der andere Arm war ganz aufregend.

«Oh, ich hab die Kirschen hier vergessen», sagte er, «jetzt brauchen wir sie nicht mehr waschen.» Sie lagen in der offenen Papiertüte auf dem Baumstammtisch.

«Woher hast du eigentlich immer Kirschen?»

Jurek erzählte mir vom Garten des Türmers. Dort wuchsen acht Kirschbäume. Der Türmer verschenkte die Kirschen an alle Bürger von Milchfelsen, wenn sie selbst pflückten. Die Bürger von Milchfelsen kamen aber nicht so zahlreich zum Türmer, auch für die Kirschen nicht, denn der Türmer wollte jedes Mal über Stadtpolitik reden.

Jurek half dem Türmer, wenn ich es richtig verstanden hatte, in seinen Ferien für ein bisschen Geld und viele Kirschen.

«Gehen wir auf die Trauerweide?», fragte er.

Wir kletterten die nassen Krampen hoch. Sie waren rutschig. Die Bretter waren gar nicht so nass. Der Baum hatte eine dichte Krone, die den Regen abgehalten hatte.

«Ich wollte dir noch was erzählen», sagte ich.

«Ich hab zwei Ohren. Ganz für dich.» Jurek hörte zu und aß in der Zeit die Kirschen eins bis vierunddreißig.

«In dem Tunnel war ein Gerippe.» Es war so verrückt, das zu sagen. Da war echt ein Gerippe gewesen. Ich schüttelte mich kurz. «Also, im Tunnel war eine Mauer, die einen Nebentunnel verschlossen hat. Und diese Mauer war die ganze Zeit zu gewesen, kein Loch oder Riss. Und als wir zurückkamen, ich und Bea, da war diese Mauer aufgebrochen. Und da lag dieses Gerippe. Mit Sachen an. Und dann waren da noch Kisten. Die meisten vernagelt. Holzkisten. Zwei waren auf. In einer waren Nussknacker, die lagen auch überall rum. In der anderen Kiste waren so Engelsfiguren, mit Flügeln. Kerzenständer, weißt du?»

Er nickte. Spuckte einen Kirschkern Richtung Klohäuschen.

«Wir dachten, die anderen Mädchen hätten es auch gesehen und wären dann vor Schreck weggelaufen. Aber jetzt denke ich, dass sie es nicht gesehen haben. Keine von ihnen hat davon gesprochen. In keinem Bericht wird etwas von Nussknackern oder Gerippe gesagt. Vielleicht hatte Yvette die Lebensmittelvergiftung vorher schon. Und wer auch immer in den Tunnel wollte, der hat gewartet, bis alle weg waren. Und dann wurde erst diese Mauer aufgebrochen. Keine von uns wäre auf die Idee gekommen, die Mauer aufzubrechen. Und die fällt ja nicht von alleine ein, warum sollte sie?»

«Warum bricht ein Ast ab?»

«Beantwortest du Fragen gern mit Gegenfragen?»

«Du nicht?» Jurek lachte, suchte ein paar schlechte Kirschen raus, mit Stellen und Loch, und legte sie zur Seite.

Ich erzählte, dass Bea richtig begeistert an dem Skelett herumgepolkt hatte. «Ich fand's eklig.»

«Ich hätte das Skelett vermutlich auch untersucht, aber ich versteh trotzdem, dass du nicht wolltest.»

Das war mir neu, dass man etwas verstehen konnte, obwohl man selbst etwas anderes getan hätte. Das war ein Zaubertrick, den bis jetzt nur Eltern beherrscht hatten. Wenn sie dir eine Barbie schenken, obwohl sie es blöd finden.

Wir grinsten uns an. Das Glas, das sich immer zwischen mir und den anderen Menschen befunden hatte, war weg. Zwischen mir und Jurek war nichts. Leute ohne Kleidung hielten sich immer die Hände vor die Scham. Ich hätte gar nicht gewusst, wo ich meine Hände davorhalten soll.

Ich erzählte schnell weiter. Dass ich denke, die Gartennachbarin wäre die Winselmutter und würde den Tunnel anzünden. Und ich würde gern nachsehen gehen, hätte aber Angst, jemand könnte mich dabei erkennen.

Jurek lachte. «Die ganze Zeit sagen Ole und Matheo, ich hätte Verfolgungswahn wegen der Alten. Ich hab die ganze Zeit gesagt, mit der ist was. Bitte, guck dir die an, die ist uralt und tippelt jeden Tag hin und her, fährt noch Auto und so. Mich musst du nicht überzeugen. Die ist ein Geist. Na klar!»

Ich lachte auch. «Nee, das hab ich nicht gemeint. Ein Geist ist die nicht.»

Er schob seine Brille hoch, wackelte mit dem Kopf hin und her. «Schade!»

Ich fand ihn seltsam und komisch in dem Moment, ungeheuerlich fremd.

«Und jetzt soll ich mal nachsehen, ob im Tunnel nur noch Asche ist? Meinst du das? Soll ich deine Augen sein?» Er beugte sich zu mir und riss seine Augen auf. Und ich riss meine auch auf. Er schaute in mich rein, einmal rundum und wieder raus. Da wurde mir warm im Bauch und heiß auch und kalt am Nacken. Alle Stellen und alle Temperaturen gleichzeitig. Ich war ein Fisch über dem Wasser und konnte sehen, was oben war, aber Luft bekam ich nicht. Also tauchte ich wieder ab.

Ich drehte meinen Kopf weg, sah in den Garten und begann wieder zu atmen. Als ich mich beruhigt hatte, konnte ich Jurek auch wieder ansehen.

«Na dann», sagte er und stand auf. Eine Handvoll Kirschen nahm er mit. Und so liefen meine seine Augen los. Ich schloss meine und ging mit, erst neben ihm, dann in ihm. Ich vertraute mich seinen Schritten an. Große Schritte. Lange Beine.

Unsere Augen sahen den schroffen Anstieg hinter Milchfelsen, wo der Horizont angehoben wurde. Der Himmel wurde reduziert, um Platz für das Erzgebirge zu schaffen. Die steigende Hitze dunstete den Regen aus dem Gras. Ich sah den Supermarkt, die Mülltüten an der Rampe. Ich sah den schmalen Pfad am Abhang entlang, sah den Abstand zu Milchfelsen größer werden. Sah auf die schwarzen Dächer, eines mit Solarpaneelen, eines mit Dachgarten. Ich sah in die Richtung der Kleingärten, versuchte, die Laube auszumachen, sah mich selbst.

Ich ging weiter, die Wildwiese entlang, auf das verfallene Haus des Hammerschmieds zu, das in der Sonne wie gebleichte Knochen aussah. Das offene Dachfenster glotzte mir entgegen.

Und dann ging ich rein. Das hätte ich mich nicht getraut, hätte ich nicht diese Jurek-Hülle, in der sich Aufregung gut anfühlte. Dann klopfte das Herz eben schneller. Die Jungshand öffnete die Tür. Schräg wie eine Rutsche hing das Dach ins Haus hinein. Es hatte sich auf die Zwischenetage gestürzt, und diese war gleich mit zusammengebrochen. Pfützen vom Regen. Schutt und Gräser. Sand und alte Balken. Ein Vogel saß in einem der kaputten Fenster und wippte den Schwanz hoch und runter. Der leere Fensterrahmen stand nach innen auf. Unten war ein Strick angeknotet. Nicht ein Strick zum Erhängen, aber auch kein Strick, um Pakete zusammenzuschnüren. Es war ein Strick, gut zum Schlittenziehen. Und an diesem Strick hing ein Knüppel. Und dieser Knüppel schaukelte bei jedem Luftzug hin und her und stieß leise an die Mauer. Bei Wind würde das pochen, bei Sturm hämmern.

Mit meinen eigenen Augen wäre ich nie dort hineingegangen. Wer Angst hat, der geht nicht nachsehen. Der Hammergeist war nur ein Holzknüppel. Der Spuk ein Strick. Die Sage der Wind.

Jurek ging weiter bis zum Waldrand. Als er wiederkam, hat er mir das nicht so genau beschrieben, Baum für Baum, aber ich ging davon aus, dass der Wald noch so aussah, wie ich ihn kannte. Unterwasserwald, Köhlerei, Wanderweg, alter Forstweg, Schonung, die tiefen Krater. Die volle Palette grün. Die Waldgeräusche, und dass man die eigenen Schritte hörte.

Jurek roch es schon lange, bevor er da war. Hier hatte ein Feuer sich an etwas Schwerverdaulichem sattgefressen.

Lackig roch es, kaltsteinig und noch ein bisschen nach dem Regen.

Die nahen Bäume waren auf einer Seite hellgrau von der Asche. In der Mitte stand die Zeit still. Hier war alles eine Nuance heller. Wie schlecht retuschiert.

Dort, wo der Tunnel gewesen war, leuchtete hellbraune, frische Erde im Grün des Waldes. Das Dach aus Wurzelwerk war verbrannt, der Baum war einem anderen Baum in die Krone gestürzt, und das Einstiegsloch war verschüttet. Der Wald war in den Krater gerutscht, den wir das Loch genannt haben. Das Loch vor unserem Tunnel, in dem wir noch vor drei Tagen zusammengesessen hatten.

In ein paar Jahren würde dieser Krater so aussehen wie all die anderen bewachsenen Krater im Wald.

Für mich war die Nachricht, die Jurek aus dem Wald mitbrachte, körperlich schmerzhaft. Als sei gleichzeitig mit dem Tunnel etwas in mir verschüttet worden. Ich konnte nie wieder an diesen Ort zurück.

In die Nähe, ja.

Obendrauf, ja.

Aber nicht mehr rein. Es gab kein Rein mehr.

Ich hatte so viele Seufzer.

Bea nahm die Nachricht vom eingestürzten Tunnel ruhig zur Kenntnis. «Dann wirst du wohl nie herausfinden, wer da unten lag.»

«Doch!», sagte ich.

Matheo blieb der Mund offen stehen: «Eingestürzt?», fragte er. «Wie denn? Das war doch alles Stein, oder?»

Ich schloss die Augen und versuchte, meine Gedanken in die verschüttete Höhle hinabzuschicken.

Hörte währenddessen Jureks Stimme. «Es sah aus, als wäre die große Wurzel verbrannt, und dann ist alles ins Rutschen gekommen. Und ist …» Er machte das Geräusch, das vielleicht zu hören war, als es passierte. «… in das Loch gerutscht.»

Meine Gedanken verketteten sich. Wenn die Winselmutter dort Feuer gelegt hatte, war sie noch aus dem Tunnel herausgekommen? Wie war sie überhaupt reingekommen? War sie vorher schon einmal drin gewesen? Sicherlich. Vielleicht war das ja viele Jahre her. Aber wer hatte dann die Mauer eingerissen? Bestimmt sie. Sie musste also im Tunnel gewesen sein, nachdem die Mädchen dort weg waren. Sie wollte verbrennen, was dort unten war, weil sie dem Mann dort unten den Schädel eingeschlagen hatte. Wenn sie das getan hatte, dann war es gut, wenn sie da unten verschüttet war. Tot oder lebendig. Nein, natürlich nicht! Wir müssten die Polizei rufen. Ich machte mich sonst schuldig. Wenn eine alte Frau in einem Hohlraum erstickte, dann konnte ich hier nicht ruhig sitzen. Aber die anderen machten sich auch schuldig. Jurek und Matheo. Und Bea. Das musste ihnen doch klar sein, oder war ihnen das nicht klar?

Wie schnell erstickt man denn? Am Morgen war die

Winselmutter losgefahren. Jetzt war es neun. Wenn sie dort Spuren verwischen wollte, dann hatte sie vielleicht dafür gesorgt, dass Yvette eine Lebensmittelvergiftung bekommt. Hatte sie auch Cherokee vergiftet? Vielleicht hätten wir nicht die ganze Zeit überlagerte Lebensmittel essen sollen. Aber die anderen Mädchen haben keine Lebensmittelvergiftung bekommen.

Meine Gedanken wurden immer wilder. Das konnte hier doch unmöglich noch mein Leben sein. Im Arm eines Jungen, und mein Kopf voller Gedanken über eine verrückte Achtzigjährige. Wie alt mochte sie sein? Warum war sie so fit? Sie muss ja die Leiter runtergeklettert sein. Die war sicherlich auch verbrannt. Das kam mir wie ein sehr schlimmer Verlust vor, obwohl Freigunda jederzeit wieder so eine Leiter bauen konnte. Ich jetzt auch.

«Oder was meinst du, Charlotte?», fragte Matheo. Sein Löwengesicht ganz ernst.

«Was? Ich hab nicht zugehört. Ich hab nachgedacht.»

«Ob wir morgen noch einmal nachsehen sollten, habe ich überlegt.»

«Wir müssen die Polizei rufen», sagte ich. «Falls die Alte da unten ist.»

Das ging den anderen zu weit. Nur weil eine Alte Feuer machte und etwas gebrannt hatte, hieß das nicht, dass sie selbst im Tunnel war.

Das stimmte. Aber ich wusste, dass ich recht hatte.

Es war und blieb komisch, mit den Jungs zusammen zu sein. Ich hatte bis jetzt immer nur mit meinen Eltern gewohnt. Und die letzten Wochen mit den Mädchen.

Das einzige männliche Lebewesen, das ich etwas besser kannte, war mein Vater. Der benutzte ein Papiertaschentuch nur einmal. Dann war das voll. Wenn er morgens seinen Bart trimmte, flogen seine Stoppeln in meinen Zahnputzbecher. Ich bekam die Krätze davon.

Dass meine Mutter mit einem Menschen lebte, dessen Bartstoppeln fast jeden Morgen in die Zahnputzbecher flogen, konnte ich mir nur so erklären, dass mein Vater für sie mal so aufregend war wie Jurek jetzt für mich. Sonst könnte meine Mutter auch mit ihrer Freundin Ute zusammenleben. Sie lachten zusammen und gingen tanzen. Ute hatte einen furchtbaren Mann. Ein Klugscheißer, ein Rülpser und Pupser. Einer, der sagte: Hoppala, Trompetenkäfer. Der war nur für seine Frau zu ertragen. Aber auch dieser Mann musste mal jung gewesen sein.

Wie wäre Jurek, wenn er kein Junge mehr war? Und wie wäre ich, wenn ich kein Mädchen mehr war?

Am meisten irritierte mich an den Jungs, dass sie so wenig stritten. Aber klar, sie waren Freunde. Die Mädchen und ich hatten uns gerade erst kennengelernt, und in der Schule hätten wir uns nicht angefreundet.

Es ging beides: Ich vermisste die Mädchen und mochte die Jungs. Ich sehnte mich nach dem Wald und hatte mich an den Garten gewöhnt.

Die Abende waren anders als im Wald. Hier war ringsum die Emsigkeit zu hören. Das Pflegen und Stutzen und Wässern, Bauen und Grillen und Zupfen. Die Natur im Garten war wohlerzogen. Jemand, der anklopfte und sich beim Eintreten die Schuhe abputzte, wo die Natur jede Tür einrannte, gar keine Schuhe hatte, nichts wusste, nur immer wuchs. Geradeaus, nach unten, nach oben und in andere hinein.

Sogar in mich hinein war der Wald gewachsen.

«Wollen wir draußen essen?», fragte Ole. «An der frischen Luft schmeckt es besser.»

Bea ließ sich von mir den Teller bringen und blieb auf der Türschwelle sitzen, wo sie schon den ganzen Tag gesessen hatte.

Also musste wieder ich allein mit den Jungs reden.

Als ich ihnen erzählte, dass am Morgen der Hans da gewesen war, lachten sie.

«Das ist einer, oder?», strahlte Ole.

Jurek fragte: «Hat er dir einen Trip erzählt? Den, wo nachts eine Hand klopft, und dann soll er mit einer Generalin und zwei Brüdern mitgehen? Die bringen ihn zu einem Schokoladenpanzer, dort soll er Starthilfe geben. Und dann beginnt der Krieg der kleinen Holzsoldaten.»

Ole lachte: «Ja, oder den, wo er sich über die Badewanne beugt und ihm Linsen aus dem Gesicht fallen. Und dann schaut er in den Spiegel, und seine Augen sind gekochte Eier, und die nimmt er raus und isst sie auf. Und dann kann er sich von innen angucken.»

Manchmal, wenn mir etwas zum ersten Mal passiert, habe ich das Gefühl, dass es leise klingelt, weil gerade eine Premiere stattfindet.

Hatte ich schon einmal so entspannt mit Jungs gesessen und gelacht? Es klingelte leise.

Matheo unterbrach uns. Spaßvollbremse. «Der Hans ist nicht zum Auslachen. Der ist wie ein Narr im Mittelalter.»

Jurek winkte ab: «Lass gut sein, Meister Darkness. Wir haben den Orden doch aufgelöst.»

Die Stimmung änderte sich, als ob sich Grün in Rot verwandelte.

Ole sagte zu mir: «Das ist aus einem Film. Der Orden der …»

«… der Hunde», sagte Matheo.

«Genau! Da sagt das der eine Bruder zum anderen, am Ende vom Film. Weil die vorher … ach egal, muss du gesehen haben.»

Ich hätte ihm das fast geglaubt. Aber weil ich wusste, dass man Ole alles glaubte, auch wenn es nicht stimmte, glaubte ich es ihm nicht. Außerdem hätte Matheo nicht den Namen des Ordens ergänzen müssen. Ole kannte doch den Film.

Ich sagte «ach so» und dachte, dass ich den Film mal googeln würde. Ich wusste aber schon, dass es ihn nicht gibt.

Nach dem Essen setzte sich Bea zu den Fröschen. Ihr gesundes Bein eingeklappt, das kranke ausgestreckt.

Ich ging zu ihr und fragte einfach. So direkt heraus, wie es ging: «Was ist eigentlich mit deinem Knie?»

Bea drehte das Bein ein bisschen. Tat weh. Sah man. Sie vergewisserte sich, dass keiner der Jungs in der Nähe war, dann begann sie zu erzählen.

Als sie acht war, sagte die Mutter einmal zu ihr, sie solle sich nicht mehr so viel herumtreiben. Herumtreiben sei gefährlich. Für den Körper. Und Bea habe gesagt: Zu Hause bleiben sei gefährlich fürs Herz.

Rabea, Rabea, habe die Mutter gesagt. Was soll nur aus dir werden? Eine Partisanin? Bea dachte damals, dass Partisanen in einer Partei kämpfen. Nein, sagte sie zu ihrer Mutter, ich will keine Partisanin sein. Ich will alleine kämpfen. Nur ich und ein Pferd. Oder ein Hund.

Rabea, Rabea. Du bist acht. Du musst gar nicht kämpfen. So kann das nicht weitergehen. Du kannst nachts nicht draußen schlafen. Auch nicht, wenn du Wände hasst und Fenster zu wenig Luft hineinlassen. Das ist zwar irgendwie auch schön, dass du nie Angst hast, das ist besser, als wenn du feige wärst. Aber Angst ist auch nichts ganz Schlechtes. Die Angst lässt dich auch mal zurückschrecken, weglaufen oder vorsichtig sein. Wenn du denkst, der Tod ist das Schlimmste, was dir passieren kann, dann täuschst du dich. Man kann auch Schmerzen haben.

Na und, sagte Bea, man kann sich umbringen, wenn etwas zu sehr weh tut.

Dann habe die Mutter geheult. So doll, dass es Bea ganz schlimm fand. Hässlich sah die Mutter aus. Als sie sich wieder beruhigt hatte, sagte sie, dass es nicht normal war, dass eine Achtjährige über Selbstmord sprach. Rabea, Rabea. Du bist ab jetzt um acht zu Hause. Versteh mich doch. Alle reden über mich. Seit der Vater die ganze Woche weg ist, sagen sie. Versteh doch mal. DU BIST KEIN INDIANER! Hat die Mutter gebrüllt. Entschuldige, sagte sie dann, sie wollte nicht brüllen, aber du bist eben kein Indianer. Auch kein Viertelindianer. Und Opa war Sorbe. Sorben sind keine Indianer, auch nicht so ähnlich. Frei sein kannst du, wenn du groß bist. Wenn du dann überhaupt noch willst. Wirst schon sehen, was du davon hast. Die Leute denken, ich habe dich nicht im Griff. Also, Rabea, hör gut zu: Du bist die erste Achtjährige auf der Welt, die bis acht draußen bleiben darf. Wenn du einmal später kommst, ist unser Deal vorbei. Und du schleichst dich nach Hause, dass keiner dich sieht. Wenn dich jemand sieht und ich gefragt werde, was du um die Zeit draußen machst, ist es auch vorbei. Dann sperre ich dich ein.

Die Mutter habe ihr ein Handy gegeben und gesagt: Dieses Gerät gibt dir die Freiheit. Es ist deine lange Leine. Du hast es immer bei dir. Versprochen?

Versprochen, hatte Bea gesagt.

Es passierte an einem Tag nach Ostern. Bea war neun. Der Vater war Fernfahrer. Er war selten da und immer ganz kurz. Bea hasste diese braune Tasche mit den schrabbeligen Ledergriffen, die nach Öl und Hand rochen. Er nahm das blöde gelbe Handtuch von der Leine, rollte seine dunkle Unterwäsche zusammen und erzählte Bea von der neuen Skandinavienroute. So eine Landschaft. So ein Himmel. So eine Weite. Man fühle sich frei wie ein Vogel.

Tschüs, kleiner Adler, sagte er. Von der Mutter verabschiedete er sich nicht. Die Mutter erklärte Bea am Abend, was eine Scheidung ist. Was hat dein Vater dir gesagt? Nichts hat mein Vater mir gesagt, sagte Bea.

Es würde sich nicht viel ändern, sagte die Mutter. Der Vater war ja ohnehin immer weg.

Bea hatte ein Loch in das Herz ihrer Mutter gestarrt. Mit einem Indianerblick. Die Mutter sollte spüren, wie weh das tat. Die Mutter nahm die Hände ihrer Tochter. Sie merkte nicht, dass sie gar nicht Beas Hände hielt, sondern nur Steine. Bea hatte sich ganz tief in ihren Körper zurückgezogen. Nur ganz innen war ein kleines Kind.

Weißt du, sagte die Mutter, weißt du, ich kann das eben nicht mehr: Warten, wann er kommt, ob er überhaupt kommt, wie lange er bleibt. Ich halt das nicht mehr aus. Ich bin eine Gefangene durch ihn. Und ich habe gesagt, das sage ich seit Jahren, seit deiner Geburt, Rabea: Fahr doch nicht so weit weg und nicht so lange. Ja, das heißt Fernfahrer, trotzdem. Es gibt auch welche, die hier fahren, in der Nähe. Die abends zu Hause sind. Vielleicht ist dann auch deine Tochter mehr zu Hause. Abends bin ich immer allein, ich sitz da und warte, dass Rabea nach Hause kommt oder dass die Polizei anruft, weil sie das Kind im Wald gefunden hat. Ich warte, dass du anrufst. Immer nur warten. Ich will wieder frei sein.

Und da nahm Bea ihre Steinhände an sich und lachte böse: Er will frei sein, du willst frei sein, ich will frei sein. Dann ging sie raus in den Garten, schaute sich um, ob das Haus zusammenbrach, denn so ungeheuerlich waren die Veränderungen. Scheidung. Das hatten andere in der Schule auch. Das Haus fiel nicht zusammen. Bea nahm ihr Fahrrad und fuhr zum Wald. Die Straßen runter kam sie ganz schön in Fahrt. Mit Tränen in den Augen konnte sie kaum was sehen. Unten kam eine enge Kurve, die nahmen manche Autos mit einem Affenzahn. An dem Tag nicht.

Bea fuhr erst zum Fluss. Sie hielt auf der Brücke, stieg nicht vom Rad ab, sondern hielt sich am Geländer fest. Das hatte sie geübt. Dann warf sie das Handy in den Fluss. Scheidung, dachte sie. Und frei sein, dachte sie. Und sie dachte noch Schimpfwörter. Mehr für die Mutter, aber für den Vater auch.

Dann stieß sie sich vom Brückengeländer ab und fuhr in den Wald. Auf den Waldwegen musste man vorsichtig fahren. Sie hatte immer gedacht, dass mit Treibsand gemeint ist, dass einem das Fahrrad wegrutscht. Treibsand war was ganz anderes, aber das Fahrrad rutschte ihr trotzdem weg. Das Rad und die Kniescheibe.

Bea konnte es nicht sehen, weil sie lange Hosen anhatte. Als sie tastete, war das Knie an der Seite vom Bein und riesengroß. Sie wartete auf Blut, aber es kam nicht.

Sie zog sich zum Fahrrad und begann zu klingeln. Nur Tiere hörten es, und für die war es bloß ein Ton, der beim Brüten und Jagen störte.

Der Sturz musste ungefähr um fünf passiert sein. Es war hell und nicht warm. Zwei Stunden später war es dunkel, kalt, und es begann zu regnen. So verbrachte sie ihre erste Nacht im Wald. Dass Indianer keinen Schmerz kennen, konnte sie nicht bestätigen, oder sie war doch keiner. Als man sie fand, hatte sie eine Unterkühlung.

Der Arzt zeigte ihr auf einem Röntgenbild, dass ihre Kniepfanne eine minimale Erhebung aufwies, weshalb die Kniescheibe leicht rausspringen konnte. Es war nur eine Frage der Zeit gewesen, dass es das erste Mal passierte.

Die Mutter war mit einem Strauß Indianerfedern ins Krankenhaus gekommen. Die stellte sie ans Fenster. Bea sagte: Nimm die weg, ich will raussehen. Und ich will nicht mit dir reden..

Die Mutter sagte, sie würde eine Stunde hier sitzen, mit Reden oder ohne. Eine wichtige Frage hätte sie aber an Bea. Nur eine. Gut, eine, sagte Bea.

Sie könne wie die Mutter heißen oder weiterhin Adler. Weiterhin Adler, sagte Bea.

Danach musste Bea eine Zeit an Krücken laufen. Das Knie wurde nie wieder wie vorher. Sie durfte nicht mehr Fahrrad fahren.

«Meine Mutter hatte ein so schlechtes Gewissen, dass ich fast alles bekam, was ich wollte. Nur Reitstunden nicht. Dafür war das Geld nicht da.» Bea machte eine lange Pause. «Weil mein Vater keins überwies. Da hat er wenigstens manchmal noch angerufen. Dann hat sie ihn verklagt.»

«Und dann hat er nicht mehr angerufen?», fragte ich.

Sie schüttelte den Kopf. «Der war weg. Ohne Adresse. Angeblich hat er kein Geld. Sobald er welches hat, gehört das meiner Mutter. Der wird also den Teufel tun, sich zu melden. Eigentlich würde das Geld mir gehören. Ich habe meiner Mutter gesagt, dass ich nichts will. Sie hat gesagt, dann soll ich das ganze Essen und Trinken der letzten sieben Jahre auskotzen.»

«Hat sie gesagt?»

«Genau so! Auskotzen!»

Wir starrten in die Schilfinsel vor uns. Da saßen zwei Frösche und starrten in verschiedene Richtungen.

«Die wollen das Knie operieren, nach dem Sommer», sagte Bea.

Was Bea darüber dachte, konnte ich mir vorstellen. Ich blieb ganz ruhig, als lockte ich ein Wildpferd aus seinem Wald heraus.

Bea atmete lauter. «Dazu muss ich wieder ins Krankenhaus. Für die Knie-OP. Die machen alles auf und fräsen diesen Knubbel weg, und dann muss ich da eine Weile liegen. Es hätte auch sein können, dass es sich wieder verwächst und die Kniescheibe nicht mehr so leicht rausspringt.» Sie räusperte sich. «Hat sich aber nicht verwachsen.»

«Ich besuche dich im Krankenhaus», sagte ich. Und dann atmete ich tief ein und aus, weil ich dachte, jetzt würde das Wildpferd die Hufe hochreißen, um zu flüchten, aber Bea sagte: «Okay.»

Die Dämmerung nahm den Garten ein. Ein bisschen Herbstgeruch drang aus dem Boden.

W ir hatten alle draußen geschlafen. Ich neben Jurek. Sein Atem klang ganz anders als der von Antonia, neben der ich oft geschlafen hatte. Auch Oles Atem klang ganz anders.

Wenn Jurek atmete, hob und senkte sich mein Brustkorb mit.

Ich wusste nicht, ob er noch wach gelegen hatte, als ich wach lag. Ich wusste nicht, wer sich an wessen Atem schmiegte.

Die Sterne oben wussten gar nichts von Nähe.

Am Morgen war Jurek vor mir wach. Als ich die Augen aufmachte, schaute er mich an. Es machte mir gar nichts aus.

«Komm, Charlott Holmes!», flüsterte er. «Ich hab eine Geheimmission. Operation Laubengang läuft.»

Wir schlichen uns weg. Durch das morgennasse Gras. Bis zum Zaun. Nebeneinander, drei Handgriffe, zwei Fußgriffe, zwei Augenblicke. Wir duckten uns. Rannten gebückt weiter. Am Eingang zur Laube sah sich Jurek um. Mit Bankräuberaugen. Irgendwelche Bullen, Nachbarn, Füchse, Raubvögel, Kameras? Er rüttelte an der Tür. «Verschlossen. Wir müssen sprengen.»

Er zog einer Granate aus dem Unsichtbarladen den Ring ab, warf die leere Handvoll über das Dach. Er zog mich zu sich, unter einen schützenden Mantel, den sein Arm über uns warf. So nah war sein Gesicht. Ich war ein Ofen, befeuert von Glück, zum Schmelzen von Gold.

Dann war die Tür auf.

«Wie hast du das denn …?»

«Pst!», sagte er und sicherte die Laube mit seinen geladenen Fingern. Zielte einmal in jede Ecke, dann drehte er sich in den Raum, den Rücken zur Wand. Er kannte andere Filme als ich. Und viele davon.

«Spinner!»

«Operation Laubengang eingeleitet. Charlott Holmes, Ihr Part.» Mit dem Ellenbogen knipste er das Licht an, dann zündete er sich eine unsichtbare Zigarette an, hustete, warf sie runter und trat sie aus. «Ich rauche ja gar nicht.»

«Willst du auch Schauspieler werden?»

«Wieso werden?»

Wir sahen uns um, aber viel zu sehen gab es nicht. Im Regal waren etliche von diesen Heften, wie die Winselmutter sie weggeschleppt hatte. Wir sahen uns die Titelbilder an und feixten. Männer hielten Frauen auf unbequeme Weise im Arm. Die Männer hatten noch dramatischere Föhnfrisuren als die Frauen. Der Wind kam von links und rechts gleichzeitig, oder er wehte aus den offenen, zum Kuss bereiten Mündern. Es waren Hunderte solcher Hefte, das Papier mehr braun als weiß.

Im Regal waren außerdem zwei Bücher mit Erzgebirgssagen. «Erzgebirge, wie bist du schee». Und «Sagenwelt rund um Schwarzenberg». Ich setzte mich auf eine Eckbank aus Holz und blätterte:

Der Katzenhans

Die Mordkiefer bei Johnsbach

Der Reiter ohne Kopf auf dem Ziegenberg bei Zwönitz

Der feurige Hund an der Martersäule bei Liebstadt

Der Hüttenmops

Die Brauhauskatze zu Elterlein

Das Mätzel in Liebstadt

Der boshafte Berggeist im Schachte Orschel

Der Schacht zu den wunderlichen drei Köpfen in Zinnwald

Die Buschweibel

Das Waldweibchen in Steinbach

Die faulen Pfützen in der Dippoldiswalder Heide

Die Nixteufel bei Sachsenburg

Die Greisinger Frau, die an Stricken gemolken hat

Die schmatzenden Pesttoten

Pumphut in der Beiermühle

Die Totenhand zu Buchholz

Das steinerne Herz im Schwarzwasser
Das Mönchskalb bei Freiberg
Da war, was ich gesucht hatte. *Die Winselmutter.* Seite 318.
Ich überflog die Sage. Sohn tot, irrt umher, an Bachläufen
in der Nähe von Grünhain.

«Weißt du, wo Grünhain liegt?», fragte ich Jurek, der mit
Feuerwehrohren in einem der schlabberigen Liebesromane
las.

«Was? Grünhain? Nee, keine Ahnung.»

Ich blätterte vor und zurück und sah in den Einband – und
richtig, da war eine Karte. Schindeltanne, Halbsprungplatz,
Tranitschenstein, Schädelwüst, Holzkrone. Da! Grünhain!
Das war nicht in der Nähe. Das hatte ich schon geahnt. Der
Großvater von Anuschka war mir von Anfang an komisch
vorgekommen mit seinem Geheimtunnel.

Ich suchte den Hammerschmied.

Ein Pferd entdeckt die Silbererze des St. Georg in Schneeberg
Der Bock von Bockau
Die schlammige Frau von Bröunsdorf bei Freiberg
Drei Einsiedler gründen Einsiedel
Der weiße Helm bei Oederan
Das Hammergespenst im oberen Erzgebirge. Und gleich danach *Der Hammergeist.* Ich las. Schmied … Frau mit Teufel
im Bunde … Nach dem Tod geisterte er im Keller … Klopfen. Das war die Geschichte, die Anuschka erzählt hatte. Die
spielte bei Bärenhammer. Ich sah auf der Karte nach. Das
war auch nicht hier.

Zur Probe konnte ich ja noch mal nach dem – wie hieß
das gleich? Das Männel, das die Köhler erschreckte? Hatte
das überhaupt einen Namen?

Es fiel mir nicht ein. Hutzelwutzelputzelmännel. Wie die
eben hier hießen.

Jurek schob gerade eines der Hefte zurück ins Regal, zog am nächsten. «Die Liebe des Grafen».

Draußen eine Stimme: «Hallo.»

Jurek schob den Grafen zurück und sprang zur Tür. Er machte sie auf, dahinter verblüffte uns ein Gesicht an. «Was macht ihr denn hier?»

«Können wir Sie genauso gut fragen», sagte Jurek zu dem Mann, der vor der Tür stand.

Ein kleiner Mann, Körper rund, Kopf eckig, eine Wollmütze, Zigarette im Mundwinkel. Ganz schiefe Augen und eine winzige Nase. Da fiel es mir wieder ein. Mörbitzmännel!

«Oh, Entschuldigung», sagte der Mann. «Ich bin Bormann Thomas.»

Ich wusste sofort, das würde keinen Ärger geben. Der hatte ein schlechtes Gewissen, dass er das Grundstück betreten hatte. Er glaubte uns sofort, dass wir hier sein durften.

«Der Fahrservice schickt mich, nach der Frau Senkwitz zu sehen. Weil, die ist ja sonst immer beim Seniorenschwimmen, Mittwoch und dann Montag wieder. Jetzt war sie aber seit …» Er schob seine Mütze hin und her. «Seit Mittwoch nicht da. Ich hole die immer ab, klingle, sag Bormann Thomas in die Sprechanlage. Manchmal noch Fahrdienst, falls die Alten vergessen, wer ich bin. Na ja, keine Antwort jedenfalls. Hab ich gedacht, vielleicht ist sie hier. Der Ahlich Gerd hat mir den Tipp gegeben. Hat gesagt, die Senkwitz hat 'ne Laube. Aber, na gut, hier im Garten ist sie also auch nicht, oder?»

Wir schüttelten die Köpfe.

«Ui!», sagte er. Es kam bestimmt öfter vor, dass einer seiner alten Fahrgäste nur noch eine letzte Fahrt brauchte. Und da sagte Bormann Thomas vielleicht immer «ui!». Das wirkte etwas unbeholfen, traf aber den Nagel auf den Kopf.

«Wolln wir mal hoffen», sagte er. Nicht was und auf wen. Hauptsache hoffen.

«Wer seid ihr noch mal?», fragte er. «Angehörige?»

«Wir sind Gartennachbarn. Wir wollten auch nach der Frau Senkwitz sehen. Haben uns Sorgen gemacht.»

«Na, dann ist das für mich klar. Doppelgrab.»

«Was, wieso?», fragte Jurek. «Wer denn noch?»

«Na, sie und ihr Sohn. Der ist letzte Woche gestorben. Warte mal», er kratzte wieder seine Mütze hin und her, «Mittwoch ist der wohl … also, hat er das Zeitliche gesegnet. Das hat bei dem Trubel hier, die Heiligen Mädchen und Krankenhaus, und so, da hat das gar keiner mitbekommen. Der Rockstroh. Na, der Sohn! Der war doch sogar mal Bürgermeister. Ist jedenfalls gestorben. Die Mutter, die hat ihn ja gepflegt. Die Mutter den Sohn, weil der im Rollstuhl saß. Ach, Schicksale sind das, sag ich ja immer. Die hat den gepflegt, obwohl sie über achtzig war. Also, meine Mutter ist auch noch ganz fit, mit vierundsiebzig. Aber die Senkwitz, meine Herren … Ich hab immer gedacht, dass die noch so steht, weil die den Sohn pflegen muss. Wenn der Mensch eine Aufgabe hat. Hätte ja sonst keiner gemacht. Den hätte keiner mit der Pinzette angefasst, den Rockstroh Heinrich. Was ich da für Geschichten gehört habe. Rockstroh Heinrich, wenn ich den in die Finger kriege, hat mein Vater immer gesagt. Mit seinem eigenen Parteibuch hätten sie den verdroschen. Dem hätten sie …», und Bormann Thomas lachte kollernd, «dem hätten sie das Uran hinten …» Er lachte: «Na ja, hinten reingesteckt.»

Ich verstand nicht, was daran lustig war. Aber ich verstand, dass die Winselmutter die Mutter vom alten Rockstroh war. Also war sie Anuschkas Urgroßmutter, und darum kannte sie den Tunnel.

411

Bormann Thomas hatte aufgehört zu lachen. «Tot!», sagte er abschließend. «So ist das am Ende. Dann ist nur noch die Frage, wo die Alte liegt. Dann geh ich mal der Polizei Bescheid sagen. Macht keinen Unfug!» Er schob seine Mütze hin und her, steckte sich eine Zigarette an und watschelte vom Grundstück.

Wir hatten nicht mehr viel Zeit für Unfug.

Und plötzlich bekam ich meinen ersten Kuss.

Ich suchte mir im Garten von Hans eine Tätigkeit, denn ohne Tätigkeit hätte ich mich in tausend Schmetterlinge aufgelöst. Eine Tätigkeit bewies, dass ich noch da war und dass ich Hände hatte. Die sammelten Schnecken ein. Diese Hände, sie hatten einem Jungen ins Haar gefasst. An den Nacken und den Arm.

Schneckensammeln war eine meiner Aufgaben im Garten meiner Oma.

Ich war dümmer von dem Kuss geworden, ist so. Sonst hätte ich das doch alles schneller schnallen können. Wie das alles zusammenpasst, aber schnellschnallen war nicht drin.

Ich suchte meinen Kopf in der Nähe meines Kopfes. Da war doch was? Ach ja, Gedanken. Die hatten doch gerade noch was gemacht? Ach so, nachgedacht. Worüber noch mal? Ach so, die Winselmutter und all das. Ich hatte gerade eine Ahnung von einem Gedanken, da kam Jurek zu mir. Meine Haut zog sich von alleine aus und andersherum wieder an. Jedes Haar war aus Wasser und floss an mir herab.

«Ich helf dir», und er sammelte mit mir Schnecken ein.

In mir bauten sich Berge auf und wieder ab. Das größte Grinsen der Welt klebte in meinem Gesicht. Mir taten schon die Wangen weh und alles. Wann hörte das auf? Wie lange blieb das so? Wie ging es einem, wenn man noch andere Sachen tat? SAG WAS, CHARLOTTE!, rüttelte ich an mir, sonst denkt er, du bist stumm geworden und wirst vom nächsten Kuss blind.

«Bist du heute oder morgen noch mal beim Türmer?»

«Nee, eigentlich nicht. Die letzten Tage waren ein bisschen schwierig mit ihm. Wir sind nicht so gut auseinander.»

«Was, wieso?», sagte ich und dachte, was wieso? Wieso war er mit dem Türmer nicht so gut auseinander? Und ich sagte: «Wieso bist du mit dem Türmer nicht so gut auseinander?» Verdammt, ich war so dummdumm, so blablaboing. Das ging ja gar nicht.

«Also, der Türmer …», sagte Jurek. «Das ist schwierig. Der Türmer, der hat … Puh, ich bin grad ein bisschen durcheinander. Wo fange ich am besten an?»

«Vorne!», sagte ich und hob eine Schnecke aus ihrer Realität – Blatt – in eine andere – Eimer.

«Vorne», wiederholte Jurek.

Und er fing von vorne an. Er war auf der Suche nach einem Job gewesen. Da kam ein Mann in einem schwarzen Mantel mit weiten Ärmeln an ihm vorbeigeflattert. Das schaff ich nicht, das schaff ich nicht, hat der gemurmelt. Und weg war er. Jurek hinterher. Was schafft er nicht? Was schafft er nicht? Hat Jurek sich gefragt. Der Mantelmann ist durch die alte Stadt gesaust, Bürgersteig hoch, Bürgersteig runter, Kopfsteinpflaster, Fachwerk, Brunnen, Statue. Gässchen hoch, Gässchen runter, Treppe, Kurve, Berg. Jurek hinterher, als würden ihn wilde Geister verfolgen, dabei verfolgte er einen wilden Geist. Das Tempo passte überhaupt nicht zur Stadt.

Niemand sonst in Milchfelsen bewegt sich so schnell wie der Türmer. Dann ist der Türmer in das Rathaus rein, am Rathauscafé vorbei, die Rathaustreppe hoch, und erst dort habe er sich umgedreht und gefragt: «Was willst du? Wer bist du? Kommst du wegen des Geläuts?»

«Wegen des Geläuts, genau», hatte Jurek gesagt.

«Pass oben im Dachstuhl auf, Junge, da sind die Balken tief. Originalbalken. Haben den großen Brand von 1780 überlebt.»

Dann ging es die dreihundert Steinstufen hoch, die acht Holzstufen der Stiege, die fünf Holzsprossen der Leiter – dort konnte man den Wind schon hören. Er pfiff in den nach allen Himmelsrichtungen offenen Turm hinein und hinaus. Ein vierfacher Nordsüdostwest-Pfiff.

Oben angekommen, wischte sich der Türmer die Stirn, zog sein Handy aus der Samthose und schaute drauf. Zweiundfünfzig, dreiundfünfzig, vierundfünfzig zählte er. Da stieg Jurek die letzten Sprossen hoch. Eng hier oben und nach außen so weit. Himmel, war das weit oben. Fünfundfünfzig, sechsundfünfzig, siebenundfünfzig zählte der Türmer. Der Wind legte Jurek einen strammen Westscheitel. Zwei Glocken hingen in der Mitte, grün angelaufen, schlichte Verzierung. Achtundfünfzig, neunundfünfzig, sechzig. Der Türmer hatte schon das Seil dreifach um seine Hand geschlungen. Dann legte er los. Der erste Ton ein klares, brüllend fieses Geräusch, das sofort vom zweiten Ton eingeholt und überholt und umzingelt wurde. Jede Sekunde kamen zwei weitere, rasend laute Töne dazu, die sich auf die anderen setzten und mitschaukelten. Die tiefen Töne wurden hoch, das Läuten ein Summen, die Töne zu einem An- und Abschwellen.

Jurek dachte nicht daran, sich die Ohren zuzuhalten. Das

Gesicht des Türmers schlug im Zweiklang zwischen Eifer und Traurigkeit hin und her. Das Gesicht kam Jurek altmodisch vor. Wie hartes Brot und Kartenspiel statt Chips und Fernsehen. Er hatte Kaiseraugenbrauen, die außen hochstanden wie ein Kaiserbart.

Ich lachte, als er von ihm erzählte. «Kanntest du den Türmer denn noch gar nicht? Ich dachte, du bist aus Milchfelsen. Oder kommst du aus einem Nachbarort?» Ich plapperte drauflos, als gelte es, in kürzester Zeit ein großes Gefäß mit Plapperei zu füllen.

«Ja, ein Nachbarort», sagte Jurek, lächelte kurz.

Das reichte schon aus, damit unter meinen Rippenbogen Verrückte zu einer unsichtbaren Musik tanzten.

Jurek erzählte weiter. Vom Geläut. Fünf Minuten hielt es an. Jeder Ton drehte sich um sich selbst, fing sich ein und verschob sich. Das ganze Gemisch rollte in alle Richtungen ins Land. Bis zu den Bergen. Bis zu dem Tellerpfütz, bis zu den Waschwiesen, bis zum Stausee Wolfsgetreu. Jurek war da, wo die Töne starteten, die man überall im Tal, im Wald, im Nachbartal und im Nachbarwald hören konnte.

«Die Stadt ist schön von oben, oder?», fragte ich.

«Ja», nickte er, «sehr. Sie sieht so aus, als ob man sie beschützen müsste.»

Wir schauten beide kurz in den Eimer. Die Schnecken schleimten übereinander. Ging es ihnen dabei gut oder schlecht? Keine Ahnung, noch nie Schnecke gewesen.

«Und was machst du bei dem Türmer?»

Das wirkte bestimmt wie ein ganz normaler Satz. Ich hatte aber vorher alle Wörter einzeln buchstabieren müssen, dann alle Wörter einzeln hinlegen und sortieren. Du bei dem Türmer und was machst? Türmer du was machst und du bei dem? Krass, stand in der Packungsbeilage vom Küssen, dass man danach keine schweren Maschinen bedienen durfte und nicht am Straßenverkehr teilnehmen?

Jureks Stimme. Er sagte was. Was? Ach so, ich hatte was gefragt.

«Ich helfe ihm einfach. In den Ferien, wie er mich braucht. Also, ich läute die Glocken. Ich spiele das Glockenspiel. Er muss jetzt nicht mehr ständig rennen. Ich glaube, er freut sich, dass sich jemand Junges dafür interessiert, sonst führt er immer nur alte Reisegruppen durch diesen alten Ort. Die finden so was interessant, aber für junge Leute ...» Jurek schüttelte den Kopf. «Nee, also Schulklassen interessiert das doch gar nicht. Die sehen den Türmer an, als wäre er ein Faschingsclown. Er hat diese große schwarze Samtmütze auf. Und dann der Fledermausumhang. Kinder und alte Leute finden das super. Jugendliche nicht. Die haben ja bei allem Angst, dass es peinlich ist.»

«Wieso sagst du die? Bist du nicht selber ein Jugendlicher?»

«Nee, nicht so wie die anderen.»

Ich sah ihn an, als ob ich sehen könnte, ob er wie die anderen war, aber ich wollte ihn eigentlich nur ansehen. «Und wieso hast du gesagt ...», ich warf eine Schnecke zurück in den Eimer, die innen hochgekrochen, über den Eimerrand drübergekrochen und außen wieder runtergekrochen war. «Also, wieso ist es schwierig mit ihm?»

Jurek massierte sich die Stirn glatt. «Der Türmer rennt von Turm zu Turm, rennt rauf, läutet, rennt runter, macht Führungen mit Touristen, rennt wieder auf einen Turm, läutet, rennt runter. Und alle denken, wow, wie romantisch, wie schön, so altmodisch, toll! Aber er findet niemanden, der ihm hilft. Oder der ihn ganz ablöst. Ich hab ihm gesagt, dass ich erst mein Abi machen will. Danach vielleicht ...

Er meint, dass er in wenigen Jahren tot ist, wenn er weiter so macht. Also, entweder geht er drauf, oder er hört auf, und es gibt keinen Türmer mehr. Und an beidem bin ich schuld.» Jurek schüttelte den Kopf. «Das hat er so nicht gesagt, aber ...»

«Hofft der Türmer echt, dass du ihn ablöst?»

Jurek nickte. «Vielleicht mache ich das wirklich. Warum nicht? Soll ich lieber ein Börsenassi werden? Irgend so ein Krawatten-Halsabschneider? Nee, am liebsten hätte ich gar nichts mit Geld zu tun. An Geld macht man sich nur die Pfoten schmutzig. Mein Bruder studiert auf Lehramt. Die arme Sau! Dann lieber Fremdenlegion. Da musst du den Feinden nicht noch die Tafel abwischen.»

Dann war Schweigen.

Ich zuckte die Schultern. Ich konnte doch jetzt nichts sagen. Ja, Türmer – spitze. Lass mich Frau Türmerin sein, und wir ziehen hierher nach Milchfelsen, bimbambom. Wir waren fünfzehn, und ich musste die Schule beenden. Wir würden uns über Facebook stupsen.

Wir überließen die Schnecken sich selbst. Bei meiner Oma musste ich sie immer in Bier ertränken. Sie sagte, das wäre kein schlimmer Tod, auch Opa wäre im Grunde genommen so gestorben. Es hätte nur länger gedauert.

«Ich möchte gern, dass du ihn was fragst ...», sagte ich. «Vielleicht kannst du noch mal hingehen und ...»

Jurek wiegte den Kopf. «Was soll ich denn fragen?»

«Ich will wissen, ob in der Gegend in den letzten fünfzig Jahren mal irgendwer verschwunden ist, von dem man nicht weiß, wo er geblieben ist.»

Er lächelte. «Du willst es wissen, oder? Wer das Skelett ist. Du musst es einfach wissen.» Er schnappte sich meine Hand und besah sie sich von innen. «Oh, diese Lebenslinie. Sie ist zu einem Fragezeichen gebogen. Das heißt, oho, ich sehe da große Neugierde.»

Ich zog meine Hand zurück und glotzte tatsächlich die Linien im Handteller an.

«Okay, ich geh noch mal hin. Jetzt gleich. Er müsste …», Jurek sah auf seine Uhr, «eine Führung haben. Ich kann ihn an der Kirche kurz sprechen, wenn die Leute auf den Turm steigen. Ich nehm das Fahrrad von Hans. Bin bald wieder da.»

Ich stieg auf die Trauerweide. Erste Etage Kleintierabteilung. Die Plattform knackte trocken. Auf der Rinde des Baumes krabbelten kleine rote Spinnen. Drei Gärten weiter verbrannte jemand Grillanzünder.

In mir tobte immer noch der erste Kuss hin und her und lachte.

Konzentriere dich. Folgendes. Pass auf.

Da ist ein toter ehemaliger Bürgermeister. Eine verschwundene alte Frau. Ein eingestürzter Tunnel und ein Skelett.

Ohne Beweis keine Aufklärung. Ohne Aufklärung alles nur Verdacht. Blindflug durch die Wahrheit.

Der ehemalige Bürgermeister hat den Tunnel Geheimtunnel genannt. Er hat extra einen Himbeerstrauch gepflanzt, damit der Eingang verdeckt ist. Dann hat er seinen Enkeln Gruselgeschichten erzählt, damit sie nicht im Wald spielen. Er hat sowohl vom geschnitzten Erzgebirgszeug als auch vom Skelett gewusst. Jede Wette.

Bis jetzt also nur ein Indizienfall.

Nächster Punkt.

Eine Frau geistert im Wald herum. Sie verkleidet sich wie

eine Figur aus den Gruselgeschichten. Sie wollte uns aus dem Tunnel bekommen. Dann wollte sie ihn anzünden, und das hat sie wohl auch getan, als wir weg waren. Gut möglich, dass sie dabei umgekommen ist. Hinweis: Sie ist weg. Die Frau ist die Mutter von dem alten Mann. Der alte Mann ist der Großvater von Anuschka. Die alte Frau also die Uroma von Anuschka. Auch sie wird wohl vom Schnitzzeug und vom Skelett gewusst haben.

Nächster Punkt.

Das Skelett.

Ich weiß, dass der Bruder von Anuschkas Großvater verschwunden ist. Das passt gut. Es heißt, der Bruder hätte rübergemacht und sich nie wieder gemeldet.

Ich musste warten, was der Türmer sagt.

Ich ließ Sonne, Sommer und Leben durch meine halboffenen Augen in mich reinflackern. Augen wieder zu und ab in den Tunnel. Nussknacker, Skelett, Kerzenhalter, Engel, Skelett.

Verdammt, es war alles verschüttet. Der Fall könnte nur mit Hilfe der Polizei geklärt werden. Dann könnte ich allerdings nicht das Rätsel knacken, sondern die Polizei würde übernehmen. Und die würden mir nicht zuarbeiten. Ich müsste denen zuarbeiten. War es wichtig, den Fall zu lösen oder dass ICH den Fall löste? Das war einer der klassischen Fehler von Ermittlern. Eitelkeit. Wenn ich das in Büchern las, dann wollte ich die Ermittler immer rausschneiden und zusammenknüllen.

«Komm!» Bea stand unter dem Baum. «Essen! Alle drei Idioten sind wieder da.» Sie humpelte los. Drehte sich um. «Der eine sagt, er hat wichtige Neuigkeiten.»

Mann, war ich schnell vom Baum.

Anuschkas Großvater ist tot», sagte Matheo, kaum hatte ich mich an den Tisch gesetzt.

«Erzähl uns was Neues.» Jurek cool, grinste mich an. Ich fragte Jurek mit einem Blick: Was hatte der Türmer gesagt? Er zwinkerte mir zu: Hab Geduld. Dann verteilte er Bratkartoffeln auf den Blümchentellern.

Bea setzte sich zu uns. Zum ersten Mal.

«Mann, du weißt es natürlich schon wieder vorher. Hat dir der Türmer gesagt, oder?», fragte Matheo und wollte gar keine Antwort. «Ich hab es von den drei alten Frauen erfahren, die fast jeden Tag beim Bäcker Kaffee trinken.»

Er sah zu mir. «Ich arbeite bei dem Bäcker im Supermarkt.»

Ich nickte.

«Jedenfalls waren heute wieder die drei alten Frauen da. Die sitzen immer am selben Tisch, direkt am Fenster. Sie reden viel und laut. Manchmal fragen sie mich, wie ich etwas finde. Ich als junger Mann. Sie als junger Mann, sagen sie dann. Die haben hier im Uranbergbau gearbeitet und haben krasse Geschichten zu erzählen. Alle Achtung. Am Ende der Schicht waren die immer radioaktiv aufgeladen, und dann sind sie so durch die Stadt gelaufen. Deren Haare haben geknistert, deren Kleider geknackt, und dann haben die so die Kinder ins Bett gebracht.»

Ich versuchte, mir das alles vorzustellen: drei alte Frauen in beigen Hosen mit Reißverschlüssen an den Taschen, weil es so praktisch ist, Oberteile mit glitzernden Blumen, weil es so schön ist. Ihre Gehhilfen hielten sie in der Luft gekreuzt wie die Musketiere.

Matheo kaute ein paar Bratkartoffeln. Dann erzählte er weiter: «Die drei waren heute so laut, ich musste nicht mal lauschen.» Sie haben sich aufgeregt, erzählte Matheo, weil der alte Rockstroh nie etwas für die Stadt getan hatte, nie, riefen sie alle drei, nie, nie, nie. Und weil er immer nur an sich gedacht hatte, immer, riefen sie. Immer, immer, immer. Und hier im schönen Milchfelsen sei alles verfallen. Alles, riefen sie. Alles, alles, alles. Der Lump habe die ganze Erzgebirgskunst exportieren lassen. Sogar ins kapitalistische Ausland. Unsere Pyramiden, haben sie gesagt. Unsere Räuchermännel und unsere Schwibbbögen. Wir haben ja nie was abbekommen, sagte Frau Klein, nie, stimmten die anderen ein. Nie, nie, nie. Die schönen Nussknacker, die Kerzenhalter, die Engel und die Bergmänner. Und das, was für das eigene Land vorgesehen war, hat der auch noch exportiert. Der muss da was gemauschelt haben. Mieser Lump, krummer Hund, falscher Fuffziger, sagten sie. Und dann haben sie ihre Dauerwellen zusammengesteckt. Der Rockstroh, so sage man, so sagen die anderen, so hätten sie gehört, dass der, aber man weiß es nicht genau, nee, genau könne man das nicht wissen, dass der auch mit dem Uran zu tun gehabt hatte. Der Russe habe aufgepasst wie ein Schießhund, dass niemand was klaut. Jeden Abend haben sie mit dem Geigerzähler rumgemacht, hier hoch, da runter, hier rum, weißt du noch, Traudel? Weiß ich noch, Elli. Aber beim Bürgermeister ... wer weiß? Wer weiß. Der war ja selber ein paar Jahre Bergmann gewesen, der Rockstroh. Ob der nicht heimlich was gefunden hat. Der Hans habe gesagt, der Rockstroh habe das Uran in den Erzgebirgssachen geschmuggelt. Ach, der Hans, so ein Spinner, glaub ich nicht, kann ich mir nicht vorstellen, auf keinen Fall. Wer weiß, wer weiß.

«Vorstellen könnten sie sich alles», schloss Matheo seinen Bericht. «Aber glauben nicht.»

Dann hatten sie alle genickt.

Wir nickten auch.

Matheo hob seine Gabel. «Das Lustigste ist, wie Rick reagiert hat, als er von dem Tod vom Rockstroh erfuhr. Der hat gesagt: Cool, dann kann ich Anuschka trösten.»

Matheo lachte.

Von allen Sachen, die Jungs blöder machen als Mädchen, ist blöd lachen das, was sie am blödesten blöder machen als Mädchen.

«Du kennst Rick?», fragte ich.

«Klar, der arbeitet als Regaltyp. Ferienjob. Der ist total langsam, weil er sich in jeder glatten Fläche erst einmal spiegeln muss.» Jetzt lachten alle drei blöd.

Ich dachte waswaswas? Der arbeitet da? In dem Supermarkt, wo wir containern waren? Das erklärte die vielen beschädigten Nahrungsmittel, die wir immer gefunden hatten. Und die Schokolade. Die war ja noch gar nicht über dem Verfallsdatum. Und das erklärte, warum Anuschka die nicht wollte und Antonia gegeben hat. Ach nee, dachte ich. Der Rick also. Der hatte uns da sicherlich ein bisschen was zugeschustert. Und sicherlich hatte sie ihn getroffen, als sie das erste Mal unten war. Als Yvette nicht mitgegangen war. Aber er würde doch nichts mit der Lebensmittelvergiftung zu tun haben, oder?

«Schmeckt es dir nicht?», fragte Jurek.

«Doch», ich schaufelte schnell einen Löffel in meinen Mund.

«Mir schmeckt es übrigens auch», sagte Ole. «Vielleicht ein bisschen salzig, aber wenn das Essen zu salzig schmeckt, dann …»

Jurek trat nach Ole. Der Tisch wackelte. Die Teller klapperten.

Irgendetwas machte mich an diesem Abend ganz unruhig. Dieses eingezäunte Gezirpe. Diese blöden Frösche. Natürlich kotzte mich etwas anderes an als das, was mich ankotzte.

Jurek hatte neue Zeitungen mitgebracht. Bunt und schwarz-weiß. Darin wurden unsere Leben zerfleddert. Blatt für Blatt schälten sie sich in unsere Vergangenheit und Zukunft hinein. Sie häuteten unsere Familien und liefen Slalom um alle Eckpunkte unseres Alltags. Wir gehörten ihnen. Ich würde nie wieder unsichtbar sein.

Es war verrückt: Je länger ich mich vor der Aufmerksamkeit versteckte, umso mehr wuchs sie. Hatte der Vogel Strauß eigentlich nie bemerkt, dass alle seinen Arsch anstarren, wenn er seinen Kopf in den Sand steckt?

Stimmen von Verwandten, Bekannten und Unverwandten und Unbekannten fragten in meinem Kopf: Warum gerade die Charlotte? Das ist so gar nicht ihre Art. Meine Eltern taten mir echt leid. Frau Adler schien sich keine Sorgen zu machen. Dafür war Beas Vater aufgetaucht. Er war unterwegs ins Erzgebirge. Mit seinem LKW. Ein Foto zeigte einen Mann mit dichtem Bart, liebe Augen, aber böser Mund.

«Bea, guck mal!»

Sie fetzte mir die Zeitung aus der Hand. Der bärtige Vater riss fast entzwei. Als sie das Zerknüllte las, war ihr Gesicht genau andersherum als das vom Vater: lieber Mund, böse Augen. Sie ging in die Laube und legte sich hin. Zwei Stunden vor ihrer Zeit. Die Dämmerung zog ein graues Tuch hinter sich her. Die Sonne hatte noch jede Menge Gelb und Rot entgegenzusetzen.

Ich schloss leise die Laubentür.

Wenn ein Indianer weint, dann soll man keine Ohren und Augen dafür haben, denn am nächsten Tag will der Indianer wieder ein Indianer sein. Auch wenn er nur von einem Sorben abstammte.

Aus Anstand las ich nichts über Beas Vater. Aber die Überschrift war zu groß zum Wegsehen. Er bat sein kleines Mädchen, sich zu melden. Er musste sie wirklich lange nicht gesehen haben.

Jurek und ich machten uns mit Decke und Chips auf den Weg zum Abgrund über Milchfelsen. Hand in Hand durchliefen wir den Dämmerwald, an einem Bachlauf entlang. Als wir über einen Steg mussten, warfen wir eins, zwei, drei Steine ins Wasser. Unter uns plumpste es. Im Hellen hätten wir Stöcke geworfen, ihnen nachgesehen. Wer weiß, welcher von den Steinen zuerst ankam. Das langsame Wettrennen begann, und niemand würde jemals erfahren, wie es ausging.

«Willst du wissen, was der Türmer gesagt hat?»

Einmal Handdrücken hieß ja, zweimal nein. Ich drückte einmal.

Der Türmer hatte erzählt, dass nur der Rockstroh Friedrich aus Milchfelsen verschwunden ist. Der ist in der Nacht nach dem Drachenfeuerfest verschwunden. 1989. In dem Jahr war das Fest ziemlich gut besucht. Das war ein paar Tage vor der Maueröffnung. Der Türmer hatte das Gefühl, dass es um einen ganz anderen Drachen ging, der verscheucht werden sollte. Die ganze Stadt war auf den Beinen. Nur der Bürgermeister und sein Bruder waren nicht da. Ihre Mutter tauchte spät in der Nacht auf und erzählte, dass beide Söhne krank seien. Es war keine gute Nacht, sagte der Türmer. Eine Nacht, die Unheil bringt. Die Menschen waren gereizt. Bis weit nach Mitternacht brannten die Feuer. Am nächsten Tag war Rockstroh Friedrich verschwunden. Alle anderen aus der Gegend, die vor der Wende nach Prag gefahren sind, um rüberzumachen, die haben sich irgendwann wieder gemeldet. Nur Rockstroh Friedrich nicht. Das ist gut möglich, dass es Streit mit der Familie gegeben hatte. Da wo Geld ist, da wird drum gestritten, sagte der Türmer. Das Einzige, was man Gutes mit Geld machen könnte, sei, es wegzugeben.

Wir hatten uns vom murmelnden Bach entfernt. Der Wald war so gedämpft, als ob ein großes Handtuch drumgewickelt wäre.

«Sonst sind noch jede Menge Bergmänner umgekommen, aber da weiß man ja, wo die Leichen liegen, oder man hat sie sogar geborgen. Das Skelett kann also nur ...»

«Friedrich Rockstroh sein», ergänzte ich. Sprach den Namen noch mal aus. «Friedrich Rockstroh», sagte ich. Irgendwas war komisch, und wenn was komisch war, dann ging mein Komischradar an. Ich durfte jetzt bloß nicht zu stark daran denken. Es würde mir schon einfallen, wenn ich wartete.

«Was ist denn das für ein Fest? Das Drachenfeuerfest?», fragte ich.

«Weiß nicht. War noch nicht da», murmelte er. Er blieb stehen, holte sein Smartphone raus und begann, auf dem Gerät herumzutippen, dann nahm er seine Hand aus meiner. «Dra», murmelte er, «chen», murmelte er weiter, «feu» und «er» und «fest».

«Besuchen Sie die Drachenstadt im Erzgebirge. Hier. Das Drachenfeuerfest. Jedes Jahr am 1. November. An diesem Tag, so die Legende, fliegt die Drachenmutter über die Stadt und will ihr Junges rächen, darum werden überall Feuer angezündet, um die Drachenmutter ein weiteres Jahr von der Stadt fernzuhalten.»

Jurek verstaute sein Smartphone, und wir gingen weiter.

Der Wald beruhigte mich, der Geruch, das gleichmäßige Laufen. Es kam mir vertraut vor. Im Gegensatz dazu konnte ich mir gar nicht vorstellen, in das Auto meiner Eltern zu steigen, Nowak & Nowak, und nach Hause zu fahren. Der Ort Kinderzimmer kam mir vor wie eine Kleinstadt auf der anderen Seite der Welt.

Wir gingen aus dem Wald und über ein freies Feld. Der Himmel war ein Meer, die Sterne Glitzerfische. Unsere Hände unterhielten sich. Ich hatte keine Ahnung, worüber.

Hinter dem schwarzen Feld tauchten Lichter auf. Ich dachte daran, wie ich mit Anuschka hier war.

Wenn man irgendwohin zurückkommt, wo man war, als man noch ganz anders war, dann gibt das so ein komisches Ziehen. In dem Moment bewegen sich Gestern und Morgen aufeinander zu.

Wir gingen langsam näher an das Nichts heran. Von unten zog frische Luft zu uns, Gerüche, und von links Musik.

«Alles okay?», fragte Jurek.

Nein, drückte meine Hand.

Ich hockte mich, krabbelte vor, setzte mich, robbte ran. Als meine Füße hinunterhingen, dachte ich an all die Sagengestalten. Die Geister der Bergmänner, die Buschweibel, weiße Frauen, Steinteufel, das Mörbitzmännel, Reiter ohne Kopf. Sie zogen lachend an meinen Füßen.

«Krass, dass ich ohne euch nie hierhergekommen wäre», sagte Jurek. «Und du ohne uns auch nicht.»

Wieso wäre ich ohne die Jungs nicht hierhergekommen? Wie meinte er das?

«Das ist die Schule.» Er zeigte zu dem Haus, das aussah wie eine Torte mit Geburtstagskerzen an den Ecken.

In der Schule leuchteten Kästelchenfenster. Sieben nebeneinander. Vielleicht war das ein großer Saal. Vielleicht gab es dort ein Fest. Eine Disco. Vielleicht gab es inzwischen einen Sommerhit, den ich nicht kannte. Ein Schalala, ein Give me, Hold me, only you.

Wir waren der Sommerhit, dachte ich.

Wir!

Ich und die anderen.

Ich und Jurek.

Wir.

Jurek tanzte mit dem Oberkörper. Ich konnte nicht hinsehen. Zog an seinen Füßen niemand?

«Das sieht bestimmt von hier oben toll aus, wenn überall in der Stadt Feuer an ist, bei diesem Drachenfeuerfest. Als ob die Stadt brennt.»

Ich betrommelte meine Oberlippe. Bei mir ratterte was. Erst ein kleines Klick, dann ein großes Aha. «Bei so einem Drachenfeuerfest muss Hans seinen Hand-Trip gehabt haben. Mit dem Drachen und dann die Feuer. Dass die ganze Stadt brennt, hat er gesagt.»

Die Musik endete abrupt. Ein Jubel aus jungen Kehlen.

«Also, ich meine», sagte ich. «Wenn da nun wirklich eine Hand geklopft hat? Wenn die Hand … Wenn die Hand zur Nachbarin gehört hat?» Ich schloss die Augen, um mich zu konzentrieren. Meine Gedanken schwebten weit oben, waren an einer dünnen Schnur an meinem Handgelenk befestigt, und ich versuchte, sie zu mir zu ziehen. Langsam, langsam, sonst flogen sie weg. Von der Schule unten im Tal schallte eine Traummelodie hoch. Dann setzte ein stampfender Rhythmus ein.

427

«Glaubst du, dass Hans wirklich von einem Drachen in die Lüftungsanlage vom Kulturzentrum gezogen wurde?» Jurek feixte.

Im Tal bummerte der Bass.

«Nein.» Ich öffnete wieder meine Augen. «Aber vielleicht hat er einem Schokoladenpanzer Starthilfe gegeben. Erzähl mir mal bitte den Trip noch mal. Den mit der Generalin und den zwei Brüdern.»

«Meinst du …» Jurek sprang neben mir auf. Der Bass und mein Herz schlugen untanzbar schnelle Schläge. «Setz dich bitte wieder hin!»

Tat er.

«Ja, du hast recht! Klar, kann sein … Das braune Auto, der Schokoladenpanzer … Und die Holzsoldaten, das waren …» Er zappelte neben mir herum.

«Sitz doch bitte still!», zischte ich. Die Musik rammelte gegen den Felsen.

«Diese Holzsoldaten, das waren die Nussknacker. Und die Bergmannfiguren.» Er klatschte in die Hände. «Die Generalin ist die Nachbarin, also die alte Senkwitz, und die Brüder sind die Brüder Rockstroh, die am Tag vom Drachenfeuerfest zum Tunnel gefahren sind, um das ganze Zeug zu verstecken. Und sie haben bei Hans geklopft, weil ihr Auto nicht ansprang. Sie haben gewusst, dass niemand Hans glaubt. Also muss das Skelett Friedrich Rockstroh sein. Und wir haben sogar einen Zeugen. Okay, der ist ein bisschen verrückt, aber trotzdem. Hab ich jetzt den Fall gelöst? Oder du?»

«Wir!»

«Nee, du eigentlich. Ich hab nur schneller gesprochen.»

«Nee, wir», sagte ich, und wir klatschten ab. Das Geräusch unserer siegreichen Hände flog hinab ins Tal.

Als wir kurz schwiegen, explodierte ein Gedanke in meinem Kopf, und piffpaff, als hingen Knaller an einer Zünd-schnur, explodierten andere Gedanken hinterher.

Friedrich hieß der Bruder. FRIEDRICH! Na klar, Mensch! Der Großvater hatte am Ende seines Lebens immer Friedrich-Engels-Stollen gesagt. Weil der Friedrich da mit den Engeln lag. Diese Schuld muss ihn gequält haben.

Und die Uroma, die hat gedacht, dass ihr Sohn das Ge-dächtnis verloren hat und noch lebt.

Nicht sie war es gewesen.

Er war es gewesen.

Oder?

Auf jeden Fall hat er davon gewusst. Sie vielleicht nicht. Er auf jeden Fall. Sie hatte nur gewusst, wo der Erzgebirgs-schatz versteckt worden war.

Nein, sie war nachts auf dem Drachenfest, hat der Türmer gesagt. Die Brüder mussten gestritten haben im Tunnel. Gib du mir das Geld, geh doch rüber, ich verrate dich, das tust du nicht. Und dann hatte er ihn ... Einen Nussknacker oder Engel an den Kopf geworfen. Oder sie hatten geschubst, und Friedrich Rockstroh war ungünstig gefallen.

Und dann hat er ihn eingemauert.

Und als die Winselmutter nach dem Erzgebirgsschatz sehen wollte, hatte sie das Skelett gefunden. Vielleicht. Ein Skelett mit der Hose ihres vermissten Sohnes. Vielleicht. Und vielleicht war sie dann zu ihrem Sohn gefahren, den sie ja gepflegt hat bis zum Schluss, und sie wollte ihm davon erzählen, ihn fragen, ihm Vorwürfe machen, ihn anschreien, und vielleicht hatte sie auch all das getan. Sein Herz war vor Schreck einfach stehengeblieben.

Oder? Das könnte doch so gewesen sein.

Das alles sagte ich Jurek, und er gratulierte mir, dass ich damit diesen Fall gelöst habe.

«Nein, wir», sagte ich.

«Nein, du.»

Und danach gab es den höchsten Kuss des Sommers.

Aus dem Tal: Bass, Bass, Bass und eine Kindermelodie.

Kurz vor Mitternacht wurde die Musik leiser gedreht.

Dann läuteten die Glocken, und der Türmer rief.

Ich hatte einmal als Kind herausgefunden, wo die Dinge hinkamen, die wegkamen. Erst hatte ich es nicht einmal bemerkt. So wie man nicht mitbekommt, dass man wächst. Aber irgendwann fehlten Hosen, Spielsachen, Bücher. In der Stube fehlte ein ganzer Teppich. Er hatte ein eckiges Muster, in dem man mit den Augen spazieren schauen konnte, bis die Blicke in eine Sackgasse gerieten, und dann hieß es, zwischen den Linien den Ausgang zu suchen. Wenn man mir erklärte, warum ich etwas Falsches getan hatte – was meine Mutter Gardinenpredigt nannte, mein Vater Standpauke –, dann schaute ich auf dem Teppich mehrere Runden die Muster entlang.

Eines Tages war der Teppich weg, und ein anderer lag da. Der war rot, ohne Muster.

Und eines anderen Tages war ich bei meiner Klassenkameradin Luzia, weil wir ein Hausaufgabenteam waren. Luzia hatte sieben Geschwister. Ihre Eltern sahen so gar nicht nach Geschlechtsverkehr aus, aber die Mutter war schon wieder schwanger. Sie waren christlich. Dann sah ich an einer der Schwestern eine meiner alten Hosen, an einer anderen Schwester ein Oberteil von mir, im Flur waren drei Paar Schuhe von mir, beim Bruder mein altes Puzzle, mein Kaufmannsladen, die Waage zum Kaufmannsladen und die

Kasse. In der Stube stand eine Teekiste als Couchtisch auf unserem alten Teppich.

Zu Hause habe ich meine Mama gefragt, ob sie das alles verkauft habe, und warum, und ob wir Geld bräuchten. Und ob wir den Teppich zurückkaufen könnten.

Meine Mama erklärte mir, dass sie das alles Luzias Familie geschenkt habe. Und warum.

Danach dachte ich immer an Luzias Familie, wenn etwas weg war. Das wird bei Wegners sein, dachte ich.

Inken war nicht bei Wegners gewesen.

Als wir die Nachricht hörten, hätte ich gern eine Schiebermütze auf dem Kopf gehabt. Die hätte ich in die Luft werfen können. «Wir sind frei!», hätte ich gerufen, und in einem Film wäre das Bild stehengeblieben. Das lachende Mädchen und seine in der Luft schwebende Mütze.

Wir sprangen alle auf und hüpften herum. Der Wolf ist tot, der Wolf ist tot.

Der Radiosprecher verkündete, die gesuchte Inken Utpaddel habe sich am Vortag in den frühen Abendstunden gestellt. Sie habe sich ersten Informationen zufolge die letzten Wochen in einem Abbruchhaus nahe der französischen Grenze aufgehalten. Nun habe sie sich in einem Krankenhaus gemeldet, um sich als Spenderin für Yvette Tuckermanns Vater testen zu lassen.

Die Jungs beschlossen, dass jetzt der richtige Moment für Kakao sei.

Gesagt, gekocht.

«Das Coolste wäre …», sagte Ole und fasste sich an den Kopf, weil es so cool war. «Wenn man jetzt beweisen könnte, dass Inken wirklich, wirklich die Schwester von Yvette ist.

Dann hätte Yvette ganz nebenbei ihren Vater ausgetrickst. Dann könnte Inken vielleicht Unterhalt für frag-mich-wie-viele-Jahre verlangen. Dann hätte sie Geld.» Ole fuchtelte, weil sein Sprechen seinen Gedanken kaum nachkam. «Da kann sie sich hunderttausend olle Ketten kaufen und hunderttausend olle Armreifen und wahnsinnig viele Schlüssel und Schlösser.»

Wir lachten. Alles war wie mit Sahne unterhoben. Sagt man bei Süßspeisen so. Die werden davon luftig.

Ich ging rüber in die Laube der Winselmutter. Ich hatte noch etwas zu erledigen. Die Tür war nicht abgeschlossen, überhaupt war alles so, wie wir es verlassen hatten. Ich setzte mich auf die Eckbank und versuchte, mir Rockstroh Heinrich und Urgroßmutter Senkwitz vorzustellen. In meiner Vorstellung saßen sie vor dem Kamin. Das Feuer ließ ihre Gesichter irre flackern. Unter der schweren Holztür zog es durch. Der Wind pfiff ein hohes Huhbuh.

Der Rockstroh Heinrich schnitzte. Die Späne rollten sich auf dem Boden, um den Daumen hatte er ein Pflaster. Die Urgroßmutter klöppelte. Das Klöppeln klöppelte. Leise. Klickklack. Keine Ahnung. Ich hatte das noch nie gesehen, aber ich stellte es mir so vor. Auch die Großmutter hatte ein Pflaster um den Daumen. Klickklack. Schabschab das Messer dazu. Seine Stimme knarrte, ihre schnarrte, der Wind machte sein Huhbuh.

Wir sollten das Zeug beiseiteschaffen.

Ja, Mutter. Wie, Mutter?

Ist da nicht ein Tunnel irgendwo, tief im Wald, einer von den Tunneln? Einer mit einem Seitenstrang. Den man zumauern kann? Einer dieser Tunnel, die ohnehin einstürzen werden, in fünf oder zehn Jahren? Lass es fünfzehn sein, die Zeit wird's fressen.

Rockstroh Heinrich nickte siebenmal.

Wir sollten dafür sorgen, dass die Kinder nicht mehr im Wald spielen. Nicht an der Stelle.

Ja, da hast du recht, Mutter.

Hast du eine Idee, Heinrich?

Mutter, wir sollten ihnen die Geschichten erzählen.

DIE Geschichten? Heija, sagte die Großmutter, recht hast du.

Sie klöppelte ein Bild vom Milchfelsen. Er schnitzte einen Hirsch. Klickklack, schabschab.

Dann stand er auf, ächzend, diese Bergarbeiter-Bürgermeister-Beine. Er ging zum Regal, zog das Sagenbuch raus, und sie suchten darin.

So könnte es gewesen sein.

Ich zog Jureks Notizbuch hinten aus dem Hosenbund. Er hatte es mir sofort gegeben, als ich gefragt hatte. Ein schwarzer Kuli klemmte dran.

Der Bruder im Tunnel bei Milchfelsen, schrieb ich.

Einst gab es einen Stadtschulzen in der Stadt Milchfelsen, der zu Reichtum kam, indem er das einfache Volk betrog. Er verbrachte große Mengen von feiner Handwerkskunst der einfachen Leute in die Länder, wo es nicht solch schöne Dinge gab. Dort verkaufte er diese zu hohen Preisen, wovon er den Handwerkern aber nichts gab. So wurde er durch seine falschen Taten unbeliebt bei den Leuten. Doch der König war ihm zugetan, und so konnte der Mann weiter seine Geschäfte tätigen. Als der König alt wurde und krank, da wussten die Leut, dass nun bald ein neuer König käme, und sie wurden laut unwillig gegen das Schlitzohr. Doch bevor die Leut bei ihm nach den Schätzen suchen konnten, versteckte der listige Dorfschulz alles in einem Tunnel im Walde, nahe der Stelle Schwarzen Seife. Hierzu musst seine arme alte Mutter die Kutsche fahren, und sein Bruder musst ihm helfen, den Schatz in den Nebengang des Tunnels zu bringen. Sie wollten den Zugang vermauern, doch da gerieten sie in Streit. Sein Bruder, der in all den Jahren dem Dorfschulz zugearbeitet hatte bei seinen Schiebereien, wollt nun einen hohen Lohn für seine Leistungen. Der Bruder sagte: Ich sags, ich werd es dem neuen König sagen. Das Volk wird dich aufhängen. Der Dorfschulz sagte: Geh doch rüber ins andere Königreich. Ein Verräter bist du. Am Ende lag der Bruder tot hinter der Mauer. Der Dorfschulz hatte ein größeres Geheimnis versteckt, als er wollte. Im Ort sagte er, der Bruder sei in jener Nacht verschwunden, er habe vorher ja auch verkündet, dass er dies einst tun würde.

Jedem, der sich dem Tunnel näherte, erschien die Winselmutter, die den Verlust ihres letztgeborenen Sohnes beweinte, und hielt die Menschen mit ihrem Spuk fern. Als sie spürte, dass ihre Kräfte schwanden, wollte sie ein für alle Mal die Spuren der Vergangenheit tilgen, denn stets war der Makel an der Familie haften geblieben, und man sprach den Namen des ehemaligen Dorfschulzen mit bösen Beinamen aus.

Wie weinte die Mutter, als sie die Überreste ihres jüngsten Sohnes fand. Noch im Gewand der Spukgestalt eilte sie zum älteren Sohne. Dieser war inzwischen alt, und seine unnützen Beine machten ihn von der Mutter abhängig. Als sie ihm vorwarf, den Bruder erschlagen zu haben, da blieb sein böses altes Herz stehen. Die Mutter eilte zum Tunnel und wurde dort vom Berg verschluckt.

Ich zog das Sagenbuch aus dem Regal, «Die Liebe des Grafen» kippte um.

Ich nahm den Einband an der einen Seite ab, legte die neue Sage hinein und klebte sie mit zwei Bananenaufklebern fest. Dann wickelte ich den Einband wieder um das Buch und schob es zurück ins Regal. Als wäre alles wie vorher.

Ich atmete einmal tief ein und wieder aus.

Ich dachte an den Wald und seine Geheimnisse. An die Schächte und Tunnel. Ruhet alle in Frieden.

Als ich zurück in die Laube kam, hatten die Jungs gepackt. Neben der Tür hockten Rucksackgorillas, die Träger wie Arme in die Seite gestemmt.

Ole hatte eine Aufnahme von Inken im Netz gefunden. Ich war mir inzwischen sicher, dass meine Erinnerung eine Karikatur aus dieser Frau gemacht hatte. Die konnte doch nicht in echt so seltsam gelacht haben. In meinem Kopf war die Aufnahme ihrer Stimme sicherlich ausgeleiert. Hatte die echt so viel Geklapper an sich drangehabt?

Als wir den Clip ansahen, konnte ich es nicht fassen. Nee, die war echt so. Echt, die war so.

Bloß dass sie nicht lachte, sondern heulte. Wie eine Robbe.

Meine Gänsehaut war außen und innen.

Die Sendung hieß «Recherchiert». Normalerweise lief das abends. Am Wochenende gab es eine Nachmittagsausgabe. Wenn mein Vater sich das ansah, massierte er sich dabei gern selbst die Füße und brabbelte irgendetwas. Kann ja nicht sein, ist das denn zu fassen, ein dickes Ei.

Inken saß auf einem roten Sessel wie die traurigste dünne

435

Frau mit drei Haarreifen, die die Welt je gesehen hatte. Wenn es einen Verein gäbe, der Spendengelder für Messies sammelt, dann sollte er unbedingt mit dieser Frau werben. Bitte spenden Sie reichlich. Vor allem Sachspenden sind gern gesehen. Haarreifen und Ringe. Mützen und Schals. Uhren und Taschen. Puzzles. Zudecken. Gürtel. Schlüssel. Schlösser. Krawattennadeln. Orden. Sägen. Decken. Tassen. Kaputte Porzellanfiguren. Alte Fotoalben. Kassetten. DVDs. Schallplatten. Stofftaschentücher für Kinder. Plüschtiere. Ferngläser. Taschenlampen. Löffel. Alte Handys. Kugelschreiber.

Inken sagte in dem kurzen Filmchen: «Sorry. Echt, so einen Wirbel wollte ich nicht. Das wollte ich alles nicht. Da kann ich nur sagen: Sorry.» Dann das Robbenheulen.

«Das hat die meistgesuchte Frau des Landes nach all den Wochen zu sagen», schnurrte eine Männerstimme, die keinen Zweifel aufkommen ließ: Das hier war das Aufregendste und Wichtigste, das jemals gesagt wurde. «Wir haben sie getroffen. Die Müllfrau. Inken Utpaddel. Die Campleiterin. Uns hat sie alles erzählt.»

Dann noch einmal eine Aufnahme von Inken. «Ich kann nur sagen, dass da noch jemand im Camp war. Echt. Ich habe sie ja gesehen. Ich bin doch nicht verrückt.» Sie sah aus wie jemand, der direkt auf der Autobahn spazieren geht und winkt.

«Wer soll denn da noch gewesen sein?», fragte Bea. «Hulli und Knulli aus ihrem Kopf?»

«Wahrscheinlich die Geister ihrer verstorbenen Katzen», ich kicherte vor mich hin. «Das müssen wir uns unbedingt ansehen. Wie spät ist es denn?»

«Wir wollten eigentlich gleich los», sagte Matheo.

Die Jungs sahen sich komisch an. Konnte ich nicht deuten. Hatten sie eine Überraschung geplant?

«Lasst uns doch nachher noch das Interview zusammen ansehen», sagte ich, und ich hoffte, dass ich mich nicht anhörte wie jemand, der bettelt – nicht um Geld, sondern darum, noch ein paar Minuten länger bei Jurek zu sein.

«Es gibt 'nen Livestream nachher», sagte Ole. «Steht bei Mädchenmeute.»

Matheo räusperte sich. Jurek nickte. Ole nickte auch.

Die Zeit bis dahin verging schnell und langsam. Schön und schlimm. Morgen würde heute gestern sein und das noch mehr als sonst.

Ich konnte mir einfach nicht vorstellen, dass alles so wäre, wie es war. Ich war ja nicht so, wie ich war. Ich war aber auch noch nicht so, wie ich wurde.

Die Sendung «Recherchiert» hatte eine Titelmelodie, als wolle Gott nach all den Jahrtausenden gleich mal ein paar Missverständnisse klarstellen: Er sei es nicht gewesen, und er wolle sich von der Kirche distanzieren oder so.

Der Schriftzug der Sendung kam Buchstabe für Buchstabe auf den Schirm gezischt. Hier ging es um etwas Eiliges. Dann wurde der Schriftzug unterstrichen. Es war also nicht nur eilig, sondern auch wichtig.

Zusammen passten wir gerade so auf das größere der beiden Sofas. Jurek rechts von mir als warmer Arm. Der Moderator stand im gelben Studio, hielt die gelben Moderationskarten, auf denen stand: «Wer hat sich nicht in den letzten Wochen gefragt, was das für eine Frau ist, diese Inken Utpaddel. Wir wollten sie unbedingt kennenlernen und für Sie das Rätsel Inken Utpaddel lösen. Meine Kollegin hat sie für Sie getroffen. Inken Utpaddel, eine beeindruckende, eine verstörende Frau. Doch sagt sie die Wahrheit?»

«Nä!», spuckte Bea aus.

Inkens Gesicht. Lächeln. Sehr nervös. Sie saß zusammen-gesunken, und immer, wenn sie versuchte, sich aufrecht hinzusetzen, sank sie innerhalb von zwei Sätzen wieder zu-sammen.

Bei Straßburg sei sie gewesen. Von da aus wollte sie weiter nach Paris, dann weiter nach Spanien. Oder nach Portugal oder Rom, irgendwohin, wo es warm war. Dort wollte sie Doreen heißen. Außerdem wollte sie sowieso untertauchen. Wegen Geld, also eher wegen kein Geld. Wegen Bruno. Weil der sich wohl mehr erhoffte und Inken nicht die Person war dafür (klapper, klapper mit den Armreifen). Es tat ihr leid, sagte sie, dass der Bruno das jetzt auf diesem Weg erfahren würde. Sorry.

In Straßburg sei sie nur geblieben, weil es da deutsche Zeitungen zu kaufen gab. Sie hatte gehofft, dass die Mäd-chen wieder auftauchen. Das hätte sie schon belastet.

Großaufnahme: Inkens Hände. Ihre Fingernägel waren knallrot.

Eine weibliche Stimme fragte von irgendwoher: «Was genau ist im Camp passiert, Frau Utpaddel? Können Sie uns das erzählen?»

Inken sah nach oben, dann nach unten, dann schräg vorbei an der Kamera zu der Stimme, die gefragt hatte. Von Anfang an habe Inken das Gefühl gehabt, dass noch jemand dort war, im ehemaligen Pionierferienlager. Ungebetene Gäste. An Geister glaube sie nicht. Geister verschütten außerdem nicht literweise Blut. Geister klauen auch keine Sachen. Alles wäre weg gewesen, alles, was Inken und Bruno hingebracht hatten. Alles, woraus sie etwas bauen wollten mit den Mäd-chen. Darum hätte es Streit mit Bruno gegeben. Der wäre dann losgefahren, neues altes Zeug holen. Inken wollte nicht allein bleiben mit den Mädchen. Das sei so nicht abgemacht gewesen. Bruno hätte versprochen, in zwei Stunden zurück zu sein. War er aber nicht. In der ersten Nacht sei Inken aus dem Gebüsch mit Steinen beworfen worden. Als sie hingerannt sei zu dem steinwerfenden Gebüsch, wäre ein Stein von der anderen Seite gekommen. Und so weiter. Dann hätte sich ein Rascheln entfernt. Inken habe versucht, das Rascheln zu verfolgen, aber das Rascheln sei schneller gewesen und hätte sie immer tiefer in den Wald gelockt.

«Warst du das?», fragte ich Bea.

«Nein!», sagte sie, gleichzeitig mit Ole. Der lachte.

«Die wollten uns da vertreiben», flüsterte Inken. «Und das hat ja auch geklappt. Die haben alle Wasserhähne aufgedreht, und eine riesige Pfütze ist entstanden. Da hat es meine toten Katzen aus dem Boden gespült.» Blick nach unten. Tränen. «Da war jemand. Ich bin doch nicht verrückt!»

Großaufnahme Hand. Hand zum Gesicht. Tränen abwischen.

Bea lachte laut los. «Oscarreif, echt! Ein Oscar aus Holz mindestens!»

Mir war nicht nach Lachen zumute. Die Jungs lachten auch nicht. Warum sollte Inken ihre Katzen selber ausbuddeln und in die Pfütze werfen? Nur weil etwas keinen Sinn ergab, war es deshalb nicht gleich unmöglich, es war nur etwas weniger wahrscheinlich.

Inken schluchzte, dass sie immer tiefer in den Wald gelaufen sei. Von dem Rascheln erst gelockt, dann getrieben. Bis zu einem Gasthof. Dort wäre sie die Nacht über geblieben. Wenn sie gewusst hätte, geahnt hätte, niemals wäre sie dort geblieben und hätte die Mädchen allein im Camp gelassen. Aber der Bruno sollte ja bald zurück sein. Auf den war ja sonst immer Verlass. Wirklich. Immer. Und das tue ihr alles leid. Sorry, sagte die Inken.

«Aha, ja, das verstehe ich», sagte die Stimme schräg neben der Kamera und versuchte zu klingen, als würde sie das wirklich verstehen. Ich weiß nicht, was es da zu verstehen gab. Inken war doch nicht zwölf oder so. Von einem Rascheln zu einem Gasthof getrieben. So ein Quatsch!

Die verständnisvolle Stimme laberte was von Erfahrungen, die sich der Zuschauer nicht vorstellen kann, Reue und einer zweiten Chance. «Wir wollen natürlich wissen: Was war in dieser letzten Nacht? Hatten Sie tatsächlich einen Zuckerschock, wie Bruno Binder behauptet? Haben die Mädchen Sie tatsächlich in einem gefährlichen Zustand allein gelassen? Wie ging es dann weiter? Wir haben nachgefragt.»

Dann übernahm die Stimme des Moderators. «Den zweiten Teil des Interviews können Sie heute Abend neunzehn Uhr dreißig sehen, natürlich bei: Recherchiert, die Sondersendung.»

Diese dreimal verfluchten Fernsehmenschen. Sie fütterten einen an, und dann zogen sie den großen Happen weg. Ich wollte brüllen und an einem Verantwortlichen rütteln.

Die immer noch oder schon wieder verweinte Inken war zu sehen. Sie zog die Nase hoch und sagte in die Kamera: «Das waren drei, und ohne ihre Hilfe wäre ich tot. Die Mädchen haben mich einfach da liegen lassen.»

Der Schriftzug «Recherchiert» knallte wie ein Stempel darauf. Schalten Sie ein, wenn es heißt … am Arsch.

Bis heute Abend müssten wir warten. Eigentlich eine Frechheit, eine Wahrheit nicht rauszurücken. Die war doch so was wie Wasser oder Luft. Sie war da und gehörte allen. Oder?

Ich dachte an Anuschkas Großvater. Und an das Geheimnis. Musste ich es Anuschka sagen? Der Polizei? Das war etwas ganz anderes. Oder?

«Was denn für eine Hilfe?», fragte Bea. «Von wem denn?»
Wir zuckten mit den Schultern.

«Jungs!», rief eine Stimme draußen. «Jungs!» Das war
Hans. «Jungs!»

Wir schnellten vom Sofa hoch. Bea nicht.
Matheo riss die Laubentür auf und rannte barfuß
raus. Ich stellte mich an die Tür. Ein aufgeregter Hans und
ein immer aufgeregter werdender Matheo unterhielten sich.
Jurek und Ole rannten auch raus, dann rannten alle wieder
rein. Hans hinterher. Seine Flip-Flops klatschten über die
brüchigen Terrassenplatten.

Jurek war als Erster bei uns. «Presse!», rief er. «Sie sind
vorne auf dem Parkplatz. Ihr müsst ...»

Dann kam Hans rein, mit all seiner Größe und Lautstärke. «Mädels!», sagte er außer Atem. «Ich hab die ganze Zeit
nur Jungs gerufen, dabei seid ihr ja auch da. Mädels! Ich hätte eigentlich so abwechselnd rufen müssen. Jungs! Mädels!
Jungs! Mädels! Aber das hätte ja jemand hören können. Die
denken, dass ihr hier seid. Seid ihr ja auch. Tja. Dann solltet
ihr schnell nicht mehr hier sein.»

«Wohin sollen wir denn?», fragte ich.

«Wir müssen sie doch gar nicht reinlassen. Das ist Haus-
friedensbruch.» Bea humpelte zum Fenster, zog die Gardine
zu.

«Dann wissen sie erst recht, dass ihr hier seid», sagte Jurek. «Dann kommen die anderen. Alle! Die belagern euch
hier. Das sind Geschichtenvampire, die saugen euch aus.»

Matheo begann, unsere Sachen unter die Spüle zu stopfen. Und schnell den hässlichen Vorhang wieder davor.

Jurek hatte sich auf den Bauch geworfen und schaute unter das Sofa.

«Das geht leider nicht», lachte Hans. «Was glaubst du, wie oft ich versucht habe, unter das Sofa zu kriechen. Tausende Male. Man bekommt nur die Beine drunter, aber dann sind die schon mal sicher.»

«Was sollen wir jetzt machen?», frage Jurek, immer noch auf dem Bauch liegend. «Hans! Irgendeine Idee?»

«Du fragst nicht wirklich den da, oder?», lachte Bea. «Der schlägt vor, dass wir uns unsichtbar machen sollen.»

«Ja, krass, gute Idee!», sagte Hans.

Draußen wurde ein lautes «Hallo?» in den Garten gefragt. «Ist da wer?», wurde gerufen.

«Du raus!», zeigte Matheo auf Ole. «Denk dir was aus!» Er machte hinter ihm die Tür zu. «Fuck!», sagte er in seine Hände.

«Geht doch einfach in den Getränkekeller. Das wäre das Einfachste», schlug Hans vor.

«Getränkekeller? Wo?», sagten Jurek und ich gleichzeitig.

«Hier!» Hans trampelte auf den zerlatschten Perser. «Drunter! Ich war nie unten. Da ist es mir zu dunkel. So ohne Licht.»

Matheo stand mit geballten Fäusten vor Hans. «Warum sagst du das nicht gleich?»

«Ich hab doch Löcher im Gehirn, so groß wie Eier.» Er zuckte die Achseln. «Das weißt du doch. Mein Kopf segelt doch ohne Segel. Ich bin gerade mal so klug wie eine Katze.»

Wir hatten begonnen, den Tisch wegzuräumen. Hans redete weiter über seinen Kopf. Unkonzentriert wie zwei Guppys, dumm wie ein Sack Linsen, die gelben, nicht die braunen, und dann begann er, seinen Horrortrip von den Linsen zu erzählen.

Da war tatsächlich eine Falltür. Matheo klappte den Griff aus der Mulde. Zog. Sah uns an. Wir zogen mit.

«Komm, Bea, hilf doch mal!», fauchte ich.

«Ich geh da nicht runter.»

«Bea, bitte … Die bringen uns zum Heulen, und das zeigen sie dann weltweit. Ich wäre für immer das heulende Mädchen in der Gartenlaube. Ich wäre es im Jahresrückblick, im Jahrzehntrückblick, sogar noch im Jahrhundertrückblick.»

Draußen sagte Ole: «Na, klar können sie auch in der Laube filmen. Moment, ich muss natürlich gucken, ob meine Kumpels Höschen anhaben.»

Plötzlich hatte ich dreimal so viel Kraft, und Bea packte doch mit an. Die schwere Holzklappe bewegte sich. Ein Piratengeruch stieg aus dem Verlies. Eine Holzstiege führte runter ins Dunkelschwarze.

«Ich klopf erst mal», sagte Ole und klopfte.

Mit Lichtgeschwindigkeit war ich halb die Stiege runter. Rein in die kalte Luft. Jurek gab mir sein Smartphone.

«Ist doch eh kein Empfang da unten.»

«Wegen Licht.»

Ich umkrallte es ganz fest, damit es mir nicht aus den zittrigen Händen fiel.

Ich nahm das Licht und ging ins Dunkle.

Ich musste die Stiege ganz hinunter, weil Bea hinter mir kam. Ich leuchtete hin und her. Enge, glatte graue Wände, unter der Stiege ein staubiger Bierkasten aus Holz. Darauf der verblichene Schriftzug HELL. Ich setzte mich auf den Kasten. Die Klappe über uns schloss sich. Jetzt waren wir und das bisschen Licht hier allein.

Oben wurde der Teppich über uns gerollt, der Tisch über uns gestellt.

Aus Bea kam ein Ächzen.

Ich leuchtete zu ihr. Sie saß auf der Stiege. Ganz blass, oder das war nur das Smartphonelicht. Sie hatte die Augen geschlossen und atmete laut. Ich hoffte, dass man es oben nicht hören konnte. Da war eine schwere Klappe und ein dicker Teppich zwischen uns und denen.

«Alles klar!», sagte Jurek oben. Dumpf, aber gut zu hören. Da wir ihre Stimmen hörten, würden sie unsere also auch hören.

Dann Schritte, die in alle Ecken liefen. Das waren drei oder vier Leute. Schritte mit Stimmen, «Hallo, ich bin der Stephan, der Aufnahmeleiter, das ist Lea, das ist der Kameramann, der Tonmann». Alle gingen über uns hinweg. Dann blieben sie stehen.

Der Boden war kalt und meine Füße nackt. Ich blieb still sitzen, damit der Bierkasten nicht knackte.

Beas Atem war ein eingesperrtes Tier in einer Kiste.

Oben sagte ein Mann: «Es gibt hier Leute in der Kleingartenanlage, die glauben, die beiden letzten Mädchen gesehen zu haben. Wir gehen solchen Hinweisen im Moment nach und basteln dann einen kurzen Beitrag zusammen. So eine Art Detektivspielchen. Wir waren schon an den verrücktesten Orten und haben die Mädchen dort gesucht. Gestern sogar in der Kanalisation. Das ist eher ein Gag, also keine Angst, wir glauben nicht, dass ihr hier wirklich die zwei Vermissten versteckt oder eingesperrt habt oder so was.» Er räusperte sich. «Wenn das okay ist, würde wir euch gern ein paar Fragen stellen und filmen. Ja? Ist das okay? Sie vielleicht? Immerhin ist das ja Ihre Laube?»

«Ja, vielleicht», sagte Hans. «... also ein paar Fragen, hundert oder so ... Warum nicht?»

Bea schüttelte ihren Kopf und legte ihn auf ihren Knien ab. Wenn sie Hans fragten, dann könnten wir gleich von unten gegen die Klappe klopfen. Das gäbe ein großes Hallo. Mädchen aus dem Untergrund. Egal, wie tapfer Hans versuchte, nicht zu verraten, dass wir hier unten hockten, er würde es nicht schaffen.

«Okay, eigentlich könnte ich auch das Interview geben ...», sagte Matheo oben, «also, ich könnte doch ...»

«Ja, also, ich würde auch ...», bot sich Ole an.

Beas Atem wurde ruhiger.

«Wie ihr wollt!», sagte die Männerstimme. «Lea, machst du dich bitte fertig. Henrik, wir nehmen den Ton so, oder?»

Henrik, der Tonmann, wollte erst einmal die Atmo aufnehmen, sonst würde man es wieder vergessen. Er sprach wie jemand, der selten sprach. Das Schnaufen von Hans sei zu hören, stotterte er. «Könnten Sie eventuell stillsitzen? Ich glaube, ich kann sogar Ihr Herz hören.»

«Ich gehe am besten raus», sagte Hans. «Ich gehe am besten ... Am besten gehe ich weit weg, sonst fange ich noch an, mit mir selbst zu reden. Der Tonmann hört alles. Er hört sogar mein Herz. Bestimmt hört er auch meine Gedanken. Ich gehe am besten nach Hause. Jungs! Jungs! Und alle anderen! Laube! Tschüs für alle und für immer!»

«Ist gut», sagte Jurek. «Mach's nicht so dramatisch. Ich bring dich noch ein Stück. Komm!»

Dann wurde es still. Ich nehme an, der Tonmann nahm die Atmo auf. Eine Abkürzung für Atmosphäre sicherlich. Die Kante des Bierkastens begann, sich in meine Haut zu drücken. Ich versuchte, mein Gewicht zu verlagern. Das brachte kurz eine Verbesserung, dann drückte sich das Holz in eine andere Stelle meines Beines. Wie lange konnte das alles noch dauern? Zehn Minuten, zwanzig?

In dem Moment kippelte der Bierkasten unter mir kurz. Es war nur ein Klickklack. Nur ein Gedanke, der aber immer wieder: Das war's, das war's, das war's. Meine Hände waren zu meinem Mund geflogen, um den Schreck dort einzusperren.

Bea atmete wieder schneller. Dann fasste sie im Dunkeln nach mir. Ich gab ihr meine Hand. Sie hielt sie fest. Wir waren gleich kalt.

Der Tonmann oben sagte: «Da war ein Geräusch am Ende.»

Schlimmer konnte es eigentlich nicht werden.

Dachte ich.

Henrik, der Tonmann stotterte: «Aber ich hab eine Minute Atmo. Wir können drehen.»

Ich beruhigte mich ganz langsam. Herzen haben einen langen Bremsweg. Beas und meine Hand blieben trotzdem beieinander.

Oben begann die Reporterin mit «Hallo und guten Tag!». Bestimmt sagte sie am Ende auch «Tschüs und auf Wiedersehen».

«Wir vom Mittagsmagazin haben heute einen Hinweis bekommen, wo sich die beiden Mädchen Rabea Adler und Charlotte Nowak aufhalten. Nicht nur ein Augenzeuge, nein, zwei Augenzeugen glauben, die betreffenden Personen hier in dieser Kleingartenanlage bei Milchfelsen gesehen zu haben. Wir sind jetzt vor Ort. Hier haben wir zwei Jungen getroffen. Das sind Ole und Matheo. Hallo!»

«Hallo!», sagten die beiden.

«Auf eurem Grundstück sind die beiden Mädchen gesehen worden. Zusammen mit euch. Was sagt ihr dazu?»

«Das stimmt nicht», knarzte Matheos Stimme. Ich hoffe, er kratzte sich nicht noch an der Nase und hielt die Finger hinterm Rücken gekreuzt. So, dass es der Tonmann sehen konnte.

Gott sei Dank ergriff Ole das Wort: «Niemand ist trauriger als ich darüber, dass es hier keine Mädchen gibt. Leider. Wir hätten uns gefreut.»

«Wie findet ihr denn die beiden? Die Charlotte und die Bea? Was denkt ihr über die?»

«Was denken wir über die?», wiederholte Matheo.

Ole war schneller. «Wir finden die ganz cool. Und wir hoffen, dass es ihnen gutgeht. Sie sind ja immer noch weg, ganz ohne ein Lebenszeichen. Ja, wir hoffen wirklich, dass es ihnen gutgeht.»

In dem Moment ging es mir nicht so gut. Ich wollte raus aus dieser Gruft. Ich fühlte meine Füße kaum noch. Nur ein leichtes Kribbeln. Im Smartphonelicht sah ich, dass das leichte Kribbeln durch einen langen Wurm verursacht wurde. Mit seinen tausend Beinen versuchte er, meinen Fuß zu überwinden.

«Hoffentlich ist bald alles vorbei», sagte Matheo. «Die haben ja in den letzten Wochen genug durchgemacht.»

«Was meinst du damit genau?», fragte die Reporterin, beruflich neugierig und bemüht, noch irgendetwas Brauchbares aus diesem Gespräch rauszuholen.

«Was meine ich damit?», fragte Matheo. «Na ja, alles so von Anfang an. Diese komische Inken, das Camp, dann waren ihre Rucksäcke weg, und sie wurden ins Bedürfnishaus gesperrt …»

«Bedürfnishaus?», fragte die Reporterin.

«Das Waschhaus», sagte er.

«Ja, da hast du recht. Die Mädchen haben viel erlebt und ...» Blablabla redete sie. Dann bedankte sie sich und wünschte den beiden noch schöne Tage bis zum Ende der Ferien.

Der Wurm hatte meinen Fuß bezwungen und war nun wieder auf dem Abstieg.

Oben wurde zusammengepackt. Der Kameramann wollte noch Schnittbilder aus der Laube. Der Tonmann stotterte, dass ihm mal jemand helfen solle mit dem Koffer. Rucksäcke, dachte ich, Rucksäcke weg. Die Rucksäcke waren am ersten Morgen weg. Wir hatten nie rausbekommen, wer das war. Warum wusste Matheo das? Das war eine Kleinigkeit, die vielleicht Mimiko der Polizei erzählt hatte. Aber Mimiko war doch am Morgen schon weg gewesen.

Bea drückte meine Hand, als wolle sie mir etwas sagen. Ich drückte zurück. Ihre Hand war jetzt wärmer als meine.

Oben liefen die Schritte Richtung Laubentür, blieben dort aber stehen. Der Aufnahmeleiter erkundigte sich nach den anderen Leuten in der Kleingartenanlage.

«Wir kennen hier niemand», sagte Matheo.

Vielleicht hatte der Aufnahmeleiter ein verständnisloses Gesicht gemacht. Wieso kannten sie hier niemanden? Das war in einer Kleingartenanlage fast ausgeschlossen.

«Wo kommt ihr denn her?», fragte die Reporterin. «Wenn ich fragen darf. Ich darf doch fragen?», fragte sie.

Niemand musste lange überlegen, wo er herkam, außer er hatte etwas zu verbergen. Bea drückte meine Hand.

«Eher nördlich», sagte Ole.

«Ach, von der Küste?», fragte sie.

«Nee, so weit nördlich auch nicht.» Ole lachte.

Bea drückte meine Hand noch stärker.

«Na, dann genießt das schöne Erzgebirge, solange ihr noch hier seid», sagte der Aufnahmeleiter.

Ich traute mich nicht, etwas zu sagen, und fürchtete mich vor dem, was Bea als Erstes sagen würde.

Vorsichtig bewegte ich Beine und Füße.

Bea hatte meine Hand losgelassen und knackte mit den Fingern. Wie viel Zeit würden die Jungs verstreichen lassen, bis sie Tisch und Teppich wegräumten? Das Filmteam wollte ja noch ein wenig in der Kleingartenanlage drehen. Vielleicht gingen sie nebenan zur Laube der Winselmutter, und dann sahen sie, dass die Tür dort offen war, und dann gingen sie hinein und nahmen Bücher aus dem Regal, und aus einem fiel ein Zettel heraus.

Der Bruder im Tunnel bei Milchfelsen

Ich begann zu zählen.

Bei zehn flüsterte Bea: «Ich habe ein paar unangenehme Fragen für die Pfeifen.»

Ich zählte weiter. Bei neununddreißig kam Jurek in die Laube. Er verkündete, dass das Fernsehteam jetzt vorne auf dem Parkplatz drehte.

«Aber nicht mit Hans, oder?»

«Nein, Hans ist nach Hause gefahren. Wie lief das Interview?»

Oben blieb es still. Ole oder Jurek gaben wohl eine Mimikantwort. Es blieb lange still. Schrieben die sich Zettel?

Bei vierundsiebzig wurde ich wütend. Ließen sie uns mit Absicht ein bisschen länger hier unten, um sich abzusprechen?

Bea stand auf und begann, gegen die Klappe zu donnern. «Ich hab Klaustrophobie, ey!» Als nichts passierte, rief sie noch lauter: «EY!»

Was war da los? Die waren doch nicht weggegangen?

«Lasst uns sofort raus!», schrie Bea.

Wenn der Tonmann jetzt gerade in der Nähe eine Atmo aufnahm, dann musste er das gehört haben. Ganz leise würde Beas Stimme in sein Richtmikrophon rufen, und er würde es über seine großen Kopfhörer hören.

«Bea! Nein!», sagte ich. «Wenn das jemand hört!»

«Ich brüll doch nicht, damit es keiner hört.» Sie stand ganz oben auf der Stiege, holte mit dem Oberkörper aus und warf sich gegen die Klappe.

Oben blieb es still. Nicht mal Schritte.

In dem Moment fing ich mir die Panik ein, als ob sie wie ein Virus herumgeschwirrt war, der durch Brüllen übertragen wird. Ich war mir sicher, dass die Jungs uns allein gelassen hatten, dass wir hier unten gefangen waren, verrecken würden, dass ich erst meine Beine essen müsste, dann meinen linken Arm. Hatte ich mein Messer bei mir?

Ich drängelte mich neben Bea und warf mich gegen die Klappe. Vielleicht wenn wir zusammen drückten … Beas Panik wurde größer durch meine, und meine wieder größer durch ihre. Wir brüllten und hämmerten und drückten gegen die Klappe.

Jetzt war ich mir auch sicher, dass die Jungs Pfeifen waren. Bea war bei ganz anderen Schimpfwörtern angelangt.

Endlich tat sich oben was. Rumpeln und Schritte. Bestimmt der Tisch. Der Teppich, der die Geräusche gedämpft hatte, wurde eingerollt.

Ich hatte nach der großen Angst plötzlich die kleine

Angst, dass die Falschen die Klappe öffnen könnten. Fernsehen. Polizei. Hatten wir echt so brüllen müssen?

Als das Licht hereinkam, kniff ich die Augen zusammen. Als ich mich zurechtgeblinzelt hatte, verstand ich nicht gleich, was ich sah. War Bea gestürzt?

Sie lag auf jemandem drauf.

War was mit ihrem Knie? Wieso zuckten ihre Arme, wenn was mit ihrem Knie war? Sie holte immer wieder aus.

Ich hörte die Jungs rufen.

Ich sah die Jungs auf Bea zustürzen.

Sie packten sie fest an ihren Armen und zogen sie zum Sofa.

Matheo lag seitlich eingerollt auf dem Boden. Als er die Hände vom Gesicht nahm, sah ich, dass er aus der Nase blutete.

Sie hatte ihn geschlagen.

Die Jungs hatten Mühe, Bea festzuhalten.

Der Erste, der etwas sagte, war Matheo. Er lag immer noch auf dem Boden. Direkt vor der offenen Klappe. Das Blut lief ihm aus der Nase, links und rechts auf den Boden. Ein Schnurrbart aus Blut: «Okay, das war verdient.» Er setzte sich auf und verwischte den Schnurrbart mit der linken Hand. «Ich hatte so ein schlechtes Gewissen, aber jetzt geht es mir besser», dann grinste er zum Sofa, wo drei Kämpfer saßen. Bea gerupft und zerzaust. Ole, das T-Shirt am Kragen gerissen. Jureks Brille war weg.

Matheo lachte. «Ich hab gedacht, ihr kriegt es nicht raus, aber jetzt geht es mir echt besser. Ist besser so!»

Bea knurrte. «Ich hab das nicht gemacht, damit es dir bessergeht.»

«Nee, damit es dir bessergeht.»

«Hör auf zu lachen, oder ich drück dir deine Nase hinten

raus. Wann wolltet ihr uns das sagen? Hä? Wann? Ihr wolltet es uns gar nicht sagen. So sieht's aus. Ihr wolltet einfach heute wegfahren.»

Ich stand immer noch da, als würde ich nicht dazugehören. «Was ist eigentlich los?», fragte ich.

«Ach, du weißt gar nicht …? Das ist ja krass, dass Bea es rausbekommen hat, obwohl du die Superdetektivin bist.» Matheo lachte wieder. Was war denn so lustig? Stand er unter Schock?

«Misstrauen hat schärfere Ohren», sagte Bea. «Charly ist viel zu naiv. Die hat es nicht gehört oder hat nicht verstanden, was sie da gehört hat.»

Obwohl meine Füße immer noch kalt waren, war mein Kopf heiß. Die Menschen hier im Raum wussten alle mehr als ich. Ich hasste das. Wenn alle lachen, und du kapierst den Witz nicht. Wenn sie dann sagen, dass Kinder keine Ironie verstehen.

«Was hab ich denn gehört oder nicht gehört?», fragte ich.

Meine Hände hielt ich wie zwei Schalen vor mich. Los, füllt da was rein, Antworten.

M atheo wischte mit der Hand das Blut unter seiner Nase ab und die Hand an der Hose. Er setzte sich auf den Tisch, gegenüber vom Sofa. Inzwischen hatten Ole und Jurek Bea losgelassen. Matheo sah mich an, zeigte neben sich auf den Tisch, und genau da setzte ich mich hin.

«Okay, ich schlag vor, dass ich mal der Reihe nach erzähle», sagte er.

Der Reihe nach war es so, dass sie geboren wurden als Matheo Streiter, Ole Finger und Jurek Meinold. Seit der

Grundschule waren sie befreundet, erst Matheo mit Ole, dann Ole mit Jurek, dann Jurek mit Matheo, dann alle mit allen. Sie waren anders als die anderen Jungs. Der Förstersohn, der Küstersohn und der Biobauernsohn. Sie spielten Abenteuerspiele ohne Computer. Echte Abenteuer. Sie waren voller Sehnsucht nach irgendwann und irgendwohin. Wäre einer von ihnen allein gewesen, in dieser Kleinstadt, in dieser Schule, dann wäre er der Außenseiter gewesen und hemmungslos verdroschen worden. Aber sie waren zu dritt. Sie trafen sich in den Baracken des alten Pionierferienlagers in der Nähe von Dürfen, wo sie alle drei herkamen.

Dürfen, dachte ich. Dürfen, der Imkereieimer. Dieser gelbe Eimer. Die Erinnerung nahm mich an beiden Schultern und drehte mich um, damit ich besser hinter mich sehen konnte.

Als sie jünger waren, erzählte Matheo, hatten sie in den Baracken mal einen gruseligen Film gedreht. Über den «Orden der Gemein Niederdracht», mit Absicht falsch geschrieben, weil es mittelalterlich klingen sollte. Darum die Blutschriften. Das Blut war vom Förster, dem Vater von Ole. In dem Film ging es um eine Bruderschaft von Typen, die durch das viele Sündigen ihre Seelen verloren hatten. Sie raubten darum Kaninchen ihre Seelen.

«Musst du doch nicht so genau erzählen», sagte Jurek.

Als sie älter waren, trafen sie sich in den Baracken und heckten Pläne aus. Nach Norwegen ziehen und Elche züchten. Ein Segelschiff bauen. Die Welt in jede Richtung einmal umrunden, mit Zwieback und festem Schuhwerk.

Mitte Mai, als die Jungs auf dem Dach der Küchenbaracke lagen, um der Sonne zu zeigen, wie blasse Haut aussieht, kamen die komische Frau und der komische Mann. Die hatten einen roten Plastikwäschekorb dabei. Darin waren verschiedene Schlösser. Vorhängeschlösser, Kastenschlösser, Schlosszylinder, Fahrradschlösser, Metallketten, rostige und glänzende. Hier wäre früher die Essensausgabe gewesen, sagte die Frau vor der Baracke, auf der sich die drei Jungs an das warme Dach drückten. Herr und Frau Komisch setzten den Wäschekorb ab und schauten in die Baracke, lachten über die verblichene alte Blutschrift und vermuteten, dass die Dorfkinder das gemacht hätten. Die armen arbeitslosen Kiddies von hier, sagten sie. Sie fummelten unten an der Tür und redeten über ein Camp. In zwei Monaten würde es losgehen. Bis dahin müsse man noch die Schrift auf den Bus pinseln und und und. Zwei Monate?, fragte der Mann. Na ja, neun Wochen sagte die Frau. Dann klapperten sie mit dem Wäschekorb weiter.

Die Jungs lagen so lange bewegungslos auf dem Dach, dass sie sich die Rückseiten verbrannten. Sie wussten gar nicht, was schlimmer war: der Heimweg mit Sonnenbrand in den Kniekehlen oder dass Fremde in ihrem Revier Schlösser angebracht hatten. Dieser Ort war ihre Kindheit, und an dem Ort Kindheit sind die Türen offen, und keine Erwachsenen durften sie verschließen.

Als sich die sonnenverbrannte Haut abpellte, war ihr Plan längst gefasst. Man würde diese Leute vertreiben. Mit allen Mitteln. «Ich wiederhole», wiederholte Matheo, «mit allen Mitteln.»

Die Jungs verschafften sich Zutritt zu den abgeschlossenen Baracken, indem sie eine der Pressplatten eintraten, aus denen die Wände bestanden. Dann entfernten sie von innen die Türklinken. Die zertretene Pressplatte wurde repariert und die Spuren beseitigt. Sie hofften, dass sich Herr und Frau Komisch selbst in einer der Baracken einsperren würden. «Bei der Küchenbaracke und im Waschhaus haben wir auch die Klinken abgezogen», gab Matheo zu.

«Bedürfnishaus», sagte Bea scharf.

Und da wusste ich, was ich gehört, aber nicht gehört hatte. Bedürfnishaus, dieses Scheißwort, das hat nur Inken am Anfang zu uns gesagt. Im Interview hatte sie es nicht gesagt, oder? Es gab nur das eine Interview mit ihr, und das hatten wir alle zusammen angesehen. Dann hätte die Reporterin, die eben in der Laube gewesen war, das Wort auch gekannt, aber sie hatte nachgefragt, als Matheo es benutzte. Darum hatte sich Bea auch auf ihn gestürzt und nicht auf einen der anderen Jungs.

Ich war aus Lavagestein. Überall gingen mir die Worte rein, in den ganzen Leib, und ich hatte Angst, dass ich porös wurde und etwas von mir abbrechen könnte. Jurek sah mich an, und ich weg. Er hatte das alles vor mir geheim gehalten. Kein Wort hatte er gesagt. Er hatte es nicht mal versucht. Keine Andeutung. Ich wurde wütend, weil das so weh tat.

«Außerdem haben wir Rohre in die Bäume gebunden», ergänzte Ole. «Die haben diese Geräusche gemacht. Und wir haben ein bisschen Schlachterabfälle in den Büschen versteckt. Das hat so gerochen.»

«Gestunken hat es», knurrte Bea.

Jurek sah mich kurz an und dann lange weg. Mit dünner Stimme erklärte er: «Deshalb hat Inken auch die Katzen begraben. Weil sie dachte, dass die so stinken.» Er machte eine Pause, und dann erzählte er, dass Inken und Bruno drei Tage bevor das Camp losging, noch einmal da gewesen waren, um Material zu bringen. Baumaterial, Planen, Zeug eben. Auch Essen und Batterien für die Taschenlampen.

So unorganisiert waren Inken und Bruno also gar nicht gewesen.

«Bruno und Inken», fuhr Jurek fort, «haben sogar ein bisschen aufgeräumt. In den Baracken gefegt. Und währenddessen haben sie festgestellt, dass es stinkt. Sie haben gestritten. Ob das die Katzen sind oder nicht. Du musst die beerdigen. Nein, doch, nein. Ich habe nicht mitbekommen, wie es ausging. Ich musste dann weg. Ich wusste nicht, dass sie die Katzen so nah an der Wasserstelle begraben haben.»

«Wir wussten das auch nicht», sagte Ole.

Bea schüttelte langsam den Kopf.

Ich tat gar nichts. Ich war so wütend, so ratlos und sehr, sehr, sehr wütend.

Matheo übernahm wieder das Wort: «Einer von uns war ab da immer auf dem Gelände. Als der Bus ankam, schrieb ich sofort eine Nachricht: Es geht los.» Er erzählte von unserer Ankunft nachts. Acht Mädchen, zwei Erwachsene. Nieselregen.

Stimmt, da hat es genieselt, dachte ich. Und ich betrat die Erinnerung an diese Nacht durch einen blassen Vorhang aus kleinen Tropfen. Da standen diese ganzen Mädchen in der Dunkelheit. Eine davon war ich gewesen. Es hätte einfach ein spannendes Feriencamp werden können, wenn nicht drei blöde Jungs in den Baracken die Türklinken abgezogen hätten. Wenn nicht drei total bescheuerte Jungs für widerlichen Gestank und gruselige Geräusche gesorgt hätten. Wenn nicht drei richtige Vollidioten Baumaterial für das Camp verbrannt hätten, weshalb Bruno mitten in der Nacht losfahren musste, damit am nächsten Tag neues Material da wäre. Und als diese drei Hirnis bemerkten, dass ihre Fallen zugeschnappt waren, da freuten sie sich. Und dann fiel ihnen ein, dass die komische Frau sich gruseln sollte, und sie warfen mit Steinen nach ihr. Sie gruselte sich dann auch und rannte weg. In den Wald hinein. Ole rannte hinterher, damit ihr nichts passierte. Wenn man hinter jemand hinterherrennt, der wegrennt, dann bringt das den Rennenden meist nur dazu, noch mehr zu rennen. Sie hatte wirklich Angst gehabt.

Matheo räusperte sich: «Außerdem haben wir den Wasserhahn aufgedreht und dann mit einem Stein draufgedroschen, dass man das Wasser nicht mehr abstellen kann. Dann haben wir euer Gepäck versteckt und das Blut in die Küchenbaracke gekippt. Wir wussten, dass ihr es da finden würdet. Am nächsten Morgen. Das Blut hatte Ole von zu Hause. Da sollte Blutwurst draus gemacht werden. Seine Mutter hat ganz schön geflucht, als das weg war.»

Bea atmete scharf ein. Sie glich einem Raubtier ohne natürliche Feinde. «Erzähl lieber, was am nächsten Tag war. Stichwort Bedürfnishaus. Katzen. Und so weiter.»

Die Jungs drucksten herum. Wenn jemand versucht, sich an der Wahrheit vorbeizudrücken, sieht man manchmal erst an seinen Verrenkungen, wie groß die Wahrheit ist. Jurek versuchte nicht mal mehr, mich anzusehen. Ole wirkte nicht mehr wie ein guter Schauspieler. Alles, was er darstellen konnte, war ein schlechtes Gewissen. Matheo erzählte weiter, reihte eines seiner langsam und deutlich ausgesprochenen Wörter an das andere und perlte so eine Geschichte auf, an deren Ende zwei Fassungen aufeinandertreffen würden: das, was ich und die Mädchen erlebt hatten, und das, was er und die Jungs erlebt hatten.

Am nächsten Abend waren sie ins Camp gefahren und waren davon ausgegangen, dass sich alles erledigt hatte. Sie waren überrascht, dass wir noch da waren. Man müsste also schwerere Geschütze auffahren. Die wichtigste Frage war, ob sie die Mädchen oder lieber die Frau vertreiben wollten. Die Frau war wiedergekommen. Von den Mädchen war immerhin schon eins abgereist. Also setzten sie auf die Mädchen. Abends ergab sich eine Gelegenheit. Es erledigte sich fast von selbst.

«Wir sind ins Waschhaus gegangen, und der Wind hat die Tür zugeworfen, oder was?» Bea schlitzte die Augen.

«Ja, nein», sagte Matheo, und die beiden anderen Jungs nickten und schüttelten den Kopf dazu. «Wir haben schon die Tür hinter euch zugemacht. Dann haben wir von außen an den Hähnen gedreht. Wir wussten, dass die Duschen funktionieren, aber wir wussten nicht, dass alle Duschen an waren. Wir wollten euch nur einen kleinen Schreck einjagen. Wir haben ja außerdem gedacht, dass Inken nach euch sehen wird. Oder das andere Mädchen. Aber die kamen nicht. Die kamen einfach nicht.»

Ich konnte alle Gedanken knistern hören. Außerdem einen Rasenmäher, einen Hund und ein Auto, dass irgendwohin fuhr.

Das durfte alles nicht wahr sein. Ich hatte diesen Jungs vertraut? Ich hatte einen davon geküsst? Mehrmals!

«Die Idee mit dem Wasser …», sagte Matheo. «Die war nicht so gut.» Dadurch hätte sich alles falsch entwickelt. Wie Chemie, sagte er. Ängstliche Mädchen in einem abgeschlossenen Gefäß, das sich mit Wasser füllt. Eine Frau, vielleicht eine Verrückte, die erfuhr, dass dort, wo sie Katzen vergraben hatte, eine Pfütze ist. Inken sei in die Pfütze gestürzt und hätte dort herumgewühlt und dann diese Kadaver rausgezogen. «In dem Moment seid ihr mit der Bank durch die Tür gerauscht. Bumm!», sagte Matheo, und seine Hände zeigten, wie eine Explosion sich ausbreitete.

Meine Gedanken rasten zu diesem Moment zurück. Dieser Nacht mit Halbmond. Der Anblick von Inken, die im Wasser steht und schimpft, weint und flucht.

Wenn eine von uns zu Inken gegangen wäre und sie gefragt hätte, was los ist ...

Wenn die Jungs aus dem Gebüsch gekommen wären ...

Wenn Bruno nicht weggefahren wäre ...

Ich sah auf meine Hand. Von dem Schnitt, den ich mir an der Bank geholt hatte, war nicht mehr übrig als ein dünner weißer Strich.

Überall in mir brachen Tunnel ein, sackten Schächte weg und knickten Bäume um. Ich wollte in den Wald rennen und wieder raus. Es gab keinen Ort, an dem ich sein wollte.

«Und woher habt ihr gewusst, wo wir dann hin sind?», fragte ich. «Wie habt ihr uns denn gefunden?»

Jureks Augen waren ganz dunkel, der Mund nicht schön. Ich wollte ihn nicht berühren, und die Berührungen, die er von mir bekommen hatte, die wollte ich zurück. Er sprach lieber zum Tisch als zu mir oder Bea. «Wir haben gehört, dass ihr zum Bahnhof wollt, und dann haben wir gewartet, bis ihr im Wald wart, dann haben wir Inken geholfen. Wir haben ihr die Tabletten aus ihrem Rucksack gebracht. Dann sind wir mit den Fahrrädern zum Bahnhof. Wir haben uns angeschlichen, als ihr bei der Brombeerhecke wart, und da haben wir gehört, wie Anuschka von dem Tunnel erzählt hat, und dann sind wir nach Hause und haben unseren Eltern gesagt, dass wir ein paar Tage früher zur Kanutour loswollen. Wir haben gepackt, sind Richtung Erzgebirge aufgebrochen und haben das Schwipptal gesucht. Wir wollten euch unbedingt finden und uns entschuldigen. Eigentlich wollten wir euch kennenlernen.» Dabei sah er mich an, dass ich es kaum aushielt. «Wir hatten gehofft, dass wir bei euch mitmachen können.»

Bea schüttelte immerzu ihren Kopf.

Ich konnte nirgends hinsehen.

«Wir haben lange gesucht, aber dann haben wir euch gehört, als ihr durch den Wald gelaufen seid. Wir waren total überrascht, wie ihr so schnell gewesen sein konntet und wo ihr die Hunde herhattet. Ab da waren wir immer in eurer Nähe.»

Bea stand auf und lief auf und ab. Sie murmelte Schimpfwörter.

Jetzt begann ich mit dem Kopfschütteln. Ich sagte: «Die Brötchen, die Jacke, das Hundefutter ...» Und ich dachte: das Rascheln, das Knacken, das Pfeifen.

Sie nickten dreimal.

Wenn ich mir vorstellte, dass sie da immer irgendwo gehockt haben, da kroch mir die Scham hoch. Die hatten uns beglotzt und belauscht, beim Streiten und Schlafen und Arbeiten und Lachen und Pullern. Ich versuchte, mich an alle Tage und Stunden zu erinnern, an jede Minute. Was davon hatten sie mitbekommen? Dieses Abenteuer gehörte nicht mehr nur mir und den Mädchen. Sie hatten was gestohlen.

«Wann wolltet ihr uns das erzählen?», fragte ich.

Dreimal Schulterzucken. Vielleicht hätten sie einen Brief geschrieben, behauptete Ole. Wenn ein bisschen Zeit vergangen wäre. Sie wollten, dass wir ihnen vertrauen.

«Vertrauen? Für 'n Arsch!», zischte Bea. «Ihr habt uns in die Scheiße geritten.»

Matheo räusperte sich. «Ja, aber dann haben wir euch aus der Scheiße wieder rausgeritten. Wir haben Inken die Tabletten geholt ... Ohne uns ...»

«Ja, ohne euch ...», sagte Bea. Sie hob die Hand und ging raus.

Ich hatte die Wahl, es ihr nachzumachen oder nicht.

Ich entschied mich.

Im Geschichtsunterricht hatte ich manchmal versucht, mir vorzustellen, wie diese Schwarzweißmenschen gefühlt haben, in ihren schwarzweißen Hosen und den schwarzweißen Mänteln. Als der Krieg vorbei war und als die Verfolgten nicht mehr verfolgt wurden, als alles ein Ende hatte, da sind sie aus ihren Verstecken gekommen. So wie wir jetzt.

Ein blauer Himmel oben und alle anderen Farben unten. Der Sommer konnte noch. Die Früchte versuchten schon abzufallen, aber die Stiele waren noch festgewachsen.

Ich war nicht mit Bea mitgegangen. Wir waren beide gegangen. Beide ganz aus freien Stücken.

«Diese Knalltüten! Man sagt nicht: aus der Scheiße wieder rausgeritten», murmelte Bea.

Ich musste lachen. «Ich habe immer geahnt, dass du die Rechtschreibung bei der Schrift in der Baracke korrigiert hast, aber jetzt bin ich mir ziemlich sicher. Du hast so eine Korrekturmacke.»

Bea lachte auch: «Das heißt: relativ sicher.»

Die Straße war eher ein autobreiter Weg, nur deshalb eine Straße, weil oft genug Autos hier entlangfuhren. Der Staub, den wir aufwirbelten, legte sich schnell wieder. Wenn ich mich umdrehte, sah der Weg aus, als wäre hier niemand entlanggekommen.

Vor uns sah es aber auch so aus, wie es hinter uns aussah.

Meine Gedanken liefen voraus. Auch sie hinterließen keine Spuren, wirbelten nicht mal Staub auf. Und sie waren schnell. Ein Wunder, dass es keine Gedankenreisebüros gab.

Ich raste durch die letzten Wochen, das Grün, das Schwarz, das weiche Fell auf Kajteks Stirn.

Dann raste ich nach vorne: unserer Begrüßung in der Stadt entgegen. Schon war ich fast am Hotel Zum Schwarzbeergrund. Hoffentlich waren die Mädchen noch da.

Ich sah die Menschen da stehen. Sie winkten uns. Vielleicht würden fremde Stimmen unsere Namen rufen. Die würden ganz fremd davon klingen. Aber auch vertraute Stimmen würden unsere Namen rufen, und das würde auch fremd klingen. Vielleicht hielt uns jemand Zettel hin, auf die wir etwas schreiben sollten. Unsere Namen. Himmel, ich hatte noch gar keine richtige Unterschrift. Dann sähe mein Charlotte Nowak hier so und da so aus.

Mein Herz machte den Hammerschmied. Ich wusste nicht, ob man das aushalten kann, so viele Begrüßungen von so vielen Lebewesen. Und so viele Blicke auf so wenig Charlotte.

Mama. Heulend.

Papa. Heulend.

Und die Mädchen. Lachend.

Kajtek. Wedelnd.

Vielleicht war Kajtek wirklich da. Er würde vor lauter Freude schneller laufen, als er konnte. Ich konnte ja auch vieles, was ich nicht konnte, vorher nicht konnte. Ich überlegte, ob ich es aufzählen wollte, nur für mich, aber echt, es war zu viel.

Und Beas Vater würde da sein. Der Fernfahrer.

Bea schwieg. Jurek hatte mit Oles Smartphone eine SMS an sein eigenes Gerät geschickt. Es hatte gesummt in meiner Hose. Eine kleine SMS, in der etwas Großes stand. Ich brauchte sicherlich ein paar Tage, um zu wissen, was die richtige Antwort darauf war. Im Moment fielen mir nur

Vorwürfe ein und Schimpfwörter mit Tierarten und Körperteilen.

War Schuld denn wirklich ein nutzloses Konzept, wie der Großvater von Anuschka gesagt hatte?

Ich sah zum Himmel und dachte, dass er so hoch war, dass darunter für alles Platz war, was es gab.

Kurz vor der Stadt blieb Bea stehen. «Ich kann das nicht!», sagte sie.

Das war keine so große Überraschung für mich.

Wir umarmten uns. Alles an Bea war fest, und so wusste ich, dass ich mir keine Sorgen um sie machen musste.

Ich sah ihr hinterher, wie sie in den Wald ging.

Ich ging allein weiter.

Und als ich dachte, ich würde nicht mehr wachsen, da wuchs ich noch ein Stück.

© Paul Bokowski

Kirsten Fuchs wurde 1977 in Karl-Marx-Stadt (Chemnitz) geboren. 2003 gewann sie den renommierten Berliner Literaturwettbewerb Open Mike, seither hat sie einen festen Platz in der jüngeren deutschen Literatur. Sie ist in der Berliner Lesebühnen- und Slamszene bekannt und schreibt regelmäßig für *Das Magazin*.